GOBERNAR EL VIRREINATO DEL PERÚ, S. XVI-XVII
PRAXIS POLÍTICO-JURISDICCIONAL, REDES DE PODER Y USOS DE LA INFORMACIÓN OFICIAL

Colección Historia de América Latina

Este libro recibió evaluación académica y su publicación ha sido recomendada por reconocidos especialistas que asesoran a esta editorial en la selección de los materiales.

Germán Morong-Matthias Gloël

(Editores)

Gobernar el virreinato del Perú, s. XVI-XVII
Praxis político-jurisdiccional, redes de poder y usos de la información oficial

editorial Sindéresis

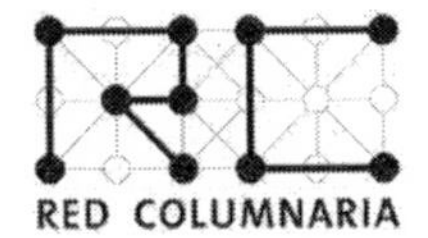

EDICIONES UC TEMUCO
VICERRECTORÍA DE EXTENSIÓN Y
RELACIONES INTERNACIONALES

“Gobernar el virreinato del Perú, s. XVI-XVII. Praxis político-jurisdiccional, redes de poder y usos de la información oficial”

GERMÁN MORONG - MATTHIAS GLOËL Editores

1ra. Edición

Editorial Sindéresis
Venancio Martín, 45 – 28038 Madrid, España
Rua Diogo Botelho, 1327 – 4169-004 Porto, Portugal
www.editorialsinderesis.com
UBO Ediciones
Centro de Estudios Históricos
Universidad Bernardo O’Higgins
General Gana 1702, Santiago-Chile

Depósito Legal: M-18421-2022
ISBN: 978-84-19199-29-4

Edición de: Óscar Alba Ramos

Imagen de portada: *Plaza Mayor de Lima, Cabeza de los Reinos del Perú*, 1680, óleo/tela, 109 x 168 cm. grabado anónimo. Museo de América en Madrid.

Diseño y producción: Editorial Sindéresis

Impreso en España 2022

Agradecimientos

La publicación de esta obra ha sido posible gracias al apoyo institucional de la Universidad Bernardo O'Higgins -a través de su Centro de Estudios Históricos y de UBO Ediciones- en colaboración estrecha con Editorial Sindéresis. Agradecemos, en primera instancia, al vicerrector de Vinculación con el Medio e Investigación de la UBO Jorge Van de Wyngard, quién entrego de forma entusiasta todo el apoyo institucional y financiero para que este libro viera la luz. Asimismo, a Manuel Lázaro, director de contenidos de Editorial Sindéresis (Salamanca-España), cuyo compromiso y generosidad editorial han permitido la edición y publicación final de Gobernar el virreinato del Perú. A Oscar Alba, director de Editorial Sindéresis, por su excelente y cuidado trabajo de edición. También a la Universidad Católica de Temuco, institución que patrocinó y se hizo parte de este proyecto. Del mismo modo, a la RED COLUMNARIA, "Nodo chileno" y "Nodo Representaciones y autorrepresentaciones del poder en las sociedades y los territorios de frontera", al contar con su patrocinio académico. También al comité científico que conforma esta obra, integrado por los doctores Darío Barriera (Universidad Nacional de Rosario, ISHIR, CONICET, Argentina), Marta Ortiz Canseco (Universidad Autónoma de Madrid, España), Ana María Presta (Conicet-Universidad de Buenos Aires, Instituto Ravignani, Argentina) y Charles Walker (Hemispheric Institute on the Americas, University of California-Davis, USA). Agradecemos su generosidad desinteresada en aceptar integrar el mentado comité. Finalmente, un agradecimiento especial a las y los autores que publican sus investigaciones aquí, quienes no dudaron en ser parte y comprometieron su tiempo en la redacción de cado uno de los capítulos que conforman este libro.

Este libro se enmarca en la ejecución de los proyectos FONDECYT Regular N° 1220626 y FONDECYT de Iniciación N° 11190354.

Índice

INTRODUCCIÓN

GERMÁN MORONG y MATTHIAS GLOËL.................................. 11-34

PARTE I

CONOCIMIENTOS, PRÁCTICAS GUBERNAMENTALES Y COMPRENSIÓN DE LOS ANDES

CONOCIMIENTOS IMPERIALES Y VERNÁCULOS: FRAGMENTOS PARA ESCRIBIR UNA HISTORIA DEL IMPERIO 37-68
Antonio Barrera-Osorio (Colgate University, USA)

LA NECESIDAD DE LA INFORMACIÓN EN EL GOBIERNO ECLESIÁSTICO DE LA MONARQUÍA. LA PARTICIPACIÓN DE LOS ARZOBISPOS DE LIMA EN LA TOMA DE DECISIONES (1541-1622).. 69-94
Flavia Tudini (Universitá di Torino, Italia)

"LO QUE CONVIENE A LA REPÚBLICA"; EL ORDEN DEL INCA, LA CONDICIÓN COLONIAL DE LOS INDIOS Y EL BUEN GOBIERNO VIRREINAL (PERÚ 1560-1570)...................................... 95-124
Germán Morong Reyes (CEH/Universidad Bernardo O'Higgins, Chile)

LA GENTE DETRÁS DEL LIBRO. LOS AYLLUS REALES EN LA *HISTORIA DE LOS INCAS* DE PEDRO SARMIENTO DE GAMBOA.. 125-155
Soledad González Díaz-Erick Figueroa Ortíz (CEH/Universidad Bernardo O'Higgins, Chile)

"QUE DE ESTO HAYA LIBRO O QUIPO" LAS ORDENANZAS DEL VIRREY DON FRANCISCO DE TOLEDO PARA LOS QUIPUCAMAYOS 157-185
Mónica Medelius (Pontificia Universidad Católica del Perú)

Parte II

La construcción del poder virreinal s. XVI

Pedro de Avendaño, un escribano en las entrañas del poder virreinal 189-219
Julio Ramírez Barrios (Universidad de Sevilla, España)

El virrey Toledo y su relación con el Reino de Chile 221-243
Matthias Gloël (Universidad Católica de Temuco, Chile)

La profesión legal en los Andes coloniales: Abogados y procuradores de causas en Lima y Potosí, 1538-1640.. 245-276
Renzo Honores (Instituto Internacional de Derecho y Sociedad, Perú)

Poder local, jurisdicción territorial y redes sociales: los corregidores de indios en Charcas (1565-1650) 277-304
Ariel Morrone (Universidad de Buenos Aires/Conicet, Argentina)

Los orígenes del corregidor del Cusco y el establecimiento de la soberanía del rey. Una perspectiva atlántica 305-331
Adolfo Polo y la Borda (Departamento de Historia y Geografía-Universidad de los Andes, Colombia)

Parte III

Poder y gobierno en el Perú del siglo XVII

Los obrajes del Conde de Lemos en el Perú. Una historia conectada de política cortesana entre España y el Perú (1607-1627).. 335-368
Luis Miguel Glave (Universidad Pablo Olavide, España)

El final del virreinato absoluto: Los virreyes del Perú en el sistema virreinal de la Casa de Austria 369-396
Manuel Rivero Rodríguez (Universidad Autónoma de Madrid, España)

Hacia la invención de una provincia en la Monarquía de los Austrias: el Tucumán durante las gestiones de Alonso de Vera y Julián de Cortázar................ 397-422
Guillermo Nieva Ocampo (Universidad Nacional de Salta/Conicet, Argentina) y Daniela Alejandra Carrasco (Universidad de Los Andes, Chile)

El ocaso del poder regio de los virreyes peruanos: Melchor de Liñán y Cisneros en la recomposición de la Real Audiencia de Lima (1678-1681)............................. 423-460
Juan Jiménez Castillo (Universidad Católica de Lovaina, Bélgica)

Prácticas del Poder en el Perú virreinal (siglo XVII): espacios, gestos y objetos como dispositivos del gobierno a la distancia.. 461-481
Patricio Zamora Navia (Universidad de Valparaíso, Chile)

Reseña de los y las autores (as) 483-488

Introducción

Germán Morong R.
Universidad Bernardo O'Higgins, Chile

Matthias Gloël
Universidad Católica de Temuco, Chile

El libro que el lector tiene en sus manos es producto de una serie de esfuerzos combinados y de un interés decidido por seguir discutiendo sobre los derroteros y complejidades específicas de los dos primeros siglos de instalación-ordenamiento del equipamiento político[1] hispano en el vasto y contrastante espacio peruano virreinal (s. XVI-XVII). Como su título lo indica, se trata de seguir vinculando tres ámbitos articuladores en el ejercicio pragmático del poder en Indias, la praxis político jurisdiccional, cuyos dispositivos locales de coerción estuvieron en manos de oficiales, clérigos, arzobispos, frailes, virreyes, escribanos, oidores, corregidores etc., las redes de poder surgidas al calor de las coyunturas locales y a merced de los intereses individuales de oficiales, encomenderos, corregidores, curacas y mercaderes, en distintas latitudes territoriales. Determinantes en las acomodaciones, ponderaciones y aplicaciones de la normatividad metropolitana, obligada a ajustarse a estas coyunturas de proximidad bajo la declaración formular "lo que conviene a la república" (Agüero 2008). Así también, y como tercer ámbito, el análisis a la necesidad axial de producir información *in situ* como consecuencia de un interés conectado a necesidades administrativas, judiciales y comerciales en espacios particulares de alta complejidad social, como lo fueron Lima, Cusco o La Plata durante el Antiguo Régimen. Con ello, la Co-

[1] La noción de "equipamiento político del territorio", propuesta por Darío Barriera, nos es pertinente aquí como categoría analítica (en virtud de las realidades locales de la instalación peninsular en los territorios bajo la jurisdicción virreinal): "el concepto de equipamiento político de un territorio designa al proceso que incluye acciones de diversos agentes y de distinto tipo –que tienden a conseguir un resultado orientado por esta voluntad de ordenamiento– y las expresiones simbólicas o físicas que este accionar va imprimiendo tanto en el terreno como en la concepción de su relación con las instituciones políticas" (Barriera, 2019: 221).

rona y sus oficiales ponían en circulación prácticas de conocimiento o saberes derivados de contextos administrativos locales y diversos, que tempranamente fueron performando una cultura del conocimiento empírico y su relación de legitimidad con prácticas de dominio y administración (Barrera-Osorio, 2006, 2009; Brendecke, 2012; Polo y la Borda, 2019; Bouza 2006). La emergencia de esta relación, así como la insistencia discursiva de "informar" puede ser documentada y rastreada en diversas tipologías documentales, en un arco temporal dilatado, como lo muestran investigaciones relativamente recientes (Brendecke, 2012). Esta circulación de informaciones sobre el "estado de la tierra", intentaron romper el llamado "factor distancia" como uno de los problemas gravitantes en la efectividad del dominio y en la comunicación entre las indias y la metrópoli (Gaudín, 2017; Gaudin y Ponce 2019; Barriera, 2013; Angeli, 2021).

La instalación civil y eclesiástica de los aparatos de administración peninsulares y su cercanía física con las sociedades indígenas y mestizas, devinieron en prácticas jurisdiccionales ajustadas por fuerza a la ponderación de casos en que el derecho podía aplicarse en comunión con el respeto a los fueros o costumbres locales (derecho foral). De hecho, a pesar de la diversidad temática de los trabajos aquí publicados, en su mayoría estudian aspectos claves para la historia de las prácticas políticas, jurídicas y eclesiásticas del Antiguo Régimen en el centro sur andino, desde perspectivas teórico-metodológicas devenidas mayormente de la casuística (Tau Anzoátegui, 1992) y que implican una contextualización necesaria del estado del arte disciplinar que vertebra los análisis acerca de las fuentes documentales auscultadas.

Esta práctica gubernamental, sobre un crisol de calidades identitarias próximas y de intereses disímiles, combinó y articuló saberes devenidos de la experiencia colonial y también del legado administrativo de una civilización como la incaica (Gibson, 1947; Lohmann, 1957; Mumford, 2012), cuyos dispositivos de coacción laboral-tributarios seguían aún funcionando a mediados del siglo XVI, y que algunos oficiales propusieron restituir a partir de 1540 dada su eficacia en el control atomizado de los individuos sujetos a imposición tributaria (Mumford, 2012; Morong, 2021)[2] y frente a la inexistencia de enlaces jerárquicos intermedios entre autoridades y vasallos (Lohman, 1957: 7-11). En este sentido, el amplio territorio jurisdiccional del virreinato presentó al oficial español diversas formas

[2] Como fue el caso de la organización decimal incaica, observada con asombro por los oficiales de la Corona, dada su eficiencia administrativa en el control de unidades políticas en escalas decrecientes (Julien, 1988).

de organización social, derroteros políticos en distintas escalas a lo largo y ancho de sierras, desiertos, valles y punas, lo que condujo de forma progresiva a "numerosos debates en torno al tipo más conveniente de organización política y sobre la adecuación de los universos normativos castellanos a las realidades que los coetáneos denominaban indianas" (Barriera, 2019: 220). Por ello –y como acierta Barriera (220)–, si bien es cierto que las formas en que se resolvió la construcción política de las nuevas repúblicas cristianas siguió un patrón general, en la praxis las diferencias regionales fueron evidentes.

Estos saberes implicaron la impresión fundada de sus redactores sobre temas gubernamentales directos, los conflictos y las tensiones en torno a la convivencia sociopolítica con las poblaciones indígenas, que por fuerza debieron convertirse en súbditos de la monarquía, negociando en posición subalterna sus prerrogativas y asumiendo las lógicas y prácticas jurídicas para ser reconocidos en un orden estamental constitutivo de calidades jurídicas diferenciadas. También las propias conflictividades en el ejercicio y el nombramiento de cargos regios que expresaban con meridiana nitidez los intereses individuales y de compadrazgo que se imponían sobre las prácticas de buen gobierno. Asimismo, el juego de poderes y atribuciones que tensionaron –desde el principio de la conquista del Perú– las relaciones entre el clero y los oficiales reales en virtud de jurisdicciones y potestades yuxtapuestas y prerrogativas específicas sobre los naturales, convertidos estos rápidamente por el discurso colonial en una categoría fiscal tributaria de relevancia.

Este libro explora los distintos derroteros que forzaron a sujetos y grupos sociales con intereses disímiles a convivir con dificultades triviales y necesidades inconmensurables. Sabemos que la instalación gubernamental en el Perú post conquista fue un proceso largo y azaroso (Stern, 1986; Merluzzi, 2014; Vargas Ugarte, 1966), permeado por una serie de factores desestabilizantes tendientes a poner en tela de juicio el control sobre las poblaciones y los recursos (Bakewell, 1989). La rápida instalación de encomenderos bregando por sus intereses señoriales (Zavala, 1978; Presta, 2014), la omisión a provisiones y cédulas reales por parte de oficiales y clérigos, la asimilación de las élites indígenas a un rápido proceso de mercantilización del tributo (Assadourian, 1982; Stern, 1986), además de la adopción de parte de estos a prácticas jurídicas para negociar sus intereses, generaron un espacio sociológico conflictivo, pero que sistemáticamente incubó en su interior las estructuras fundantes de un nuevo orden social, que en el espacio peruano virreinal albergó un crisol de identidades colectivas dinámicas. La proximidad de oficiales, escribanos, oidores, gobernadores, regidores, alcaldes, con un componente sociocultural que incluía a indios, mestizos, afrodescendientes en espacios locales, con relaciones de poder altamente coercitivas, permite vislumbrar apenas la complejidad del proceso colonial en un espacio clave para la economía imperial y de difícil control jurisdiccional. Asimismo, las relaciones conflictivas entre los propios agentes de la colonización en un régimen corporativo constitutivo de una pluralidad de formas jurídicas y de sujetos que podían decirla y aplicarla. Cabe recordar la pléyade de oficiales, licenciados y letrados que ocuparon magistraturas y oficios al interior de las distintas y extendidas unidades político-administrativas del virreinato.

En este sentido, y bajo una mirada historiográfica crítica, es que asumimos en esta compilación dejar atrás la posición que implica el clásico enfoque binario metrópoli española/colonias americanas, desde una lógica centralista y absolutista, unilateral y hegemónica. Los enfoques devenidos de la ius historiografía, de la historia crítica del derecho, de la historia de las instituciones políticas y de la etnohistoria, han implicado en las últimas décadas un sistemático esfuerzo por revisar y matizar, a través del uso de la casuística y la expurgación sistemática de corpus documentales alojados en diversos repositorios, la otrora naturaleza hegemónica de la monarquía hispana de los Habsburgo y el rol axial que desempeñaron los reinos y/o repúblicas, en tanto órganos corporativos, en las articulaciones del poder regio.

Las perspectivas mencionadas han revelado la naturaleza fragmentada y casi inestable del efectivo poder político que detentaban funcionarios y oficiales en la América virreinal del Antiguo Régimen (s. XVI-XVII). Tales prácticas gubernamentales implicaron tanto un ejercicio incierto como un poder contestado y negociado. Y, por supuesto, el despliegue de un rico campo medio de traducciones, de correas de transmisión, de agentes y corporaciones bisagras y de saberes prácticos de intermediación. El crisol complejo de actores jurídicamente desiguales, haciendo valer sus prerrogativas en esa desigualdad, conllevó a que el arte de gobernar fuera también una experticia en escuchar, en conocer a las gentes, en ser (o parecer) justo dándole a cada quien lo que se mereciese (considerando siempre que no todos y todas merecían lo mismo). Estos supuestos, consagrados en investigaciones recientes y no tan recientes, han vislumbrado los múltiples escenarios de gobernanza colonial en función de los estudios de caso (casuística) que implicaron, hasta cierto punto, el ponderar la eventual aplicabilidad de la normativa metropolitana en los confines territoriales de ambos virreinatos, adaptándolas astuta y creativamente a las diversas coyunturas experimentadas. Esta ponderación, sobre la experiencia *in situ* y la aguda observación de las "realidades locales", otorgó un sentido práctico a las labores cotidianas de gobierno, acrecidas para unos territorios como los americanos, que estaban provistos de unos aparatos de coacción sumamente precarios (Garriga, 2006). Estas labores expresaron también los márgenes de maniobra y las capacidades de agencia de muchos agentes colonialistas (virreyes, oidores, gobernadores, corregidores, alcaldes, etc.) los que, "fabricaron, recrearon e hicieron suyos unos dispositivos de gobierno y organizaron jurisdiccional, institucional y simbólicamente un terreno, convirtiéndolo así en un espacio político" (Barriera, 2019: 221). Fue así construyéndose la actividad política hacia un horizonte de posibilidades y derroteros que modelaron el *habitus* de las administraciones locales en coherencia con las necesidades contextuales del espacio peruano y sus poblaciones (Agüero, 2008). Este horizonte de posibilidades y praxis consecuente, ciertamente favorecieron la existencia de una monarquía agregativa y policéntrica (Barriera, 2019: 221; Elliott, 1992).

***

Como pieza política de esta forma policéntrica de la figuraba el virrey y su corte, objeto predilecto de parte importante de las contribuciones que contiene esta obra. Las investigaciones acerca de la institución virreinal –y de la figura del propio virrey– han experimentado una profunda renovación en las últimas dos décadas. La gran mayoría de los territorios de la monarquía de los Austrias fue gobernada por virreyes tanto en Italia, España como también en América. Ya a mediados de la década de 1990, John H. Elliott (1995) había destacado la necesidad del enfoque comparativo en las investigaciones históricas para evitar conocimientos atomizados que no tuviesen en cuenta los escenarios más amplios. Respondiendo a esta necesidad se han publicado excelentes contribuciones acerca de la institución virreinal en los distintos territorios de la monarquía (Musi, 2013; Rivero Rodríguez, 2011; Rivero Rodríguez y Gaudin, 2020). Así también, se ha comparado a la monarquía hispánica con otras entidades territoriales, como es el caso de Portugal (Cardim y Palos, 2012) o Francia (Aznar, Hanotin y May, 2014).

Sabemos que el virrey se constituía como un *alter ego* del monarca, del mismo modo en que este último era concebido como vicario de Dios en la tierra, limitado al poder temporal[3]. Como la monarquía hispánica se constituyó como una entidad compuesta (Elliott, 1992), el monarca representaba una persona jurídica distinta en cada uno de los territorios. Ahora bien, siendo una sola persona biológica, al rey le resultaba imposible residir en todos sus territorios, es decir, entre todos sus súbditos. Como señala Manuel Rivero (2011: 98), la no residencia entre aquellos, en la concepción política de la Edad Moderna, podía ser casi considerado como un acto de tiranía. Esta argumentación tenía su origen en la tradición política alusiva al buen rey, responsable máximo y garante único del buen gobierno. En el siglo XVI, el concepto del *buen gobierno* ya contaba con una larga tradición. Siguiendo a Mario Góngora (1951: 233), dicho concepto aparece durante el siglo XIII y su emergencia estaría vinculada a un nuevo pensamiento político, el cual entendía la justicia como "la realización del derecho establecido"[4] (Barriera, 2019; Garriga, 2006). La esencia del buen gobierno era la administración de la justicia, ejecutada por el príncipe en su calidad de juez universal, lo cual, a su vez, garantizaba la lealtad de sus vasallos en territorios lejanos (Ribot, 2006: 141).

Para subsanar la ausencia del monarca, considerada como origen de males y problemas, la monarquía de los Austrias introdujo la institución virreinal en los territorios no castellanos, ya que el monarca, especialmente a partir del reinado de Felipe II, se radicaba principalmente en el reino de Castilla[5]. Desde su configuración en 1527, virreyes y virreinatos se conformaron en cada uno de los territorios indianos (Rivero Rodríguez, 2011: 95). Los primeros virreyes contaban con muy amplias facultades para actuar y una necesidad más bien mínima para coordinarse con la corte real (Elliott, 2009: 301). Tras esa etapa inicial, y ya du-

---

[3] Así lo consideraba, por ejemplo, un pensador de la importancia de Francisco Suárez (Vicens Hualde, 2021: 181)

[4] Los problemas del ingobernable virreinato peruano plantearon la necesidad imperativa de discutir, en los círculos de letrados y funcionarios, sobre el buen gobierno y la llamada policía sociopolítica. En el siglo XVI, estos dos conceptos estaban ciertamente vinculados a las llamadas "tecnologías de gobierno" (Foucault, 2006: 75 y ss.) y sus dispositivos de control. La noción de policía, siguiendo este razonamiento y considerando los textos en comento, implicaba el conjunto de los mecanismos por medio de los cuales se aseguraba el orden, el crecimiento canalizado de las riquezas y las condiciones de mantenimiento de la salud pública y el bien común en general. También se denominaba policía –en el siglo XVI– al conjunto de los actos que regirían precisamente a las comunidades bajo la autoridad pública. El buen gobierno implicaba "la realización del derecho establecido" (Góngora, 1951: 233) y las decisiones racionales inspiradas en la justicia. Además, la buena administración, la conservación y aumento del patrimonio real y la mantención de la disciplina y orden de los súbditos del rey.

[5] Todavía suele ser señalado que el origen y el modelo del virreinato de los Habsburgo se encuentra en la lugartenencia en la Corona de Aragón medieval (Musi, 2013: 9). Sin embargo, si bien existe este antecedente histórico, en la práctica, como señala Manuel Rivero (2011: 80), el virrey de los Austrias y su función gubernativa apenas tenía alguna semejanza con la tradición aragonesa.

rante la primera parte del reinado de Felipe II, se fortalece el control de la Corona sobre las actuaciones de los virreyes. Parte de este control será la reforma de los consejos territoriales, los cuales recibían facultades de jurisdicción y con ello control sobre la máxima autoridad en Indias occidentales y otros territorios.

Sabemos que el monarca no podía gobernar de la misma manera en cada territorio y, en este sentido, la figura del virrey irá adquiriendo ciertas particularidades para cada caso de "equipamiento político territorial". En esta clave analítica se han desarrollado monografías dedicadas a la figura virreinal tanto en Nueva España (Cañeque, 2004; Sembolini, 2014) como en el Perú (Torres Arancivia, 2006). También contamos con obras recientes sobre el gobierno de algún virrey en concreto (Latasa 1997; Merluzzi, 2014; Vicens Hualde, 2021). Estas obras han centrado la mirada en factores clave de gobierno, más allá de la centralidad que ha implicado la figura del virrey en sí misma. Por una parte, podemos referir a las cortes virreinales. En el curso de la renovación historiográfica antes mencionada, se ha retomado la corte del monarca como elemento esencial del gobierno de la monarquía (Martínez Millán, 2006). Las estructuras y organización de la corte del rey se replicaban en los territorios gobernados por el virrey, por lo que ya tempranamente en 1991 Antonio Álvarez-Ossorio (1991: 255-260) sostenía la presencia de una "monarquía de las cortes". De esta manera, la corte se ha convertido en uno de los ejes principales en función de analizar el gobierno de los territorios virreinales de la monarquía (Latasa, 2004; Torres Arancibia, 2006; Cantú, 2008).

Asimismo, el estudio de los oficiales y agentes regios, sus actuaciones y redes sociales, sus conflictos y aspiraciones locales, en tanto parte del equipamiento político virreinal, han venido suscitando un interés historiográfico progresivo en las últimas décadas, particularmente en el espacio peruano (Robles Bocanegra, 2018, 2021). De este modo, la aclimatación andina y la proximidad con sujetos subalternizados –indios, negros, mestizos–, permitió el desarrollo de prácticas de aplicación de justicia, de administración política, la formación de redes de poder influyentes, que fueron modelando la existencia de una cultura político-jurídica local en espacios territoriales esparcidos y lejanos, a veces incomunicados al interior de la infinitud diversa de paisajes contrastantes en el llamado espacio virreinal.

Por otro lado, como parte de la estructura cortesana, debemos hacer referencia a los conceptos de patronazgo, servicio y merced. Servicio y merced se han convertido en conceptos esenciales para entender las relaciones entre un señor y un vasallo del Antiguo Régimen. Las mercedes eran premios por servicios realizados y buena parte de ellas las otorgaba la Corona mediante el patronazgo, es decir, con la repartición de cargos y oficios (Feros, 1998). Esta gracia regia se traspasaba a los virreyes para la gran mayoría de cargos y oficios a repartir en los distintos territorios, incluidos Nueva España y Perú. En los reinos indianos, particularmente, esta facultad virreinal llevaba a conflictos, ya que el virrey prefería premiar a sus propios criados que llevaba desde España, mientras que la Corona insistía en que debía otorgar estas mercedes a los llamados beneméritos, los descendientes de los conquistadores (Cañeque, 2017: 25-31). Con ello, el virrey influía enormemente en los niveles más bajos del gobierno, ya que nombraba a los corregidores, alcaldes mayores e, incluso, de forma interina, los gobernadores de territorios fuera de su propia jurisdicción, como Chile, Nueva Galicia o incluso Filipinas (Gloël, 2022).

Otra particularidad que poseyeron los virreyes americanos radicaba en el hecho de que representaban a un monarca que nunca había residido en estos territorios y que nunca haría una jornada real, es decir, una visita directa a estos espacios. María de los Ángeles Pérez Samper (1999: 63) distingue en este sentido entre el rey distante y el ausente, "pues solo se añora lo que se ha perdido". De acuerdo con ello y lo confirma también Thomas Calvo (2000: 28), en el Perú los virreyes estarían supliendo un rey distante. Según Alejandra Osorio (2012: 232), este hecho hacía la presencia real a través del virrey más realista en el Perú, ya que se trataría de una copia para la que no existe un original, lo cual en Indias "convirtió al rey de España en un monarca hiperreal".

***

Las contribuciones aquí comprometidas profundizan, desde casos, espacios y objetos específicos sobre los diversos derroteros político-jurídicos, administrativos e ideológicos que debieron enfrentar/ponderar los distintos oficiales regios en el marco del dominio colonial del espacio peruano durante los siglos XVI y XVII. Los capítulos se ajustan, con matices específicos, a los ejes articuladores más arriba mencionados. El primer eje presenta una vinculación estratégica en el marco de prácticas de gobierno concretas entre el uso de la información *in situ*, bajo la lógica de la progresiva legitimidad que adquirió el conocimiento empírico en la primera modernidad, y las prácticas situadas de gobierno a nivel local y/o regional. La necesidad de ajustar los aparatos de sujeción peninsulares a las realidades locales y a la experiencia política andina, heredera esta de modos de producción y organización políticas suficientemente exitosos como para ser desplazados en el corto plazo (Spalding, 1984; Stern, 1986; Mumford, 2012; Zuloaga, 2012), devino en la construcción y acopio sistemático de valiosa información etnográfica –a través de vistas a la tierra–, necesaria para los mecanismos de poder virreinal que debían procurar un adecuado ajuste político al espacio peruano[6]. Asimismo, y de forma correlacionada, la necesidad de producir información oficial hacia la metrópoli del estado de la tierra en el Perú, tanto de parte de oficiales como de clérigos y arzobispos, en función de las necesidades imperativas de la Corte y del Consejo de Indias de ser "informados".

Parte el libro con el capítulo "Conocimientos imperiales y vernáculos: fragmentos para escribir una historia del imperio" de Antonio Barrera Osorio. En este, analiza el hecho de que la formación del imperio español supuso la incorporación de estructuras adecuadas para la circulación de personas, animales, plantas, cosas y conocimientos vernáculos que irrumpieron con fuerza al imbricarse con los saberes hegemónicos de la península. El autor precisa que tal circulación, en base al desarrollo científico del conocimiento empírico, fomentó la inclusión de los saberes locales (tierras, plantas, minerales) en el orden epistemológico imperial con distintos niveles de éxito. Para Barrera-Osorio la historia del dominio hispano y su poder desplegado, es también la historia del control del conocimiento local y de desplazamiento hacia otros espacios culturales. En este sentido, la historia del control, producción y desplazamiento del conocimiento en el imperio, es también parte de la historia de la ciencia moderna y del colonialismo. Como consecuencia de esta argumentación, el autor estudia la integración del imperio Inca a la monarquía castellana, con particular atención al rol de las huacas, las huayrachinas y los Quipus, en la emergencia y desplazamiento de conocimiento y el rol de reportes en la producción de saberes oficiales, en un

[6] En las últimas décadas, el examen a los distintos mecanismos que aseguraron un dominio relativo del aparato administrativo español sobre las sociedades indígenas en el siglo XVI, viene cuestionando la clásica posición que ha sostenido que el gobierno virreinal impuso un poder unilateral, desestructurando y socavando al máximo las instituciones indígenas, al imponer sus aparatos de poder específicos sin considerar la experiencia política y sociocultural de los Andes prehispánicos (Stern, 1986; Spalding, 1984; Mumford, 2012; Zuloaga, 2012; Wernke, 2013; Saito et al., 2014). Como acierta Steven Wernke (2014), esta posición hermenéutica concibió la política imperial hispana como la evangelización católica en tanto "proyectos categóricamente incongruentes a lo andino" y, en consecuencia, la respuesta esperable de las sociedades indígenas debía ser un conjunto de prácticas de "resistencia" y conformidad pasiva frente a los dispositivos fiscales de sujeción. A contrapelo, una visión historiográfica y antropológica renovada ha señalado que las peculiaridades en los modos de rehabituación y adaptación a la intervención colonial, por parte de curacas y comunidades enteras, son indicativas de formas diversas de negociación que traslucen una complejidad no reductible a la dicotomía clásica que ha existido al momento de enjuiciar la labor gubernamental de los primeros virreyes (Morong y Brangier, 2019).

intento vertiginoso de incorporar gentes y recursos al catastro imperial.

Sigue el capítulo de Flavia Tudini "La necesidad de la información en el gobierno eclesiástico de la Monarquía. La participación de los arzobispos de Lima en la toma de decisiones (1541-1622)". En esta contribución, la autora se propone demostrar la importancia y el papel que jugó la alta jerarquía eclesiástica del virreinato del Perú en el proceso de toma de decisiones y elaboración de las normas relacionadas con el gobierno eclesiástico de la Monarquía hispánica en el siglo XVII. El capítulo pretende resaltar las formas en que la Corona recibió la información enviada por el arzobispo de Lima, para ejercer efectivamente el buen gobierno de los territorios americanos. En particular, centra la mirada en tres arzobispos consecutivos de la diócesis de Lima: Jerónimo Loayza (1541-1575), Toribio Mogrovejo (1580-1606) y Bartolomé Lobo Guerrero (1607-1622). De modo general, analiza cómo la información que los arzobispos recogieron de sus actividades pastorales en la diócesis de Lima dio forma al proceso de toma de decisiones de la Corona. La contribución de la autora toma en consideración también la información proveniente de los Virreyes y otros funcionarios reales, para entender las similitudes y diferencias entre estas dos fuentes de información, así como la cooperación y rivalidad entre ellas. Por último, analiza si la información procedente de los arzobispos influyó indirectamente en la relación entre la Monarquía española y la Santa Sede, y de qué manera lo hizo.

En "'Lo que conviene a la república'; el orden del inca, la condición colonial de los indios y el buen gobierno virreinal (Perú 1560-1570)", Germán Morong, valiéndose de tres conjuntos documentales específicos[7], analiza el ínterin 1540-1583 en función de constatar la circulación de un saber instalado en variadas tipologías documentales al servicio del buen gobierno, que constituyeron al inca y sus instituciones de coacción como objeto estratégico de discurso. En este sentido, la presencia de alusiones de orden moral, económico y político sobre los incas fueron instrumentales al proyecto de dominio peninsular, cuyo proceso fue precario y no consolidado del todo. Argumenta que esta circulación frag-

[7] 1. Informes, relaciones y tratados producidos por oficiales de la Corona –oidores y virreyes principalmente– producidos en el ínterin 1560-1570, 2. Un conjunto fragmentario de informes y pareceres de clérigos y alcaldes de indios respecto al estado de los naturales del Perú hacia 1560, 3. El análisis al "Parecer acerca de la perpetuidad y buen gobierno de los indios del Perú, y aviso de lo que deben hacer los encomenderos para salvarse" (AGI, Indiferente 1624: fols. 58r-75v), documento fundamental para la justificación jurídica y axiológica de la polémica suscitada respecto a la perpetuidad de las encomiendas y que alude con interés a los indios (en términos ontológicos/antropológicos) y a los incas (en términos políticos).

mentaria permite ponderar los derroteros de virreyes, oidores, clérigos, mercaderes, escribanos, procuradores de indios, alcaldes de indios, corregidores, entre otros, frente a la desestabilización sistemática de la política colonial, perjudicando esta los intereses disimiles, y a veces contrapuestos, de sus redactores. Consecuentemente, tal circulación puso en evidencia la necesidad de restituir el carácter autoritario de la organización incaica en virtud de "controlar" la naturaleza inferior de los indígenas ya habituados largamente a los vicios del orden virreinal (ladinización y degeneración moral). Consecuentemente, sostiene que la alusión al buen gobierno incaico y a su policía prehispánica (control del ocio, mantenimiento demográfico de los naturales, conocimiento de temples y realidades locales, eficiente y justa exacción tributaria, la igualdad y atomización de los súbditos, disciplinamiento moral, etc.) en las voces disonantes de diversos emisores, constituye un espacio privilegiado para analizar detenidamente la construcción de los saberes coloniales a partir de los cuales se tejió la arquitectura del dominio y se pusieron en evidencia los derroteros prácticos e ideológicos de su ejecución.

Por su parte, Soledad González y Erick Figueroa en "La gente detrás del libro. Los ayllus reales en la *Historia de los Incas* de Pedro Sarmiento de Gamboa", analizan con detención la *Historia General llamada Índica* (1572), texto formulado con el objetivo de refutar las ideas difundidas por el *Tratado de las Doce Dudas* de Bartolomé de las Casas y, al unísono, construir una tiranía incaica de origen y ejercicio, indaga en las identidades de los descendientes de los Incas que certificaron la *Historia,* cuyos nombres y edades aparecen consignados en la ratificación. Las interrogantes que devienen a la expurgación acuciosa de esta obra deslegitimadora serían; ¿Quiénes eran estas personas? ¿Qué posición ocupaban dentro del complejo y dinámico universo social de las élites incaicas de fines del siglo XVI? ¿Tenían intereses comunes más allá de coincidir en la ratificación? ¿Eran todos líderes étnicos? ¿Qué fue de ellos después de ratificar la *Probanza*? En este sentido, los autores plantean como hipótesis que tras la aparente uniformidad que se desprende de la lectura de la certificación, subyacen dos generaciones con destinos y expectativas distintas. En medio de ambas, uno de ellos emerge con un protagonismo anclado en procesos transversales, como por ejemplo, el reconocimiento de su estatus social y el conflicto con la autoridad toledana. Adicionalmente, los autores expurgan fuentes documentales inéditas, provenientes del Archivo Departamental del Cusco y el Archivo de Indias.

Finaliza este primer eje con la contribución de Mónica Medelius "'que de esto haya libro o quipo'. Las ordenanzas del virrey don Francisco de Toledo para los quipucamayos". En esta contribución, la autora analiza las disposiciones toledanas destinadas a la creación de cargos y de funciones que debían desempeñar, entre otras autoridades indígenas, los quipucamayos. Siguiendo la argumentación de la autora, el virrey no esperó finalizar su recorrido de casi cinco años para dar las ordenanzas, sino que paso a paso fue sumando aspectos relativos a estos oficiales, según el escenario que se le presentaba y la conveniencia en dictarlas. Toledo pretendía, mediante una red de autoridades locales, ordenar definitivamente la mano de obra en las poblaciones a ellas sujetas y acrecentar los recursos económicos y productivos para cumplir con la tasa de tributo. Así, para legitimar la autoridad de los quipucamayos y lograr su cometido, el virrey moldeó sus funciones mediante disposiciones específicas las cuales se acataron en diversos espacios coloniales hasta fines del siglo XVI. La investigación de Medelius se inscribe decididamente en las perspectivas analíticas orientadas a examinar la pervivencia de las instituciones del desaparecido orden incaico en el nuevo orden colonial, claramente necesarias a la fiscalidad y sus exigencias tributarias.

El segundo eje gira en torno al gobierno propiamente tal y sus prácticas regulares en espacios definidos (Lima, Cuzco, Potosí, Charcas). A su vez, se divide en dos sub secciones. Por una parte, se analiza la construcción del poder virreinal y la manera en que distintos agentes –escribanos, virreyes y corregidores– contribuyeron de forma azarosa a la instalación del equipamiento político-jurisdiccional en el centro sur andino. Por otra, la forma en que el gobierno de los territorios asociados al llamado Virreinato del Perú evoluciona durante el siglo XVII.

La primera subsección, que hemos titulado "La construcción del poder virreinal, siglo XVI", integra cinco contribuciones que centran la mirada en las prácticas tendientes a instalar la maquinaria administrativa en Lima, Cuzco, Charcas y Potosí. Se trata de agentes que, bien desde la cúspide virreinal, bien desde esferas más bajas, estuvieron al servicio de la Corona.

La primera contribución, escrita por Julio Ramírez Barrios y titulada "Pedro de Avendaño, un escribano en las entrañas del poder virreinal", analiza la esfera de acción de los colaboradores de máxima confianza de los virreyes, en este caso de Pedro de Avendaño, el secretario personal del marqués de Cañete, el tercer virrey del Perú (1556-1560)[8]. Como indica el autor, la escribanía mayor de la

[8] El tema de los validos y privados de los reyes de la monarquía hispánica cuenta con importantes contribuciones recientes o relativamente recientes sobre el príncipe de Éboli (Guillén Berenguer, Hernández Franco y Alegre Carvajal, 2018), Cristóbal de Moura (Martínez Hernández, 2010), el duque de Lerma (Feros,

gobernación fue uno de los oficios de la pluma más reputados y de mayor influencia en el virreinato peruano. Con la fundamental tarea de atender al despacho de los negocios del virrey, el escribano de la gobernación adquirió una posición central en el gobierno. Ello explica el interés que siempre tuvieron los virreyes por controlar el oficio y a sus titulares para facilitar sus acciones de gobierno y afianzar su autoridad. Asimismo, los escribanos de gobernación supieron aprovechar esta cercanía con el *alter ego* del monarca como un preciado vehículo para el ascenso social y prosperar económicamente, no siempre de forma lícita. En este sentido, Ramírez Barrios analiza la figura de Pedro de Avendaño, escribano de gobernación del Perú que adquirió un singular poder durante el gobierno del virrey Andrés Hurtado de Mendoza, II marqués de Cañete, siendo partícipe de muchos de sus abusos. En este sentido, Ramírez Barrios muestra la forma en que Avendaño contribuye a la consolidación del poder virreinal, pero también cómo persigue intereses propios que no siempre estaban en concordancia con los de la Corona.

Sigue la contribución de Matthias Gloël "El virrey Toledo y su relación con el Reino de Chile". A partir de un corpus documental acotado, el autor analiza profusamente las relaciones entre el virrey Francisco de Toledo y la gobernación de Chile. Para Gloël, los análisis a los virreyes se han limitado tradicionalmente al área de Lima y, en menor medida, Charcas[9]. En este sentido, Gloël investiga la incidencia que tuvo el virrey Toledo en los asuntos chilenos durante su largo mandato, dividiendo el análisis en cinco ejes principales, a saber: el gobierno, la guerra, el problema de los corsarios, el asunto religioso y de evangelización y el tema de la hacienda real, siendo los primeros dos los que reciben mayor atención por parte del virrey. El autor analiza la correspondencia del virrey con la corte

2000; Williams, 2006; Mrozek, 2015), Baltasar de Zúñiga (González Cuerva, 2012) el conde de Olivares (Elliott, 1989; Rivero Rodríguez, 2017), Luis de Haro (Malcolm, 2017) y, en menor medida, el duque de Uceda (López Millán, 2018; Mrozek, 2018). Sin embargo, en el caso de los virreyes poco se ha investigado si se dieron estructuras hasta cierto punto similares entre los *alter ego* y algún personaje de la corte virreinal que acapara su confianza, llegando a ostentar un poder comparable con los privados o validos de la corte real. Para el caso peruano contamos solamente con el estudio de Amorina Villarreal (2018) sobre Martín de Acedo, quien ocupó una posición privilegiada en la corte virreinal del príncipe de Esquilache (1614-1621).

[9] Debe tenerse en cuenta que los virreyes recibían cuatro nombramientos; virrey, gobernador, capitán general y presidente de la Audiencia, cargos con limitaciones geográficas distintas. En el caso peruano, como presidente de la Audiencia de Lima su acción estaba limitada a su distrito, mientras que como gobernador tenía potestad sobre un territorio más amplio, incluyendo, por ejemplo, el área de la Audiencia de Charcas, al igual que como capitán general. Como virrey, incluso podía influir en otras gobernaciones como Chile o Panamá. Estas últimas dinámicas se han atendido de forma insuficiente hasta ahora, y para el caso de Chile contamos solo con algunos estudios para el reinado de Felipe III (Gloël, 2021 y 2022).

real, por una parte, y con las autoridades chilenas, por otra, averiguando de su influencia en los aspectos centrales como el gobierno, la milicia y el ámbito económico.

En "La profesión legal en los Andes coloniales: Abogados y procuradores de causas en Lima y Potosí, 1538-1640", Renzo Honores examina la conformación de la profesión legal en estas dos ciudades entre 1538 y 1640, un periodo clave en la instalación del orden colonial. Aunque la profesión legal era un cuerpo numeroso y heterogéneo de expertos, este trabajo se concentra en el papel de los agentes jurídicos dedicados a la litigación: los abogados y los procuradores de causas. A diferencia de la litigación contemporánea en la que el abogado monopoliza la defensa y representación profesional, el sistema de asesoría jurídica en los siglos XVI y XVII era ejercido por estos facilitadores en un sistema de representación dual que procedía de la Alta Edad Media. Este capítulo propone un análisis comparativo de estas dos ciudades para mostrar las diversas experiencias de las comunidades legales en diversas ciudades de los Andes. Compara la composición de los profesionales, su impacto e importancia en ambos centros legales. La existencia de estos foros legales en los Andes responde al modelo cultural y legal que se impuso a mediados del siglo XVI. Una sociedad juridizada, aunque con matices y diferencias locales, fue edificada gradualmente en la región andina. Este modelo normativo y cultural demandaba el uso de formalidades jurídicas en un procedimiento contencioso, la contratación, el auxilio de los escribanos (o notarios) para la consagración de las transacciones privadas y la intermediación de abogados y procuradores de causas en la litigación civil y canónica. Estos especialistas y los litigantes contribuyeron a la circulación de ideas y prácticas socio-legales gestando gradualmente una compleja cultura jurídica.

Los últimos dos capítulos de esta sección están dedicados a la figura del corregidor, otra institución castellana que se replicó en América. La figura del corregidor aparece durante el siglo XIV, si bien tardaría hasta el reinado de los Reyes Católicos para adquirir su papel definitivo (Bermúdez Aznar, 1971). Bajo Isabel la Católica se convirtió definitivamente en un instrumento de intervencionismo real (Passola i Tejedor, 2008: 14). Era nombrado directamente por el rey, competencia que en el Perú pasaría al virrey. La principal particularidad que se dio en el Perú fue que a partir de 1565 se creó, paralela a la del corregidor tradicional, la figura del corregidor de indios creada por el gobernador Lope García de Castro (Robles Bocanegra, 2018).

En "Poder local, jurisdicción territorial y redes sociales: los corregidores de indios en Charcas (1565-1650)", Ariel Morrone indaga, al amparo de un portentoso y erudito trabajo documental, sobre el proceso de implementación efectiva de la figura del corregidor de indios en el territorio de la Audiencia de Charcas. Analiza, en primer lugar, el contexto de gestación de esta autoridad jurisdiccional en el virreinato del Perú a partir de las ordenanzas del Licenciado Lope García de Castro (1565) y su recepción por parte del alto tribunal charqueño, para luego ponderar su efectiva aplicación en el espacio surandino durante el gobierno del virrey don Francisco de Toledo (1569-1581) y sus derroteros posteriores durante la primera mitad del siglo XVII. Como miembros de las comitivas vicerregias o de las élites encomenderas, los corregidores de indios se instalaron –junto a los curas doctrineros y los caciques principales– en una tensa posición intermedia, siendo los verdaderos articuladores del poder local en tanto ejercían la jurisdicción, en primera instancia, sobre los grupos indígenas del territorio a su cargo y recaudaban los tributos para su posterior entero en las Cajas Reales. A pesar de su rol clave en el armado de las redes de poder local sobre las poblaciones nativas, su estudio presenta una serie de complicaciones hermenéuticas, en gran medida porque la alta velocidad de rotación en sus oficios suele impedir un seguimiento sistemático de sus prácticas de gobierno. En ese sentido, este capítulo constituye un avance en tanto se propone visibilizar los registros más tempranos del accionar de los corregidores de Charcas en sus respectivas jurisdicciones, para luego hacer foco en el corregimiento de Pacajes (emplazado al sur del lago Titicaca, dependiente de la ciudad de La Paz), ofrecer un primer listado cronológico exhaustivo de sus corregidores y explorar una casuística atendiendo a sus orígenes, perfiles socioeconómicos, trayectorias y formas de inserción en los entramados locales.

Finaliza esta sección con el capítulo de Adolfo Polo y la Borda "Los orígenes del corregidor del Cusco y el establecimiento de la soberanía del rey. Una perspectiva atlántica". En este el autor, a partir del estudio del establecimiento del corregidor en el Cuzco, muestra con lucidez algunos de los mecanismos por los que los lejanos soberanos castellanos pudieron imponer su autoridad y sobrellevar la multiplicidad de voces e intereses que aparecieron. Más aún, se muestra que esta historia no fue unidireccional ni uniforme, sino que hubo avances y retrocesos, y sucedió de manera paralela y traslapada en diversos escenarios tanto en Europa como en América. El autor resalta el carácter atlántico de este proceso y nos recuerda que las estructuras, instituciones, ideologías, intereses e incluso actores, tanto en las Indias como en la península ibérica, correspondían, en el fondo, a un solo y único sistema político. Además, son dos escenarios que se influyeron de manera mutua y que estaban en constante interacción; la experiencia colonial no va en una sola dirección, sino que altera tanto a colonizados como a colonizadores. Polo y la Borda vuelve a contextualizar que la figura del corregidor está inserta en el despliegue de una impresionante estructura de administradores e intermediarios; una red de oficiales al servicio del rey que garantizó el monopolio de su autoridad y el cumplimiento de su ley dentro de lo posible.

Una última sección, titulada "Poder y gobierno en el Perú del siglo XVII" incorpora cinco contribuciones.

El primer capítulo de esta sección está a cargo de Luis Miguel Glave y lleva el título "Los obrajes del Conde de Lemos en el Perú. Una historia conectada de política cortesana entre España y el Perú (1607-1627)". En él centra el estudio en la figura del séptimo Conde de Lemos, don Pedro Fernández de Castro Andrade y Portugal[10], y sus intereses económicos en el Perú. Su primera gran posición en la corte de la monarquía fue la de presidente del Consejo de Indias. A sus veintiséis años –por esos servicios y los de la familia de la madre– por merced del rey Felipe III, recibió en 1607 una renta de 13,000 ducados situados en indios de la jurisdicción del Cuzco. Luego fue designado virrey en Nápoles en 1610, misma fecha en la que el rey le concedió una muy extralimitada merced como fue fundar tres obrajes en el Perú. Esas fundaciones tenían todas las características para ser prohibidas, por el uso de servicios personales, por las protestas que habían despertado, por la competencia que otros empresarios experimentarían, tanto los hacendados que recibían mita de los pueblos como otros obrajeros que pedían trabajadores o que no querían otros productores paralelos. Glave analiza la manera de cómo se procuró imponer y qué resistencias hubo de vencer esas fundaciones, en una operación política cortesana que conectaba Madrid con Lima y ambas metrópolis con unos apartados pueblos de indios en la sierra central andina.

Continúa el capítulo de Manuel Rivero "El final del virreinato absoluto: Los virreyes del Perú en el sistema virreinal de la Casa de Austria". Para el autor, la creación del Reino del Perú y el empleo de virreyes para su gobierno no forma parte de una dinámica colonial sino de un sistema de gobierno en el que los reinos ocupan el lugar medular de la Monarquía. En este capítulo, Rivero analiza

[10] Los estudios sobre este personaje se han enfocado principalmente en sus actuaciones en Italia, como embajador ante la Santa Sede, como virrey de Nápoles (Favaró, 2016: 51-99) y como presidente del Consejo de Indias (Villarreal, 2016).

la situación del virrey y del reino en el contexto de la Monarquía Católica de España comparando las facultades, jurisdicción, representación y personalidades de los virreyes del Perú durante los siglos XVI y XVII, prestando atención a la evolución de esta figura en consonancia con los virreyes de otras latitudes. En este sentido, el autor considera las reformas introducidas por el conde duque de Olivares al conjunto del sistema virreinal y a la reconfiguración de esta figura en la segunda mitad del siglo XVII hacia una sujeción cada vez mayor de la Corona, culminada en 1680 con las leyes de Indias. El capítulo hace especial énfasis en el virreinato del marqués de Guadalcázar en el Perú y cómo el aumento de poder y las sucesivas reformas incidieron en su gobierno.

Sigue el capítulo "Hacia la invención de una provincia en la Monarquía de los Austrias: el Tucumán durante las gestiones de Alonso de Vera y Julián de Cortázar" de Guillermo Nieva y Alejandra Carrasco. Siguiendo a los autores, con el interés de integrar todos sus reinos, principados y provincias, la Monarquía Hispana buscó reproducir su poder a través de un sistema articulado en cortes virreinales, que se extendieron hasta las jurisdicciones locales más pequeñas como gobernaciones y ciudades. De acuerdo con este esquema de "fundar, poblar y gobernar", en 1563 Felipe II ordenó que se creara la Gobernación del Tucumán de Juríes y Diaguitas. Durante el siglo XVII, en este espacio convergieron múltiples conflictos en torno a la gobernanza que los actores –civiles y religiosos– llevaron a cabo. En esta contribución, Nieva y Carrasco explican la dinámica del poder en dicha gobernación, es decir, la particularidad de sus gobiernos, los instrumentos y las estrategias (formales e informales) que utilizaron para implementar -o no- las políticas de Felipe III, Felipe IV y Carlos II de agregación e integración de la Monarquía. Para esta labor, los autores se valen de un vasto corpus documental consistente en cartas de gobernadores, obispos y virreyes al Consejo de Indias y al rey, informes y memoriales de las autoridades, visitas episcopales, instrucciones reales, bandos de buen gobierno, juicios de residencia, actas capitulares, actas del cabildo eclesiástico, reales cédulas, cartas anuas de los jesuitas, entre otras.

En "El ocaso del poder regio de los virreyes peruanos: Melchor de Liñán y Cisneros en la recomposición de la Real Audiencia de Lima (1678-1681)" Juan Jiménez Castillo centra la mirada en la figura del arzobispo de Lima Melchor de Liñán y Cisneros quien, además, entre 1678 y 1681, gobernó de forma interina tras el cese del virrey Conde de Castellar por abuso del patronazgo real[11]. Para 1678 la incertidumbre e inestabilidad en los que quedaba sumergido el reino, ocasionado por las ausencias de virreyes, significaron una oportunidad para la Real Audiencia, la cual solía ocupar el epicentro del poder político encabezado por el oidor decano y presidente del tribunal limeño. Con la designación del arzobispo de Lima, la Real Audiencia quedó relegada del poder, lo que manifestó una lucha entre facciones en varios aspectos. En este capítulo, el autor analiza los mecanismos y formas de articular el poder desde las redes clientelares y patronazgo empleadas por Cisneros, con el objetivo de recomponer el tribunal de justicia incorporando a sus allegados; la defensa de parte de la Real Audiencia por mantener un equilibrio de poder y salvar su independencia y, por último, los esfuerzos del arzobispo por aumentar las cuotas de poder en el ámbito civil desde la disminución de las competencias del virrey, dado que como alter ego interino conocía que su actuación estaba limitada en el tiempo, por lo que tenía que asegurar su presencia en lo civil y espiritual –Patronato Regio– como prelado de la Iglesia ante la inminente llegada del nuevo virrey. El autor nos muestra, por tanto, la evolución del complejo equilibrio de poder en los tres años que Liñán y Cisneros ejerció de gobernador interino del Perú.

Finaliza esta última sección con la contribución de Patricio Zamora "Prácticas del Poder en el Perú virreinal (siglo XVII): espacios, gestos y objetos como dispositivos del gobierno a la distancia. Aquí el autor sintetiza cómo a través del virrey, las ceremonias y los objetos, se representa el poder real en la Lima virreinal, objetos de estudio que han sido abordados recientemente por la historiografía (Cañeque, 2004; Ramírez Barrios, 2020). El autor se centra fundamentalmente en el palacio virreinal, es decir, el espacio de poder donde ocurrían las dinámicas previamente referidas. El palacio constituye otro tema habitualmente marginado, incluso en los nuevos estudios sobre la representación del poder. Zamora pone en evidencia la manera en que las personas del séquito virreinal y los objetos –como los sellos– contribuyeron a crear este espacio de poder que podría ser considerado como el centro político de la Lima virreinal.

Los capítulos que forman parte de este libro, sus objetos y sus alcances analíticos, claramente permiten sustentar historiográficamente la emergencia pro-

[11] Igual que había ocurrido con la primera mitad del siglo XVII, la segunda parte de este siglo ha sido recientemente objeto de profundas reinterpretaciones, apuntado a diferencia del histórico concepto de decadencia a una interpretación de reconfiguración de la monarquía (Sanz Camañes, 2012; Martínez Millán, Labrador Arroyo y Valido-Viegas de Paula Soares, 2017).

gresiva de una cultura político-jurisdiccional que en el Perú del antiguo régimen implicó un alto grado de singularidad, en virtud de sus componentes sociológicos en una sociedad estamental, de castas y de calidades jurídicas disímiles.

Referencias citadas

Agüero, A. 2008. *Castigar y perdonar cuando conviene a la Republica. La justicia penal de Córdoba del Tucumán, siglos XVII y XVIII.* Madrid: Centro de Estudios Políticos y Constitucionales.

Alvarez-Ossorio Alvariño, A. 1991. "La corte: un espacio abierto para la historia social", en Castillo, S. (ed.), *La historia social en España. Actualidad y perspectivas: actas del I Congreso de la Asociación de Historia Social. Zaragoza, septiembre 1990.* Madrid: Siglo XXI de España, pp. 247-260.

Angeli, S. 2021. "En medio de un rinconzillo". Argumentos para la ampliación jurisdiccional de la Audiencia de Charcas a través de la comunicación política enviada a la corona (1561-1563). *Diálogo Andino* 65: 37-48.

Assadourian, C. 1982. *El Sistema de la Economía Colonial. Mercado Interno, Regiones y Espacio Económico.* Lima: IEP.

Aznar, D., Hanotin, G. y May, N. (eds.). 2014. *À la place du roi Vice-rois, gouverneurs et ambassadeurs dans les monarchies française et espagnole (XVI-XVIII siècles).* Madrid: Casa de Velázquez.

Bakewell, P. 1989. "La maduración del gobierno del Perú en la década de 1560". *Historia Mexicana* XXXIX (153): 41-69.

Barrera-Osorio, A. 2009. "Experiencia y empirismo en el siglo XVI: reportes y cosas del Nuevo Mundo", *Memoria y Sociedad*, 13 (27): 13-25.

Barrera-Osorio, A. 2006. *Experiencing Nature. The Spanish American Empire and the Early Scientific Revolution.* Austin: University of Texas Press.

Barriera, D. 2019. *Historia y Justicia. Cultura, política y sociedad en el Río de la Plata (Siglos XVI-XIX).* Buenos Aires: Prometeo.

Barriera, D.2013. "Entre el retrato jurídico y la experiencia en el territorio. Una reflexión sobre la función distancia a partir de las normas de los Habsburgo sobre las sociabilidades locales de los oidores americanos". *Caravelle* 101: 133-154.

Bermúdez Aznar, A. 1971. *El corregidor en Castilla en la Baja Edad Media (1348-1474).* Murcia: Universidad de Murcia.

Bouza, F. 2006. "Memoria de memorias. La experiencia imperial y las formas de comunicación", en Feros, A. y Chartier, R. (eds.), *Europa, América y el Mundo: Tiempos históricos.* Madrid: Marcial Pons, pp. 107-124.

Brendecke, A. 2012. *Imperium und Empirie. Funktionen des Wissens in der spanischen Kolonialherrschaft.* Colonia: Böhlau Verlag.

Calvo, T. 2000. "El rey y sus Indias: ausencia, distancia y presencia (siglos XVI-XVIII)", en Mazín Gómez, O. (ed.), *México en el Mundo Hispánico*, volumen II. Michoacán: El Colegio de Michoacán, pp. 427-483.

Cantú, F. (ed.). 2008. *Las cortes virreinales de la Monarquía española: América e Italia.* Roma: Ed. Viella.

Cañeque, A. 2004. *The King's living image. The cultures and politics of viceregal power in colonial Mexico*, Nueva York: Routledge.

Cañeque, A. 2017. "Los virreinatos de América en los siglos XVI y XVII: un gobierno de parientes y amigos". En Suárez, M. (ed.), *Parientes, criados y allegados: los vínculos personales en el mundo virreinal peruano.* Lima: Pontificia Universidad Católica del Perú, pp. 21-36.

Cardim, P. y Palos, J. (eds.). 2012. *El mundo de los virreyes en las monarquías de España y Portugal.* Madrid: Iberoamericana/Vervuert.

Elliott, J. 1989. *The Count-Duke of Olivares: The Statesman in an age of Decline.* Yale: Yale University Press.

Elliott, J. 1992. "A Europe of composite monarchies". *Past and Present* 137: 48-71.

Elliott, J. 1995. "Comparative history". En Barros Guimerans, C. (ed.), *Historia a debate: actas del Congreso Internacional "A historia a debate".* Vol. 3. Santiago de Compostela: Universidad de Santiago de Compostela, pp. 9-20.

Elliott, J. 2009. *Spain, Europe and the wider world. 1500-1800.* Yale: Yale University Press.

Favaró V. 2016. *Gobernar con prudencia. Los Lemos, estrategias familiares y servicio al rey (siglo XVII).* Murcia: Ed. Universidad de Murcia.

Feros, A. 1998. "Clientelismo y poder monárquico en la España de los siglos XVI y XVII". *Relaciones* 73: 15-49.

Feros, A. 2000. *Kingship and favoritism in the Spain of Philip III, 1598-1621.* Cambridge: Cambridge University Press.

Foucault, M. 2006. *Seguridad, territorio, población.* México: Fondo de Cultura Económica.

Garriga, C. 2006. "Sobre el gobierno de la justicia en Indias". *Revista de Historia del Derecho* 34: 67-160.

Gaudin, G. 2017. *El imperio de papel de Juan Díez de la Calle. Pensar y gobernar el Nuevo Mundo en el siglo XVII.* Madrid: Fondo de Cultura Económica.

Gaudin, G. y Ponce Leiva, P. 2019. "Introduction au dossier: El factor distancia en la flexibilidad y el cumplimiento de la normativa en la América Ibérica", *Les Cahiers de Framespa* [En línea], 30 | 2019, Publicado el 30 enero 2019, consultado el 17 junio 2022. URL:http://journals.openedition.org/framespa/5553; DOI:https://doi.org/10.4000/framespa.553

Gibson, C. 1948. *The Inca Concept of Sovereignty and the Spanish Administration in Perú.* Ausín: The University of Texas Press.

Gloël, M. 2021. "El virrey Toledo: figura clave para la supresión de la audiencia de

Concepción". *Diálogo Andino* 65: 165-173.
Gloël, M. 2022. "Los gobernadores interinos de Chile nombrados por los virreyes en el contexto de la guerra defensiva: patronazgo y superación de distancia". En Nieva Ocampo, G., Biernat, C., Vassallo, N. y Chiliguay, A. (eds.), *Historia Moderna. Problemas, debates y perspectivas.* Bahía Blanca: Universidad Nacional del Sur [en prensa].
Góngora, M. 1951. *El estado en el derecho indiano, época de fundación (1492-1570)*, Santiago: Ed. Instituto de investigaciones histórico-culturales-Universidad de Chile.
González Cuerva, R. 2012. *Baltasar de Zúñiga. Una encrucijada de la Monarquía Hispánica (1561-1622).* Madrid: Polifemo.
Guillén Berenguer, J, Hernández Franco, J. y Alegre Carvajal, E. (eds.). 2018. *Ruy Gómez de Silva, príncipe de Éboli. Su tiempo y su contexto.* Madrid: Iberoamericana/Vervuert.
Julien. C. 1988. "How Inca Decimal Administration Worked". *Ethnohistory* 35(3): 257-279
Latasa, P. 1997. *Administración virreinal en el Perú: gobierno del Marqués de Montesclaros (1607-1615).* Madrid: Editorial Centro de Estudios Ramón Areces.
Latasa, P. 2004. "La corte virreinal peruana: perspectivas de análisis (siglos XVI y XVII", en Barrios, F. (ed.), *El gobierno de un mundo. Virreinatos y Audiencias en la América Hispánica.* Cuenca: Universidad de Castilla La Mancha, pp. 341-373.
Levene, R. 1951. *Las Indias no eran colonias.* Buenos Aires: Espasa Calpe.
Lohmann, G.1957. *El Corregidor de indios en el Perú bajo los Austrias.* Madrid: Ediciones Cultura Hispánica.
López Millán, M. 2018. "Atalante y Hércules. Don Francisco Gómez de Sandoval y la construcción del duque de Uceda", en Valladares, R. (ed.), *Hijas e hijos de validos. Familia, género y política en la España del siglo XVII.* Valencia: Albatros, pp. 77-94.
Malcolm, A. 2017. *Royal Favouritism and the Governing Elite of the Spanish Monarchy, 1640-1665.* Oxford: Oxford University Press.
Martínez Millán, J. 2006. "La corte de la Monarquía Hispánica". *Studia Histórica, Historia Moderna* 28: 17-61.
Martínez Millán, J., Labrador Arroyo, F., y Valido-Viegas de Paula Soares, F. (eds.). 2017. *¿Decadencia o reconfiguración de las monarquías de España y Portugal en el cambio de siglo (1640-1724).* Madrid: Polifemo.
Martínez Hernández, S. 2010. "Ya no hay rey sin privado. Cristóbal de Moura, un modelo de privanza en el siglo de los validos". *Libros de la Corte* 2: 20-37.
Merluzzi, M. 2014. *Gobernando los Andes. Francisco de Toledo virrey del Perú (1569- 1581).* Lima: Ed. PUCP.
Morong, G. 2021. "Haciendo relación de las cosas tocantes a su gobierno". El orden del inca en la documentación colonial temprana (perú,1540-1570). *Diálogo Andino* 65: 133-149.
Morong, G. y Brangier, V. 2019. "Los Incas como ejemplo de sujeción. El Gobierno

del Perú y la escritura etnográfica del oidor de Charcas, Juan de Matienzo (1567)". *Estudios Atacameños* 61: 5-26.

Mrozek, G. 2015. *Bajo acusación: el valimiento en el reinado de Felipe III: procesos y discursos.* Madrid: Polifemo.

Mrozek, G. 2018. "Un heredero que no está a la altura", en Valladares, R. (ed.), *Hijas e hijos de validos. Familia, género y política en la España del siglo XVII.* Valencia: Albatros, pp. 95-107.

Mumford, J.2012. *Vertical Empire; The General Resettlement of Indians in the Colonial Andes.* Durham: Duke University Press.

Musi, A. 2013. *L'impero dei viceré.* Bologna: Il Mulino.

Nieva Ocampo, G., González Fasani, A. y Chiliguay, A. (eds.), *La antigua gobernación del Tucumán. Política, sociedad y cultura (s. XVI al XIX).* Salta: Milor.

Osorio, A. 2017. "El imperio de los Austrias españoles y el Atlántico: propuesta para una nueva historia", en Favarò, V., Merluzzi, M. y Sabatini, G. (edds.), *Fronteras. Procesos y prácticas de integración y conflictos entre Europa y América (siglos XVI-XX).* México: Fondo de Cultura Económica, pp. 35-54.

Osorio, A. 2012. "El rey en Lima, simulacro real y ejercicio del poder en la Lima del diecisiete", en Mazín Gómez, O. (ed.), *Las representaciones del poder en las sociedades hispánicas.* México: El Colegio de México, pp. 229-273.

Passola i Tejedor, A. 2008. "Las tensiones en torno al control electoral urbano en la Corona de Aragón (siglos XVI-XVII)", en Fortea, J. y Gelabert, J. (eds.), *Ciudades en conflicto (siglos XVI-XVIII).* Madrid: Marcial Pons, pp. 13-36.

Pérez Samper, M. 1999. "La presencia del rey ausente: las visitas reales a Cataluña en la época moderna". En González Enciso, A. y Usunáriz Garayoa, J. (eds.), *Imagen del rey, imagen de los reinos. Las ceremonias públicas en la España Moderna (1500-1814).* Pamplona: Eunsa, pp. 63-116.

Polo y La Borda, A. 2019. "La experiencia del imperio. Méritos y saber de los oficiales imperiales españoles". *Historia Crítica* 73: 65-93.

Presta, A. 2014. *Encomienda, familia y negocios en Charcas colonial. Los encomenderos de la Plata, 1550-1600.* Sucre: ABNB.

Ribot, L. 2006. *El arte de gobernar. Estudios sobre la España de los Austrias,* Madrid: Alianza.

Rivero Rodríguez, M. 2011. *La edad de oro de los virreyes. El virreinato en la monarquía hispánica durante los siglos XVI y XVII.* Madrid: Akal.

Rivero Rodríguez, M. 2017. *El conde duque de Olivares. La búsqueda de la privanza perfecta.* Madrid: Polifemo.

Rivero Rodríguez, M. y Gaudin, G. (eds.). 2020. *"Que aya virrey en aquel reyno". Vencer la distancia en el imperio español.* Madrid: Polifemo.

Robles Bocanegra, J. 2021. *Efigies del rey en los Andes. cultura política y corregidores de indios en el gobierno de Lope García de Castro (Perú, 1564-1569).* Lima: Ed. Caja Negra.

Robles Bocanegra, J. 2018. "El rol protagónico del corregidor de indios en el establecimiento de reducciones y cabildos indígenas durante el régimen del gobernador Lope García de Castro, Perú 1564-1569". *Historia y Cultura. Revista del Museo Nacional de Arqueología, Antropología e Historia del Perú* 29: 67-97.

Ramírez Barrios, J. 2020. *El sello real en el Perú colonial: poder y representación en la distancia.* Sevilla: Universidad de Sevilla.

Rubio Mañé, J. *Introducción al estudio de los virreyes de Nueva España 1535-1746*. México: Ediciones Selectas.

Saito, A., Rosas, C., Mumford, J., Wernke, S., Zuloaga, M. y Spalding, K. 2014. "Nuevos avances en el estudio de las reducciones toledanas". *Bulletin of the National Museum of Ethnology,* 39 (1): 123-167.

Sanz Camañes, P. (ed.). 2012. *Tiempos de cambios. Guerra, diplomacia y política internacional de la Monarquía Hispánica (1648-1700).* Madrid: Actas.

Sembolini, L. 2014. *La construcción de la autoridad virreinal en Nueva España, 1535-1595.* México: Colegio de México.

Spalding, K. 1974. *De indio a campesino: cambios en la estructura social del Perú colonial.* Lima: IEP.

Stern, S. 1986 [1982]. *Los pueblos indígenas del Perú y el desafío de la conquista española, Huamanga hasta 1640.* Madrid: Alianza Editorial.

Suárez, F. 1989. *Las Reales Audiencias Indianas. Fuentes y bibliografía.* Caracas: Academia Nacional de la Historia.

Tau Anzoátegui, V. 1992. *Casuismo y sistema,* Buenos Aires: Instituto de Investigaciones de Historia del Derecho.

Torres Arancivia, E. 2006. *Corte de virreyes. El entorno del poder en el Perú en el siglo XVII.* Lima: Fondo Editorial de la Pontificia Universidad Católica del Perú.

Vicens Hualde, M. 2021. *De Castilla a Nueva España. El Marqués de Villamanrique y la práctica de gobierno en tiempos de Felipe II.* Buenos Aires: Albatros.

Vargas Ugarte, R. 1966. *Historia General del Perú. Virreinato (1551-1600),* Vols. II-IV. Lima: Carlos Milla Batres.

Villarreal Brasca, A. 2016. "La provisión de la presidencia del Consejo de Indias en el VII conde de Lemos: vínculos y méritos durante el valimiento del duque de Lerma". En Ponce, P. y Andújar, F. (eds.), *Mérito, venalidad y corrupción en España y América. Siglos XVII y XVIII.* Valencia: Albatros, pp. 57-74.

Villarreal Brasca, A. 2018. "El privado del virrey del Perú: vínculos, prácticas y percepciones del favor en la gestión del príncipe de Esquilache". *Memoria y Civilización* 21: 141-165.

Williams, P. 2006. *The great favourite. The duke of Lerma and the court and government of Philip III of Spain, 1598-1621.* Manchester: Manchester University Press

Wernke, S. 2013. *Negotiated Settlements; Andean Comunities and landscapes under Inka and*

Spanish Colonialism. Miami: University Press of Florida.
Zavala, S. 1976. *El Servicio personal de los indios en el Perú (extractos del siglo XVI)*, Tomo I. México: El Colegio de México.
Zuloaga. M. 2012. *La conquista negociada, guarangas, autoridades locales e imperio en Huaylas, Perú (1532-1610)*. Lima: IEP/IFEA.

PARTE I

Conocimientos, prácticas gubernamentales y comprensión de los Andes

CONOCIMIENTOS IMPERIALES Y VERNÁCULOS: FRAGMENTOS PARA ESCRIBIR UNA HISTORIA DEL IMPERIO

ANTONIO BARRERA-OSORIO
Colgate University,USA

Entre 1478 y 1550, bandas de cristianos comenzaron a invadir e incorporar reinos, señoríos, y territorios a la Corona castellana; la Gran Canaria, Tenerife, Andalucía, Ayti (La Isla Española/Haití/Santo Domingo), Melilla, Cazaza, Al-Marsā al-Kabīr (Mazalquivir), Orán, Borinquen (Puerto Rico), Cuba, Panamá, Tenochtitlan, Tawantinsuyo y Yucatán, para nombrar solo algunos de los reinos y territorios incorporados por esos años[1]. Este proceso de incorporación imperial fue violento, sorpresivo, inesperado, accidental, improvisado y, una vez iniciado, fue diseñado, determinado e intencional. Hubo diferencias importantes en este proceso.

Los reinos y ciudades musulmanas que se incorporaron en esos años eran reconocidos como reinos por los cristianos con quienes, además, habían estado en guerra por siglos. En cambio, los reinos e imperios de las Canarias y América, cuyos habitantes fueron catalogados como infieles que no conocieron el monoteísmo de la tradición judeocristiana, no fueron reconocidos como reinos en su realidad jurídico-política (Rumeu de Armas, 1969: 11-12). Los cristianos catalogaban a los grupos no-cristianos como infieles, y la infidelidad, en el mundo político-legal cristiano, los privaba de la facultad de gobierno y disfrute de la libertad y la propiedad. El malabarismo administrativo, la magia legal y la violencia de los cristianos creó el *derecho de conquista* basado en la carencia de personalidad jurídica de estos reinos de infieles ante los reinos de cristianos europeos (García Gallo, 1977: 426)[2]. Así, los castellanos inauguraron un imperio multilingüístico, multirregional, multicolonial, basado en la violencia de autoridades que

[1] En este papel considero el nombre taíno Ayti, todavía en uso en el siglo XVI, para referirme a la Isla la Española o Haití/Santo Domingo de hoy en día, y el término Boriquén para referirme a Puerto Rico.

[2] Sobre la magia del estado, o el modo como el estado ejercita su poder y crea realidades jurídico-políticas a través de declaraciones como las bulas papales mencionadas más adelante, ver Taussig (1993).

no reconocían la realidad jurídico-política de los reinos y señoríos canarios y americanos; la violencia física, religiosa y legal, creó el imperio colonial con masacres, desposeimientos, violaciones, esclavitud y muertes.

De este imperio surgieron también formas y prácticas de conocer el mundo que habrían de volverse fundamentales para la monarquía. En este capítulo presento un argumento desde dos perspectivas. Por un lado, de las interacciones entre diversos grupos conectados por el imperio, emergió un tipo de conocimiento imperial caracterizado por aspectos prácticos, empíricos y comunales; por otro lado, estos grupos que generaron sus propias identidades y prácticas dentro del imperio también generan un conocimiento propio y vernáculo, con características similares a las del conocimiento imperial mencionadas arriba, es decir, fue también un conocimiento práctico, empírico y comunal. En este capítulo recupero historias que aluden a esta dinámica doble de producción de conocimiento dentro del imperio iberoamericano en el siglo XVI.

Una historia imperial

En cuestión de unos cincuenta años, accidentes, patógenos, alianzas políticas y militares, matrimonios, hijos sobrevivientes, barcos, mapas, instrumentos náuticos, el cristianismo, informes, plantas, animales, instituciones administrativas y violencia, transformaron el pequeño reino de Castilla en un imperio grande, fragmentado y multilingüe que enlazó, entre otros sitios: Milán, Orán, Sevilla, Canarias, Ayti, Tenochtitlán y Cuzco; un imperio caracterizado por profundas transformaciones demográficas, laborales y ecológicas y, en el caso de América, además, por el establecimiento de estructuras para la circulación de informes y producción de conocimientos. El trabajo, conocimiento e infraestructura de los imperios, reinos y territorios del hemisferio occidental fueron la base del imperio Castellano. A principios del siglo XVII, Felipe Guamán Poma de Ayala (1536-1616), descendiente de la nobleza Inca, le recordó a Felipe III (1578-1621; r. 1598-1621) y su corte, olvidadizos de sus orígenes, "Castilla es Castilla por los Indios" (Guaman Poma de Ayala, 1980: 2:341).

La historia imperial de Castilla comienza en el siglo XV. En 1479, Portugal y Castilla firmaron un tratado en el que Portugal aceptaba la jurisdicción castellana sobre las Islas Canarias, y Castilla aceptaba la jurisdicción portuguesa sobre Madeira, las Azores y las islas de Cabo Verde. A principios de 1492, el sultán de Granada, Abu Abdallah Muhammad XII (c. 1460-1533), abdicó el Emirato de

Granada a Isabel I (1451-1504) y Fernando II (1452-1516). El reino musulmán de Granada y su población musulmana andalusí de habla árabe fueron integrados a la monarquía castellana.

Unos meses después de la incorporación de Andalucía a la Corona castellana, en octubre de 1492, Cristóbal Colón, por iniciativa propia, incorporó a aquella algunas islas del mar Caribe habitadas por taínos. El 3 de mayo de 1493, el Papa Alejandro VI (1431-1503) emitió una serie de bulas creando nuevas realidades geopolíticas que concedían y "asignaban para siempre" a los reyes castellanos la posesión de todas las "islas y continentes remotos y desconocidos que se extienden hacia el occidente y el mar océano, que han sido descubiertos o en el futuro puede ser descubiertos" por la Corona de Castilla siempre y cuando que estas tierras –tierras de infieles–, "no hayan estado en posesión temporal real de ningún señor cristiano" (Gardiner, 1917: 68). En 1495, mientras los taínos peleaban contra los invasores cristianos en Ayti, en Tenerife los Guanches bajo el liderazgo de Benitomo de Taoro (d. 1495) perdieron su larga guerra contra los cristianos quienes "tomaron cautivos chicos e grandes, que uno no quedó, con todas sus haciendas e ganados, e ansi ovieron la victoria de la isla de Tenerife, e la metieron en el señorío de Castilla" (Bernaldez, 1856: 1:338; Rumeu de Armas, 1975: 169).

En 1497, las fuerzas castellanas se apoderaron de Melilla y en 1509 hicieron lo mismo con Orán. Después de la invasión de las Canarias, Granada, Orán y las islas del Caribe, "el imperio de los reyes de España" comenzó, lenta y accidentalmente, a extenderse por las islas y "tierra firme del Oc[c]idente" (Zurita y Castro, 1580: 17) –catalogadas como de infieles por los cristianos–. Las bulas papales, junto con la invasión de Canarias, Granada, las ciudades mediterráneas africanas, las islas del Caribe y los precedentes portugueses en África, constituyeron los componentes iniciales del emergente imperio español.

Tanto Canarias como Granada reconfiguraron las ambiciones políticas de los reyes de Castilla. La monarquía había extendido ahora su alcance político, económico, religioso y legal a territorios y personas con diferentes creencias y prácticas religiosas, idiomas y realidades sociopolíticas. La incorporación de Andalucía al reino de Castilla facilitó la circulación de conocimientos y prácticas árabes dentro del imperio Castellano, por ejemplo, conocimientos y prácticas sobre manejo de aguas o de arquitectura de la Andalucía Árabe. La colonización de las Canarias generó conocimientos y prácticas sobre la introducción, manejo de animales y cultivo de plantas –el ganado y la producción de azúcar, por ejemplo. Distintas prácticas y formas de conocimiento empezaron a circular en este imperio emergente de mediados del siglo XV y principios del XVI.

A medida que los Iberios establecían su presencia en Andalucía, las Canarias y África, en las islas taínas comenzaban a hacer lo mismo valiéndose de esas experiencias colonizadoras previas. En 1503, Anacaona (c. 1474-1504), "una gran señora entre los indios", líder de la guerra contra los cristianos invasores, se reunió con el oficial representante del rey de Castilla en Ayti. Los castellanos aprovecharon la reunión para atacar y matar a los líderes de la resistencia taína. Anacaona fue tomada prisionera y más tarde ahorcada (Real Academia, 1864-1884: 2:350; Rouse, 1993: 154)[3]. Con esas muertes, los cristianos lograron destruir la independencia de los caciques de Ayti, y establecer colonias de cristianos en la isla –donde los taínos continuaron resistiéndose, en una historia de colonización y resistencia similar a la de los guanches en las Canarias–.

A medida que los cristianos movilizaban recursos para incorporar reinos y señoríos a la Corona de Castilla, los imperios en América seguían en sus prácticas cotidianas e históricas, en camino a conectarse, sin saberlo y sin intención, con los cristianos expansionistas.

En 2 acatl (1507 EC), al final de un ciclo de 52 años y por unos cinco días a finales de noviembre y principios de diciembre, los mexicas se prepararon para realizar la Ceremonia del Fuego Nuevo en el monte Huixachtitlan, cerca de Tenochtitlán (Elson y Smith, 2001; Lebeuf, 2010; López Austin, 1963; Sahagún, 1982: 2:368; Torquemada, 1723: 2:293). Cinco días antes de que terminara ese ciclo de 52 años, los sacerdotes y la gente del valle de México apagaron los fuegos en templos, casas y palacios; los limpiaron y barrieron; y tiraron al lago los dioses de los altares, las tres piedras sagradas del fogón de sus casas, ropa, petates y morteros –sus posesiones más preciadas–. En el momento indicado, en la cumbre del Huixachtitlán, los sacerdotes sacrificaron un guerrero preso para este propósito; le sacaron el corazón y en su pecho hicieron un fuego, un fuego nuevo, con el que prendieron antorchas para que mensajeros, que corrían "como el viento," llevaran este fuego nuevo a los templos y casas de las ciudades del valle de México (López Austin, 1963: 84).

Toda esta actividad religiosa, histórica y cotidiana en la que participaban mujeres y hombres del valle de México, era el modo como ellos sostenían su mundo y sus dioses. Si el sacerdote no hubiera sido capaz de producir fuego en el mo-

[3] Carta del Licenciado Alfonso de Zauzo de 1518.

mento preciso, el mundo mexica se hubiera acabado esa noche –"si no se sacaba Fuego, se acabaría el Mundo"–, como explicó años más tarde el franciscano Juan de Torquemada (c. 1562-1624; Torquemada, 1723: 2:293). No fue así, y hombres, mujeres, niñas, niños, familias, sacerdotes, líderes y Motecuhzoma Xocoyotzin II (r. 1502–1520), el Huey Tlatoani, el señor soberano del imperio de la Triple Alianza, respiraron con tranquilidad. Un nuevo ciclo de 52 años comenzaba para el imperio, un imperio que ejercía control sobre las ciudades-estados, los altepeme (singular altepetl) de la cuenca de México. Los mexicas volvieron a ser, por unos años más, "señores de todo lo criado, así en el agua como en la tierra" (Duran, 1867 [1587]: 2:212).

Por esos años, y a miles de leguas al sur de México, en otro mundo, el Inca Huayna Capac (r.1493-1525) se encontraba visitando su imperio. En los primeros años de su reinado, Huayna Capac salió de Cuzco a inspeccionar y expandir el Tawantinsuyo: integró nuevas comunidades al imperio y extendió la red de comunicación del imperio construyendo caminos, depósitos, templos, y palacios (Cohoon, 2020: 128; Levillier, 1956: 30). A comienzo del siglo XVI, los imperios de los incas, los mexicas y los cristianos estaban en expansión.

En Castilla los procesos internos y externos de expansión y consolidación del poder real continuaron durante el siglo XVI. En 1511, los cristianos se habían establecido en Cuba y Boriquén. En 1512, las fuerzas castellanas se apoderaron del reino de Navarra y lo colocaron bajo su dominio. En 1519, Carlos I (1500-1558), que había heredado los reinos de Castilla y Aragón por designio y accidente, se convirtió en Carlos V, emperador del Sacro Imperio Romano Germánico, después de utilizar incentivos económicos vinculados a las tierras americanas para obtener el apoyo de los electores alemanes. En 1519, los dominios de Carlos V incluían el Sacro Imperio Romano, los reinos de Castilla y Aragón, los Países Bajos, Nápoles, Sicilia, Cerdeña, Orán, Ayti, Boriquén, y Cuba en el Caribe.

En 1521, la alianza entre los guerreros de Cempoala, Tlaxcala, Huejotzingo y Castilla, y los patógenos desconocidos para los actores de la tragedia desenvolviéndose, vencieron al imperio de la Triple Alianza e incorporaron sus altepeme a la monarquía. En 1532, agentes castellanos y aliados incas incorporaron partes del imperio Inca al dominio hispano, pero solo después de que una epidemia y una guerra civil habían desestabilizado previamente el imperio.

En la primera mitad del siglo XVI, este imperio castellano o monarquía española fue el resultado de extender entonces, imperfecta y fragmentariamente, el poder castellano, su lengua, religión y leyes, sobre diferentes pueblos y naciones: musulmanes en Andalucía (1492); taínos en Santo Domingo (1493); guanches en las Canarias (1498); nahuas en México (1521), incas en Perú (1534), muiscas en Colombia (1537), mapuche en Chile/Argentina (1544) y ais en Florida (1566), por nombrar otra vez solo algunas de las naciones y territorios sometidos a distintos niveles negociados de control imperial y colonial. Este imperio multilingüe y de largas distancias creó desafíos políticos, legales y administrativos (Barrera-Osorio, 2006; Harris, 1998; Portuondo, 2009).

La corona castellana buscó el consejo de eruditos españoles en Salamanca sobre la legitimidad de este imperio accidental. Algunos de estos eruditos españoles, representados por Francisco de Vitoria (c. 1483-1546), estuvieron de acuerdo en que el papado, como pretendían hacer las bulas papales de la época, no tenía el poder de otorgar a los reyes católicos la posesión de las naciones y tierras americanas.

Estos estudiosos de Salamanca argumentaron que el imperio castellano protegía a las naciones para vivir en armonía (*ius gentium*, derecho internacional), la propiedad privada (*ius dominium*), y la extensión de la fe cristiana (con la consecuencia de justificar la guerra justa (*bellum iustum*) contra los que se opusieran a este orden político, económico y religioso (Tellkamp, 2020: 7-8). No hubo consenso entre los estudiosos salmantinos y la monarquía continuó valiéndose de la donación papal basada en la creencia de que los cristianos podían ejercer poder soberano sobre infieles y por eso mismo despojarlos de su tierra, libertad, y gobierno, para justificar la conquista de los territorios al otro lado del Atlántico (García Gallo, 1977: 429).

De este modo, la monarquía estableció un marco político-legal que le permitió unir regiones que tenían sus propias prácticas locales bajo una sola autoridad y las unió alrededor del comercio, la propiedad privada, el trabajo (la encomienda y la esclavitud) y la conversión al cristianismo. A principios del siglo XVI, individuos y grupos privados, con el apoyo de la Corona, comenzaron a transportar a los territorios del imperio, junto con los seres humanos en calidad de esclavos, animales y plantas del viejo mundo transformando lenta e imperceptiblemente las tierras y comunidades humanas y no humanas de las colonias (Río Moreno, 1991). Estos proyectos, el político-legal y el ecológico, crearon la necesidad de producir conocimientos sobre tributos, estructuras político-legales, gente, estrellas, comidas, caminos, animales y plantas. A medida que surgía este conocimiento en el contexto imperial, conocimientos locales y anteriores a la colonización se transformaron y expandieron en el contexto colonial. El imperio estableció un contexto de conocimientos y prácticas paralelas dentro de las colonias.

El imperio castellano de los siglos XVI y XVII fue un imperio de larga distancia estructurado en torno a una red de sitios conectados geográfica, política y legalmente, cada uno con sus procesos de toma de decisiones, autoridades, historias e infraestructuras comerciales y de comunicación –que en muchos casos fueron establecidas antes de la presencia de los españoles, como los tianguis-mercados de México y la red e infraestructura de caminos incas de Perú–. Fue un imperio organizado alrededor de varios centros interconectados, en diferentes momentos de su historia. Por ejemplo, en la primera mitad del siglo XVI, algunos de estos centros fueron Sevilla, Santo Domingo, Barcelona, y Bruselas; a finales del siglo XVI, algunos de ellos fueron México-Tenochtitlán, Madrid, Sevilla, Lisboa. Estos sitios formaban circuitos donde circulaban reportes, cosas, prácticas, ideas, animales, plantas, y gente. Las autoridades locales ejercieron el poder imperial en sus áreas de jurisdicción y las autoridades imperiales, los comerciantes, agricultores y artesanos produjeron conocimiento local sobre personas y cosas. Las prácticas y modos del imperio cristiano-castellano permearon solo parcialmente los territorios incorporados en el imperio (Delgado, 2005: 47). Con el imperio surgió el problema del conocimiento, su producción, circulación, y usos.

En el imperio castellano de ultramar se crearon varios tipos de conocimientos, uno imperial, por ejemplo, y varios conocimientos vernáculos o locales. En una inesperada circularidad, estos conocimientos que surgieron dentro del imperio, y por las interacciones entre grupos conectados por aquel, también lo crearon. El conocimiento náutico en mares abiertos, por dar un ejemplo, hizo posible que los cristianos hicieran navegaciones a larga distancia y que establecieran fuertes comerciales y diplomáticos fuera de Europa, con la ayuda de expertos locales; a la vez, estos imperios euro-cristianos organizaron y transformaron prácticas náuticas medievales en un nuevo conocimiento empírico (Barrera-Osorio, 2006; Lamb, 1969; Lamb 1974; Lamb, 1976; Sandman, 2002). En el contexto de los imperios cristianos de los siglos XV y XVI, imperios y conocimientos empíricos fueron co-creados asimétricamente durante el proceso de formación y expansión imperial y colonizador.

A medida que los imperios Ibéricos vincularon diferentes regiones y comunidades, los problemas de comunicación, comprensión y conocimiento se convirtieron en una parte integral de la formación del imperio. La creación de conocimiento imperial y vernáculo dentro del imperio iberoamericano ofrece un modelo distinto al modelo basado en la autoridad del noble que genera conocimiento fidedigno, apoyado en su riqueza, honor, y red social (Shapin, 1994: 42). En lo que sigue voy a dar ejemplos de cómo se crearon estos conocimientos. La historia de la ciencia es una historia fragmentada, y este es uno de esos fragmentos (Chakrabarti, 2021: 14).

Conocimiento Imperial: Un Fragmento

En 1511 los reyes le dieron instrucciones al gobernador de la Isla Santo Domingo, Nicolás de Ovando para que hiciera un libro de tributos; y le dieron una instrucción similar a Juan Ponce de León (1474-1521), quien hizo un libro de tributos (con el número de caciques, residentes, y tributos) en Boriquén (Jiménez de la Espada, 1881: 1: XXXIII). En Mesoamérica, la Corona también buscó información sobre tributos, tierras y provincias. En 1525, le dieron la orden al licenciado Luis Ponce de León (d. 1526) de ir a México "sus tierras y provincias, y por todas las vías y formas que mejor lo pudieras saber, y viendolo por vista de ojos, os informeys y sepays larga y particularmente del grandor y tamaño de esta nueva España" (Encinas, 1945: 1:342) La necesidad de producir información sobre el imperio estaba ya conectada a necesidades administrativas, judiciales y comerciales, pero se creó, ahora la necesidad de generar un conocimiento sobre la naturaleza y las propiedades de la tierra, la gente, y las cosas. La monarquía ponía en circulación prácticas de conocimiento que habían surgido en contextos locales, con actores locales, y convertía esas prácticas locales en prácticas para todo el imperio.

Agentes imperiales generaron reportes con conocimientos naturales que circularon en las cortes y en los puertos, calles y ciudades de América, Castilla y Europa. Estos reportes, orales y escritos, se convirtieron en vehículo de información y conocimiento sobre el mundo natural, en una práctica de producción de conocimiento que iba a ser adoptada por otras cortes e instituciones europeas de la época, por ejemplo, por los pilotos y cosmógrafos de la Casa de la Contratación, los jesuitas, y los miembros de la Sociedad Real de Londres (Royal Society of London for Improving Natural Knowledge).

El imperio no solo produjo reportes, sino que también produjo expertos, como los pilotos imperiales y médicos locales, que generaron prácticas, instituciones y esferas de conocimiento propias. Tanto las comunidades europeas y sus descendientes como las comunidades indígenas, negras, mestizas y sus descendientes, generaron conocimientos naturales y sociales basados en sus historias, prácticas, creencias, actos de resistencia y creatividad. Los conocimientos imperial y vernáculo estaban conectadas e incluso superpuestos, pero se organizaron en jerarquías y en diferentes posiciones de visibilidad y validez. Por ejemplo, las autoridades imperiales consideraban el conocimiento médico de la comunidad europea en México y Sevilla superior que el conocimiento médico de las comunidades negra y mulata de Cartagena y la Habana (Gómez, 2017: 72) –estas comunidades generan conocimientos y establecieron métodos similares a los generados por las comunidades imperiales–.

En general, el imperio generó un tipo de conocimiento que apuntaba a ser práctico, empírico y consensual, y que eventualmente produjo conocimientos de geografía, medicina, navegación, cosmografía, historia, administración estatal y tributaria e historia natural. Los grupos de expertos, sus conexiones y desplazamientos a lo largo del imperio y sus prácticas, generaron conocimiento sobre el imperio. Este conocimiento fue el resultado de propuestas y prácticas que venían de la gente viviendo y trabajando en América y de los oficiales reales que en América o en Castilla, a punta de prueba y error, establecieron prácticas para entender, conocer y controlar las realidades coloniales. Así, a la corte llegaban relaciones y reportes para que se tomaran decisiones administrativas, políticas y judiciales, pero como los oficiales no siempre tenían el conocimiento necesario para tomar las decisiones en cuestión, crearon prácticas y sistemas para producir conocimiento sobre las realidades americanas.

En 1524, por ejemplo, cuando la corte de Carlos V estaba en Burgos, le llegaron "cartas y relaciones de las navegaciones y conquistas de las Indias, así de las tierras y provincias de la Nueva-España, como de Tierra-Firme, Nicaragua y otras partes." También llegó de América el oficial real Gonzalo Fernández de Oviedo (1478 – 1557) con sus propios reportes (Sandoval, 1847: 4:95; Fernández de Oviedo, 1535: 1: XLIV). Así que a la corte llegaban tanto reportes escritos como orales de testigos que llegaban voluntariamente o llamados a la corte; la corte era escéptica de estos reportes. Muy temprano en la formación del imperio, había ya una noción de que tanto los reportes escritos como los orales, aunque parecían verdaderos, tendían a promover "intereses particulares"[4]. Una de las primeras soluciones a este problema de los reportes personales fue pedir múltiples informes

[4] Ya la Corona se había enfrentado a la realidad de reportes como resultado de intereses particulares, ver el memorial a los reyes Isabel y Fernando del empresario Florentino Juanoto Berardi establecido en Sevilla en Real Academia, 1864-1884: 1:253. No tiene fecha pero se escribió a finales del siglo XV o principios del XVI.

tanto orales como escritos. En 1522, Carlos V mandó a Juan Sebastián Elcano, cuando llegó a Sevilla después de circunnavegar el mundo, que viniera a la corte con "dos personas de las que han venido con vos las más cuerdas y de mejor razón" (Salvá y Sainz de Baranda, 1847-1895: 1:247). La referencia a personas "cuerdas y de mejor razón" es una referencia al sistema de autoridad y prácticas epistemológicas que creó el imperio en ese momento –gente con experiencia pero cuerda y con razón; además viajes tan largos transformaban la razón–.

En 1527 el poder regio ordenó prácticas nuevas en la Casa de la Contratación, también como resultado de iniciativas particulares, y ordenó que los pilotos tomaran notas de sus viajes "dia por dia," y "describan el viage que hizieren a ellas [las Indias] de yda y vuelta, y traigan testimonio de las alturas de las tierras" y de los "baxos notables de las navegaciones que hizieren"[5]. En 1536 se ordenó que cada piloto "hiziesse libro y diario de todo lo que succediesse en el dicho viage" anotando los días que salen y llegan a puertos, derrotas, rumbos, vientos, calmas, tempestades, huracanes, corrientes, islas y calidades de los puertos a donde lleguen (Encinas, 1945: 4:197).

A los sitios de administración imperial no solo llegaban reportes y testigos, también llegaban cosas de América. En 1530 llegó de Cuba a la Casa de la Contratación una muestra de cobre, "la piedra dello," que la emperatriz-reina Isabel de Portugal (1503-1539) ordenó que se llevara a la corte "para hacer el ensayo y experiencia de ello y hecho se proveerá lo que convenga" (Archivo General de Indias, en adelante AGI, Santo Domingo 1121, L. 1, f. 67r-68v.). Por esa época llegaron también muestras de una medicina de Santo Domingo llamado bálsamo para que médicos en Castilla hicieran "experiencias con el dicho bálsamo" (AGI, Indiferente 422, L. 14, f. 66v-67r y f. 73r-74v). Los reportes, los testigos y las cosas que llegaron a los sitios de administración imperial en las primeras décadas del imperio crearon un contexto nuevo para la producción de conocimiento en el imperio.

Nueva-España, Tierra-Firme, Nicaragua, mencionados arriba, eran en ese momento, nombres que contenían imperios, reinos y territorios que algunos oficiales de la corte apenas conocían, y significativamente, fueron territorios imperiales que algunos oficiales conocieron únicamente a través de reportes porque

[5] La referencia a los reportes de 1527 y 1536 están contenidas en una cédula de 1575, ver Encinas, *Cedulario*, 4:197. Bustamante discute estas ideas en "El conocimiento," 38-39. Ver cita de la cédula de 1527 en Pulido Rubio, 1950: 262, nota 225.

nunca visitaron América –como los reyes Castellanos–[6]. La falta de conocimiento en los sitios administrativos del imperio, en la Casa de la Contratación, en la corte y en el Consejo de Indias, creó la necesidad de producir conocimiento sobre los territorios, la gente y las cosas que se estaban incorporando al imperio. Así, se fueron estableciendo ciertas prácticas como el uso de la violencia para extraer información, los reportes de viaje y la respuesta a cuestionarios para la producción de conocimiento. Estas prácticas de adquirir y producir conocimiento e información sobre el imperio se extendieron a la práctica de la visita.

La visita era un mecanismo de gobierno cuya finalidad era verificar la ejecución de decretos reales y corregir problemas de justicia y gobierno. La visita era un instrumento para hacer presente a los reyes y su poder en el acto performativo de enviar visitadores a inspeccionar el trabajo de oficiales en territorios apartados de la corte (Brendecke, 2012: 23; Herzog, 2005; Mayorga García, 1991: 108).

En el contexto imperial de los Habsburgo en Europa, por ejemplo, una visita por parte de oficiales de la corte de Carlos V a sus posesiones italianas constituía un mecanismo extraordinario. En el contexto americano, tuvo tanto un carácter extraordinario en algunos casos, como ordinario en otros, en la medida que se incorporó como parte de las prácticas ordinarias de ciertas posiciones. La monarquía adoptó esta práctica de la iglesia católica. La visita tuvo sus orígenes en la visita canónica de la Iglesia Católica y durante el Concilio de Trento, la visita quedó integrada a las prácticas ordinarias de algunos oficiales de la iglesia de un modo similar a como la Corona la incorporó en la década de los 1530 a las prácticas de algunos oficiales en los reinos americanos (Waterworth, 1848: 62 y 208; Rivero Rodríguez, 1998: 76). Esta modificación en la práctica de las visitas fue el resultado de la interacción entre oficiales en Europa y oficiales en América. Hacia 1530, la autoridad metropolitana había mandado visitadores a México pero el presidente de la audiencia de México, Sebastián Ramirez de Fuenleal, en una carta al rey de 1532, explicó que estos visitadores habían hecho daños, robos y cometido delitos. Fuenleal propone en cambio que los oidores hagan las visitas junto con algunos religiosos para ayudarlos; propuso que dos oidores y los religiosos fueran a una provincia y después otros dos y los religiosos fueran a otra provincia (Real Academia, 1864- 13:220). Este es un ejemplo de cómo se crearon prácticas de conocimiento a partir de las experiencias de los agentes imperiales en las colonias.

[6] Los reportes no solo daban noticias sobre territorios, la gente y sus cosas sino que el reporte mismo creaba el territorio incorporado al imperio porque para muchos oficiales en Castilla que no viajaron a América, solo la conocían a través de los reportes. Sobre la relación entre narrativa y conocimiento, ver Turnbull, 2002: 273.

A la emperatriz y sus consejeros les gustó la idea y en 1533 ordenaron que un oidor con dos religiosos "vays a entender en la dicha visitación a una o dos provincias, y otro de vosotros con otros dos religiosos por otra parte" (Puga, 1945: 1:300). De aquí la visita de tierra por parte de los oidores de las audiencias se volvió práctica –no fue fácil institucionalizarla–, pero quedó decretada. La Corona repetirá la orden a los oidores, quienes delegaban esta función en funcionarios menores, para que visitaran la tierra bajo sus respectivas jurisdicciones regularmente (García Castro, 2013: 26).

Hay otra historia que se conecta con la institucionalización de prácticas para recoger información sobre las tierras, gentes, y cosas americanas. En 1532, Gonzalo Fernández de Oviedo (c. 1478-1557), un oficial real que había vivido en Panamá, Cartagena, Santo Domingo y había publicado una breve y curiosa historia natural de América, propuso a Carlos V a través del Consejo de Indias que podía trabajar recopilando información sobre "las cosas de las yndias," y escribiendo una historia "poniendo particularmente las propiedades de cada tierra e ysla y strañezas que en ella ha avido y oviere y las condiciones de los moradores y animales de ellas" (AGI, Indiferente 737, No. 24)[7].

Carlos V ya conocía a Fernández de Oviedo. Se habían conocido en 1516 cuando Fernández de Oviedo viajó a Bruselas para ofrecer sus servicios al nuevo rey e informarle sobre asuntos americanos. Fernández de Oviedo estaba esperando que esta conexión previa con el emperador lo inclinara a dar una respuesta favorable a su propuesta, pero también traía cartas de apoyo del Caribe. Los funcionarios reales de Santo Domingo apoyaron su propuesta, comentando que "ninguno ha visto tanta tierra como él" (León Cázares, 2012: 205). Fernández de Oviedo pidió también un salario (AGI, Indiferente 737, No. 24). Proponía la creación de un puesto con salario para recopilar información y escribir sobre la tierra, la gente, los animales y las cosas de América (AGI, Indiferente 737, No. 24). Los miembros del Consejo consideraron que la propuesta merecía apoyo. Sugirieron que el rey aprobara su salario y que "discurriese por aquellas tierras por donde no ha andado para ver lo que no tiene visto y de todo hiciese memoriales y los embiase a este consejo" (AGI, Indiferente 737, No. 24).

Para el mes de agosto de 1532, Fernández de Oviedo ya había sido nombrado con un salario, para escribir "las cosas de las Indias" (Real Academia, 1885-1932: 17:288). Decidieron no mandarlo a ver las tierras que no había visto todavía,

[7] Fernández de Oviedo (1526) le dedicó su breve historia a Carlos V.

pero en cambio, y agregando otro elemento a las prácticas de recoger información sobre territorios distantes, la Corona envió en octubre cédulas reales "para todas las Indias" pidiendo a sus oficiales que le enviaran a Fernández de Oviedo "relaciones de tierras, sucesos y otras cosas" (Real Academia, 1885-1932: 14:39). La cédula real al gobernador de la isla de Cuba le pide que envíe un reporte sobre las características de la isla, sus habitantes, animales, y "extrañezas" a Fernández de Oviedo, cada año, para que él los agregara a la narrativa de la crónica de España (AGI, Indiferente 422, L. 15, f. 188v-189r.).

Las conversaciones en la corte y el Consejo de Indias, bajo la dirección de la emperatriz Isabel, sobre la propuesta de Fernández de Oviedo de escribir una historia natural sobre las tierras y gente de América fueron parte de una conversación más amplia sobre prácticas para producir conocimiento en el contexto del imperio. Un año después de que el Consejo examinara la propuesta de Fernández de Oviedo, llegó la carta de Ramírez de Fuenleal, mencionada arriba, proponiendo que las visitas a la tierra las hicieran los oidores. Estos mecanismos estatales de compilar información fueron inicialmente propuestos por agentes del imperio que habían estado en América. Unos años más tarde, en 1536, pero como continuación de estas conversaciones, se ordenó a los pilotos, como se señaló más arriba, que hiciesen diario de sus viajes, con notas sobre puertos, derrotas, rumbos, vientos, corrientes, y sucesos relevantes del viaje (Encinas, 1945: 4:197).

De un modo paulatino y fragmentado, la monarquía, en un contexto imperial y para producir conocimiento, creó las bases para la creación de una red de comunicación dedicada a la acumulación de reportes sobre la realidad americana (Barrera-Osorio, 2006; Portuondo, 2009; Nieto, 2013). Los reportes los generaron personas con experiencia –indígenas, pilotos, oficiales presentes en las tierras bajo investigación, comerciantes, médicos, cosmógrafos, quienes articularon información práctica para fines imperiales (tributos) o comerciales (productos comercializables). Estos reportes pusieron a circular en el imperio un conocimiento práctico, empírico y colaborativo sobre eventos y hechos remotos (Turnbull, 2002: 287). El imperio castellano creó una red de comunicaciones para la circulación de reportes análogos a los reportes que circularán en el siglo XVII, en otros centros de conocimiento como la Sociedad Real de Londres. El sistema incluía la práctica de enmendar informes con reportes actualizados, como se empezó a hacer con los informes de pilotos en la Casa de la Contratación a principios del siglo XVI[8]. Estas prácticas –pedir múltiples reportes de testigos sobre los lugares, personas y cosas remotas; circunscribir parte de los reportes a información práctica y empírica (por ejemplo, características de la tierra); y entregarlos a un experto para que los organizara en una narrativa única –articularon una forma de producir conocimiento autoritativo dentro del imperio–. Simultáneamente, se crearon esferas paralelas locales de conocimiento.

La práctica de visitar la tierra ya estaba establecida para cuando los cristianos invadieron Tahuantinsuyo –"las cuatro regiones unidas entre sí"– del imperio Inca en los Andes (Levillier, 1956: 15-16; Rostworowski, 2013: 84). En 1533 el emperador pidió al gobernador y dos regidores de la provincia del Perú que se reunieran con "un procurador de cada uno delos pueblos de cristianos españoles de esa tierra e ansi todos juntos" se informen "por lenguas de ynterpretes de los naturales dela dicha tierra" y de cristianos sobre las provincias del Perú, sus respectivas distancias, poblaciones, número de residentes, características geográficas, cultivos, ríos y puertos (Real Academia, 1885-1932: 10:162).

Los cristianos invasores incorporaron a Tahuantinsuyo al emergente imperio Castellano y, siguiendo prácticas imperiales desarrolladas en el Caribe y México, establecieron lentamente instituciones administrativas (corte virreinal y cabildos), religiosas (monasterios y parroquias), judiciales (audiencias) y fiscales (recaudación de impuestos) adyacentes, superpuestas parcialmente, o superimpuestas a las instituciones incaicas. De esta dinámica surgieron, en las regiones del imperio americano, multimundos con elementos indígenas, africanos y cristianos, con prácticas, instituciones, cotidianidad y modos de conocimiento. Los cristianos, a pesar de la violencia y otros intentos, no pudieron suprimir el mundo animado de los Andes con sus prácticas y conocimientos, pero implementaron formas de saber imperiales paralelas a las formas de saber de los Andes o de México o del Caribe.

El proceso de adquirir información sobre el imperio se extendió durante estos años. En 1535 las instrucciones al virrey Antonio de Mendoza le ordenan "visitar ansi la Ciudad de Mexico como todas las otras ciudades, villas y lugares y poblaciones de la dicha Provincia" en persona o por delegados si él no podía hacerlo para que se informen "de la calidad de cada uno de los dichos pueblos y del número de vecinos naturales dellos," y sus tributos (Real Academia, 1864-

[8] Estoy conectando las actividades de la Corona Castellana en el siglo XVI con las de la Royal Society. Sobre la Royal Society, ver McKeon (1998: 3).

1884, 23:427). Después de hacer esta visita y de informarse "de la calidad y cantidad de la dicha Tierra y tributos." el virrey tenía que escribir un memorial (Real Academia, 1864-1884: 23:432). Las visitas ciertamente fueron actos performativos con los que el rey hacía presencia y despliegue de poder, pero al mismo tiempo generaron un tipo de conocimiento práctico, empírico y colaborativo sobre la naturaleza, la tierra, la gente, y las cosas americanas[9].

Esta práctica que ya se estaba incorporando como parte de la administración imperial, fue también usada a nivel local por los agentes españoles para compilar información local. En 1540, Francisco Pizarro y el obispo Vicente de Valverde, estando en Perú, ordenaron la primera visita del Perú para conocer la tierra, sus tributarios y la organización política del Tahuantinsuyu.

El visitador, con la ayuda de un traductor, hizo aparecer ante él a los señores de la tierra y los amenazó con castigos si no respondían verdaderamente sus preguntas (Diez-Canseco, 1986: 85-86). Mencioné arriba que la violencia fue parte de las prácticas para obtener información de los indígenas. Ya Cristóbal Colón en su primer viaje y al entrar al mundo del Caribe secuestró a un grupo de Taínos para obtener información de ellos; los portugueses habían establecido la misma práctica en la costa africana del Atlántico a principios del siglo XV cuando comenzaron a navegar en esa región (Strang, 2018: 22-23; Vega, 1605: f. 277v). Hernando de Soto en su expedición a Florida y América del Norte torturó a los locales para sacarles información. De este modo, la visita que comenzó siendo un instrumento de corrección administrativo y control real sobre los oficiales regios ejerciendo a distancia de la corte, se transformó en América en un instrumento tanto de control y corrección como de conocimiento, que incluía el uso de la violencia para adquirir información sobre la tierra.

Las visitas por supuesto tenían muchos problemas. Si el objetivo principal de la visita era corregir problemas administrativos y de justicia en las comarcas del imperio, había que garantizar la independencia del visitador. Al Consejo de Indias llegaron reportes informando que las visitas de la tierra no estaban cumpliendo con este objetivo. Así, cuando llegaba el visitador a inspeccionar una comarca, el encomendero le daba regalos y lo invitaba a comer y beber y después se sentaban a escribir un reporte juntos favoreciendo al encomendero (Salda-

---

[9] Brendecke (2012: 286) argumenta que "el envío de información al Consejo de Indias tenía una función de control," estoy de acuerdo pero también creo que "el envío de información" produjo prácticas, expertos, reportes, conexiones entre grupos, y modos de circulación de los que emergió un tipo de conocimiento práctico, empírico y consensual (Barrera-Osorio, 2006).

rriaga, 2012: 22). No obstante, las visitas generaron reportes que se usaban dentro de la administración imperial para tomar decisiones subsecuentes[10].

En los años de 1540, Carlos V y sus consejeros enviaron inspectores reales o visitadores a México, la Nueva Granada, y Santo Domingo. Una misma práctica de producción de conocimiento, y de establecimiento del poder regio, para los distintos territorios del imperio. Fue intencional. Hacia 1543, el rey y sus consejeros decidieron que el mecanismo de la visita, con doble función de control administrativo y producción de conocimiento, fuera parte de "los cargos de Indias, por ser tierras tan remotas" (Herrera, 1985: 4:145-147). En 1543, para implementar las Leyes Nuevas de 1542, el emperador envió visitadores y oficiales para implementarlas a Santo Domingo, Nueva Granada, Guatemala y Nicaragua, Panamá, México y el primer virrey del Perú, donde el rey estaba todavía tratando de establecer su poder imperial (Bustamante, 2000: 51). Las Leyes Nuevas intentaron reorganizar la situación laboral de estas comunidades locales en el mundo americano, limitando el poder de los cristianos sobre el trabajo indígena y aumentando el poder del gobierno autónomo de las comunidades indígenas y el acceso al trabajo y tributo indígena[11]. Este fue un intento de reorganización del imperio en América.

El emperador envió a México al licenciado Francisco Tello de Sandoval (1558-1615) con el doble propósito de implementar, primero, las Leyes Nuevas y, segundo, de inspeccionar la labor de los oficiales reales, comenzando por el virrey en México y como una manera de normalizar las visitas en los cargos americanos. Las visitas incorporaron mecanismos para recoger información regular sobre los dominios de la monarquía hispana (Rivero Rodriguez, 1998: 166).

Las visitas de los años 1540 y 1550 en los territorios americanos del imperio fueron visitas para averiguar la calidad de la tierra y los impuestos-tributos que pagaban las comunidades a sus respectivas autoridades prehispánicas[12]. Este tipo de visitas fue el resultado de un proceso imperial lento de conectar las prácticas de conocimiento de los pilotos, comerciantes, oficiales, religiosos y colonizado-

[10] Los libros de tasaciones una vez hechos se siguieron usando para tomar decisiones sobre tributos, ver Real Academia, 1885-1932, 24:86.

[11] *Leyes y ordenanzas nuevamente hechas por su Magestad, para la governacion delas Indias, y buen tratamiento, y conservacion delos Indios: que se han de guardar en el consejo y audiencias reales que enellas residen: y por todos los otros governadores, juezes y personas particulares dellas* (Madrid, 1585). Sobre las Leyes Nuevas y el gobierno indígena, ver Gamboa (2006: 160).

[12] Morong (2021) explora las visitas e indagatorias que hicieron autoridades imperiales y locales en Perú entre 1540 y 1570 para entender la historia y estructuras imperiales y de gobierno de los incas.

res, a medida que iban invadiendo tierras y aguas americanas e interactuando con distintos grupos incorporados al imperio. Desde la violencia de los secuestros y las torturas para adquirir información hasta las alianzas y las relaciones de interés y beneficio, las visitas se convirtieron en instrumentos para adquirir información de las comunidades indígenas sobre la tierra y su organización político-económica en las primeras décadas del siglo XVI. Para 1543, como mencioné arriba, el rey y sus consejeros querían que "aquel juicio de la visita y residencia se fuese introduciendo en los cargos de las Indias, por ser tierras tan remotas" (Herrera, 1585: 4:147).

Hacia 1550 se deslindan las investigaciones de conocimiento natural de las investigaciones fiscales y de organización política. A nivel imperial dos agentes hicieron propuestas para recoger información específica sobre historia natural y geografía: los cronistas reales Juan Páez de Castro (c. 1512-1570) y Alonso de Santa Cruz (1505-1567) (Ponce de Leiva, 1992: XXIX). Ambos propusieron expandir y aplicar prácticas que ya existían como parte de la administración imperial a nuevas áreas de control y conocimiento.

Por 1557, justo después de la ascensión de Felipe II (r. 1556-1598), un cosmógrafo vinculado a la Casa de la Contratación y a la corte castellana, Alonso de Santa Cruz (c.1500-1572), propuso hacer preguntas específicas a exploradores y colonos. En lugar de preguntar, cómo había sido el caso hasta ese momento, información general sobre la tierra y cosas naturales, propuso hacer preguntas específicas sobre la latitud y longitud de lugares y puertos; sobre las características geográficas y la salubridad del terreno; sobres ríos, montañas, lagos y fuentes; y sobre minas, minerales, piedras, perlas, animales, monstruos, árboles, frutas, especias, drogas y hierbas. Preguntas sobre los pueblos indígenas: sus reinos y provincias, fronteras, pueblos y ciudades, trajes, ritos, tipos de conocimiento, libros, armas, comercio (en general) y artículos que comerciaban.

La propuesta de Santa Cruz constituyó una expansión de prácticas ya institucionalizadas en la oficina de navegación en la Casa de la Contratación, una verdadera cámara de conocimiento, desplegada por funcionarios reales como Pedro Mártir y Gonzalo Fernández de Oviedo que habían buscado información específica sobre América en el pasado. Otros empezaron a proponer ideas similares, aplicándolas a otros ámbitos. En 1558, Juan Páez de Castro propuso la creación de una biblioteca como la del sabio Salomón[13]. En esta propuesta y

[13] Páez de Castro había visto un memorial de Santa Cruz en Flandes antes de escribir el suyo, ver Uztarroz

otros escritos sobre historia, Páez de Castro propone la idea de usar reportes para recoger información sobre eventos históricos, naturales y geográficos (Bustamante, 2000: 52; Moroto y Piñeiro, 2006: 39-44; Páez de Castro, 1883 y 1892; Parker, 2002: 182). En esta biblioteca y a través de los reportes como los que en teoría recibía Fernández de Oviedo, se tendría "perpetua noticia de las navegaciones, y conquistas de Indias: de los términos de los Reynos, Señoríos: de los tributos, y de los gastos ordinarios" (Páez de Castro, 1883: 171). En la biblioteca, a través de los reportes que se reciban, organicen y guarden, se producirían reportes de "las cosas memorables, que por todo el mundo se hallaren de naturaleza, o passaren entre los hombres. Pondránse [en catálogos] las artes, o ingenios, que se inventasen" también (Paez de Castro, 1883: 171). Páez de Castro articuló en sus memoriales y escritos, prácticas que ya estaban implementadas en el imperio castellano y que se van a implementar años más tarde en los otros imperios euro-cristianos (Winterbottom, 2009).

Para la década de los años 1550, surgió en el imperio castellano un conjunto de prácticas para la producción del conocimiento basado en informes y reportes, y en prácticas e instituciones ya establecidas para ese momento. Estas prácticas e instituciones establecieron mecanismos para recopilar información de los nativos americanos y de aquellos que habían viajado y viajaban por el imperio. Pero este conjunto de prácticas constituyó una esfera entre otras para la producción de conocimiento.

Conocimiento Vernáculo: Un fragmento

A ambos lados del Atlántico surgieron diferentes proyectos de recopilación de información. Casi simultáneamente, en México, el franciscano Bernardino de Sahagún (c. 1499-1590) elaboró un cuestionario para escribir su *Historia general de las cosas de la Nueva España.* Sahagún envió cuestionarios (reconstruidos de su libro) a las aldeas indígenas, pidiendo información sobre aspectos de su cultura, sociedad y tierra. Sobre historia natural, el cuestionario incluyó preguntas, por ejemplo, sobre nombres de animales, la historia de los nombres, descripción física de los animales, sus respectivos entornos, actividades, alimentación, sus costumbres, formas de cazarlos o capturarlos, historias y dichos sobre ellos (Bleichmar, 2004; León-Portilla, 1999; López Austin, 2011: 358).

---

y Dormer (1878: 558).

Asimismo, en la década de 1560, el médico y comerciante de esclavos Nicolás Monardes (c. 1512-1588), que tenía su práctica médica y comercial en Sevilla, comenzó a publicar una serie de informes sobre plantas medicinales de los territorios americanos. Como Mártir, Santa Cruz y los cosmógrafos de la Casa, recopiló información preguntando a las personas que llegaban de América con experiencia, sobre medicinas. También le llegaban muestras y reportes de sus socios en el comercio de esclavos en América. Monardes preguntó a soldados, comerciantes, franciscanos, oficiales reales y mujeres sobre nuevas medicinas y plantas. Muchos viajeros volvían a Castilla con medicinas americanas en sus bolsas de viaje. El médico preguntó sobre los nombres, usos y características de los medicamentos y sus experiencias al usarlos. La mayoría de las experiencias de sus informantes se referían a los usos indígenas de esas hierbas. En algún momento, comenzó a recibir muestras de medicinas con informes adjuntos, por ejemplo, un soldado en Perú le envió piedras bezoar y otras medicinas. Monardes también estableció un jardín botánico y no fue el único que lo hizo en Sevilla. En 1565, 1569 y 1575, Monardes publicó tres informes sobre estos medicamentos (Pardo Tomás, 2002; Barrera-Osorio, 2006; Sargent, 2019).

El imperio creó condiciones para la coproducción de conocimiento entre los distintos actores operando en las zonas de contacto del imperio (Pratt, 1992; Raj, 2013: 344). Este conocimiento circuló entre estos actores generando esferas de conocimiento conectadas y con algunos elementos en común, organizadas de forma jerárquica pero también con cierto nivel de autonomía. Por ejemplo, en las comunidades negras del Caribe se produjo un conocimiento médico, corporal y natural que influyó, se usó y coexistió con el conocimiento de las comunidades indígenas y las comunidades criollas y cristiano-europeas, comunidades que coexistieron en el marco de la violencia, la negociación, la transculturación, y las jerarquías del imperio y la colonia (Gómez, 2017). La misma dinámica de coexistencia, negociación y jerarquización se repitió en las distintas regiones del imperio.

A mediados del siglo XVI, ya el imperio tenía establecidas comunidades nuevas donde se producía un conocimiento vernáculo sobre el mundo natural y los cuerpos. Los que transitaban por el imperio entraban y salían de estas comunidades y se exponían a sus prácticas y maneras de conocer la naturaleza y el mundo.

Un soldado castellano relata su viaje por estas comunidades y sus esferas de conocimiento. El soldado y una esclava negra, que había comprado en Jerez de la Frontera, Andalucía, llegaron a la isla Margarita, cerca de Venezuela, donde la esclava se enfermó de "unas llagas viejas en las piernas, que avia mucho tiempo que las tenia"[14]. Un "Indio me dijo," cuenta el soldado, "que la sanaría; y viendo que allí no tenía otro remedio"o sea que no tenía acceso a otros médicos como sucedía en muchas partes del imperio, puso la esclava "en poder del Indio, para que me la curasse" (Monardes, 1574: f. 75v.)

Este mundo de médicos indígenas existió a lo largo y ancho del imperio; más adelante, el soldado cuenta que vivió unos años en la Villa de Pasto, a medio camino entre Quito y Popayán, hoy en Colombia, donde "avia un Indio que curaba a ellos [los Indígenas] y a los Españoles, de cualquier enfermedad que tuvieessen" "con el çumo de cierta yerva" (Monardes, 1574: f. 76r.) La situación era similar en México, donde médicos indígenas y mercados de plantas, animales y minerales medicinales servían a las comunidades locales. En la isla Margarita, donde se sacaban perlas, el médico indígena curó las llagas de la esclava con los polvos de la semilla de un fruto común en la isla. En Pasto, el médico Indígena curaba a sus pacientes con el zumo de una hierba y haciéndolos sudar. Nunca "quiso decir que yerva era, ni mostrarla a nadie" por más que los españoles trataron de averiguarlo haciéndole "regalos, y fieros, y amenazas" (Monardes, 1574: f. 76r.). Estas esferas de conocimiento se co-crearon de distintos modos en el imperio iberoamericano, tenían sus redes de circulación, sus expertos, y una materialidad propia que las apoyaba respectivamente.

El soldado sintió que había que explicar que había dejado que el médico indígena viera a la mujer esclava porque no había otros médicos disponibles, lo cual indica que las distintas comunidades tenían distintos modos de conocer y distintos expertos. La historia es curiosa.

Osma y la esclava llegaron a la isla, ella se puso mal, y preguntaron entonces por un médico, ¿y les recomendaron este médico? O ¿el médico los vio con problemas de salud y se acercó a ofrecer sus servicios? "Un indio me dijo que la sanaría." Pareciera que alguien que los vio con problemas se les acercó a ofrecerles sus servicios, y podría ser que así fuera porque los indígenas de las islas mantenían esta esfera de conocimiento y prácticas al servicio de sus comunidades y de las comunidades negras y euro-cristianas. El soldado, a continuación, explicó la práctica del médico indígena: el médico tomó la semilla de una fruta

[14] No he podido encontrar el nombre de la esclava; el soldado, quien relata la historia en una carta al médico sevillano Nicolás Monardes, se llamaba Pedro de Osma y de Zara y Cejo, ver la carta en Nicolás Monardes (1574: f. 73r-77r), sobre la esclava que compró en Castilla (f. 75v). Yo sospecho que la mujer esclava también tenía conocimientos médicos, su invisibilidad y la violencia de su situación se recrea en esta narración histórica que no logra decir más de lo que escribo en estas líneas.

común en la isla Margarita, la quemó, la hizo polvo y puso el polvo en las llagas de la enferma, y al cabo del tiempo, la curó (Monardes, 1574: 75v.). En este caso, el contacto entre el médico Indígena, la esclava, y el soldado Castellano crean un espacio en común donde el conocimiento del médico indígena se filtra, dejando por fuera elementos religiosos y mágicos, y crea en relación con el soldado y la esclava, una esfera de conocimiento práctico y empírico: el uso de los polvos medicinales de una semilla para aliviar llagas u otras enfermedades.

Este soldado y la esclava viajaron por México, Perú, el río Marañón, Florida, el Caribe y "por muchas partes de estas Indias Occidentales" (Monardes, 1574: 74r.). En todas estas partes, Osma y la esclava interactúan con comunidades de médicos indígenas, aunque no lo menciona en todos los casos. Dice, agregando una dimensión de género a la producción de conocimiento que "los indios" no divulgan "un secreto, ni una virtud de una yerba," pero que lo que se sabe sobre las hierbas es por "las Indias: que como se enbuelven con españoles, descubrenles, y dizenles, todo lo que saben" (Monardes, 1574: 77r.). En México, como lo anoté arriba, practicaban los médicos Nahua or titici (singular ticitl) y había mercados donde, principalmente, las mujeres vendían medicinas. En el Caribe no solo había una cultura médica indígena, por ejemplo, el médico que curó a la esclava que viajaba con Osma, o la mujer taína que le explicó a comerciantes españoles las propiedades de plantas medicinales de Ayti, sino que también había una cultura médica afrocaribeña. Finalmente, en el Perú colonial, apareció una cultura de herbolarios que mantenían sus prácticas previas a la invasión cristiana, incorporando prácticas de los españoles a estas[15].

Cuando estas comunidades y expertos entraron en contacto con los cristianos, estos los persiguieron, los atacaron y trataron de suprimir las prácticas de sus médicos indígenas y negros atacando sus cuerpos y destruyendo las cosas que usaban para implementar sus curas y remedios. Fueron parcialmente exitosos, pero las comunidades se resistieron y creativamente supieron mantener vigentes sus esferas de conocimientos y prácticas. Estas esferas de conocimiento y prácticas sobrevivieron la persecución a las que fueron sometidas.

En el contexto del imperio y de las conexiones que se forjaron al interior y exterior del imperio entre grupos relacionados, emergieron prácticas de conocimiento empírico que sirvieron de base común a los distintos grupos interconec-

[15] Sobre México, ver Aguirre Beltrán, 1987; Sahagún, 1982, vol. 2, libro 11, cap. VII; Guerra, 1966. Sobre el Caribe, ver Gómez, 2017. Sobre la mujer Taína y las medicinas de Ayti, ver Barrera-Osorio, 2002.

tados del imperio.

Para 1568, el soldado estaba establecido en Perú y cuenta que un día leyó sobre medicinas americanas y la piedra bezoar en un libro de medicina que el médico sevillano Nicolás Monardes había publicado en 1565. El libro de Monardes, como lo explico arriba, fue el resultado de ese tipo de conocimiento al que me acabo de referir. El libro contiene información filtrada sobre plantas medicinales, sus descripciones, sus propiedades curativas y sus usos. Monardes recogió la información en Sevilla de gente que llegaba de América, quienes habían aprendido sobre las plantas medicinales de los indígenas en distintas regiones del imperio y particularmente de México. Monardes procuró muestras de las medicinas, algunas como el tabaco, las cultivó en el jardín de su casa, y en su práctica privada, ensayaba las medicinas y sus propiedades para confirmar y validar la información recibida con su experiencia[16]. Este tipo de conocimiento práctico, que provenía en la mayoría de los casos de los indígenas, que se sometía a pruebas para su verificación y que circulaba por el imperio, es uno de los tipos de conocimiento que emerge de las prácticas entrecruzadas de las distintas comunidades del imperio.

En su libro, Monardes discute las propiedades curativas de la piedra bezoar. Alrededor de 1551, Monardes supo sobre el bezoar por la duquesa de Bejar, quien tenía "un hijo muy enfermo," por lo cual ella se mantenía preguntando a médicos y conocidos por "algun remedio" novedoso "visto que los ordinarios" no habían curado a su hijo. La duquesa supo que en la corte usaban los polvos de la piedra bezoar para evitar desmayos. Carlos V usaba piedra bezoares para tratar la plaga y la tomaba muchas veces para tratar la tristeza y melancolía (Monardes, 1565: s/f); Stirling, 1853: 92). La duquesa contactó a Monardes y le preguntó sobre el asunto. Para Monardes este asunto de la piedra bezoar fue "harto nuevo, porque no tenía mas noticia desta Piedra, de que estuviese escripta en los libros, & no pensava que la uviesse en" Castilla (Monardes, 1565: 33v-34r).

La piedra bezoar es un sólido bio-inorgánico, un cálculo, que se forma en las vías digestivas y excretoras de animales y seres humanos (Miguez, Nasif, Vides, Caria y Gudemos, 2017: 2). En Europa, el uso medicinal de estas piedras llegó a través de la tradición médica árabe de la península Ibérica. A principios del siglo XVI, los portugueses estaban trayendo "con tanta estimacion" bezoares de la

[16] Ver ejemplos en Monardes, 1574: 5r, 6r, 12v, 23r, y 89r, pero el libro está lleno de referencias de médicos indígenas; la referencia a su huerta y el tabaco, f. 67v.

India a Europa, donde la información sobre su uso y las piedras mismas estaban comenzando a circular (Barroso, 2013: 194; Monardes, 1574: f. 72r.). El soldado Osma decidió buscar la piedra en los camélidos del Perú y la encontró un día que salió a cazar "un género de animales, que andan en las sierras desta tierra, que parescen mucho a los Carneros, o cabrones que v.m. [Monardes] dize que ay en las Indias de Portugal, que crian y tienen estas piedras" (Monardes, 1574: f. 73v.)· En el Perú, estas piedras se encuentran particularmente en los guanacos y vicuñas, estas últimas muy apreciadas por los Incas por la extraordinaria textura de su pelaje, con el que se hacían textiles y ropa de lujo para uso de las autoridades y élites Incas (Cieza de León, 2005: 219). Osma, con un grupo de amigos, estuvieron cazando "cinco días, y matamos algunos de aquellos animales." En el primer animal que abrieron no encontraron ninguna piedra y, entonces, les preguntaron "a ciertos Indios, que yvan con nosotros, para nuestro servicio, que do tenian aquellos animales las piedras, y como sean nuestros enemigos, que no querían que supiessemos sus secretos, dixeron que ellos no sabian nada de aquellas piedras" (Monardes, 1574: f. 73v.).

Un muchacho "Indio, de edad de diez a doze años, viendo que desseavamos saber aquello, nos mostro el secreto del negocio, y nos mostro do tenia las piedras el animal que alli teniamos muerto." Estaban en una bolsa del buche. Los Incas las llamaban illa o ylla o ayaylla (Gonzalez Holguin, 1586; Miguez, Nasif, Vides, Caria y Gudemos, 2017). No es claro porque el muchacho de diez o doce años les dio la información, pero generó mucha tensión entre los indígenas presentes en ese momento porque, como Osma eventualmente entendió, "los Indios tienen aquellas piedras en mucho, y las ofrescen a sus Guacas" "como cosa preciosa y de mucha estima" (Monardes, 1574: f. 73v.). Según Osma, el grupo de Indios se fue "por aquellas sierras, do nunca mas los vimos," y se llevaron al muchacho que, dice Osma, lo sacrificaron pero esto parece una especulación de Osma porque él dice que cuando se fueron con el muchacho no volvió a saber de ellos (Monardes, 1574: f. 74r.).[94] Lo que parece claro de la narración de Osma es que el incidente generó mucha tensión. Esta tensión en la producción de conocimiento imperial es usualmente silenciada en la información final que circulaba.

Esta tensión muestra también el momento en que los invasores cristianos, buscando beneficios económicos, extendieron el proyecto comercial y médico del imperio Castellano a los camélidos de las comunidades pastorales de los Andes, eventualmente con consecuencias profundas para estas comunidades de humanos, no-humanos y huacas –entidades sagradas– (Stephenson, 2010: 6).

Más tarde, Osma supo "de indios amigos" que estas piedras, yllas o illas, eran "maravillosas contra todo veneno," y "en males del coraçon. Y en expeler y matar lombrizes" (Monardes, 1574: f. 74r.). Osma le pasó la información filtrada, sin conectarla a las huacas de los Incas, "de indios amigos" a Monardes sobre las piedras bezoares, quien la publicó en Sevilla unos años más tarde. El libro, con el reporte de Osma que Monardes incluyó en la edición de 1574, fue traducido al latín, francés, inglés, e Italiano (Pardo-Tomás, 2007: 176). La violencia y tensión que generó la información y el hallazgo de piedras bezoares, desde la caza del animal y su disección hasta la información que proveyó el muchacho indicando dónde buscar las piedras y la ida del grupo que había acompañado hasta ese momento a los cazadores, se articuló como el resultado de "Indios" "que no querian que supiessemos sus secretos" "porque tiene aquellas piedras en mucho, y las ofrescen a sus Guacas" (Monardes, 1574: f. 73v.). El conocimiento de la illa pasó de la esfera de conocimiento indígena en Perú a circular en esferas de conocimiento imperial, y en el proceso, el conocimiento se filtró. Pero, tanto en la esfera vernacular, como en la imperial, esos conocimientos siguieron siendo practicados por sus respectivos expertos.

La información de Osma circuló en Perú también con consecuencias para los rebaños de estos camélidos. En 1572, el virrey Francisco de Toledo (1515-1582) le envió a Felipe II varias illas-piedras bezoares provenientes de huacas incas (Julien, 1999: 74 y 88). Pero el rey no era el único que recibió las illas del Perú. En 1575 Hernando de Cantillana, un comerciante afincado en Panamá envió a su esposa una caja de "doscientas y tantas" piedras bezoar: la mitad para ella y la otra mitad para el comerciante Alonso de Cazalla. También envió aparte "cinco piedras besares, tres grandes muy finas y dos chicas" (Otte, 1988: 249). Cantillana recibió la caja de piedras bezoar del hermano de Cazalla, pero no lo menciona por su nombre ni el lugar de procedencia de las piedras. Por esa época había un rico comerciante, Gaspar de Cazalla, que vivía y trabajaba en el Perú; pienso que Gaspar era hermano de Alonso y que envió las piedras bezoar desde Perú (Pike, 1972: 95)[17]. En 1585, el médico Juan de Godoy envió a su madre "130 piedras bezares, que en España son muy tenidas y estimadas, y valen dineros para muchas cosas, como allá se sabrá de los médicos más largo." También envió otras piedras bezoar a cada una de sus dos hermanas (Otte, 1988: 474). En cualquier caso, en la década de 1570 existía un tráfico informal de estas piedras entre América y Castilla, que indirectamente inició el hijo enfermo de la duquesa

[17] Gaspar de Cazalla viajó al Perú en 1567, ver *Catálogo de pasajeros*, vol. 5, tomo 1, no. 200, 36.

de Béjar, el libro de Monardes, las huacas y camélidos del Perú, los Incas, y un soldado aventurero, y tal vez, su mujer esclava.

En el imperio y en la relación asimétrica que este estructuró entre cristianos e indígenas se generó, a partir del conocimiento de personas indígenas, un conocimiento filtrado y práctico que circuló dentro y fuera del imperio. Otros conocimientos circularon en ámbitos locales. El saber conectado con las huacas, por ejemplo, circulaba entre los indígenas de los Andes para quienes la bezoar, llamada por ellos illa, estaba asociada con riqueza y bienestar en la medida que intercedía entre los pastores, sus animales y las huacas (Brosseder, 2014: 168; Flores Ochoa, 1974: 250).

La gente de Tawantinsuyo adoraba las illas-piedras bezoar "con mucha reverencia." Los pastores de los Andes creían que aquellas ayudaban a que sus camélidos no abortaran, "ni subçederá mal a ninguno de sus ganados ni le dará carache, que es un género de sarna que le da al ganado de la tierra" (Duviols, 1967: 18). Las "trayan consigo," según otra fuente, para "ser ricos y venturosos," en la medida en que las illas intercedían por los pastores con las huacas (Gonzalez Holguin, 1586: 368). Para ellos, estas piedras eran el illa de sus animales: la fuerza vital y divina que mantenía sanas, fuertes y fértiles a los camélidos (Salomon, 2004: 115). En el entramado de ideas, tradiciones y prácticas euro-cristianas, estos cálculos se consideraron el antídoto por excelencia, de algún modo, una substancia que protegía la salud, como en los Andes.

Las comunidades pastorales de los Andes consideran que las alpacas y las llamas les fueron dadas por la Pachamama a través de los apus en préstamo y así los hombres deben cuidarlas, poniendo atención a su bienestar, salud y protección. Las ylla-piedra eran parte de un conjunto de cosas guardadas en atados que servían de intermediario entre los pastores y las huacas (Flores Ochoa, 1974: 248). Estas piedras enmarcaron prácticas y modos de conocer y entender el mundo constituido por su presencia, del mismo modo que un recinto religioso enmarca prácticas y modos de saber en el mundo constituido por su presencia. Los cristianos entendieron esto, y por eso intentaron destruir la materialidad de las huacas y sus intermediarios y solo entendieron parcialmente el mundo de relaciones y prácticas constituido por las cosas de los habitantes de los Andes. En los Andes del imperio castellano, se mantuvieron y aparecieron esferas de conocimiento y prácticas paralelas, conectadas, superpuestas a las esferas de conocimiento y prácticas imperiales. En ciertos sitios, estas esferas se constituyeron como formas de resistencia a las cristianas; en otros quedaron subordinadas a la jerarquía de conocimiento y práctica imperiales.

Las illa-piedra bezoar viajaban del mundo Andino, donde eran intermediarias entre comunidades de hombres, animales y huacas, y se guardaban en envoltorios de tela, al mundo euro-cristiano, donde eran mercancías comerciales y antídotos para venenos y se guardaban en bolsas y escritorios. El imperio conectó gente y regiones con modos de conocer y prácticas diferentes. A la vez, prácticas, cosas y gente circularon de una esfera a otra, de una región a otra, de un grupo a otro de los dominios de la monarquía. En ese contexto de un imperio distante, que conectó gente con modos distintos de conocer y distintas prácticas de convocar al mundo, emergieron las prácticas de conocimiento empíricas y colectivas que caracterizan las prácticas imperiales de los siglos XVI al XIX.

Un imperio, dos fragmentos y una conclusión

El imperio cristiano-castellano se estableció entre 1470 y 1550, pero siguió extendiéndose en los siguientes siglos. Fue un imperio de distancias largas que incorporó bajo una autoridad suprema, pero no absoluta, una pluralidad de gentes y territorios. Estas gentes y territorios habían creado, antes de ser violentamente integrados a la Corona cristiana-castellana, sus propias estructuras de gobierno, tradiciones político-económicas, prácticas y concepciones religiosas, organización social e infraestructura física de construcciones y caminos. Al ser integrados en la monarquía española, estas prácticas propias de esos grupos diversos fueron también integradas, creando la necesidad de conocerlas. El imperio creó el desafío del conocimiento: la necesidad de conocer estructuras (políticas, tributarias, religiosas) que ya existían, pero en el proceso se establecieron esferas de conocimiento. Una esfera fue la imperial y las otras vernáculas. Estos conocimientos emergieron en el contexto de un imperio que conectó gente con distintas prácticas de saber, pero al estar conectados se transformaron. El conocimiento imperial fue uno filtrado, empírico, comunal (resultó de una pluralidad de voces) y práctico. El conocimiento vernáculo fue empírico, comunal y local. Agentes del imperio crearon el saber imperial y persiguieron el saber vernáculo. Sujetos del imperio transformaron sus conocimientos locales, anteriores a la formación del imperio, del que siguieron beneficiándose comunidades locales.

Fuentes primarias

AGI Archivo General de Indias:

- Indiferente 422
- Indiferente 737
- Santo Domingo 1121

Referencias citadas

Aguirre Beltran, G. 1987. *Medicina y magia: el proceso de aculturaciâon en la estructura colonial.* México: Instituto Nacional Indigenista.

Archivo General de Indias (ed.). 1940. *Catálogo de pasajeros a Indias durante los siglos XVI, XVII y XVIII,* Vol. 5, tomo 1. Sevilla: Imprenta editorial de la Gavidia.

Barrera-Osorio, A. 2002. "Local Herbs, Global Medicines". En Smith, P. y Findlen, P. (eds.), *Merchants and Marvels: Commerce, Science, and Art in Early Modern Europe.* Nueva York: Routledge, pp. 163-181.

Barrera-Osorio, A. 2006. *Experiencing Nature: The Spanish American Empire and the Early Scientific Revolution.* Austin: University of Texas Press.

Barroso, S. 2013. "Bezoar stones, magic, science and art". *Geological Society, London, Special Publications,* N° 375, Vol.. 1: 193-207.

Bernaldez, A. 1856. *Historia de los Reyes Católicos D. Fernando y Da. Isabel: crónica inédita del siglo XV.* Granada: Imprenta y librería de D. José María Zamora, 2 volúmenes.

Bleichmar, D. 2004. "Books, Bodies, and Fields: Sixteenth-Century Transatlantic Encounters with New World Materia Medica.". En Schiebinger, L. y Swan, C. (eds.), *Colonial Botany: Science, Commerce, and Politics in the Early Modern World.* Philadelphia: University of Pennsylvania Press, pp. 83-99.

Brendecke, A. 2012. *Imperio e información: funciones del saber en el dominio colonial.* Madrid: Iberoamericana.

Brosseder, C. 2014. *The Power of Huacas. Change and Resistance in the Andean World of Colonial Peru.* Austin: University of Texas.

Bustamante, J. 2000. "El conocimiento como necesidad de Estado: las encuestas oficiales sobre Nueva España durante el reinado de Carlos V". *Revista de Indias* N° 218, vol. 60: 33-55.

Chakrabarti, P. 2021. "Situating the Empire in History of Science". En Goss, A. (ed.), *The Routledge Handbook of Science and Empire.* Londres y Nueva York: Routledge Taylor and Francis Group, pp. 10-20.

Cieza de Leon, P. 2005. *Crónica del Perú, el Señorío de los Incas.* Caracas: Biblioteca Ayacucho.

Cohoon, W. 2020. "Los caminos borbónicos y el esfuerzo por mejorar la infraestructura de comunicaciones del Perú, 1718-1809". *Historia y Cultura* No° 31: 123-164.

Delgado, G. 2005. "Una aproximación filológica para entender las luchas por la autonomía ayllica: El concepto Quechua del poder". Wara Alderete, E. (ed.), *Conocimiento indígena y globalización*, Quito: Ediciones Abya-Yala, pp. 53-58.

Diez-Canseco, M. 1966. "Visitas de Indios en el siglo XVI". *Cahiers du monde hispanique et luso-brésilien*, N°7 : 85-92.

Duran, D. 1867 [1587]. *Historia de las Indias de Nueva España e islas de Tierra Firme.* México: Imprenta de J.M. Andrade y F. Escalante.

Duviols, P. 1967. "Un inédit de Cristobal de Albornoz: La instrucción para descubrir todas las guacas del Pirú y sus camayos y haziendas". *Journal de la Société des Américanistes.* N°56, Vol.1: 7-39.

Elson, C. y Smith, M. 2001. "Archaeological Deposits from the Aztec New Fire Ceremony". *Ancient Mesoamerica* N° 12: 157-174.

Encinas, D. 1945. *Cedulario indiano, recopilado por Diego de Encinas, oficial mayor de la Escribanía de Cámara del Consejo Supremo y Real de las Indias. Reproducción facsímil de la edición única de 1596. Estudio e índices por Alfonso García Gallo. Libro Primero.* Madrid: Ediciones Cultura Hispánica. 4 volúmenes.

Fernández de Oviedo, G. 1526. *De la natural hystoria de las Indias.* Toledo.

Fernández de Oviedo, G. 1535. *La historia general de las Indias.* Sevilla: Juan Cromberger.

Flores Ochoa, J. 1974. "Enqa, Enqaychu illa y Khuya Rumi aspectos mágico-religiosos entre pastores". *Journal de la Société des Américanistes* N° 63: 245-262

Gamboa, J. 2006. "Los caciques en la legislación indiana: una reflexión sobre la condición jurídica de las autoridades indígenas en el siglo XVI". En Bonnett. D. y Castañeda, F. (eds.), *Juan de Solórzano y Pereira. Pensar la Colonia desde la Colonia.* Bogotá: Universidad de los Andes, pp. 153-190.

Garcia Castro, L. (ed.). 2013. *Suma de visitas de pueblos de la Nueva España, 1548-1550.* Toluca: Universidad Autónoma del Estado de México.

García-Gallo, A. 1977. "Los sistemas de colonización de Canarias y América en los siglos XV y XVI". En Morales Padrón, F. (ed.), *I Coloquio de Historia Canario-Americano.* Las Palmas: Cabildo Insular de Gran Canaria, pp. 424-442.

Gardiner Davenport, F. 1917. *European Treaties Bearing on the History of the United States and its Dependencies to 1648.* Washington, DC: The Carnegie Institute of Washington, 1917.

Gómez, P. 2017. *The Experiential Caribbean: Creating Knowledge and Healing in the Early Modern Atlantic.* Chapel Hill: University of North Carolina Press.

Gonzalez Holguin, D. 1586. *Vocabulario dela lengua general de todo el Peru llamada lengua Qquichua, o del taíno.* Lima: Antonio Ricardo.

Guaman Poma de Ayala, F. 1980. *Nueva coronica y buen gobierno.* Caracas: Biblioteca Ayacucho.

Guerra, F. 1966. "Aztec Medicine". *Medical History* N° 10: 315-338.

Harris, S. 1998. "Long Distance Corporations, Big Sciences, and the Geography of

Knowledge". *Configurations*, N° 6, Vol. 2: 269-304.

Herrera, A. 1585. *Historia general de los hechos de los castellanos en las islas i tierra firme del mar oceanoLeyes y ordenanzas nuevamente hechas por su Magestad, para la governacion delas Indias, y buen tratamiento, y conservacion delos Indios: que se han de guardar en el consejo y audiencias reales que enellas residen: y por todos los otros governadores, juezes y personas particulares dellas.* Madrid: Imprenta Real.

Herzog, T. 2005. "Ritos de control, prácticas de negociación: Pesquisas, visitas y residencias y las relaciones entre Quito y Madrid (1650-1750)". En Gallego, J. (ed.), *Tres grandes cuestiones de la historia de Iberoamérica : ensayos y monografías : Derecho y justicia en la historia de Iberoamérica : Afroamérica, la tercera raíz : Impacto en América de la expulsión de los jesuitas.* Madrid. Fundación Mapfre, s/p.

Hunter, M. (ed.). 1998. *Archives of the Scientific Revolution: The Formation and Exchange of Ideas in Seventeenth-Century Europe.* Woodbridge: Boydell Press.

Jimenez de la Espada, M. 1881-1897. *Relaciones geográficas de Indias. Perú.* Madrid: Tipografía de Manuel G. Hernández. 4 volúmenes.

Julien, C. 1999. "History and Art in Translation: The Panos and Other Objects Collected by Francisco de Toledo". *Colonial Latin American Review*, N° 8, Vol. 1: 61-89.

Lamb, U. 1969. "Science by Litigation: A Cosmographic Feud". *Terrae Incognitae* N° 1: 40-57.

Lamb, U. 1974. "The Spanish Cosmographic Juntas of the Sixteenth Century". *Terrae Incognitae* N° 6: 51-64.

Lamb, U. 1976. "Cosmographers of Seville: Nautical Science and Social Experience". En Chiappelli, F., Allen, M. y Benson, R. (eds.), *First Images of America: The Impact of the New World on the Old.* Berkeley: California University Press, pp. 675-686.

Lebeuf, A. 2010. "1-Tochtli, 2-Acatl. 1558/1559, 1610/1611. Reminiscencias de la Ceremonia del Fuego Nuevo". *Estudios Latinoamericanos* N° 30: 107-128.

León Cázares, M. 2012. "Gonzalo Fernández de Oviedo y Valdés". En Camelo, R. y Escandón, P. (eds.), *Historiografía mexicana. Volumen II. La creación de una imagen propia. La tradición española. Tomo 1: historiografía civil.* México: Universidad Nacional Autónoma de México, pp. 197-234.

León-Portila, M. 1999. *Bernardino de Sahagún. Pionero de la antropología.* México: Universidad Nacional Autónoma de México.

Levillier, R. 1956. *Los Incas.* Sevilla: Estudios Hispanoamericanos de Sevilla.

López Austin, A. 1963. "La fiesta del fuego nuevo según el códice Florentino". *Anuario de Historia* III: 73-91.

López Austin, A. 2011. "Estudio acerca del método de investigación de fray Bernardino de Sahagún". *Estudios de cultura Náhuatl* N° 42: 353-400.

Mayorga Garcia, F. 1991. *Real Audiencia de Santa Fe en los siglos XVI y XVII.* Bogotá: Editorial: Historia de las Instituciones Coloniales.

McKeon, M. 1987. *The Origins of the English Novel, 1600-1740.* Baltimore: Johns Hopkins University Press.

Miguez, Gabriel, Nasif, N, Vides, M, Caria, M. y Gudemos, M. 2017. "Piedras bezoares en contexto: primer estudio de su relevancia en comunidades prehispánicas del noroeste de argentina". *Chungara, Revista de Antropología Chilena* N° 49, Vol. 3: 343-357.

Monardes, N. 1565. *Dos libros. El uno trata de todas las cosas que traen de nuestras Indias Occidentales, que sirven al uso de medicina, y como se ha de usar dela rayz del Mechoacan, purga excelentissima. El otro libro, trata de dos medicinas maravillosas que son contra todo veneno, la piedra Bezaar, y la yerva Escuerçonera. Con la cura de los venenados. Do veran muchos secretos de naturaleza y de medicina, con grandes experiencias.* Sevilla: Sebastian Trugillo.

Monardes, N. 1574. *Primera y segunda y tercera partes de la historia medicinal de las cosas que se traen de nuestras Indias Occidentales.* Sevilla: Fernando Díaz.

Morong Reyes, G. 2021. "Haciendo relación de las cosas tocantes a su gobierno". El orden del Inca en la documentación colonial temprana (Perú, 1540-1570)", *Diálogo Andino* N° 65: 133-149.

Moroto, M. y Piñeiro, M. 2006. *Aspectos de ciencia aplicada en España del siglo de oro.* Valladolid: Junta de Castilla y León.

Nieto, M. 2013. *Las máquinas del imperio y el reino de Dios: reflexiones sobre ciencia, tecnología y religión en el mundo atlántico del siglo XVI.* Bogotá: Universidad de los Andes.

Otte, E. 1988. *Cartas privadas de emigrantes a Indias, 1540-1616.* Sevilla: V Centenario Consejería de Cultura.

Paez de Castro, J. 1883. "Memorial sobre la formación de una librería.". *Revista de archivos* N° IX: 165-178.

Paez de Castro, J. 1892. "De las cosas necesarias para escribir historia." *La Ciudad de Dios* N° XXVIII: 604-610 y N° XXIX: 27-37.

Pardo Tomás, J. 2002. *Oviedo, Monardes, Hernández: El tesoro natural de América, colonialismo y ciencia en el siglo XVI.* Madrid: Nivola.

Pardo-Tomás, J. 2007. "Two Glimpses of America from a Distance: Carolus Clusius and Nicolás Monardes". En Egmond, F., Hoftijzer, P. y Visser, R. (eds.), *Carolus Clusius: Towards a Cultural History of a Renaissance Naturalist.* Amsterdam: Edita, pp. 173-193.

Parker, G. 2002. "The Place of Tudor England in the Messianic Vision of Philip II of Spain: The Prothero Lecture". *Transactions of the Royal Historical Society*, N° 12: 167-221.

Pike, R. 1972. *Aristocrats and Traders: Sevillian Society in the Sixteenth Century.* Ithaca, N.Y.: Cornell University Press.

Ponce de Leiva, P. 1992. *Relaciones histórico-geográficas de la audiencia de Quito, siglos XVI-XIX.* Cayamber: Instituto de Historia y Antropología Andina/Ediciones Abya-Yala.

Portuondo, M. 2009. *Secret Science: Spanish Cosmography and the New World.* Chicago: The University of Chicago Press.

Pratt, M. 1992. *Imperial Eyes: Travel Writing and Transculturation.* Londres: Routledge.

Puga, V. 1945. *Provisiones, cédulas, instrucciones para el gobierno de la Nueva España.* Madrid: Editorial: Cultura Hispánica.

Pulido Rubio, J. 1950. *El piloto mayor: pilotos mayores, catedráticos de cosmógrafos y cosmógrafos de la Casa de la Contratación de Sevilla.* Sevilla: CSIC - Escuela de Estudios Hispano-Americanos.

Raj, K. 2013. "Beyond Postcolonialism ... and Postpositivism: Circulation and the Global History of Science". *Isis* N° 104, Vol. 2: 337-347.

Real Academia de la Historia (ed.). 1864-1884. *Colección de documentos inéditos relativos al descubrimiento, conquista y colonización de las posesiones españolas en América y Oceanía.* Madrid: Imprenta de M.B. de Quirós. 42 volúmenes.

Real Academia de la Historia (ed.). 1885-1932. *Colección de documentos inéditos relativos al descubrimiento, conquista y organización de las antiguas posesiones españolas de Ultramar.* Madrid: Real Academia de la Historia. 25 volúmenes.

Río Moreno, J. 1991. *Los inicios de la agricultura europea en el nuevo mundo, 1492-1542.* Sevilla: Gráficas del Guadalquivir.

Rivero Rodriguez, M. 1998. *Felipe II y el gobierno de Italia.* Madrid : Sociedad Estatal para la Conmemoración de los Centenarios de Felipe II y Carlos V.

Rostworowski, M. 2013. *Historia del Tahuantinsuyo.* Lima: Instituto de Estudios Peruanos.

Rouse, I. 1993. *The taínos: The rise and decline of the people who greeted Columbus.* Yale: Yale University Press.

Rumeu de Armas, A. 1975. *La conquista de Tenerife.* Madrid: Aula de Cultura de Tenerife.

Rumeu de Armas, A. 1969. *La política indigenista de Isabel la Católica.* Valladolid: Instituto "Isabel la Católica" de Historia Eclesiástica.

Sahagún, B. 1982. *Historia general de las cosas de Nueva España.* México: Fomento Cultural Banamex.

Saldarriaga, G. 2012. *Alimentación e identidad en el Nuevo Reino de Granada: siglos XVI y XVII.* Bogotá: Ministerio de Cultura.

Salomon, F. 2004. "Andean Opulence: Indigenous Ideas about Wealth in Colonial Peru". En Phipps, E., Hecht, J. y Esteras, C. (eds.), *The Colonial Andes: Tapestries and Silverwork, 1530–1830.* Nueva York: Metropolitan Museum of Art, pp. 114-124.

Salvá, M. y Sainz de Baranda, P. (eds.). 1847-1895. *Colección de documentos inéditos para la Historia de España.* Madrid : Imprenta de la Viuda de Calero. 102 volúmenes.

Sandoval, P. 1847. *Historia del emperador Carlos V, rey de España.* Madrid: Est. Literario-Tipográfico de P. Madoz y L. Sagasti.

Sandman, A. 2002. "Mirroring the World: Sea Charts, Navigations, and Territorial Claims in Sixteenth-Century Spain". En Smith, P. y Findlen, P. (eds.), *Merchants and Marvels: Commerce, Science, and Art in Early Modern Europe.* Nueva York: Routledge, pp. 83-108.

Sargent, M. 2019. "Recentering centers of calculation: Reconfiguring knowledge networks within global empires of trade". En Findlen, P. (ed.), *Empires of Knowledge: Scientific*

Networks in the Early Modern World. London and New York: Routledge Taylor and Francis Group, pp. 297-316.

Shapin, S. 1994. *A Social History of Truth: Civility and Science in Seventeenth- Century England.* Chicago: University of Chicago Press.

Stephenson, M. 2010. "From Marvelous Antidote to the Poison of Idolatry: The Transatlantic Role of Andean Bezoar Stones During the Late Sixteenth and Early Seventeenth Centuries". *Hispanic American Historical Review*, N° 90, Vol. 1: 3-39.

Stirling, W. 1853. *The Cloister Life of the Emperor Charles The Fifth.* London: John W. Parker and Son.

Strang, C. 2018. *Frontiers of Science: Imperialism and Natural Knowledge in the Gulf South Borderlands, 1500-1850.* Chapel Hill: University of North Carolina Press.

Taussig, M. 1993. *Mimesis and Alterity: A Particular History of the Senses.* Nueva York: Routledge.

Tellkamp, J. 2020. "Introduction". En Tellkamp, J. (ed.), *A Companion to Early Modern Spanish Imperial Political and Social Thought.* Leiden: Brill, pp. 6-8.

Torquemada, J. 1723. *Segunda parte de los veinte i un libros rituales i monarchia Indiana: con el origen y guerras de los indios ocidentales, de sus poblaçiones, descubrimiento. conquista, conversion y otras cosas maravillosas de la mesma tierra: distribuydos en tres tomos.* Madrid: En la oficina de Nicolas Rodriguez Franco.

Turnbull, D. 2002. "Travelling knowledge: narratives, assemblage and encounters". En Bourguet, M., Licoppe, C. y Sibum, H. (eds,), *Instruments, Travel, and Science: Itineraries of Precision from the Seventeenth to the Twentieth Century.* Londres y Nueva York: Routledge, pp. 273-294.

Uztarroz, J. y Dormer, D. 1878. *Progresos de la historia en Aragon y vidas de sus cronistas, desde que se instituyó este cargo hasta su extinción. Primera parte, que comprende la biografía de Gerónimo Zurita.* Zaragoza: Imprenta del Hospicio.

Vega, G. 1605. *La Florida del Ynca. Historia del adelantado Hernando de Soto, Governador, y capitan general del Reyno de la Florida, y de otros heroicos cavalleros Españoles e Indios; escrita por el inca Garcilaso de la Vega, capitan de su Magestad, natural de la gran ciudad del Cozco, cabeça de los Reynos y provincias del Peru.* Lisboa: Pedro Crasbeek.

Waterworth, J. (Ed. and transl.) 1848. *The Canons and Decrees of the Sacred and Oeucumenical Council of Trent, Celebrated under the Sovereign Pontiffs, Paul III, Julius III, and Pius IV.* London: Dolman.

Winterbottom, A. 2009. "Producing and Using the "Historical Relation of Ceylon": Robert Knox, the East India Company and the Royal Society". *The British Journal for the History of Science,* N° 42, Vol. 4: 515- 538.

Zurita y Castro, J. 1580. *Historia del rey don Hernando el Catholico. De las empresas, y ligas de Italia*, Zaragoza: Domingo de Portonarijs y Ursino.

La necesidad de información en el gobierno eclesiástico del virreinato del Perú. La correspondencia de los arzobispos de Lima con la Corona y la Santa Sede (siglos XVI-XVII)

Flavia Tudini
Università di Torino, Italia

Introducción. El conocimiento como herramienta de gobierno de las diócesis americanas

Entre la segunda mitad del siglo XVI y el siglo XVII, la alta jerarquía eclesiástica del virreinato del Perú estuvo directamente involucrada en el proceso de recolección de información y elaboración normativa de la Monarquía para el gobierno de los territorios americanos. El soberano y los miembros del Consejo de Indias necesitaban un conocimiento detallado de la realidad de los virreinatos, para superar las barreras creadas por la distancia y permitir un adecuado control y gobierno (Sellers-García, 2014; Brendecke, 2016), tanto secular como eclesiástico. Un rey que debía ver y saber todo (Braudel, 1986, vol.2: 712). Para gobernar el complejo conjunto de sus reinos no podía, pues, dejar de tener en cuenta las observaciones, sugerencias y propuestas procedentes de la jerarquía eclesiástica y, en particular, de los arzobispos de Lima. Esta ciudad no era solamente la capital del virreinato del Perú (Lohmann Villena, 2008; Osorio, 2008; Gutierrez Arbulú, 2005) sino también la sede metropolita de la provincia eclesiástica (Vargas Ugarte, 1953). De hecho, gracias a las visitas pastorales - realizadas personalmente o a través de visitadores diocesanos (sacerdotes o religiosos) - los arzobispos y sus sufragáneos tenían un conocimiento detallado de la realidad diocesana, que luego era transmitido al soberano a través de largos memoriales y numerosas cartas, que tenían finalidades de conocimiento para remediar los abusos o necesidades que surgían en la vida cotidiana del gobierno diocesano. Una vez llegada a Corte, esta información era sometida a un proceso de interpretación y elaboración en el seno del Consejo de Indias (Escudero, 2002; Artola, 1999; Barrientos Grandon, 2004; Barrios Pintado, 2004; Barrios Pintado, 2002; Ramos Pérez et al., 1970; Biblioteca Nacional de España, en adelante BNE, Mss/2987, ff. 66r-69v), con el fin de proponer y elaborar las normas más adecuadas para el gobierno eclesiástico del Perú o para actuaciones concretas respecto a las necesidades presentadas por los prelados.

Este ensayo quiere mostrar cómo los arzobispos de Lima - y en particular Jerónimo de Loaysa (1541-1575) (Olmedo Joménez, 1990; Acosta, 2014), Toribio Mogrovejo (1580-1606) (Rodriguez Valencia, 1958) y Bartolomé Lobo Guerrero (1607-1622) (Casteñeda Delgado, 1976; Mantilla Ruíz, 1996) - participaron del proceso de toma de decisiones de la Monarquía sobre el gobierno eclesiástico del virreinato del Perú, aportando información y opiniones o solicitando intervenciones directas para el buen gobierno de la provincia eclesiástica. Los temas tratados en la correspondencia de los arzobispos con el rey y el Consejo de Indias fueron variados y ricos en detalles. Trataban las cuestiones sobre el gobierno diocesano y los asuntos civiles en relación con los diferentes grupos sociales presentes en la diócesis -españoles, indios, negros- y siempre se enfrentaban a los demás actores políticos presentes en el territorio (como el virrey, los oidores de la Audiencia, el cabildo eclesiástico y los corregidores). Al mismo tiempo, sin embargo, los arzobispos también se ocupaban de los asuntos estrictamente relacionados con el gobierno de la Iglesia, según lo dispuesto por el derecho canónico y por los decretos del Concilio de Trento. En el marco jurídico-institucional que caracterizaba el Perú, algunos de estos asuntos eclesiásticos estaban también sujetos a la jurisdicción del Real Patronato (De Leturia, 1959; Gomez Hoyos, 1961; García Añoveros 1990; Albani, Pizzorusso, 2017). Por lo tanto, la jerarquía eclesiástica estaba obligada a dirigirse no sólo a la Santa Sede, sino también -y sobre todo- a la Corona para el cumplimiento de su mandato. Pero, por otro lado, la jurisdicción del Real Patronato no comprendía la esfera eminentemente canónica del gobierno de la Iglesia, por lo que la intervención regia en determinados casos de derecho no podía ser decisiva y era imprescindible la aprobación de la Santa Sede. Esto supuso una negociación entre Lima, Madrid y Roma en un diálogo en el que participaron varios actores: los arzobispos, el rey y el Consejo de Indias, el embajador español en Roma, el Papa y las congregaciones pontificias, entre las cuales la más importante fue la Congregación del Concilio (Albani, 2009).

El gobierno de las diócesis americanas y el derecho canónico indiano

El sistema jurídico de la Monarquía en las Indias regulaba la vida religiosa de la sociedad americana confiando también muchos aspectos del gobierno eclesiástico al poder civil. Esto permitió al soberano dictar un conjunto muy extenso de normas que cubrían diferentes aspectos de la vida eclesiástica y religiosa en las diócesis americanas, especialmente las relativas a los aspectos económicos y administrativos de la Iglesia. El resultado fue un importante conjunto de leyes eclesiástico-civiles (Goméz Hoyos, 1961), elaboradas y dictadas por la Corona en diferentes momentos, que caracterizaron la relación entre las autoridades civiles y eclesiásticas con una evidente influencia de las concesiones del Real Patronato que la Corona obtuvo a principios del siglo XVI. Así, es posible encontrar en la legislación indiana numerosas referencias al derecho eclesiástico o al derecho canónico: desde la celebración de concilios provinciales (Moutin, 2016; Danwerth, Albani, Duve, 2018; Danwerth, Albani, Duve, 2019), hasta la reforma del clero y la erección de iglesias y fundaciones religiosas (Sánchez Bella, 1990; García Añoveros, 1990). Para su aplicación, las disposiciones relativas a los aspectos eclesiásticos se sometían, por tanto, al juicio de la Corona, una atribución que el rey se había arrogado gracias a una interpretación extensiva del Real Patronato (De la Hera, 1992: 256-257). Por tanto, se elaboró un derecho eclesiástico para las Indias, dictado por las necesidades de la Corona, y recogido en una serie de reales cédulas y disposiciones reales que luego pasaron a formar parte de la *Recopilación de Leyes de Indias* (1791 [1680]), cuyo primer libro está íntegramente dedicado al gobierno eclesiástico. Además, Tau Anzoategui (2016: 27) observó que los decretos emitidos por los concilios de México y Lima en el siglo XVI, así como los sínodos diocesanos, constituyeron la base de un derecho canónico particular que se desarrolló fuera del poder centralizado de la Iglesia de Roma, definido como derecho canónico indiano (Salinas Aranedas, 2021). Recientemente, Jorge Trasloheros (2014: 7) ha señalado que, igualmente al derecho civil, el sistema jurídico-canónico no se trasladó mecánicamente del Viejo Mundo al Nuevo, sino que se adaptó a esta realidad obteniendo algunas características distintivas. Generalmente los estudios que se han ocupado del derecho indiano han dejado en un segundo lugar los aspectos relacionados con el derecho canónico, analizando en términos generales el derecho de Patronato y los temas religiosos conexos a él, como la celebración de los concilios provinciales. Esta mirada parece parcial: la Santa Sede tenía un rol fundamental en la elaboración del derecho para los territorios americanos. De hecho, no fue infrecuente que los propios Pontífices concedieran a la Iglesia americana una serie de disposiciones particulares, dispensas o privilegios que derogaban el derecho canónico general, respondiendo así a las necesidades de los fieles y a la evangelización de nuevos territorios, superando las dificultades dictadas por las distancias geográficas (Barrientos Grandón, 2004: 372). A esta legislación particular dictada por los Pontífices se añadía la de las disposiciones establecidas por los concilios provinciales que, según la ss. XXIV, cap. 2 de ref. del Concilio de Trento (*Conciliorum oecumenicorum decreta,* 2013), tenían sus propias prerrogativas legislativas y jurisdiccionales (Trujillo Mena, 1963; Moutín, 2016).

Aunque el sistema jurídico de la Iglesia se vio influenciado por los límites resultantes de los derechos de Patronato, el rey nunca tuvo poder para intervenir en cuestiones de doctrina o disciplina eclesiástica. En consecuencia, el soberano no podía interferir directamente en la formación y desarrollo del derecho canónico. Por lo tanto, se puede observar cómo, consecuentemente a las súplicas de los obispos americanos, la Corona se vio obligada a recurrir a la Santa Sede para satisfacer todas aquellas necesidades estrechamente relacionadas con el ejercicio del derecho canónico y sobre las que no tenía plena jurisdicción. Si a principios del XVI siglo se referían a la creación de la Iglesia americana, a la evangelización de los indios y a su capacidad para recibir los sacramentos (Duve, 2010; Zaballa Beascoechea, 2011), además, en la segunda mitad del siglo se ocuparon del gobierno efectivo de las diócesis y de la aplicación de las reformas tridentinas. Se puede ver, por tanto, cómo la jerarquía eclesiástica se adaptó a esta práctica, pidiendo a la Corona que intercediera ante la Santa Sede en algunos aspectos concretos del gobierno de la diócesis que estaban regulados por el derecho canónico, los decretos tridentinos o bulas o breves pontificios, sobre los que el rey no tenía posibilidad de intervenir directamente.

En virtud de los derechos de Real Patronato, las relaciones de los obispos y religiosos americanos con la Santa Sede eran mediadas por el Consejo de Indias a través de un proceso de aprobación (*Recopilación,* libro 1, tit. 9, ley 2). De este modo, la Corona se valía de la facultad de examinar todos los documentos pontificios dirigidos a los territorios americanos y permitiendo su uso y circulación mediante la concesión de una autorización oficial -llamada pase regio o *exequátur*- o eventualmente impedir su ejecución en caso de que se consideraran perjudiciales para sus derechos patronales (Maqueda Abreu, 2004: 828; Vázquez García-Peñuela, Morales Payán, 2005; Albani, 2012: 87). En las reales cédulas sobre la retención de bulas y el pase regio, cabe destacar no sólo el papel del

Consejo de Indias, sino también el del embajador español y el del procurador de las Indias en Roma (Barrios Gózalo, 2014), que tenían la facultad de solicitar bulas, breves y otros documentos a la Sede Apostólica para las Indias.

En el siglo XX, en particular hasta la mitad de los años Noventa, la historiografía ha enfocado la relación entre las diócesis americanas y la Santa Sede principalmente en el contexto legal del Real Patronato, subrayando la casi incomunicación de los obispos con Roma (Sánchez Bella, 1990; Borges, 1992) y enfatizando los casos excepcionales de dialogo directo, como el del arzobispo Mogrovejo (Rodríguez Valencia, 1957). En años más recientes, sin embargo, estas temáticas son objeto de un nuevo interés, que ha permitido la elaboración de nuevas interpretaciones. La historiografía más actual quiere delinear una nueva perspectiva sobre la dinámica de las relaciones entre América y la Santa Sede, reduciendo la preminencia de los derechos de Patronato de la Corona y destacando, en cambio, los frecuentes contactos con Roma, especialmente en relación con la jurisdicción e intervención directa de las congregaciones pontificias (Albani, Pizzorusso, 2016; Jeanne, 2013). En particular, refiriéndose a las investigaciones realizadas sobre los fondos del Archivo Apostólico Vaticano, relativos a la Congregación del Concilio y a la Penitenciaría Apostólica, Giovanni Pizzorusso y Matteo Sanfilippo (1998) han observado cómo es posible llegar a nuevas y diferentes interpretaciones del Real Patronato en la América ibérica. Las principales fuentes de sus estudios fueron las súplicas que llegaron a la Santa Sede, que proporcionaron una visión general del complejo mundo religioso de Iberoamérica. Estas investigaciones han sido profundizadas recientemente también por Benedetta Albani, que ha analizado las relaciones entre la Santa Sede y las diócesis americanas (especialmente las del virreinato de Nueva España) existentes fuera del sistema del Patronato, con especial atención a los aspectos jurisdiccionales de una intervención directa del Pontífice y de las congregaciones romana, especialmente a través de la intervención de la Congregación del Concilio (Albani, 2013: X-XIII).

Propuestas y resistencias de los arzobispos de Lima sobre la redefinición de los límites de las diócesis.

Como parte del proceso de toma de decisiones de la Monarquía por el gobierno eclesiástico, el rey y el Consejo de Indias podían solicitar informes, memoriales y pareceres a los prelados con el fin de obtener el conocimiento necesario del territorio para las acciones de gobierno. Desde mediados del siglo XVI, la Corona emitió reales cédulas que obligaban a las autoridades presentes en el territorio a enviar informes periódicos al rey y al Consejo de Indias, no sólo sobre aspectos relacionados con el gobierno temporal sino también con el gobierno eclesiástico y la vida de las diócesis (*Recopilación*, lib. 6, tit. 10, ley 7). Para gobernar adecuadamente el territorio, el soberano también podía pedir a las autoridades civiles y a la jerarquía eclesiástica evaluaciones y opiniones relativos asuntos contingentes sobre los que consideraba que no tenía suficiente información. En este caso, por tanto, las peticiones del rey se referían directamente a los temas que se quería tratar, presentando el problema y pidiendo expresamente un «parecer». Por tanto, el rey enviaba reales cédulas no sólo al virrey, a la Audiencia y a los cabildos seculares, sino también a los arzobispos, obispos y a los cabildos eclesiásticos con una petición específica de opiniones para tomar una determinada resolución. Un claro ejemplo de estas solicitudes se refiere a la oportunidad de crear nuevas diócesis en la provincia eclesiástica de Perú. Dada la extensión del territorio, que no facilitaba el gobierno diocesano ni las relaciones con la sede metropolita, el rey abrió un diálogo con las diócesis de Lima, Cuzco y Las Charcas para modificar la geografía de la provincia eclesiástica.

En el caso de modificaciones de los límites diocesanos, la Corona no necesitaba la intervención mediadora de la Santa Sede, ya que podía actuar directamente en virtud de los derechos de Patronato (Barrientos Grandon, 2004: 79; García Añoveros, 1990: 78-79; *Recopilación*, lib. 1, tt. 6, ley 2), que fueron confirmados posteriormente por un breve de Paolo III (1543). La Corona se encargó del cumplimiento de estas disposiciones a través del gobierno de los virreyes y de las Audiencias (*Recopilación*, lib. 1, tt. 2, ley l), que además añadieron otras disposiciones que regulaban la división de las diócesis y la creación de otras nuevas (Castañeda Delgado, 1992; *Recopilación*, lib. 1 tit. 2 ley 8; *Recopilación*, lib. 1 tit. 2 ley 10; *Recopilación*, lib.1 tit. 2 ley 14).

La extensión de las diócesis y las consiguientes dificultades que los obispos debían afrontar en el ejercicio de sus gobiernos, habían llevado a la alta jerarquía eclesiástica y a las autoridades civiles a solicitar al soberano una modificación de los límites diocesanos. En particular, las observaciones más atentas y las peticiones más insistentes provinieron de las diócesis de Lima, Cuzco y Las Charcas.

La primera voz que se levantó desde la jerarquía eclesiástica fue la del obispo de Las Charcas, Fray Tomás de San Martín, que en 1552 presentó un memorial al Consejo de Indias en el que informaba la Corona de las dificultades que podían surgir por la excesiva extensión de las diócesis. Una década después, la predicción del obispo pareció hacerse realidad. En una carta fechada el 9 de agosto de 1564 (Archivo General de Indias, en adelante AGI, Lima, 300), el arzobispo Jerónimo de Loaysa solicitó al rey la posibilidad de crear nuevos obispados, que permitieran un mejor gobierno eclesiástico y administración de los territorios. A la petición del arzobispo le siguió otra similar del obispo de Cuzco, fray Juan Solano, (Vargas Ugarte, 1953, vol. 3: 123) y el favor de numerosas autoridades civiles presentes en el territorio. En particular, en noviembre de 1556, el virrey don Andrés Hurtado de Mendoza intervino directamente sugiriendo al rey que se erigiera una nueva diócesis entre Lima y Quito, señalando la ciudad de Trujillo como la sede más adecuada para el nuevo obispo. La reiteración de estas peticiones y la dificultad de gobierno diocesano, llevaron a Felipe II a intervenir con prontitud, obteniendo del papa Gregorio XIII la bula *Illius fulciti praesidio*, que erigía la diócesis de Trujillo (AGI, Patronato 4), cuyos límites serían fijados por el virrey. A pesar de la obtención de la bula pontificia y de la presentación del primer obispo de la nueva diócesis, la efectiva erección no tuvo lugar hasta 1607 (Vargas Ugarte, 1953, vol. 2: 300; Latasa Vassallo, 1997).

Los problemas causados por las excesivas dimensiones de las diócesis fueron una de las temáticas que afrontaron los obispos convocados por el arzobispo Mogrovejo en III concilio provincial de Lima del 1583 (Martínez Ferrer, Gutiérrez, 2017; Ignasi Saranyana, 1999; Tineo, 1990). En esta ocasión, los obispos sufragáneos se quejaron de las dificultades enfrentadas para llegar a la sede del concilio, en Lima, por ser «los districtos tan largos» (AGI, Patronato, 248 r. 8).

El eco de estas observaciones llegó también a la Corona a través de la correspondencia particular de los obispos sufragáneos de Lima. En particular, el obispo de Popayán, fray Agustín de la Coruña, pidió que se le permitiera hacer su diócesis sufragánea de la de Santa Fe, sustrayéndola a la jurisdicción de Lima (Valpuesta Abajo 2008: 113-116). La petición del obispo no fue desatendida y la propuesta fue examinada por el Consejo de Indias, según consta en la consulta del 28 de octubre de 1584. En esta se planteó la posibilidad de dividir la diócesis de Popayán de la de Lima, convirtiéndola en sufragánea de la recién creada diócesis del Nuevo Reino de Granada (AGI, Indiferente, 815). Expresando su favor, el rey anotó al margen del documento la conveniencia de pedir la opinión de los dos arzobispos implicados y del virrey para tomar la decisión más adecuada. El arzobispo de Lima no debió ser particularmente crítico sobre este asunto, ya que esta petición fue rápidamente concedida y ya en 1585 la diócesis de Popayán pasó a ser sufragánea de la provincia eclesiástica de Santa Fe (Vargas Ugarte, 1953, vol. 2: 120-121).

La archidiócesis de Lima sufrió un nuevo cambio en sus límites diocesanos cuando se discutió la posibilidad de elevar la diócesis de Las Charcas a sede metropolita. Esta diócesis fue creada a la mitad del siglo XVI y, con el paso de los años, se había ampliado considerablemente hasta incluir la actual Bolivia, algunas provincias de Perú y Argentina (García Quintanilla, 1964; Vargas Ugarte, 1951, vol. 3: 59; 64), gracias al desarrollo económico de la zona, ligado a las minas de plata, que permitió la afluencia de nativos y españoles. Además, el progreso de la instrucción religiosa entre los nativos fue particularmente difícil, principalmente debido a los largos períodos de sede vacante de la diócesis y la consiguiente imposibilidad de realizar visitas pastorales (Vargas Ugarte, 1953, vol. 2: 128-134; Valpuesta Abajo, 2008: 119-123). El incremento territorial y demográfico permitieron al soberano de considerar la posibilidad de reducir los límites de la diócesis, creando una nueva provincia eclesiástica con sede metropolita Las Charcas (Latasa Vassallo, 1997: 175; García Quintanilla, 1963). Esta decisión fue confirmada cuando el arzobispo Mogrovejo expresó su deseo de celebrar los concilios provinciales cada siete años, una decisión que habría causado muchas dificultades a los obispos de las diócesis más lejanas (Rodríguez Valencia, 1958, vol. 1: 287; AGI, Patronato, 248, r. 28).

Por tanto, el rey decidió de reducir la diócesis de Las Charcas y crear dos nuevas, la de Santa Cruz de la Sierra y de La Paz (Valcanover, 2008; AGI, Charcas, 140). Este proyecto preveía también la creación de una nueva provincia eclesiástica, con la sede metropolita de Las Charcas, a la que se encomendarían también algunas diócesis sufragáneas que originalmente pertenecían a la archidiócesis de Lima. Para conseguir este proyecto, el rey creyó conveniente pedir un informe detallado a las autoridades religiosas - en particular al arzobispo de Lima y a los obispos que habrían sido afectados por estas modificaciones - y a las autoridades civiles, en particular al gobernador de Las Charcas y al virrey, a quien sería cometida la redefinición de los límites diocesanos (Vargas Ugarte, 1953, vol. 2: 125).[1]

A la petición del rey de ser informado sobre la oportunidad de dividir el territorio del arzobispado de Lima, Mogrovejo respondió el 30 de abril 1602. A la luz de la información contenida en la carta, la opinión del arzobispo era muy

[1] Vargas Ugarte trata de una real cedula del 1605, sin referirse a la del 12 de abril del 1601.

clara: «entenderá Vuestra Magestad no convenir se erija la dicha iglesia de Las Charcas en metropolitana ni señalarle por sufragáneos los obispados de Santiago y la Imperial de Chile, Tucumán, ni Paraguay» (AGI, Patronato, 248 r. 33). Además, el arzobispo argumentaba esta opinión analizando los inconvenientes que habrían seguido a la elección de Las Charcas como sede metropolita, en particular refiriéndose a las dificultades de los prelados de llegar a la nueva sede. De hecho, los obispos de Tucumán y Paraguay habrían tenido que emprender viajes difíciles y peligrosos, atravesando zonas hostiles habitadas por «gente de guerra», a lo que se sumaría el elevado coste del mismo viaje, que era financiado por las rentas de cada diócesis. Mogrovejo señaló por tanto que el viaje a la sede metropolita de Lima habría sido mucho más fácil y menos peligroso. De hecho, los obispos habrían podido viajar cómodamente por algunos territorios de sus respectivas diócesis, que podrían haber sido visitados al mismo tiempo, y luego embarcarse en el puerto de Valparaíso para llegar a Lima en poco más de quince días. Los mismos argumentos se explicaron para los obispos chilenos que, todos juntos, podrían haber afrontado un viaje mucho menos peligroso y costoso que el de la posible nueva sede de Las Charcas. Otra razón aducida para negar a esta catedral la dignidad de sede metropolita surgió de las oportunidades que presentaba la misma ciudad de Lima. Esta no sólo era la sede de la Audiencia sino también la capital del virreinato, por lo que aseguraba la presencia física del virrey, y era la sede de la Inquisición. Además, allí se fundó la universidad, que garantizaba un gran número de juristas letrados, así como numerosos monasterios. Lima se presentaba así como la ciudad «más populosa y principal de este reyno» (AGI, Patronato, 248, r. 33). Entonces, Mogrovejo concluía su carta subrayando una vez mas la centralidad geográfica de la ciudad de Lima, que permitía también a los obispos de Cuzco, Panamá, Quita, Nicaragua y Popayán de llegar fácilmente a la sede metropolita. Las anotaciones redactas en el documento demuestran como esta información fue estudiada por el Consejo e Indias ya a partir de 1603. Pero, esto no significó que la Corona tomase una decisión definitiva, para la que fue necesario atender hasta unos años después.

Dada la importancia del asunto, el rey no se limitó a pedir la opinión del arzobispo de Lima, a pesar de las consecuencias más significativas de la reducción de su territorio diocesano, y también preguntó a los demás obispos de la provincia eclesiástica del Perú. Por ello, fueron recibidos por el Consejo de Indias los comentarios y las observaciones del obispo de Las Charcas y del obispo de Cuzco.

En respuesta a una real cédula del 12 de abril de 1601, el obispo de las Charcas escribió a la Corona el 28 de febrero de 1602. El obispo se mostró a favor de la promoción de la diócesis a metropolita y también se refirió a la distancia de la sede de Lima como la principal razón de la división de la archidiócesis (AGI, Patronato, 248, r. 33).

La misma cuestión fue enfatizada en una carta enviada por el Obispo del Cuzco el 16 de marzo de 1602 en respuesta a la misma real cédula enviada al arzobispo de Lima del abril de 1601 (AGI, Patronato, 248, r. 33). Como ya había observado Mogrovejo, el obispo La Raya también informó al soberano que era más conveniente para los obispos de Chile llegar a la sede metropolita de Lima que a la de Las Charcas, por la gran distancia entre las diócesis y el peligro del viaje. Con respecto a las diócesis de Paraguay, Tucumán y su propia diócesis, hubiera sido más apropiado tener Las Charcas como sede metropolita que la de Lima. También en este caso, la razón adoptada estaba estrechamente vinculada a la menor peligrosidad del viaje. Finalmente, presentó al rey la propuesta de elevar la propia diócesis de Cuzco a la dignidad de metropolita en lugar de la de Las Charcas, lo que le permitiría recuperar la preeminencia que había tenido en las décadas posteriores a la Conquista (Valpuesta Abajo, 2008: 97-102; Vargas Ugarte, 1953, vol. 2: 134; Dammert Bellido, 1996: 333). Para presentar estas peticiones a la Corona y mediar por una solución favorable, se envió a España al dominico fray Luis de Figueroa, que el 8 de octubre de 1603 presentó al rey y al Consejo de Indias un memorial del obispo (Vargas Ugarte, 1966, vol.3: 124; Vargas Ugarte, 1953, vol. 2: 410).

Sobre la oportunidad de modificar los límites de la jurisdicción del arzobispo de Lima en la provincia eclesiástica del Perú, además de las opiniones favorables de los virreyes, se añadieron también las de la Audiencia de Lima, que ya en los años pasados se habían quejado de las dificultades que tenían que afrontar los obispos para llegar a la sede metropolita y que se habrían multiplicados una vez que Mogrovejo habría obtenido la facultad de celebrar los concilios provinciales cada siete años. Al empezar del siglo XVII, en la correspondencia con el soberano la Audiencia de Lima no se mostró favorable a la creación de una nueva sede metropolita en el virreinato, a diferencia de cuanto afirmado por los cabildos seculares. La posición de la Audiencia fue expresa en una carta del 30 de abril de 1602, respondiendo a la ya citada real cedula de 1601. En su carta, los oidores afirmaban sus contrariedades acerca del proyecto, pero, por otro lado, si no era posible otra solución, tomaban en consideración la posibilidad de erigir como nueva sede metropolita la diócesis de Paraguay o la de Tucumán (AGI, Lima, 94).

Paralelamente a la creación de la nueva provincia eclesiástica de Las Charcas, la Corona empezó la fundación de las nuevas diócesis de Arequipa y Huamanga. Éstas se sumaban a la de Trujillo, que estaba todavía en fase de creación, en el territorio sujeto a la jurisdicción del arzobispo de Lima y confinante con la del Cuzco.

A partir del 1606 el arzobispado de Lima y la diócesis de Cuzco fueron en sede vacante y la Audiencia propuso nuevamente la cuestión de la división de la diócesis (AGI, Lima, 571, lib. 17, ff. 101-103v; f. 111 e f. 112v). A partir de las opiniones de las diferentes autoridades eclesiásticas y civiles del territorio sobre el asunto, el 28 de febrero de 1608, el Consejo de Indias redactó una consulta para el soberano:

> «[...] vistos los pareceres de todos, y aunque los del virrey don Luis de Velasco y Arzobispo de Lima, que era interesado en la jurisdicción, son contrarios: los obispos del Cuzco y Charcas afirman con fundadas razones, que es muy conveniente erigir en metropolitana la iglesia de la ciudad de Las Charcas dándoles por sufragáneos los obispado de Tucumán y el Paraguay (porque entonces no estaba hecha la división del dicho obispado de las Charcas) [...] y habiéndose visto todo en el Consejo, y considerándolo, y que ágora a sacado Vuestra Magestad de aquella iglesia y obispado de Las Charcas otras dos, que son las de la Paz y La Barranca de Santa Cruz de la Sierra, y la gran distancia que hay de las una y las otras de Lima. Ha parecido que conviene se erija en metrópoli la iglesia de la ciudad de Las Charcas y que se le den por sufragáneos las iglesias de la Paz y Barranca, Tucumán y Rio de Las Charcas y que Vuestra Magestad sirva de mandar escribir a Su Santidad tenga por bien de erigir en metrópoli la dicha iglesia de Las Charcas» (Valcanover, 2008: XVII).

A principios de 1608, Felipe III, teniendo en consideración las opiniones que había recibido y la consulta del Consejo, solicitó al Papa triple erección diocesana. Aunque la modificación de los límites diocesanos era jurisdicción de la Corona, en virtud de los derechos de Patronato, la creación de nuevas diócesis y el nombramiento de sus respectivos obispos requería la intervención de la Santa Sede, que debía dar su aprobación mediante el envío de bulas de erección y nombramiento a los nuevos prelados. Las negociaciones fueron dirigidas por el embajador español en Roma en septiembre de 1608. Éste le había llevado al Pontífice la suplica del rey de dividir el arzobispado de Lima, creando las tres diócesis y una nueva sede metropolita a Las Charcas. Para obtener esta concesión, el embajador había informado la Santa Sede de las justas causas que habían motivado la intervención real y las necesidades de las diócesis. Entonces, el Pontífice había pedido a la Congregación del Consistorio, que diera su opinión al respecto, evitando cualquier dificultad en su aplicación. Sobre todo, porque no se había obtenido el acuerdo explícito del arzobispo de Lima. Sin embargo, en una carta de 1608, el marqués de Aytona, embajador en Roma, se mostraba optimista sobre la aprobación papal, que efectivamente llegó poco después (AGI, Indiferente, 2949). El éxito positivo de la mediación llegó a la Corona en una carta del nuevo embajador, el Conde de Castro, el 21 de julio de 1609. Pablo V y el Consistorio habían dado un dictamen favorable a la división de la diócesis de Lima, erigiendo una nueva sede metropolita en la diócesis de Las Charcas, con sufragáneas La Paz, Santa Cruz de la Sierra, Tucumán y Paraguay (De Egaña, 1966: 374; Valcanover, 2008; Hernaez, 1879, vol. II: 280). Las bulas de erección y nombramiento de los nuevos obispos, que Felipe III esperaba con impaciencia, fueron emitidas por el pontífice el 20 de julio de 1609 (AGI, Patronato, 4). En la misma fecha, el Papa también había emitido bulas sobre la creación de las diócesis de Arequipa y Huamanga, bajo la jurisdicción de Lima (AGI, Patronato, 4). En el caso de Trujillo, se concluyó el proceso de creación de la diócesis que se había iniciado en los años '70 del XVI siglo y que aún no había sido completado. La geografía eclesiástica del Virreinato del Perú fue así profundamente modificada.

La división de la diócesis de Las Charcas y la definición de los límites -así como de las rentas- de las nuevas diócesis de La Paz y Santa Cruz de la Sierra fueron encomendadas al licenciado Alonso Maldonado de Torres (presidente de la Audiencia de Charcas que había sido promovido al Consejo de Indias) por real cédula de 17 de noviembre de 1607. Por lo tanto, este proceso ya estaba en marcha a la llegada a Lima del nuevo virrey, el marqués de Montesclaros, que supervisó las últimas etapas de la implementación (Latasa Vassallo, 1997: 175-177; Valcanover, 2008).

En cuanto a las diócesis de Arequipa, Huamanga y Trujillo y la delimitación de sus límites, el proceso de creación tuvo lugar entre 1609 y 1614, cuando el soberano ordenó al marqués de Montesclaros que las definiera, en relación no sólo con la extensión de las nuevas diócesis sino también a las respectivas rentas. El Virrey remitió entonces la orden real a Alonso Maldonado de Torres, para que le ayudara en su cumplimiento. Al mismo tiempo, también encargó a Pedro de Córdoba Messia, corregidor del Cuzco, y al padre Diego Méndez, del Convento de la Encarnación de Lima, que se ocupasen de la descripción geográfica de las nuevas realidades de Arequipa, Huamanga y Trujillo. Una vez recogido todo el material, Montesclaros lo estudió junto a personas competentes, laicos y clérigos, y procedió a realizar la división. El 8 de marzo de 1614 fueron definidos los límites de las nuevas diócesis, los corregimientos incluidos en ellas (especificando el número de iglesias, sacerdotes, religiosos y hospitales en cada una) y las rentas asignadas (Latasa Vassallo, 1997: 177-184; AGI, Lima, 301; AGI, Lima, 3).

Un dialogo complejo entre Lima, Madrid y Roma sobre el gobierno de las diócesis en sede vacante

El 30 de septiembre 1583, durante el III concilio provincial de Lima, el arzobispo Mogrovejo y su sufragáneos enviaron una carta a Felipe II en la que lo informaban de los frecuentes y largos periodos de sede vacante de las diócesis americanas:

> «Las vacantes de la Iglesias en estas Indias, por ser de ordinario tan largas y de tantos años, causan mucha perturbación en el gobierno eclesiástico y traen muchos inconvenientes para el servicio de la Iglesia y doctrina de los naturales» (AGI, Lima, 248, r.8).

Además, en el mismo documento se exponían los frecuentes abusos perpetrados por los cabildos eclesiásticos, para los que se pedía una solución, ya que la situación no sólo creaba malestar entre los fieles, sino que obstaculizaba el progreso de la evangelización de los indios. En este sentido, los obispos denunciaron que durante el gobierno del cabildo eclesiástico era «ordinario y muy común dividir a los capitulares en bandos y parcialidades» (AGI, Patronato, 248, r.8), de manera que cada partido buscaba su propio beneficio personal, sin importar si iba o no en detrimento de los fines evangelizadores de la Iglesia:

> «cómo son muchos los que proveen, y cada uno atiende a su particular provecho, reparten entre sí las vicarías y oficios de aprovechamiento y desamparan las catedrales; y por sacar cada uno para sí el aprovechamiento que puede o para sus alegados, anda todo como en almoneda, y la libertad y la disolución con que viven los clérigos y la poca corrección y castigo e sede vacante es cosa muy notoria» (AGI, Patronato, 248, r.8).

Los intereses particulares de los miembros del cabildo eclesiástico eran considerados por los obispos como uno de los más peligrosos daños de la Iglesia en las Indias. Por tanto, los padres conciliares pidieron expresamente al rey, juntamente con el Pontífice, una intervención directa a sanar estos abusos.

En las diócesis americanas, la cuestión del gobierno de las diócesis en una sede vacante adquiría aspectos aún más delicados que en las europeas, debido a la gran distancia entre la sede metropolita y sus sufragáneos. Además, era muy largo también el tiempo necesario para nombrar un nuevo obispo, por una parte, por la distancia de las diócesis a la Santa Sede y por otra, por el proceso de nombramiento según el derecho de patronato de la Corona sobre la Iglesia americana. La vacante, por tanto, podía durar meses o años, causando un grave daño al proceso de evangelización de los indios y a la salud espiritual de los españoles.

Para las diócesis americanas, el derecho canónico, recibido en el Real patronato, preveía que cuando se conociera con certeza la muerte de un obispo, el Consejo de Indias enviara al rey una consulta con una propuesta de tres nombres entre los que él podría elegir al sucesor (AGI, Lima, 1; AGI, Lima, 2). Posteriormente, el rey informaba el candidato elegido que, una vez aceptado el cargo, recibiría las «cartas ejecutoriales» del Consejo de Indias, en las que se le recomendaba llegar a su nueva sede lo antes posible para hacerse cargo del gobierno de la diócesis (Barrientos Grandon, 2004: 88-89). Las normas tridentinas relativas a la sede vacante de una diócesis preveían que el cabildo eclesiástico asumiera las tareas de gobierno, eligiendo un vicario capitular, hasta la llegada del nuevo obispo. Según el derecho de la Iglesia, el obispo no podía tomar posesión de la diócesis hasta que no recibiera las bulas papales que le conferían el nombramiento y la institución canónica. En el último cuarto del siglo XVI se introdujo para las diócesis americanas una práctica ligada al ejercicio del Real Patronato por la que el rey, una vez designado el candidato, este último recibía de hecho el derecho a gobernar la sede vacante asistido por el cabildo eclesiástico mediante el envío de reales cédulas de «ruego y encargo». De este modo, el candidato obispo podía llegar a su nueva diócesis, mientras que en Roma se proveía a su nombramiento y aprobación según el derecho canónico. A su llegada a la diócesis, aunque todavía sin bulas papales, el nuevo titular debía presentar las reales cédulas de «ruego y encargo», para que el cabildo eclesiástico se encargara de la entrega del gobierno, permitiéndole además obtener todas las rentas y beneficios. Por tanto, antes de que el nuevo obispo pudiera tomar posesión de la diócesis y ejercer el gobierno diocesano, se preveía un periodo de tiempo muy largo, debido también a la necesaria espera de las bulas papales de nombramiento.

Ya en 1580 el virrey Toledo había propuesto reformar el sistema nombrando un administrador para la sede vacante (AGI, Lima, 28B; AGI, Lima, 30; Merluzzi, 2003). Estas propuestas fueron recogidas posteriormente por el arzobispo Mogrovejo y sus sufragáneos en el Concilio de 1583. En esta ocasión propusieron a la Corona el nombramiento de un administrador elegido por el cabildo eclesiástico de acuerdo con el virrey o el arzobispo metropolitano o el obispo de la diócesis más cercana. Mediante la autorización de una bula papal específica, este administrador sería responsable de la jurisdicción de la diócesis en sede vacante. Al mismo tiempo, se esperaba que la selección de los nuevos obispos durara muy poco tiempo para reducir la sede vacante y los posibles abusos que se pudieran cometer (AGI, Patronato 248, r.8).

Las consideraciones y las consecuentes propuestas sugeridas por Mogrovejo y sus sufragáneos parecían derogar el capítulo XVI de la sesión XXIV del Concilio de Trento (*Conciliorum oecumenicorum decreta*, 2013), que establecía expresamente que en caso de sede vacante se debía elegir un vicario capitular inamovible en un plazo de ocho días (Cayetano, 1967: 280). En el siglo XVII, el arzobispo de Lima, Arias Ugarte, intentó dar una posible explicación a esta posible contradicción entre los decretos tridentinos, la realidad diocesana y las peticiones de los obispos del III Concilio de Lima. La interpretación dada por el arzobispo sucesor de Mogrovejo no negaba la atención que se prestaba a los dictados tridentinos en la materia, pero ponía de manifiesto la dificultad de su aplicación efectiva: el vicario era efectivamente nombrado, pero se le concedía una jurisdicción tan circunscrita que en la práctica el cabildo eclesiástico ejercía el gobierno de la diócesis (Cayetano, 1967: 280).

A pesar de que la cuestión se había planteado en el concilio Provincial, el Rey no la trató inmediatamente y se le presentó nuevamente en 1590 (AGI, Lima, 248, r. 20). En este caso intervino el virrey Hurtado de Mendoza, informando al rey de que «en las sedes vacantes ay tanto desorden, que en muchos años no se puede remediar el daño que hacen los clérigos, por ser inquietos y mal gobernados» (Lissón, 1943-1946, vol. III: 549). Para remediar este estado de necesidad, el virrey retomó las propuestas del Concilio Provincial, sugiriendo al soberano que implorara a la Santa Sede «por breve para que por orden de Vuestra Magestad se gobiernen los obispados [e] iglesias en sede vacante» (Cayetano, 1967: 280). Pidió, por tanto, que por breve papal se permitiera al soberano de gobernar directamente las diócesis vacantes - en su calidad de patrono de la Iglesia de las Indias - garantizando el buen gobierno del territorio. La solución propuesta por el Virrey, más aún que la de los obispos siete años antes, se orientó, por tanto, hacia una interpretación extensiva de los derechos de patronato concedidos a la Corona, el llamado regalismo (De la Hera, 1992). En este caso, los nombramientos escaparían al control de la autoridad eclesiástica, del cabildo eclesiástico y de los obispos vecinos, en favor del rey y sus representantes en el territorio.

A las observaciones del Virrey se añadieron las de otras diócesis sufragáneas de Lima, como las del obispo de Cuzco Antonio de Raya, que en marzo de 1591 envió a Madrid unos testimonios a favor del nombramiento de un procurador para las diócesis en sede vacante. El documento proponía que, en estos casos, el gobierno fuera encomendado temporalmente bien a un obispo titular de una diócesis vecina o a una persona previamente indicada por el obispo fallecido, o además incluso a un oidor de la Audiencia, sin que el cabildo eclesiástico pudiera intervenir nunca directamente ni en el nombramiento ni en el gobierno (Cayetano, 1967: 281; Lissón, 1943-1946, vol. IV: 351-355).

En 1595 Felipe II envió una real cédula tanto al arzobispo Mogrovejo como al virrey Velasco pidiendo que se le informara debidamente sobre el asunto de las sedes vacantes y ordenando que se le enviara un informe «de lo que en sobredicho convenga hacerse que sea más del servicio de Dios, quietud de los prebendados y buen gobierno de los obispados» (AGI, Lima, 545). En efecto, se le había informado varias veces, tanto por cartas de los virreyes como por informes de otras muchas personas, que durante la sede vacante de las diócesis se habían producido desavenencias y controversias entre los miembros del cabildo eclesiástico, para cuya solución se proponía el nombramiento de una persona que administrara las diócesis durante la sede vacante. La cuestión necesitaba una solución, sobre todo porque la ciudad de Cuzco había puesto en conocimiento de la Corona numerosos abusos, entre ellos el nombramiento por parte de los representantes del cabildo eclesiástico de visitadores que les eran favorables y que apoyaban sus intereses personales, en detrimento tanto de la labor de los sacerdotes como de los indios. En este caso, los representantes de la ciudad rogaron al rey que permitiera a los virreyes y arzobispos, de acuerdo con el cabildo de la ciudad, nombrar administradores con una jurisdicción superior a la de los cabildos eclesiásticos (AGI, Lima, 545).

La solución propuesta por el arzobispo Mogrovejo el 16 de marzo de 1602 no se acercaba a las soluciones regalistas procedentes del Cuzco, sino que pretendía ser una mediación entre las necesidades efectivas de gobierno del territorio y los derechos de la Iglesia. En efecto, preveía que, tras la autorización de la

Santa Sede tramite un breve, fuera el propio obispo de la diócesis, antes de su muerte, quien designara a la persona más idónea para gobernar durante la sede vacante, o que fuera nombrada por el arzobispo (Cayetano, 1967: 281; Lissón, 1943-1946, vol. IV: 468-469).

En 1606 la cuestión, junto con las diversas propuestas de solución, se convirtió en una urgencia para la diócesis de Lima. El 23 de marzo de 1606 murió el arzobispo Mogrovejo y la diócesis se encontró en sede vacante, en una situación político-institucional y religiosa muy particular: no sólo había muerto el virrey Gaspar de Zúñiga unos meses antes (Vargas Ugarte, 1966), sino que ese mismo año se había iniciado para la diócesis un proceso de división para la creación de la nueva diócesis de Las Charcas. Por ello, la Audiencia de Lima, en carta del 13 de mayo de 1606, informó al rey de que el cabildo eclesiástico de la ciudad era inadecuado para el gobierno de la sede vacante y solicitó que el presidente de la Audiencia y virrey *ad interim*, Diego Núñez de Avendaño, pusiera un administrador para gobernar la sede vacante (AGI, Lima, 545).

A pesar de que la diócesis de Lima no pudo conseguir un administrador para el periodo que precedió al gobierno del recién elegido arzobispo Bartolomé Lobo Guerrero (Castañeda Delgado, 1976; AGI, Lima, 300; AGI, Lima, 301), Felipe III no fue indiferente a las numerosas peticiones de solución a un problema que venía aquejando a las diócesis americanas en sede vacante desde hacía demasiado tiempo. El Consejo de Indias también había intervenido en el asunto, asociando la necesidad de un administrador de las sedes vacantes a la posibilidad de que los obispos pudieran ser consagrados directamente en las Indias, en un intento de que el periodo de vacante fuera lo más breve posible. En concreto, las dos cuestiones podían presentarse como dos caras de la misma moneda y, por ello, el Consejo de Indias, el 14 de marzo de 1609, escribió una consulta al rey expresando su opinión sobre ambas cuestiones al mismo tiempo:

> «Haviendo el Consejo dado cuenta a Vuestra Magestad del mal gobierno que ay en las yndias en las sedes vacantes de las iglesias y que convenía a pedir breve a Su Santidad para que se nombrase gobernador en las dichas sede vacante fue Vuestra Magestad servido de responder y mandar que se escriva a Roma sobre ello y que se ordene a los obispos que se hallan en España y tiene sus yglesias en las Indias que se pongan luego en camino para ellas sin admitirles replicas y como quiera que se cumplirá lo que Vuestra Magestad manda con esta ocasión y para que los obispos no la tengan de tener en España despues que se consagren como lo ha hecho y hazen de ordinario buscando ocasión

> para ello. Ha carescido que el remedio mas eficaz que esto puede tener es pedir a Su Santidad otro breve para que todos los arcobispos y obispos que se proveyeren para las yndias se consagren precisamene en ellas por un obispo u dos dignidades como haze de ordinario con lo que estando allá se provesen para los dichos obispados y que el tiempo de tres meses que tiene para consagrarse [...] partan a la primera ocasión que huviere [...] pierdan los frutos de sus arcobispados y obispados aplicados para las fabricas de sus yglesias por todo el tiempo que no llegaren los prelados a servir en ellas» (AGI, Indiferente, 2891).

Por ello, el Rey decidió enviar una súplica al Pontífice, solicitando «que se cometa a los cabildos la execución de las penas pecuniarias». También escribió una carta al embajador en Roma, Francisco Ruiz de Castro, en la que, tras las comunicaciones enviadas al anterior embajador, el marqués de Astorga, sobre el mismo tema pedía que se presentaran de nuevo a la Santa Sede los inconvenientes derivados de los periodos de sede vacante de las diócesis en América causados por el mal gobierno de los cabildos eclesiásticos. Por ello, solicitó que se concediera un breve para que el mismo rey, o su delegado, pudiera nombrar a una persona para gobernar la sede vacante de cualquier iglesia de las Indias, sin limitar por tanto la concesión a una sola diócesis o a una situación contingente. Además, Felipe III recomendó al embajador que siguiera la práctica con cuidado, ya que su predecesor no había dejado ningún aviso al respecto y por tanto:

> «si el dicho breve no estuviere despachado solicitéis su expedición haziendo sobre ello con Su Santidad las diligencias necesarias y para que no se han tan largas las dichas vacantes y escusar los daños que se siguen de estar tanto tiempo sin prelados y pastores las yglesias por la dilación que suele aver en yr a residir en ellas las persona que estando en esto reynos se provén en las prelacías de las indias deteniéndose mucho tiempo en España después de haver recevido sus bulas y consagradose» (AGI, Indiferente, 2891).

Retomando la consulta del Consejo de Indias de marzo de 1609, el Soberano también consideró oportuno solicitar a la Santa Sede un segundo breve, relacionado con el anterior, para que todos los arzobispos y obispos de las Indias Occidentales pudieran ser consagrados in situ, por un obispo o dos dignidades eclesiásticas, para reducir el tiempo de la vacante. El Papa aceptó la petición y envió un escrito, que quedó registrado en los archivos del Consejo de Indias el 14 de marzo de 1613, en el que se concedía que «los arcobispos y obispos de aquí adelante se proveyeren en las Indias no se pueden consagrar en España sino en las Indias con un obispo y dos dignidades» (AGI, Indiferente, 2891; Hernaez, 1879, vol. I: 175).

No obstante, las concesiones ya obtenidas, el 28 de febrero de 1609 Felipe III también decidió de enviar a través del embajador en Roma, el marqués de Aytona, una nueva suplica al Pontífice en relación con el estado de necesidad de las sedes vacantes en América y los consiguientes abusos que perpetraban los cabildos eclesiásticos. Por ello, el Soberano suplicó una intervención papal que le concediera el poder de nombrar a una persona adecuada para gobernar la diócesis antes de la llegada del obispo elegido. Aunque apoyado por varios ejemplos de abusos y precedido por memoriales, informes y testimonios de los obispos americanos, el breve que el rey esperaba obtener le fue denegado dos años después. En 1611, el Pontífice rechazó la suplica y decretó que la diócesis en sede vacante debía ser controlada por el obispo más cercano (AGI, Lima, 545).

Al final, la Santa Sede intervino señalando las responsabilidades de la jerarquía episcopal durante el gobierno de las diócesis en sede vacante, negando a la Corona y a las autoridades civiles cualquier posibilidad de intervención. Sin embargo, esto no fue suficiente para acabar con la situación de abusos y desórdenes durante los largos periodos de sede vacante, cuestión que quedó sin resolverse hasta mediados del XVII y por la que los obispos americanos escribieron a la Corona para una definitiva resolución.

El 2 de mayo de 1616 el arzobispo Lobo Guerrero intervino en el asunto en relación con los abusos cometidos por los cabildos eclesiásticos durante la sede vacante en relación con la realización de las visitas pastorales. De hecho, estos concedieron a los prebendados de hacer las visitas durante las cuales se permitía la satisfacción de intereses personales «con que se defraude el servicio de la iglesia». Por tanto, el arzobispo pidió al rey de ordenar que cesasen estas visitas y que «vacue» el beneficio de los prebendados deshonestos (AGI, Lima, 301).

Además, el 20 de mayo de 1631 el arzobispo de Lima, Arias de Ugarte, apoyándose en su larga experiencia en el territorio americano (Quiroga de Abarca, s.f.), escribía al rey Felipe IV señalando una vez más lo «graves e irremediables los inconvenientes y daños que se siguen de las sedes vacantes de as iglesias de las Indias», sobre todo por la intervención de diversos sujetos e intereses que pretendían enriquecerse aprovechando la división facciosa del cabildo. Por lo tanto, en este caso, al vicario general que debía gobernar la sede vacante, según lo dispuesto por el Concilio de Trento, se le concedió una jurisdicción extremadamente limitada (Cayetano, 1967: 281). Dentro de los ocho días siguientes a la muerte del obispo, de acuerdo con los dictados tridentinos, el arzobispo propuso al Soberano el nombramiento no de una sino de tres personas responsables del buen gobierno de la diócesis, una de las cuales debía ser nombrada por el virrey, con poderes irrevocables sobre el cabildo eclesiástico; o también propuso conceder al propio virrey el nombramiento de una persona de mérito para gobernar la diócesis con la autoridad del cabildo. Retomando las palabras de Mogrovejo, Arias Ugarte pidió al Pontífice un breve para aceptar una de las dos soluciones propuestas, ya que era consciente de los inconvenientes que podrían surgir y sobre los que se había previamente enviado información (Lissón, 1943-1946, vol. V: 124-126). A la voz del arzobispo de Lima se unió también la del arzobispo de Las Charcas, Francisco de Borja, quien el 24 de marzo de 1637 expresó su esperanza de que la Santa Sede emitiera una bula que dispensara del derecho común y canónico para «los Cabildos gobiernen las iglesias en la vacante [...] para que Vuestra Magestad pueda poner gobernador en el punto que falte el prelado» (Cayetano, 1967: 282; AGI, Charcas, 135).

El rey escuchó las continuas peticiones procedentes de las diócesis americanas, y ya a finales de septiembre de 1634 envió una real cédula a todos los virreyes, presidentes y gobernadores, tanto del Perú como de Nueva España, para que estuvieran atentos y evitaran los perjuicios derivados del periodo de vacante de las diócesis, sobre todo en relación con los posibles vejámenes que el cabildo eclesiástico pudiera imponer a los indios (AGI, Lima, 545; *Recopilación*, lib. 1, tit. 11, ley 10).[2] Esto, sin embargo, no se consideró suficiente, pues todavía el 22 de mayo de 1642 el arzobispo de Lima -Pedro de Villagómez Vivanco- en un informe de una visita pastoral propuso al rey «que se ponga remedio en el gobierno de las sedes vacantes». En particular, el arzobispo creía que el remedio debía venir de la Santa Sede o bien «poniendo el gobierno de las sedes vacantes destos reinos en los metropolitanos o en el obispo más antiguo de la provincia o en el más cercano de la yglesia que estuviere vacante o que en al provisor que eligere el cabildo posse todo al gobierno o jurisdicción» (AGI, Lima, 545).

Sin embargo, no parece que se hicieran nuevas peticiones a la Santa Sede, ni que ésta se pronunciara en contra de lo ya decidido en 1611. Como ha observado Bruno Cayetano (1967), esta cuestión -con todas sus incertidumbres y conflictos- caracterizó el gobierno de las sedes vacantes en la América española hasta la

[2] «Mandamos a nuestros virreyes, presidente y gobernadores, que en sus distritos se procuren se excusen los daños que resultan, y se ofrecen en tiempo de sedes vacantes así de dividirse en bandos y parcialidades los cabildos de la iglesias, como de dar órdenes en prejudicio de bien común, y de los indios, y de tomarse toda la autoridad en las cosas de justicia y excusarse de la asistencia del Coro, y celebración de los divinos oficios, interponiendo para ello nuestros ministros su autoridad, de que tendrán particular cuidado, y de avisarnos de lo que en estas materias se les ofreciere». *Recopilación*, lib 1, tit. 11, ley 10.

Independencia, cuando con la Constitución *Romanus Pontifex* del 28 de agosto de 1873 Pío IX decretó que toda la jurisdicción ordinaria del obispo que el cabildo eclesiástico recibía durante la sede vacante debía pasar íntegramente a la figura del vicario debidamente constituido para esas funciones. Además, el cabildo no podía reservarse en modo alguno ninguna parte de esta jurisdicción, ni podía nombrar a un vicario sólo por un periodo de tiempo determinado, ni relevarlo de su cargo durante el periodo de la sede vacante, ya que su tarea sólo terminaría con la llegada del nuevo obispo, en posesión de las cartas apostólicas de nombramiento (Cayetano, 1967: 283).

Conclusiones

Las características del derecho indiano, definidas por los historiadores del derecho como casuísticas (Tau Anzoátegui, 1992; Garcia Gallo, 1972; Sanchez Bella I., A. de La Hera, C. Díaz Rementería, 1992), permitieron a la Corona definir un conjunto de normas adaptadas a las contingencias y necesidades particulares presentadas por sus funcionarios, por los vecinos de los territorios americanos (Brendecke, 2016; Masters, 2018) y, no pocas veces, por la jerarquía eclesiástica. La actividad normativa de la Corona con respecto a los dominios americanos se orientó, de hecho, a crear un derecho que respondiera a las necesidades y problemas cotidianos que pudieran surgir dentro de los límites de una determinada provincia, ciudad o -como en este caso- diócesis. En este sentido, los casos de estudio presentados son particularmente interesantes para comprender el rol desarrollado de la alta jerarquía eclesiástica en la circulación de las informaciones, en el marco de las relaciones entre Lima, Madrid y Roma, para la toma de decisiones relativas al gobierno eclesiástico de la Monarquía.

De otra parte, esto no significó, que las peticiones y observaciones de los arzobispos fueron siempre satisfechas y que hubiera una consecuencia directa entre las peticiones y las decisiones reales. La jerarquía eclesiástica señalaba las necesidades que, a su juicio, había que remediar y proponía al soberano dictámenes que no eran vinculantes en el proceso de toma de decisiones. En este sentido, es especialmente interesante el caso de la creación del arzobispado de Las Charcas, la Corona pidió informaciones y sugerencias a los obispos implicados, así como al virrey y a la Audiencia. El arzobispo Mogrovejo había enviado opiniones relativamente negativas al rey y al Consejo de Indias, y en cambio los otros obispos se demostraron mas favorables. A la vista de las diversas cartas que se le enviaron, el soberano se pronunció favorablemente sobre la creación de la nueva diócesis, teniendo en cuenta la opinión de Mogrovejo solamente sobre las diócesis de Chile. La importante cuestión de la creación del arzobispado de Las Charcas (y después llamado La Plata) fu abordado también por Rubén Vargas Ugarte sobre la historia política y religiosa del virreinato del Perú. En este sentido el observó que «no debió ofrecerse dificultad por parte del arzobispo» (Vargas Ugarte, 1966, vol. 2: 125), interpretación que a la luz del análisis de la correspondencia entre el arzobispo de Lima, las demás autoridades civiles y religiosas del virreinato y la Corona puede ser hoy revisada. Mogrovejo en su correspondencia con la Corona destacó los efectos negativos que tendría la propuesta de división, pero sin negar en ningún momento su obediencia a las disposiciones reales.

De hecho, la jerarquía eclesiástica tenía una perspectiva privilegiada en estas cuestiones, así como en el proceso de establecimiento y jerarquización de la iglesia diocesana. Gracias a la observación directa de la realidad de la diócesis y a las visitas pastorales, los arzobispos de Lima habían obtenido la sensibilidad y la autoridad adecuadas para poder solicitar soluciones legislativas a los problemas que surgían en el gobierno del territorio y en el mandato pastoral. Como vértices de la jerarquía eclesiástica del Perú, se convirtieron, por tanto, en nodos fundamentales de la red de relaciones e información que vinculaba al virreinato del Perú con la Corona y la Santa Sede. Por tanto, se puede observar cómo los memoriales, las observaciones y las peticiones enviadas por los tres primeros arzobispos de Lima, Jerónimo Loaysa, Toribio Mogrovejo y Bartolomé Lobo Guerrero, se convirtieron así en información necesaria para el gobierno de los territorios americanos de la Monarquía y es posible encontrar su eco e influencia en las normas de gobierno eclesiástico que pasaron a formar parte de la Recopilación de Leyes de Indias.

Fuentes Primarias

Archivo General de Indias (AGI)
- Charcas, 140
- Indiferente, 2891
- Indiferente, 2949
- Indiferente, 815
- Lima, 1
- Lima, 2
- Lima, 3

- Lima, 28B
- Lima, 30
- Lima, 94
- Lima, 300
- Lima, 310
- Lima, 545
- Lima, 571, lib. 17
- Patronato, 4
- Patronato, 248

Biblioteca Nacional de España (BNE)

- Mss/2987

Referencias citadas

Acosta A., 2014. "La iglesia en el Perú colonial temprano. Fray Jerónimo de Loaysa, primer obispo de Lima", en Acosta A., *Practicas coloniales de la iglesia en el Perù; siglos XVI-XVII*. Sevilla: Aconcagua, pp. 69-93.

Albani B., 2009. 'In universo christiano orbe': La Sacra Congregazione del Concilio e l'amministrazione dei sacramenti nel Nuovo Mondo (secoli XVI-XVII). *Mélanges de l'École Française de Rome: Italie et Mediterranée*, num. 121: pp. 63 – 73.

Albani B., 2012. "Nuova luce sulle relazioni tra la Sede Apostolica e le Americhe. La pratica della concessione del «pase regio» ai documenti pontifici destinati alle Indie". En Ferlan C. (ed.), *Eusebio Francesco Chini e il suo tempo. Una riflessione storica.* Trento: FBK Press, pp. 83-102.

Albani B., 2013. Un intreccio complesso: il ricorso alla Sede Apostolica da parte dei fedeli del Nuovo Mondo. Prime note su uno studio in corso. *Mélanges de l'École Française de Rome: Moyen âge,* num. 125: X – XIII.

Albani B., Danwerth O., Duve T. (eds.), 2019. *Normatividades e instituciones eclesiásticas en el virreinato del Perú, siglos XVI–XIX*. Frankfurt am Main: Max Planck Institute for European Legal History.

Albani B., Pizzorusso G., 2017. "Problematizando il Patronato Regio. Nuevos acercamientos al gobierno de la Iglesia ibero-americana desde la perspectiva de la Santa Sede". En Duve T., *Actas del XIX Congreso del Instituto Internacional del Derecho Indiano (Berlin 2016)*, Madrid: Dikinson, pp. 519-544.

Alberigo G., Dossetti G. L., Perikle P.-J., Leonardi C., Prodi P. (eds.), 2013. *Conciliorum oecumenicorum decreta.* Bologna: EDB, Edizioni Dehoniane Bologna.

Artola M., 1999. *La Monarquía Española.* Madrid: Alianza Editorial.

Barrientos Grandon J., 2004. *El gobierno de las Indias.* Madrid: Fundación Rafael del Pino, Marcial Pons.

Barrios Gozalo M., La Agencia de preces de Roma entre los Austrias y los Borbones (1678-1730). *Hispania: revista española de historia*, num. 246, vol. LXXIV: pp. 15-40.

Barrios Pintado F. (ed.), 2002. *Derecho y administración pública e las Indias Hispánicas, Actas del XII congreso internacional de historia del derecho indiano.* Cuenca: Universidad de Castilla-la Mancha.

Barrios Pintado F. (ed.), 2004. *El gobierno de un mundo; virreinatos y audiencias en la América hispánica.* Cuenca: Fundación Rafael del Pino, Ediciones de la Universidad de Castilla-La Mancha.

Braudel F., 1986. *Civiltà e Imperi del Mediterraneo nell'età di Filippo II.* Torino: Einaudi, Torino.

Castañeda Delgado P., 1976. Don Bartolomé Lobo Guerrero, tercer Arzobispo de Lima. *Anuario de Estudios Americanos*, tomo XXXIII: 57-103.

Castañeda Delgado P., Marchena Fernández J., 1992. *La jerarquía de la Iglesia en Indias: El episcopado americano, 1500-1850.* Madrid: Mapfre.

Cayetano B., 1967. *El derecho publico de la Iglesia en las Indias; estudio historico-juridico.* Salamanca: Consejo superior de investigaciones científicas, Instituto "San Raimundo de Peñafort".

Dammert Bellido J., 1996. *El clero diocesano en el Peru del siglo XVI.* Lima: Instituto Bartolomé de las Casas-Rímac-Centro de Estudios y Publicaciones (CEP).

De la Hera A., 1992. "El dominio español en Indias". En I. Sanchez Bella, A. de La Hera, C. Díaz Rementería, *Historia del Derecho Indiano.* Madrid: Mapfre, pp. 256-257.

De la Hera A., 1992. *Iglesia y Corona en la América española.* Madrid: Mapfre.

De la Hera A. 1992. El regalismo indiano. *Ius canonicum*, num. 64, vol. 32: 411-437.

De Leturia P., 1959. "Las grandes bulas misionales de Alejandro VI (1493)", En De Leturia P. *Relaciones entre Santa Sede e Hispanoamérica.* Roma: Università Gregoriana.

División en tres obispados de la Iglesia de los Charcas por Alonso Maldonado de Torres en 1609, 2008. Introducción, versión paleográfica e índice por el licenciado Valcanover M. (OFM), [s.n.], Cochabamba (Bolivia).

Egaña A. de, 1966. *Historia de la Iglesia en la América Española; desde el Descubrimiento hasta comienzos del siglo XIX.* Madrid: Biblioteca de Autores Cristianos.

Escudero J.A., 2002. *Felipe II: el rey en el despacho.* Madrid: Editorial Complutense.

Garcia Añoveros J.M., 1990. *La Monarquía y la Iglesia en América. La Corona y los pueblos americanos.* Valencia: Asociación Francisco López de Gomara.

García Gallo A., 1992. *Estudios de historia del derecho indiano*, Madrid, Instituto nacional de estudios jurídicos.

García Quintanilla J., 1964. *Historia de la Iglesia en La Plata. Obispado de los Charcas, 1553-1609. Arzobispado de La Plata 1609-1825.* Sucre: Archivo Biblioteca Arquidiocesanos "Monseñor Taborga".

Gómez Hoyos R., 1961. *La Iglesia de América en las leyes de Indias.* Madrid: Instituto Gonzalo Fernández de Oviedo, Instituto de Cultura Hispánica de Bogotá.

Gutierrez Arbulú L., 2005. *Lima en el Siglo XVI*, PUCP. Lima: Instituto Riva Agüero.

Hernáez F.J., 1879. *Colección de bulas, breves y otros documentos relativos a la iglesia de América y Filipinas*. Bruxelles: Imprenta de Alfredo Vromant.

Ignasi Saranyana J., 1999. "El III Concilio limense (1582-1583)". En J. Ignasi Saranyana (ed.), *Teología en América Latina; desde los orígenes a la Guerra de Sucesión (1493-1715)*. Madrid/Frankfurt-am-Main: Iberoamericana/Vervuet.

Jeanne B., 2013. "*México-Madrid-Roma, un eje desconocido del siglo XVI para un estudio de las relaciones directas entre Roma y Nueva España e la época de la Contrarreforma (1568-1594)*". En Garrido Caballero M., Vallejo Cervantes G., *De la Monarquía Hispánica a la Unión Europea: relaciones internacionales, comercio e imaginarios colectivos*. Murcia: Universidad de Murcia. Servicio de Publicaciones, pp. 19-39.

Latasa Vassallo P., 1997. *Administración virreinal en el Perú: gobierno del marqués de Montesclaros (1607-1615)*. Madrid: Centro de Estudios Ramón Areces.

Lissón Chaves E., 1943-1946. *La Iglesia de España en el Perú. Colección de documentos para la historia de la Iglesia en el Perú, que se encuentran en varios archivos*. Sevilla: Editorial Católica Española.

Lohmann Villena G., 2008. "*La ciudad de Lima, Corte del Perú. ¿Idealización o realidad?*", en Cantù F. (ed.), *Las cortes virreinales de la Monarquía española: América e Italia*. Roma: Viella, pp. 493-508.

Mantilla Ruíz L.C., 1996. *Don Bartolomé Lobo Guerrero: inquisidor y tercer arzobispo de Santafé de Bogotá (1599-1609)*. Santafé de Bogotá: Academia Colombiana de Historia.

Martínez Ferrer L., Gutiérrez J.L. (eds.), 2017. *Tercer Concilio Límense (1583-1591), edición bilingüe de los decretos*. Lima: Facultad de teología pontificia y civil de Lima.

Masters A., 2018. A Thousand Invisible Architects: Vassals, the Petition and Response System, and the Creation of Spanish Imperial Caste Legislation. *Hispanic American Historical Review*, num. 98, vol. 3: 377-406

Merluzzi M., 2003. *Politica e governo del Nuovo Mondo, Francisco de Toledo viceré del Perù (1569-1581)*. Roma: Carocci.

Moutín O.R., 2016. *Legislar en la América hispánica en la temprana edad moderna. Procesos y caraterísticas de la producción de los Decretos del Tercer Concilio Provincial Mexicano (1585)*. Frankfurt am Main: Max Planck Institute for European Legal History.

Osorio A.B., 2008. *Inventing Lima: Baroque Modernity in Peru's South Sea Metropolis*. New York: Palgrave Macmillan.

Pizzorusso G., Sanfilippo M., 1998. "L'attenzione romana alla Chiesa coloniale ispano-americana nell'età di Filippo II". En Martínez Millán, *Felipe II (1527-1598). Europa y la Monarquía Católica*, Madrid: Editorial Parteluz, pp. 321-340.

Quiroga de Abarca E., *Hernando Arias Ugarte*, en Real Academia de la Historia, https://dbe.rah.es/biografias/10932/hernando-arias-de-ugarte [consultado

21/10/2021]

Ramos Perez, J., Sanchez Bella I., Real J.J., Perez Picon G., Manzano J., Diaz-Truchuelo M.L., Solano F., Borges P., Gimeno A., 1970. *El Consejo de las Indias en el siglo XVI.* Valladolid: Universidad de Valladolid.

Recopilación de Leyes de los Reynos de las Indias mandadas imprimir y publicar por la Magestad católica del rey don Carlos II [1680] (facsimile de la edición: por la viuda de d. Joaquín Ibarra, Madrid 1791). Madrid: Centro de Estudios político y Constitucionales.

Rodríguez Valencia V., 1957. *El Patronato regio de Indias y la Santa Sede en Santo Toribio de Mogrovejo (1581-1606).* Roma: Iglesia Nacional Española.

Salinas Araneda C., 2021. El derecho canónico en Indias, *Allpanchis*, num. 87: 13-56.

Sánchez Bella I., 1990. *Iglesia y estado en la America española.* Pamplona: Universidad de Navarra.

Sánchez Bella I., 1992. "Los eclesiásticos y el gobierno de las Indias". En Borges P. (ed.), *Historia de la Iglesia en Hispanoamérica y Filipinas (siglos XV-XIX).* Madrid: Biblioteca Autores Españoles, pp. 685-698.

Sanchez Bella I., De La Hera A., Díaz Rementería C., 1992. *Historia del Derecho Indiano*, Madrid: Mapfre.

Sellers-García S., 2014. *Distance and documents at the Spanish Empire's Periphery.* Stanford (California): Stanford University Press.

Tau Anzoátegui V., 1992. *Casuismo y Sistema: indagación histórica sobre el espíritu del Derecho Indiano*, Buenos Aires: Insituto de investigaciones de Historia del Derecho.

Tau Anzoátegui V., 2016. *El Jurista en el Nuevo Mundo. Pensamiento. Doctrina. Mentalidad.* Frankfurt-am-Main: Global Perspectives on Legal History-Max Planck Institute for European legal history.

Tineo P., 1990. *Los concilios limenses en la evangelización latinoamericana.* Pamplona: EUNSA.

Traslosheros J.E., 2014. *Historia judicial eclesiástica de la Nueva Esapaña; materia, metodo y razones.* México: Editorial Porrua.

Trujillo Mena V., 1963. *La legislación eclesiástica en el virreinato del Perú durante el siglo XVI; con especial aplicación a la jerarquía y a la organización diocesana.* Roma: Pontificia Università Gregoriana.

Valpuesta Abajo N., 2008. *El clero secular en la América Hispana del siglo XVI.* Madrid: Biblioteca de Autores Españoles.

Vargas Ugarte R. (ed.), 1951. *Concilios Límense (1551-1572).* Lima, s.ed.

Vargas Ugarte, 1953. *Historia de la Iglesia en el Perù.* Lima: Imprenta Santa Maria.

Vargas Ugarte R., 1966. *Historia General del Peru.* Lima: Milla Batres.

Vázquez García-Peñuela J.M., Morales Payán M.A., 2005. *El Pase Regio: esplendor y decadencia de una regalía*, Pamplona: Navarra Gráfica Ediciones Universidad de Almería.

Zaballa Beascoechea A. de (ed.), 2011. *Los indios, el derecho canónico y la justicia eclesiástica en la América virreinal*, Madrid- Frankfurt am Main: Iberoamericana-Vervuet.

“Lo que conviene a la república”; Los incas, los indios, el buen gobierno y la administración temprano colonial, Perú 1560-1570*

Germán Morong Reyes
Universidad Bernardo O’Higgins, Chile

Problematización

Desde la conquista del Perú por las huestes de Francisco Pizarro en 1532, clérigos, soldados y cronistas, luego virreyes, oidores, oficiales, entre otros, manifestaron sistemáticamente un asombro irrestricto por las instituciones incaicas de gobierno a nivel administrativo y político (Gibson, 1947; Lohmann, 1957; Brading, 1991; Mumford, 2011; 2012). Más allá de un campo de visibilidad material, arquitectura, redes viales, depósitos alimentarios, etc., que llevó a muchos cronistas a traducir culturalmente sus descripciones “romanizando” el imperio incaico (Pease 1995, Millones Figueroa 1998, 2001; Julien, 2000; McCormack, 2006; Fossa, 2006), la atención central fue puesta sobre el funcionamiento del poder político y sus imbricadas y particulares estructuras de coacción y exacción, operando a distintas escalas territoriales y controlando de forma eficiente a distintos grupos de población, habituados a “temples” particulares y distintivos (Gibson, 1947; Lohmann, 1957; Wedin, 1966; Zavala, 1976; Rostworowski 1983, 1988; Stern, 1986; Pease, 1978, 1992; Murra, 1975, 1977; Zuidema, 2008; Zuloaga, 2012; Parsinen, 2003, entre otros). Incluso, las descripciones –con el tiempo más elaboradas y densas– llegaron a esbozar la existencia prehispánica de un orden político excesivamente interesado en la salud y mantenimiento demográfico de su población (Anónimo, 1541 RBME, Fol. 458r en Gentile, 2013:

---

* El presente capítulo constituye una versión modificada y actualizada de los artículos “Haciendo relación de las cosas tocantes a su gobierno”. El orden del inca en la documentación temprana, Perú 1540-1570, *Diálogo Andino* N° 65 (2021): 133-149 y “El orden del Inca: gobierno virreinal y sujeción político-laboral de los indios del Perú colonial (1560-1570). *Cheiron. Materiali e strumenti di aggiornamento storiografico*, n° 1-2 (2020): 68-93 (este último en co-autoría con Matthias Gloël). Asimismo, esta investigación es parte del proyecto Fondecyt Regular N° 1220626 “Los incas y la administración temprano colonial; saberes, discursos, derroteros y restituciones virreinales, Perú 1540- 1583” ANID-CHILE, del cual el autor es investigador responsable.

516; Segovia, 2019 [1552-1556]: 158; Lamana, 2012).

Como ha mostrado la etnohistoria e historia colonial, la supervivencia de las instituciones prehispánicas, es decir, la adopción deliberada de determinadas prácticas políticas anteriores a la conquista fue asumida como parte de un nuevo orden virreinal que facilitaría un dominio más eficaz sobre la población indígena. Argumento tempranamente sostenido por la historiografía decimonónica[1]. Del mismo modo, décadas después, Charles Gibson afirmaría en su *Concepto Inca de soberanía y la administración española en el Perú* que "ciertas fases del dominio español fueron guiadas por la imitación deliberada de las prácticas incaicas precedentes" (1947: 14). Contemporáneo a Gibson, Guillermo Lohmann explicaba cómo los españoles miraron asombrados la existencia de una organización decimal provista de autoridades intermedias eficaces en el control de la población (1957: 7-11)[2]. Su impresión, en virtud de la temprana instalación política virreinal, es justamente la "carencia de organismos intermedios entre gobernantes y gobernadores" (8). Esta falta de enlace jerárquico –en palabras de Lohmann– incidía de forma determinante en la ausencia de poder directo para regir a los naturales, progresivamente tendientes al ocio y bajo la tiranía de los curacas en calidad de autoridades próximas. Concluía, ponderando el contexto peruano, en que la autoridad hispana "realiza denodados esfuerzos para asimilar en unos aspectos, y suplir en otros, aquellas porciones de autoridad incaica desmoronadas por el choque de civilizaciones" (8-9). Más tarde, John Murra, al poner decidida atención a la documentación administrativa –visitas a la tierra–, en particular a la visita de Garci Diez de San Miguel (1975: 202), sostenía que este último "al igual que otros funcionarios de su generación [...]consideraba útil el comprender y hacer uso de las instituciones andinas, aunque fuese sólo con miras colonialistas"

[1] El interés por documentar y/o analizar la manera en que los españoles, oficiales y clérigos fijaron la atención en los aparatos de sujeción incaicos para efectos gubernamentales, ostenta larga data. A fines del siglo XIX y principios del siglo XX, el desarrollo de una "historia incaica", bajo criterios esencialmente positivistas y asumiendo coordenadas analíticas vinculadas a política, gobierno, linaje, religión y arquitectura, otorgadas esencialmente por crónicas de interés indígena, permitió a autores como William Prescott construir, siguiendo los pasos hermenéuticos de sus antecesores peninsulares, una historia de los incas y una historia de la conquista del Perú (1902) (Weddin, 1966).

[2] Desde muy temprano, la etnohistoria destacó la eficiencia administrativa del incario al establecer una escala de poder organizada en unidades decimales (Julien, 1988: 257-279). Esta organización, descrita someramente en los textos hispanos, describe el orden decreciente en unidades: Huno (10.000), Pisca Guaranga (5.000), Guaranga (1.000), Pisca Pachaca (500), Pachaca (100) y Pisca Chunga (10) (Julien, 1988: 258). La descripción de esta organización llamó la atención de cronistas, clérigos, visitadores, oidores, gobernadores y virreyes con particular interés. También lo fue el cargo de "Tocuirico", un funcionario incaico que fue asemejado al veedor español y considerado de eficiencia a nivel provincial y local.

(202). Más tarde, estas afirmaciones, constituirán un lugar común entre los estudiosos de los andes coloniales para el estudio de las formas de asimilación de estructuras incaicas previas, como para las variadas propuestas de restitución colonial de aquellas durante la segunda mitad del siglo XVI (Curatola y De la Puente, 2013; Mumford, 2012).

Trascendiendo objetivos propiamente "etnográficos"[3], literarios o históricos –propios del formulismo inherente de la tipología cronística (Mignolo, 1981 y 1982)–, estas descripciones de alteridad, esparcidas también en *relaciones*, *memoriales*, *informes*, *cartas* y *tratados*, implicaron una indagación progresiva de parte de la Corona con fines de organizar el tributo y la compulsión laboral de las comunidades indígenas en el eje Lima-Charcas al interior del centro sur andino (Zavala, 1976). Esta indagación sistemática volvió legibles –con las dificultades inherentes a todo proceso de traducción cultural asimétrico (Fossa, 2006)– tanto a las autoridades intermedias (curacas) como al propio inca.

Esta legibilidad, que al inicio de la conquista hispana fue una discusión marginal, progresivamente se instaló en el centro del debate del poder colonial en virtud de cómo organizar la colonia, por qué y para qué. Frente a un ínterin (1540-1570) caracterizado por una constante desestabilización política (rebelión de los encomenderos, guerras civiles, controversia por la perpetuidad de las encomiendas, corrupción generalizada de dirigencias locales, etc.) oficiales, letrados y clérigos, así como mercaderes y alcaldes de indios, entre otros, describieron una lamentable situación del estado de la tierra y una ostensible precariedad y efectividad de los aparatos de coacción peninsulares (Garriga, 2006). También fueron criticadas las prácticas de letrados, jueces, escribanos y procuradores en virtud de esquilmar a los naturales, dilatando pleitos con costos elevados para aquellos (AGI, Lima 121). Tales condiciones contextuales se vieron reflejadas en recurrentes formulas discursivas de lamentación; "la tierra está pérdida", "per-

[3] La escritura etnográfica, en amplio sentido, contenida en la documentación colonial debe ser entendida también como una "formación discursiva" (Foucault 1979: 51-64). Esta práctica escritural –etnográfica– produciría interpretaciones culturales a partir de una intensa experiencia de investigación *in situ*, como es el caso específico de relaciones e informaciones. Además, implicaría una estrategia discursiva de autoridad especifica (Clifford 2001: 43) que en el siglo XVI permitió niveles de jerarquía en la validez de la información acopiada. Entendemos aquí la noción de etnografía en un sentido amplio. Si se considera su etimología griega *ethnos* (pueblo) y *grapho* (trazo escritura) tenemos una práctica que intenta "escribir un pueblo, definirlo y catalogarlo para representarlo en un espacio discursivo" (Solodkow, 2014: 19-20). Eso fue precisamente lo que hicieron los letrados colonialistas; describieron al "otro" para traducirlo y procurar un sustento epistemológico clave para la dominación colonial. Para Jeremy Mumford (2012) los colonizadores de la primera modernidad escribieron sobre los pueblos no occidentales y naturalizaron una práctica escritural sobre el otro con fines a procurar un gobierno y evangelización sólidos.

derse la tierra" o "la tierra se va perdiendo"[4]. Todo ello, redundó en una interesante discusión y circulación de *pareceres* y *relaciones* sobre el "buen gobierno" –en tanto realización de justicia– en ámbitos letrados estrechamente vinculados a cargos y oficios administrativos que rubrican desde Lima, Cusco y La Plata esencialmente. Sus objetos de discusión recurrentes –perpetuidad de las encomiendas, visitas a la tierra, tributación de los indios, denuncias de mal trato a los naturales, evangelización, territorios y asentamientos, etc.–, implicaron en general una discusión permanente sobre el buen gobierno y policía. También en los círculos eclesiásticos, al ser entendido el orden terrenal bajo una matriz cristiano católica, y en espacios de poder local que incluían a alcaldes de indios y religiosos (incluso a un mercader). Estos documentos portan definiciones generales de la noción de república, en el marco del humanismo jurídico del s. XVI, a la vez que recomiendan las acciones concretas que permitirían que estas definiciones operarán en la vida política de las sociedades coloniales, justamente pensadas como corporaciones y repúblicas (multi estamentales y con calidades jurídicas distintivas). La legitimidad de estas acciones devenía de la proximidad entre autoridades e indios y, consecuentemente, de la información levantada *in situ* que garantizaba, en opinión de sus redactores, un estatuto de verdad en el marco de la emergencia de la cultura del conocimiento empírico moderno y su relación instrumental al servicio de la administración peninsular (Brendecke, 2012).

En este sentido, bajo la autoridad de un portentoso despliegue de *informes* y *relaciones*, que situaron su producción en una progresiva comunicación oficial al servicio del tributo y el dominio[5], los hispanos concluyeron en que los incas habían impuesto un orden social meticulosamente encuadrado en las necesidades y "naturaleza" de las comunidades andinas (Mumford 2012). Asemejando las

[4] En 1564, en una carta dirigida a Felipe II, el licenciado Lope García de Castro agobiado con el periplo de su viaje al Perú, se lamentaba afirmando taxativamente "halle la tierra tan perdida y la gente tan descontenta" (Levillier, 1921, tomo III: 31-32).

[5] La necesidad fiscal, documentada prolíficamente por la historia y etnohistoria del Perú colonial (Zavala 1976), impulsó la elaboración de visitas, encuestas e interrogatorios a las comunidades locales en virtud de ponderar la manera en que tributaban los indios antes de la conquista, constatando los desajustes catastróficos ocasionados por las exigencias desproporcionadas de la encomienda y el servicio personal (Stern 1986). En este sentido, el arco temporal que media entre 1540 y 1583 fue escenario de una contundente producción escritural destinada a abrir un flanco indagatorio con fines administrativos (Zavala 1976), que redundó finalmente en un conocimiento directo al servicio del dominio colonial sobre la base del uso de información empírica, reiterando diacrónicamente enunciados de legitimidad formular; "lo visto" y/o "por vista de ojos" por sobre un conocimiento de "oídas" o fundado en informes indirectos (Polo y la Borda 2019). Semejante énfasis en los ojos y los oídos como los órganos rectores del cuerpo político revela mucho acerca de la naturaleza del Estado europeo y colonial moderno. Las categorías de dominio y legitimidad estuvieron íntimamente conectadas con aquello que podía ser escuchado y visto.

prácticas políticas de los cusqueños a categorías europeas de buen gobierno, policía y justicia, el gobierno colonial recomendó la restitución de parte de tales instituciones de control y exacción. Utilizando, incluso, argumentos de orden moral para definir una identidad que opuso a indios y a incas en términos ontológicos[6]. Este argumento ha sido esgrimido en las últimas décadas por algunos investigadores en base a documentación édita e inédita (Mumford, 2011 y 2012; Lamana, 2012). Sobre todo, como rejilla de lectura para las disposiciones, ordenanzas e instrucciones del quinto virrey del Perú, Francisco de Toledo (Mumford, 2011).

Siguiendo el marco analítico precedente, retomamos la exploración sobre las descripciones políticas y gubernamentales de las instituciones incaicas, que fueron elaboradas conjuntamente para alabar, denunciar y restituir un régimen necesario al contexto peruano virreinal. Esta adecuación debía ser coherente también con el respeto a los fueros y costumbres de las comunidades anexadas a la Corona, siguiendo una tradición de prácticas jurisdiccionales previas (Góngora, 1951). Tales prácticas, bajo los principios vectores del derecho foral –en el marco del *ius comunne*–, allanaron la legitimidad en el mantenimiento de costumbres locales con el fin de ponderar la aplicación de un conjunto normativo bajo la declaración formular "lo que conviene a la república" (Agüero, 2008).

Este capítulo permite seguir documentando con mayor detalle una línea de investigación relativamente consagrada en la historia colonial del Perú virreinal, vinculada al examen de las descripciones apologéticas e instrumentalmente necesarias a la maquinaria virreinal, en virtud de la impresión que tuvieron cronistas y oficiales de la organización incaica a nivel administrativo[7] (Mumford, 2012;

[6] La posición favorable a las instituciones incaicas de control político vino aparejada con la constatación colonial de la inferioridad inherente de los naturales bajo imputaciones de orden jurídico, tales como "incapacidad relativa", "miserabilidad" o "minoría de edad" (Cunill, 2011) dibujando, incluso, la identidad étnica bajo un marco epistemológico preexistente (Pagden 1988; Poul Droit, 2009).

[7] La historiografía del Perú colonial y luego la etnohistoria –y por extensión la antropología histórica– han agrupado, desde el nacimiento de una historiografía alusiva a los incas, entre fines del siglo XIX y principios del XX (Weddin 1966, entre muchos otros) en adelante, las distintas investigaciones sobre el imperio incaico que pueden resumirse como siguen: Una primera vertiente, la más estudiada, por cierto, referida a *crónicas* principalmente, se interesó por su historia política dibujando astuta y creativamente la existencia de una monarquía prehispánica patrilineal (Rowe, 1957; Pease, 1978; Rostworowski, 1988; Julien, 2000; Fossa, 2006). Aquí los incas fueron considerados como prudentes gobernantes, responsables de un manejo ecológico, productivo y laboral sin precedente en el *orbe* conocido, destacándose además la magnificencia de sus obras monumentales. El énfasis cronístico radicó fundamentalmente en la indagación de cada gobernante inca y su descendencia en el marco de categorías peninsulares asociadas a linaje, descendencia patrilineal, bastardía, buen gobierno y expansión territorial (elemento propio de la discusión política de las monarquías europeas) (Julien, 2000). Una segunda vertiente, caracterizada por el corpus toledano, los calificó de crueles tiranos, capaces de

Zuloaga, 2012; Stern, 1986; Moscovich, 2016; Cerrón Palomino, 2006, entre muchos otros) En virtud de esta premisa, nos abocamos al estudio de un *corpus* documental acotado que permite seguir ponderando los derroteros gubernamentales de oficiales, oidores, virreyes, clérigos, frente a lo que signaron de "mal gobierno" o "falta de policía"[8].

En este sentido ¿cómo se fueron construyendo los discursos tendientes al control de las poblaciones, los recursos y el territorio, bajo el criterio político de "buen gobierno" y "policía" durante la primera organización del virreinato peruano? Pregunta que orienta nuestra investigación hacia el examen detenido de la construcción política de los incas (administración, justicia) en las primeras décadas de instalación de la maquinaria virreinal y eclesiástica en el Perú (1540-1570). La alusión al buen gobierno incaico y a su policía prehispánica, en las voces disonantes de diversos emisores, constituye un espacio privilegiado para intentar responder a esta pregunta, a la vez que permitir analizar la construcción de los saberes coloniales a partir de los cuales se tejió la arquitectura del dominio y se pusieron en evidencia los derroteros prácticos e ideológicos de su ejecución.

Metodológicamente, proponemos el análisis a tres conjuntos documentales específicos; a. Los informes, relaciones y tratados producidos por oficiales de la Corona –oidores y virreyes principalmente– producidos en el ínterin 1560-1570[9].

---

usurpar, traicionar y subyugar (Merluzzi, 2014; Morong y Brangier, 2019). En esta postura figuran el *Parecer de Yucay,* atribuido al dominico García de Toledo (1571), el *Gobierno del Perú* de Juan de Matienzo (1567) y la *Historia General Llamada Índica* (1572) de Pedro Sarmiento de Gamboa. Estos autores necesitaban contrarrestar los argumentos de Bartolomé de Las Casas en relación a los derechos de conquista y sus pretensiones restitutivas. La imputación tiránica fue un móvil conveniente para acusar a los incas de usurpadores y violadores del derecho natural (Castro Klaren, 2001; Mumford 2011; González y Zuleta, 2019). Una tercera vertiente, llamada apologética, en manos de los jesuitas Luis López y Blas Valera (jesuita anónimo) (Hyland, 2003) y más tarde el Inca Garcilaso de la Vega (1609), inauguraron en sus textos una tradición utópica del imperio inca. Estos autores no solo negaron la tiranía incaica, sino construyeron la imagen de un imperio potencialmente cristiano, con prácticas políticas orientadas al paternalismo y al colectivismo (Parra 2015; Szeminski y Ziolkowski, 2015). En este sentido, esta vertiente sería replicada por estudiosos como Louis Baudin a principios del siglo XX al signar la estructura socioeconómica de los incas como "socialista" (1943: 19), discusión que proseguiría a mediados de los años 70 del siglo pasado (Espinoza Soriano, 1978).

[8] El supuesto fundamental que asume este capítulo implica dejar atrás el binarismo de una metrópoli española y unas colonias americanas, gobernadas desde España bajo una lógica centralista y absolutista, unilateral y hegemónica. Al contrario, aquel conlleva un esfuerzo por seguir revelando las dinámicas pragmáticas del ejercicio del poder en Indias, a escala local o regional. Dinámicas que implicaron tanto un ejercicio incierto como un poder contestado y negociado por medio del despliegue de un campo medio de traducciones, de agentes y corporaciones bisagras y de saberes prácticos de intermediación, sustentados esencialmente en la empiria y en la casuística. Tal ponderación –de la experiencia *in situ* y la aguda observación de las "realidades locales"– otorgó un sentido práctico a las labores cotidianas de gobierno y favoreció la vinculación estratégica y recíproca entre la cultura del conocimiento empírico moderno con prácticas de dominio y administración (Barrera-Osorio, 2006; Brendecke, 2012).

[9] Se analizan aquí un conjunto de *cartas* e *informes* remitidos al monarca por el virrey Diego de Zúñiga y

Tales registros textuales derivan del análisis a documentación édita (Levillier, 1921; Esteve Barba, 1968) e inédita (AGI, Lima 121; NYPL, Rich 74); b. Un conjunto fragmentario de informes y pareceres de clérigos y alcaldes de indios respecto al estado de los naturales del Perú hacia 1560 (AGI, Lima 120 y 121). También referido a la controversia que emergió al imponer Lope García de Castro los corregidores de indios en 1565 (Lohmann, 1957). Consecuentemente, analizamos el "Parecer acerca de la perpetuidad y buen gobierno de los indios del Perú, y aviso de lo que deben hacer los encomenderos para salvarse" (AGI, Indiferente 1624: fols. 58r-75v), documento fundamental para la justificación jurídica y axiológica de la polémica suscitada respecto a la perpetuidad de las encomiendas y que alude con interés a los indios (en términos ontológicos/antropológicos) y a los incas (en términos políticos).

Buen gobierno previo y experiencia *in situ*: contexto de la necesidad del orden del Inca.

Los problemas del ingobernable virreinato peruano plantearon la necesidad imperativa de discutir, en los círculos de letrados y funcionarios, sobre el buen gobierno y la llamada policía sociopolítica. En el siglo XVI, estos dos conceptos estaban ciertamente vinculados a las llamadas "tecnologías de gobierno" (Foucault, 2006: 75 y ss.) y sus dispositivos de control. La noción de policía, siguiendo este razonamiento y considerando los textos en comento, implicaba el conjunto de los mecanismos por medio de los cuales se aseguraba el orden, el crecimiento canalizado de las riquezas y las condiciones de mantenimiento de la salud pública y el bien común en general. También se denominaba policía –en el siglo XVI– al conjunto de los actos que regirían precisamente a las comunidades bajo la autoridad pública. El buen gobierno implicaba "la realización del derecho establecido" (Góngora, 1951: 233) y las decisiones racionales inspiradas en la justicia. Además, la buena administración, la conservación y aumento del patrimonio real y la mantención de la disciplina y orden de los súbditos del rey.

En el Perú postguerras civiles (1544-1549) las autoridades, virreyes, oidores y letrados, utilizaron este concepto para denunciar de forma reiterada la inexistencia colonial de sus prácticas básicas, observando, al unísono, que las defini-

Velasco, Conde de Nieva (1561-1564) y los informes, relaciones y cartas que remitiesen a la metrópoli los licenciados Lope García de Castro (1564-1569) –quien fungió de gobernador ante la ausencia de virrey–, Hernándo de Santillán (1563) y Juan de Matienzo (1567).

ciones fundamentales del buen gobierno le cabían perfectamente a las prácticas incaicas de administración política y económica, corrompidas desde 1532 por las huestes hispanas. Desde 1540 en adelante, letrados y autoridades reales percibirán –utilizando formulismos textuales como el "lo he visto", "se ha visto" o "he oido" – que la conquista y colonización del Perú, desde 1532, condujo a una disipación, destrucción y descenso de la población indígena. Constataron, con cierta certeza otorgada *in situ*, que el régimen colonial era la destrucción lamentable de un sistema político-administrativo previo que en lo posible debía perdurar en favor de los propios españoles y de la hacienda real de Felipe II.

Es así como desde 1549 comenzó una producción escritural, mayormente desarrollada por oficiales (visitadores, gobernadores), cuyo propósito fue abrir un flanco indagatorio tendiente al manejo de información tributaria, necesaria para "conocer las características del sistema de exacción prehispánico y los cambios acaecidos por la introducción del sistema colonial de encomiendas y repartimientos" (Honores, 2004: 387-407). Incitadas con fruición por los frailes dominicos (Pérez Fernández, 1988) y por Carlos V, las audiencias americanas pidieron información sobre "los señores que había y tributos que pagaban los naturales en la gentilidad" (Esteve Barba, 1968: XXV), poniendo a los incas como objeto predilecto de observación. Las cédulas reales de 1553[10] y 1559 fomentaron la elaboración de *relaciones*, *pareceres*, *memoriales*, *visitas* e *informes*, tipologías textuales que abrieron un campo de informaciones prolijas volviendo a indios y curacas más legibles y, por lo tanto, más gobernables (Honores, 2004: 388; Santillán, 1968 [1563]: 138; Marzal, 1993; Mumford, 2012; Ortiz de Zúñiga, 1962 [1562]: 9) . Para los letrados –que ocupaban magistraturas–, fieles representantes de la administración virreinal, tal indagación implicó una práctica de acercamiento con las comunidades andinas a través de elaborados interrogatorios en términos de reorientar la política tributaria de las comunidades a partir de la implementación de una legislación más pragmática y justa (Colajanni, 2004: 51-94). Incluso, desde la gobernación de Cristóbal Vaca de Castro (1541-1544), las primeras informaciones sobre la administración incaica en manos de cronistas y clérigos, habían puesto en evidencia un esquema general del sistema de aquel gobierno[11].

---

[10] Renzo Honores (2004: 388) señala que la respuesta a esta solicitud real fue cumplida años más tarde por el licenciado Hernando de Santillán en su *Relación del origen Relación del origen, descendencia, política y gobierno de los incas* (1563) y por el licenciado Polo Ondegardo en su *Informe al licenciado Briviesca de Muñatones sobre la perpetuidad de las encomiendas en Perú* (1561).

[11] Conocida es, al interior de la historiografía sobre Perú colonial, el *Discurso sobre la descendencia y gobierno de*

Asimismo, entre 1539 y 1558 algunos textos significativos, paralelamente a la elaboración cronística de Pedro Cieza de León (1553) y Juan de Betanzos (1551), delineaban, con aguda observación *in situ*, aspectos de gobernanza asociados a una racionalidad específica que institucionalizaba la religión y establecía una eficiente administración local, a través de autoridades dispuestas a distintas escalas de control jurisdiccional. Probablemente, entre 1539 y 1541 fue escrita la *Carta sobre el gobierno, las costumbres y los antiguos ritos del Perú*[12]. Se trata de un texto breve, editado tres veces en el siglo XX (Trimborn, 1934; Rowe, 1966 y Gentile, 2013) y valorado etnológicamente por ser el primer informe escrito del gobierno de los incas. Su autor anónimo[13], quien nominó a su escrito como "memorial", explica la manera en que los incas organizaron el territorio que gobernaron (Julien, 2016a: 1707- 1708). El autor anónimo, para una fecha temprana, describe prácticas de autoritarismo –al borde de un modelo tiránico– pero orientadas a mantener la anhelada "policía sociopolítica", exigiendo a su destinatario que "entienda la poliçia que vna jente tan barbara alcanço en hasta diez señores que dizen que rreynaron dellos sin tener letras diuinas ni vmanas ni lunbre de otros antepasados" (Anónimo, RBME: fol. 457r en Gentile, 2013: 515). Siguiendo principios jurídicos de legitimidad del poder soberano frente a la comunidad gobernada (*contratus subjetionis*), explicaba que los incas antes de "señorearse" hacían entender a sus contrarios "que se movian por su bien dellos / para darles mas politica via de biuir y darles dios a quien sirviesen" (457r)[14].

---

los ingas (BNE Ms 2010: fols. 44v-66v) , texto que habría sido remitido al licenciado Cristóbal Vaca de Castro y que incluye las declaraciones historiales de los quipucamayocs sobre el pasado de los reyes incas alrededor de 1541. Este texto, peregrino en su género, puso en evidencia el inicio de las primeras informaciones sobre los incas, dibujando un interés y un trayecto diacrónico que nos lleva a las postrimerías del gobierno toledano. Este *corpus* documental, con una discursividad común sobre los incas, fue constituido, entre otras cosas, para asegurar y justificar la sujeción político-laboral de las comunidades andinas a mediados del siglo XVI. La polémica que envuelve a este documento es la fecha de su redacción, ya que sus referencias son los sucesos de 1541-43 pero su redacción sería de 1608, en manos de fray Antonio Martínez (Duviols, 1979; Domínguez Faura, 2008).

12 Este documento se encuentra alojado en la Real Biblioteca del Monasterio, San Lorenzo del Escorial, Códice &.II.7, 2.4.25, fols. 457.458v. Sus ediciones modernas (Trimborn, 1935: 402-416; Rowe, 1966: 26-39; Gentile, 2013: 497- 524) expresan la importancia asignada en función de ser asumida como la fuente disponible más temprana sobre los incas. Los autores de las tres ediciones no precisan acuerdo sobre su fecha, oscilando la eventual redacción entre 1541 y 1551. Para una exhaustiva revisión heurística y filológica del *memorial*, ver Gentile (2013).

13 Margarita Gentile (2013: 502) especula que su autor pudo haber sido el clérigo Cristóbal Díaz de los Santos que acompañó Joan Velázquez Altamirano, uno de los futuros encomenderos de Atacama, al valle de Casabindo a bautizar a los indios que estaban de guerra. Por su parte Hermann Trimborn (1935: 403) conjeturó la posibilidad que fuera Pedro de Quiroga, mientras que Porras Barrenechea (1986: 751) signó la autoría al dean Luis de Morales, activo defensor de los indios en aquella época.

14 Admirado por el poder de esta forma de control político, es uno de los primeros relatos que traduce al lector español la función del tocuirico (*túcuyricoc*) (Ossio, 2008; Moscovich, 2016; Cerrón Palomino, 2006). En

En este mismo tenor, el clérigo presbítero Bartolomé de Segovia en *La Relación, Conquista y Población del Pirú, Fundación de algunos pueblos*[15] (Segovia, 2019 [1552-1556]: 113-217; Rosello, 2019: 11-48; Julien, 2016b, Tomo III: 1718)[16] agudiza la terrible y caótica situación colonial devenida de prácticas de explotación generalizadas sobre los naturales. La descripción de esta situación viene aparejada con la imperativa necesidad de orden y reordenamiento para el espacio peruano. La convicción de esta necesidad lleva como correlato la descripción apologética de una organización andina tendiente al bien común, elemento sustantivo en la descripción del orden republicano que más tarde desarrollará con particular interés el licenciado Hernando de Santillán (1968 [1563]: 97-150). Dirá Segovia "no consentía haber ningún indio pobre ni menesteroso, porque había orden [...] sin que el pueblo recibiera vejación ni molestia, porque el inca lo suplía de sus tributos, no se movían los naturales a andarse de unas partes a otras" (Segovia 2019 [1552-1556]: 158).

Más tarde, en 1555, Carlos V envió dos instrucciones específicas al marqués de Cañete (Hanke 1978-1980: I, 43-51), ordenándole un sistema de tasación del tributo indígena para las encomiendas, el nombramiento de alcaldes de indios (para administrar justicia) y visitas a la tierra con el fin de recabar información *in situ* y ponderar la capacidad tributaria por comunidad. En 1557, y siguiendo estas instrucciones, el licenciado Damián de la Bandera, experto conocedor de la sociedad andina (Honores 2016: 1) siendo Justicia Mayor de la ciudad de Huamanga, redactaba su famosa *Relación general de la disposición y calidad de la provincia de Guamanga, llamada San Joan de la Frontera y de la vivienda y costumbres de los naturales*

diversas fuentes, el tocuirico, "el que todo lo mira" figura como un cargo local de administración imperial, confundido con el rol de los corregidores y oidores, destinados por el inca a vigilar y hacer cumplir las leyes en espacios locales lejanos al Cusco.

15 El documento original se encuentra alojado en el Archivo General de Indias (AGI) bajo la signatura Patronato, 28, R. 12.1.1.

16 Según Pilar Rosselló (2019: 16-17) el texto en comento no está firmado ni fechado. Desde su hallazgo en el siglo XVIII ha sido copiado y editado varias veces bajo distintos títulos, atribuido también a varios autores. El contexto de producción de la obra, la sistemática explotación colonial del mundo andino y la desestabilización de la política colonial en la década 1550-60, y la cercanía con los postulados lascasianos, ha llevado a conjeturar que la *Relación* habría sido escrita por un clérigo que presenció de cerca los hechos de la conquista. Al interior de la discusión sobre su autoría, ha figurado el nombre de Cristóbal de Molina "el almagrista" y su *Relación de las cosas acaecidas en el Pirú* (Esteve Barba, 1968; 97-149). Esta última atribución autoral ha sido descartada en virtud de un cotejo de la escritura de la *Relación* con otros escritos del almagrista, donde parece haber inconsistencia. La confusión sistemática y el problema de atribución, recientemente zanjada, probablemente se han debido a que ambas figuras acompañaron o se vincularon a Diego de Almagro en su empresa a Chile. Para la autora, la relación "constituye un documento valioso, con información no suficientemente valorada y que merece ser reubicada en el contexto de las fuentes coloniales y de la historia colonial peruana" (2019: 48).

della (De la Bandera, 1881 [1557]: 96-103). En esta, indagando a fondo sobre la antigua provincia de Vilcashuaman, pudo conocer el funcionamiento del poder a escala local, poniendo atención a la "gobernación del inga" (De la Bandera, 1881 [1557]: 98)[17]. Al conocer y ponderar las informaciones recogidas *in situ*, el visitador da cuenta de los beneficios de la adecuación tributaria que los incas imponían en cada comunidad atendiendo a la cantidad de población, el temple y la calidad de la tierra (102). Los lamentos del visitador están dirigidos a la situación laboral colonial de las comunidades, en claro desajuste a las exigencias prehispánicas destinadas a un equilibrio global entre el medio ambiente y fuerza laboral. Hacia 1557 ya era evidente que los cusqueños operaban con criterios fiscales en justicia y buen gobierno;

> "Una de las principales causas porque los indios alaban la gobernacion del Inga y los españoles que alcanzaron á entender algo della lo sienten asi, es porque todas estas cosas y otras muchas que se les ofrecian, las determinaban sin hacerles costas ni llevarles más tributos que el que daban al Inga [...] El tributo que daban al Inga en todo el reino (a), en todos los pueblos le hacian chácaras conforme á la calidad del pueblo y cantidad de indios" (De la Bandera 1881 [1557]: 102).

Hacia 1560, y en plena discusión sobre la perpetuidad de las encomiendas en el Perú, la impresión global de la estructura incaica de gobierno, en las voces disímiles vertidas en *crónicas*, *memoriales* y *visitas*, a lo menos consignan los siguientes elementos comunes; a. Efectivo control político sobre las comunidades y los ayllus, a través de una estricta organización decimal (hunos, guarangas, pachacas, chungas, etc.). Una autoridad para cada escala administrativa, b. Su flexibilidad en los modos de aplicar el tributo (mita, sistema de prestación rotativa, etc.), c. El conocimiento profundo de las comunidades y los territorios y el respeto a esa vinculación determinista; conocimiento de "temples" y "calidades", d. Un orden que impuso una moral específica procurando la policía y el buen gobierno de sus vasallos y la erradicación del ocio (elemento constitutivo de la naturaleza inherente de los indios). A pesar del carácter autoritario del orden incaico, este procuró el bien común y la justicia de sus súbditos, elementos que vertebran las bases del buen gobierno. La misión de Toledo, más tarde, será justamente derribar estas descripciones para instalar en los receptores letrados una vieja y cruel tiranía.

[17] Subtítulo, al interior de la *Relación*, que fue replicado en las informaciones sobre los incas que mandó levantar el virrey Martín Enríquez del Almansa en 1582 (AGI, Lima 30 s/f; Levillier, 1924, Tomo IX: 259 y ss.)

Mal gobierno y condición colonial de los indios; saberes de intermediación y sugerencias restitutivas, Perú 1560-1567

Entre 1561 y 1569 gobernaron el Perú el cuarto virrey Diego de Zúñiga y Velasco, Conde de Nieva y el licenciado Lope García de Castro. En este tiempo se fundó la audiencia de Charcas y se proveyeron nuevos cargos de oidores para aquella jurisdicción. En este periodo aquellos escribieron una serie de *cartas*, *informes* y *relaciones* que atendieron, como punto gravitante, al problema de la gobernabilidad y al buen gobierno de las posesiones indianas. A ellas se le unirían la *Relación del origen, descendencia y gobierno de los Incas* (1563), del oidor de la audiencia de Lima Hernando de Santillán; el *Gobierno del Perú* (1567), de Juan de Matienzo y los conocidos informes del licenciado Polo Ondegardo (1561, 1571). Estos últimos, estudiados con regularidad por la etnohistoria como valiosos continentes textuales de información etnológica y antropológica referente a las políticas de sujeción fiscal prehispánica entre las comunidades étnicas y el incario. No obstante, no hay que olvidar que sus contextos de producción específicos respondían a informar a la autoridad regia sobre las formas de tributación prehispánica y la ponderación de su factibilidad en el nuevo orden virreinal. Asimismo, y en este contexto informativo, ponían en evidencia la capacidad de la política incaica en sujetar, disciplinar y hacer justicia, a través del miedo y la obediencia irrestricta.

Haciendo alarde de su proximidad con la "republica de indios" sus relatos oficiales y su cuerpo epistolar dan cuenta también de un derrotero insalvable, en las antípodas del mundo de los incas; las sociedades indígenas, en amplio sentido, habían sufrido las consecuencias de la asimilación al mundo hispano y sus dinámicas socioculturales. La disipación, la borrachera, el ocio, la holgazanería, el amancebamiento, la corrupción de la institución curacal, la mercantilización y occidentalización de yanaconas y la condición declarada de miserabilidad, rusticidad e incapacidad de los indios del Perú, habían transformado el espacio andino en un lugar común de injusticias crónicas y sistemáticas (Pérez Fernández, 1988: 270), pero también de improductividad y ocio exagerado. Los indios padecían pobreza y abusos a causa del servicio personal, de las tasaciones excesivas, del transporte de cargas inmoderadas y del traslado de un "temple" a otro al que se les sometía (269-270). Pero también se emborrachaban y se habían vuelto vagabundos, al igual que muchos españoles y mestizos. El escenario no era auspicioso. Los frecuentes alzamientos y guerras intestinas habían colapsado los excedentes y las formas regulares de circulación de bienes entre los estamentos coloniales. La decreciente disponibilidad de mano de obra constituía "un mal augurio en una economía colonial en que las faenas agrícolas, ganaderas y la explosiva extracción minera demandarían un progresivo número de trabajadores asalariados" (Stern, 1986: 80). Por otra parte, la rápida incorporación de los curacas a las prácticas económicas hispanas y la consecuente mercantilización en que se articuló la entrega laboral de los indígenas produjo un tipo de explotación con consecuencias demográficas catastróficas.

En cartas al rey del 30 de abril y del 04 de mayo de 1562, el virrey Conde Nieva señalaba que los indios "destas partes son tan groseros que ninguna cosa buena saben hacer" (Levillier, 1921, Tomo I: 394) y consideraba que era tal su indolencia que no sabían prever y tomar conciencia de sus propias circunstancias existenciales, describiéndolos "como niños que no tienen prudencia para rregirse" o como "tan yncapazes y tan sin ser que no tienen voluntad de querer ni no querer" (415-416), concluyendo taxativamente que "vna de las cosas que mas a destruido y acauado esta gente es tener ellos liuertad" (444). Esta naturaleza inherente, que de forma atávica gobernaba la conducta de los indios y que les impedía disfrutar de su libertad, había condicionado un régimen plagado de autoridades directas;

> "pero por su inbescelidad y poca capacidad y entendimiento como lo son por la mayor parte en general de muchos tiempos atrás *desde que los yngas gouernaron*se saue siempre fueron governados por personas diputados y nonbrados asi para el buen gouierno como para que labrasen y cultiuasen la tierra sin tener ellos por si ninguna manera de gouierno ni otro ser ni voluntad ny sauer lo que auia de hazer mañana" (Levillier, 1921, Tomo I: 405-406)[18].

Esa falta de capacidad, entendimiento y policía en los indios había obligado a sus autoridades directas a negarles hacienda propia y sostener que "los yngas no menos eran señores de las personas" (Levillier, 1921, Tomo I: 433), enajenando sus bienes y aplicando un férreo control sobre la fuerza laboral, con el fin de "tenellos mas subjetos y para hazelles trabajar labrar y cultivar la tierra" (434). Para el virrey –siguiendo una tradición indagatoria desde los tiempos de Vaca de Castro–, era necesario "entender y saver el servicio y subjecion grande que los yndios tuvieron" (434). Esta modalidad de exacción fiscal prehispánica, basada en un sistema rotativo y equilibrado de tributación comunitaria, comenzó a ser observada como ejemplificadora, justa e igualitaria, siendo objeto de compara-

[18] Cfr. Matienzo (1567: fols. 15v-17v).

ción con las exigencias desproporcionadas de la encomienda, ya que a pesar de que en el tiempo del Inca se trabajaba con "gran servidumbre", se tenía "gran cuydado y diligencia por sus repartimientos que los trauajos fuesen yguales" (434).

Así es como en 1562 el Conde de Nieva, en primer lugar, se lamentaba de que ni Francisco Pizarro ni el licenciado Vaca de Castro tasaron los tributos indagando en la tasa que los indios daban a los incas. Asimismo, se seguía lamentando de que, a pesar que Pedro de la Gasca había comenzado a tasar tributos, estos eran bajos en comparación a lo que los naturales acostumbraban a dar al inca (Levillier, 1921, Tomo I: 435). Esta mala decisión fiscal –en que cayeron también Hernando de Santillán y Fray Domingo de Santo Tomás, obispo de Charcas– fue producto de la desinformación al "no auer redundado prouecho alguno a los dichos yndios fue dapño general en la tierra y beneffìcio de ella porque no se sacó el fruto que antes se solia sacar [...] por no aver trabajado lo que trabajar solian los dichos indios" (436-437). Las retasas, aplicadas sin profundo conocimiento del entorno y de la historia andina, tendientes a bajar la exigencia tributaria, redundó en "gran daño en la tierra porque vaxaron las rentas y tributos la mitad [...] y no se consiguió de la retasa otra utilidad sino ociosidad para los indios con lo qual se han disminuido mucha parte de ellos" (437). Por tanto, el ocio y la disipación conllevaron un descenso de la principal fuerza motriz de la economía colonial.

La holgazanería, el ocio y la borrachera –estereotipo común en este tipo de textos administrativos para referirse a la vida colonial de los indios–, fueron atribuidos por el Conde de Nieva, al igual que el licenciado Juan de Matienzo (Rich 74, 1567: fols. 15v-17v), a una explicación de orden ontológica de base aristotélica; su naturaleza inherente. La solución que ofrecieron para el gobierno de los indígenas fue, en primer lugar, conocer esa condición natural. El oidor de Charcas había aconsejado, en agosto de 1567, cual declaración de una etnografía autoconsciente, que para el buen gobierno había necesidad "de *saber* la condición y natural inclinación de los indios", porque mal podía gobernar "el que no *conoce* la condición de los que han de ser gobernados" (fol. 15v). Esta fórmula de control imperial antecedía a la presencia hispana en los Andes. Para el Conde de Nieva, mejor enterados que los españoles;

> los yngas señores de ellos touieron mas delante de los ojos conociendo la condición de los yndios que heran poco amigos de trabajar quedar orden como la dieron y proueyeron para que no touiesen ociosidad ni fuesen holgazanes y

continuamente travajasen como se entiende que les compelían [...] a hefecto que no andouiesen ny estouiesen ociosos y por esta mesma razón y este fin y hefecto tenia proueido y ordenado que hasta cantidad de cinco yndios como arriba esta dicho ouiese persona para governallos y hazellos trauajar" (Levillier, 1921, Tomo I: 439-440).

Años más tarde, en su *Gobierno del Perú*, Juan de Matienzo, responsable de un esfuerzo retórico por legislar el trabajo indígena, legitimaba el hecho de cargar a los indios, ya que "desde que nacieron son hechos a cargarse; y en el tiempo del Inga nenguno entraba ante él que no fuese cargado [...] y no les pagaban por ello cosa alguna" (Matienzo, 1567: fols. 30r-30v) puesto que eran amigos de la ociosidad. Asombrado por el nivel de exigencia laboral y compelido a justificar una vil tiranía, señalaba que los incas eran capaces de movilizar a los indios para hacer acequias y calzadas insignes "mayores que las que hicieron los romanos y hacer en sierras y cuestas muy altas y llenas de piedras y peñas, andenes de piedra, para que pudiesen sembrar en ellos [...] cosa increible a los que no lo han visto". Esta descripción le fue conveniente para sostener, finalmente, que la política incaica estaba minuciosamente diseñada para "nos le dexar un punto ociosos" (Matienzo, 1567: 10r)[19].

Ambas autoridades habían concluido –sobre la base de la experiencia, los informes acopiados y la proximidad con las comunidades indígenas–, que "en quanto se pudiere bolvellos a las leyes y orden que los yngas tenian para governallos", en función de "quitalles la ociosidad y que trauajen continuo moderadamente[...] para su conservación y salud ninguna cosa mas conviene como paresce en tiempo de los yngas lo touieron" (Levillier, 1921: 443), ya que "se entiende ser buen gouierno y el que touieron los yngas con ellos" (442). Incluso, los incas mantuvieron a las comunidades en un óptimo nivel demográfico ya que, a pesar de "tener en su tiempo muchas guerras y matarse muchas personas para sus sacrificios y burlerías auia mucho mayor número de yndios que agora

[19] En la percepción hispana, la peligrosidad de un sujeto ocioso no radicaba tanto en ser un peligro en términos de su eventual situación de delincuencia, sino porque este representaba un estado de improductividad dentro de una estructura económica dependiente de la fuerza laboral de sus integrantes (Araya, 1999: 12). La presencia de esta calidad –en términos laborales– constituía una preocupación fiscal de gran envergadura; la culpabilidad de un ocioso se sustentaba en su relación con el trabajo y no tanto en un plano de las conductas que traía aparejadas. La relación entre ocio y trabajo fue considerada de suma importancia, constituyendo un objeto de vigilancia que implicaba la movilización de recursos para su corrección. La erradicación sistemática de esta calidad laboral de los sujetos coloniales (indios, mestizos, negros) era entendida como la aplicación del buen gobierno ya que el trabajo, su antónimo, era representado como una virtud y un orden natural en los seres humanos, en el sentido de que cada sujeto posee un oficio que le corresponde, dando un sentido útil a su vida (Araya, 1999: 13-17).

ay" (440)[20]. Esta constatación fue considerada como catastrófica por los autores aquí analizados, responsabilizando a todos aquellos que urgían del trabajo indígena, máxime si se considera que los españoles no trabajaban. El licenciado Polo Ondegardo, estudiado en esta clave analítica (Lamana, 2012: 54-59), había arribado a las mismas conclusiones en sus informes de 1561 y 1571.

La recomendación política tanto del Conde de Nieva como de Matienzo, derivada a su vez de sus experiencias *in situ*, aconsejaba restituir algunas "leyes del inca" a pesar de que este último inaugura el *Gobierno del Perú* signando a los incas de tiranos. La posición ambivalente del oidor, en virtud de hablar al unísono de tiranía y buen gobierno, queda clara al describir las características del gobierno del mítico Manco Capac sosteniendo que este "hizo leyes a su gusto y provecho, y no al de sus súbditos, *aunque* algunas fueron buenas y muy necesarias, y fueron hechas a buen fin" (Matienzo, 1567: fol. 6v). Por su parte, el Conde de Nieva propone al rey –sobre la base de recuperar un sistema laboral eficiente en sus resultados productivos, en donde todos trabajaban– que "no es bien mudalles la orden que se les a quedado sino buscar y tornar a cobrar alguna parte de ellas si se ha perdido y tornalla a introducir" (Levillier, 1921, Tomo I: 444). Porque precisamente este conjunto de órdenes y leyes[21] cauteladas con celo "estaua dada para que no muriesen ni enfermasen que entendidas sus leyes y prouisiones que tenian y tocauan en su conservación es cosa maravillosa ver el cuidado que en la salud de cada uno se tenía" (444). Esta última aseveración constituye una verdadera declaración de control biopolítico[22].

Tras la muerte del cuarto virrey, en febrero de 1564, el licenciado Lópe García de Castro entró en Lima el 25 de octubre de 1564 en calidad de gobernador interino y presidente de la audiencia de Lima (Levillier, 1921, Tomo III: IX),

[20] Cfr. Gonzalo Lamana (2012: 54-59).

[21] A pesar de que Hernando de Santillán afirma que los incas carecieron de leyes para ámbitos específicos (1968 [1563]: 107).

[22] Esta impresión de los incas, como erradicadores del ocio indígena, se encuentra también en una provisión real entregada a Íñigo Ortiz de Zúñiga por el secretario Diego Muñoz Ternero en Lima, en diciembre de 1561, dando las instrucciones y protocolos para la famosa visita a los Chupaichus en la provincia de León de Huánuco. Este texto –inserto en un expediente abultado, consistente en peticiones, cartas, instrucciones y provisiones que formalizan las instrucciones reales de Felipe II para el desarrollo y ejecución de aquella– señala firmemente la obligación moral de la monarquía "que a esta causa tenemos de mirar por nuestros súbditos y naturales bien y beneficio de ellos y a mantenerlos en justicia y quietud paz sosiego" (Ortiz de Zúñiga, 1967 [1562]: 10). Allí se señala; "Tenemos entendido el cuidado que sus yngas antiguos tuvieron de que no estuviesen ociosos porque conocían el daño y perjuicio que era para su salud remedio y aumento allende la policía y bien público que resulta de que no están ociosos y trabajen moderadamente" (Ortiz de Zúñiga, 1967 [1572]: 9-10).

considerado un sujeto perspicaz, recto y parte de una cultura que comenzó a vincular hábilmente el conocimiento devenido de la empiria con prácticas locales de administración política tendientes al buen gobierno. El licenciado, que había sido vocal del Consejo de Indias, "pronto reparó en la diferencia existente entre las disposiciones legales sabiamente acumuladas, y las prácticas puestas en uso" (IX) descubriendo, al indagar en las modalidades ecológico-territoriales y la cultura indígena peruanas, que muchas cosas desde España juzgadas inapropiadas y radicales ofrecían aspectos que sugerían soluciones adaptadas a las exigencias locales. Como afirmara muy peregrinamente Roberto Levillier "la evolución de su criterio puede seguirse paso a paso en su correspondencia" (1921, Tomo III: IX). Este, en todo caso, fue el criterio analítico de muchos funcionarios reales enviados al Nuevo Mundo, incluidos los autores aquí consultados.

Su impresión del Perú fue determinante. En carta al rey, el 20 de noviembre de 1564, agobiado con el periplo de su viaje decía "halle la tierra tan perdida y la gente tan descontenta" (Levillier, 1921, Tomo III: 31-32). El déficit de la hacienda real, ocasionada por el despilfarro de los virreyes que lo precedieron, unida al carácter y temple de los españoles que vivían en el Perú, lo mantuvieron alerta y a punto de regresar a la metrópoli. Su impresión de las instituciones incaicas se vio intervenida con los problemas que debió enfrentar al querer pacificar a los incas de Vilcabamba, en específico con Sairy Tupac y su hermano Titu Cusi Yupanqui entre 1565 y 1568 (295). Su experiencia en terreno lo llevó a afirmar que "Quanto mas boy mirando las cosas de esta tierra tanto mas boy sintiendo quan necesario es rremediar el mal gobierno pasado ansi en lo espiritual como en lo temporal" (Levillier, 1921, Tomo III: 78).

El problema medular del licenciado a su llegada al Perú fue claramente el déficit crónico de la Hacienda Real. Intentando subsanar esto, en carta remitida al rey, promueve el trabajo voluntario y asalariado de los indios que se ocupaban de cargar mercaderías en las minas de plata de Porco y Potosí (Levillier, 1921, Tomo III: 45). De la misma manera que Juan de Matienzo, veía en esta medida una salida práctica al estado del erario real y también a la posibilidad de frenar el aumento de holgazanes y ociosos –como es el caso de yanaconas y mestizos– al interior de los hatunrunas. El licenciado Castro, en 1565, ordenaba que los indios "se reduzgan a pueblos como por su magestad esta mandado" para que "no anden holgazanes" y que "que viuan políticamente" (Levillier, 1921, Tomo III: 116-130). Matienzo, entre otras cosas, había propuesto una reglamentación de setenta días laborales obligatorios para que los indios pagaran sus tributos a curacas, corregidores y religiosos (Góngora, 1951: 139; Matienzo, 1567: fol. 136r). Elemento que toma de García de Castro al pretender convertir a los indios en masa de trabajadores asalariados[23]. Ambos licenciados abogaron por un sistema individual de tributación, ya que facilitaría la emancipación definitiva de sus autoridades étnicas, alcanzando la "libertad" y dejando atrás una tiranía abusiva (Góngora, 1951: 140; Matienzo, 1567: fols.19v-21v). Esta libertad individual, sostenida en los regazos del derecho natural, permitiría a la postre arrebatar a los indios de las decisiones arbitrarias de sus dirigencias prehispánicas. Bajo este objetivo, el presidente de la audiencia de Lima creó el cargo de corregidor de indios en 1565 (Pérez Fernández, 1988: 347). Este cargo de factura colonial hundía sus raíces en la gobernabilidad incaica que, con conocimiento del espacio y cultura andina, había dispuesto de autoridades directas para el control y vigilancia de la población. Para el licenciado, los indios aparte de disipar la conducta, promovían levantamientos y alzamientos, eludiendo los dispositivos de control y exacción. Su recomendación fue que;

> "me pareció que era uien que estos naturales tubiesen el gobierno que guaynacaba les abia puesto para que no se le leuantasen que en cada probincia tenia puestos tres o quatro de los orejones del cuzco el vno mandaua mili hombres y otro quinientos y otro ciento y otro cincuenta" (AGI, Lima 121: fol. 5r; Levillier, 1921, Tomo III: 80)

Entre otras cosas, esta medida repercutiría en el hecho de que los curacas "no rrouaran los caciques como hasta aqui lo an hecho" (Levillier, 1921, Tomo III: 124-125). En términos tributarios el licenciado, al igual que los demás autores aquí analizados, veían en el "orden del inca" la vía para asegurar "paz y quietud"; traducida en el mantenimiento de una fuerza laboral estable y controlada por autoridades fiscales. Para el licenciado, y así rezan sus instrucciones, a la hora de fijar la tasa y las condiciones del tributo "se guarde la orden que el ynga tenia que era muy conforme a derecho y razón" (125).

Paralelamente, Hernando de Santillán[24] y Juan de Matienzo, en fechas cerca-

---

[23] A esta medida se opuso con tenaz convicción el licenciado y procurador de indios Francisco Falcón, manifestándose contra el plan de trabajo voluntario-forzoso, rotativo, alquilado y remunerado, propuesto por el gobernador (Pérez Fernández, 1988: 367).

[24] Hernando de Santillán fue oidor de Lima, teniente de gobernador de Chile y luego presidente de la Audiencia de Quito. Cfr. Sánchez-Concha (1996: 285-302). Su obra constituye la primera *relación* oficial extensa escrita por un letrado destinada a presentar el carácter republicano del gobierno del inca (Estebe Barba, 1968). Se sabe que las referencias para escribir su relación las tomó de la *relación* de Cristóbal de Castro y Diego Ortega Morejón efectuada en 1558 al valle de Chincha, en la costa centro sur del Perú (Sánchez Concha, 1996: 291). Claramente, por su experiencia de letrado y magistrado, estaba facultado para asesorar a la Corona en materia

nas, recorrieron distintas vías argumentativas para establecer la necesidad de restituir instituciones incaicas. Como es sabido, la *relación* de Santillán, cuya estructura narrativa sigue el formulismo de un texto indagatorio, fue la respuesta a una cédula real emitida por Carlos V en 1553 que pedía información acabada del sistema incaico de tributación, "para que del todo V.S. dé orden y asiento en muchas cosas en que conviene lo haya, le es necesario tenga noticia dellas, determine por esta relación darlas" (Santillán, 1968 [1563]: 100). A juicio del oidor, en este documento "se contiene y encierra todo aquello que conviene entenderse para que en el gobierno de aquella tierra haya estabilidad" (100). El orden temático de la relación sigue una descripción acabada de la gobernabilidad incaica. Comienza describiendo el origen de los incas y afirmando que los cusqueños terminaron con las llamadas behetrías, aplicando policía y uniformando la lengua general; luego, se aboca a clasificar sus autoridades, sistema de gobierno, sus sistemas de control y vigilancia, la división que efectuaron de la población para fines tributarios, las penalidades, la sucesión política, matrimonio, los tributos (tema que ocupa un mayor espacio que los demás) y la tiranía colonial de los curacas.

Para Santillán, los incas, a quienes nunca nombra de tiranos, a pesar de revelar sus prácticas severas y autoritarias, practicaron el buen gobierno y a pesar de que no "tuviesen puestas leyes determinadas para cada cosa [...] que todos guardasen aquel gobierno [...] y ninguno estuviese ocioso; y así era el vicio mas castigado entre ellos el holgar" (Santillán, 1968 [1563]: 107). Las autoridades puestas por el Inca, en particular el llamado tocuirico, habían impedido rebeliones locales sirviendo como veedores directos a las necesidades de control imperial. El conocimiento acabado de las comunidades indígenas había materializado el buen gobierno, ya que el tocuirico "no les dejaba cosa conocida mas que aquel buen gobierno con que les proveían de lo que era necesario conforme a su calidad" (106). Esta frase, vital a nuestro juicio, pone en evidencia la flexibilidad de sus aparatos de sujeción sobre espacios y poblaciones diversas, en función de las "calidades y temples" de su población y del territorio en que habitaban. Elemento que figura desde el comienzo en la documentación manuscrita colonial antes revisada.

La ausencia del cargo de tocuirico, que el licenciado se propuso reinstalar a través de los corregidores de indios, fue caldo de cultivo para el desorden gene-

legislativa y a establecer, política y jurídicamente, los elementos que aseguraban el buen gobierno. Sus observaciones y disquisiciones teóricas en el campo del derecho natural le permitirán sostener que los incas desarrollaron prácticas políticas orientadas al bien común.

ral, caracterizado –entre otras cosas– por la ladinización de los curacas, perdiéndose "aquella sencillez y rectitud que en tiempo eran gobernados por los incas" (109). La conclusión lógica para el oidor era que los indios del común y sus caciques debían volver "al gobierno y orden de los incas, que para aquella gente es la mas conveniente que otra ninguna" (120).

Del mismo modo, pero a través de la imputación tiránica para los incas, el licenciado Matienzo había observado la institución del tocuirico y de los chasquis como dignas de ser restablecidas. Para el oidor de Charcas, estos funcionarios observaban y vigilaban el cumplimiento de las leyes impuestas por el Inca y el desempeño de los curacas en esta imposición. La función colonial que Matienzo le otorga a este antiguo cargo, similar al corregidor de indios, consideraba que en cada repartimiento debía haber "un tocuirico (que quiere decir: todo lo ve), que ha de traer vara [...] Lo que ha de hacer es tener memoria, por escrito si supiere leer, y no lo sabiendo, por quipo, de cuantos indios hay en el repartimiento, y de la edad de cada uno, por casas" (Matienzo, 1567: fols. 39v-40r). El tocuirico debía organizarse alrededor de un campo de visibilidad y vigilancia, concentrando en su persona los poderes de control y delación. La función de este cargo fiscal –en su sentido básico– fue planteada como necesaria al orden colonial, dada la naturaleza de las comunidades indígenas y, en específico, de sus dirigentes; los curacas. Con ello, Matienzo pretendía limitar su poder y disponer de un control transparente y directo sobre los indios del común, aspecto casi imposible sin la intermediación de aquellos.

La policía incaica ante Clérigos y alcaldes de indios (y ante un mercader)

En una elocuente carta dirigida a Felipe II, en diciembre de 1567, el mercader potosino Juan Griego escribía desde Cusco lamentándose del "estado de la tierra" de los reinos del Perú. El pedido fundamental de la misiva exigía con vehemencia la instalación de audiencias a fin de que los vasallos y los naturales "alcançasen justicia con rrectitud y brebedad y pocos gastos" (AGI, Lima 121: s/f). Su diatriba estaba principalmente dirigida a la corrupción crónica y desatada, operada por los propios oficiales reales, las nuevas dirigencias étnicas emergidas de los pactos, las negociaciones y las legitimidades contextuales con el poder regio, y la progresiva degeneración colonial de los naturales (ladinización, borrachera, ocio crónico, etc.). Entre todas sus quejas, esencialmente de orden jurídico y administrativo, aludía en primer lugar y sin censura a las prácticas de jueces, procuradores, escribanos quienes dilataban innecesariamente los juicios con el objeto de esquilmar a los indios, alargar innecesariamente los pleitos y lucrar a costa de aquellos. Al comentar la necesidad de audiencias para el buen gobierno, señalaba;

> "guaynacapaq y sus antepasados siendo barbaros debaxo de rrazon natural governaron sus tierras en justicia porque de sus súbditos heran temidos y obedecidos y no rrespetaban a personas y con su buen gobierno y de sus ministros sin leyes y sin letrados y procuradores y escrivanos poseia cada uno lo que tenia En paz de tal manera que ninguno osava matar ni hurtar ny mentir ni tomar a la mujer de otro ny perjurarse ni tomar tierra de otro cada uno [...] y no andavan los yndios e yndias vagamundos como agora andan y con nuestro exsenplo an perdido todo lo bueno y an aprendido todo lo malo y el que mas puede [ilegible] lleba la hacienda del otro [...] y tienen destruydo el rreyno los letrados y procuradores y si ay mil hombres rricos ay quince mill pobres los que tienen yndios y rrentas no se pueden sustentar ni tratar pleytos con exsesivas costas la tierra va cada dia en diminución y pobreza" (AGI, Lima 121: s/f).).

El comportamiento de oficiales y funcionarios reales descrito lleva como correlato insistente la descripción generalizada del "mal gobierno colonial" y las consecuencias irreversibles en el relajamiento moral de los naturales. Se trata de una carta extraordinaria en términos de la descripción del gobierno inca y el control moral de sus sujetados, colocando en las antípodas de esas prácticas ejemplares –aplicación de justicia– a la administración jurídico-política de los oficiales regios (letrados, procuradores, escribanos). Valiosa si se pondera que su emisor funge de mercader. Sabemos que la necesidad de buen gobierno, en virtud del contexto peruano, fue una discusión permanente y sistemática en ámbitos discursivos variados. El texto citado contiene una lógica argumental reiterativa en las denuncias transversales hacia el precario orden colonial: falta de justicia, y por extensión falta de buen gobierno, degeneración moral y pobreza. La cita es taxativa: en el tiempo de Guayna Cápac no había robos e imperaba la justicia a pesar de que los incas desconocieron alguna razón natural.

Siguiendo este razonamiento, advertimos en una carta fechada en enero de 1566 y rubricada por los alcaldes de indios de la parcialidad de Hurin Guanca del valle de Xauxa, una descripción elocuente (AGI, Lima 121, fol. 60v) que nos permite la comparación con la cita anterior. Lamentando que en treinta años de dominio la Corona y sus gobernadores no ha procurado "en favorecer a los naturales desta tierra y en dar orden y concierto como dexen su barbaro modo de bibir" por ello "como gente dexada" ha prevalecido sobre estos "la soltura", concluyendo que "he tanto que avemos biendo tanto desorden en nuestro bibir que por ello estamos muy avergonzados" (AGI, Lima 121, fol. 59r). La supuesta declaración de los naturales, traducida a un *locus* religioso domínico, termina por afirmar que los "yngas aunque carescieron de la luz de la berdadera rreligion y se bibia y bibio con toda orden y concierto y fuera de los bicios que agora abundan en que nosotros abiendo de ser lo contrario" (fol. 59r). Finalmente, un mes después, en febrero de 1566, el capellán Cristóbal de Montalbo escribe al rey lamentándose del estado religioso de los reinos del Perú, de la licencia y liviandad con que los naturales se bautizan, instrumentalizando el sacramento para fines seculares. Advierte que "con hallar en estos Reinos la policía en que estos barvaros estavan puestos por sus yngas de no tiranizar ni hazer pecados abominables y no hurtar ni osar mentir ase pervertido tanto esta policía" (AGI, Lima 121, s/f), constatando que los caciques han instalado una tiranía sin provecho para los naturales. Reconoce la sensatez del licenciado Vaca de Castro en considerar la experiencia política previa "por que entendio que aquello convenia tener y guardar como cosa bien proveida y hordenada" (AGI, Lima 121, s/f).

Un último caso: En algún momento de 1563, y en el contexto de la polémica sobre la perpetuidad de encomiendas en el Perú virreinal (1554-1570), un *Parecer* fue remitido al entonces presidente del Consejo de Indias, Juan Sarmiento. Tal documento, titulado *Parecer acerca de la perpetuidad y buen gobierno de los indios del Perú, y aviso de lo que deben hacer los encomenderos para salvarse* (AGI, Indiferente 1624: fols. 58v-75r) constituyó un macizo corolario de una serie de textos previos que justificaron ontológica y axiológicamente la subordinación de los indios del Perú a la sujeción colonial y al trabajo obligatorio reglamentado, dibujando las características físicas y psíquicas de aquellos en concordancia con las sentencias aristotélicas y platónicas sobre la "condición natural" y la "calidad" como principios rectores de diferenciación antropológica. De igual modo, impugnó la opinión de clérigos sobre el trabajo indígena y la mentada perpetuidad, pretendiendo liberar la conciencia de los encomenderos a través de una serie de pruebas y opiniones fundadas en el derecho natural y deducidas de la experiencia *in situ* (Pereña, 1982: 43 y 614-651; Pérez Fernández, 1988: 393).

La estructura argumentativa del *Parecer* adquiere el formulismo propio de una disertación erudita, que hace alarde de un prolijo manejo del derecho natural y de autorías hegemónicas como las de Aristóteles y Platón. La estructura de sus apartados consideran en orden consecutivo; a) una presentación que justifica la necesidad de entregar un *parecer* favorable a las necesidades de estabilidad política de la Corona, legitimando su irrestricta presencia en favor de los propios naturales, b) una fundamentación político-jurídica sobre el buen gobierno y la responsabilidad de los príncipes de mantener las repúblicas en policía, procurando el bien común, c) una explicación aristotélico-tomista de las calidades inherentes de los seres vivos y el orden inamovible que Dios les puso. Luego –y de modo deductivo– establece, d) el "ser" y condición de los indios, naturalizando un estereotipo *ad hoc* a las necesidades de servidumbre colonial, e) La calidad de la tierra (asumiendo la descripción la forma de una breve *relación*), (f) La diferencia manifiesta entre los indios, al comparar su estado previo a la conquista y el que devino tras esta, g) Las dos opiniones contrapuestas y sus fundamentos referidas a la licitud de la encomienda y su perpetuidad, h) La exposición de cinco argumentos jurídicos, deducidos de su experiencia *in situ*, de la licitud de la perpetuidad. Todos ellos, astutamente desarrollados para demostrar el beneficio para los indígenas al estar en manos de encomenderos y no de la Corona y sus funcionarios. Finalmente, y en un acápite titulado "Aviso breve para los encomenderos que se quieren salvarse" –que es claramente una respuesta fundada a los conocidos "Avisos breves para todos los confesores destos reinos del Perú" (Pérez Fernández, 1988: 301)–, da sus razonamientos en cuatro fundamentos axiomáticos, de los que deduce ocho reglas en que incluye cuánto deben cumplir los titulares de encomiendas para poder usufructuar lícitamente de ellas (Lohmann 1966: 49). El texto, visto integralmente, es otro corolario discursivo sobre la necesidad de buen gobierno colonial. Implica su discusión al momento de señalar las responsabilidades que les competen a los príncipes cristianos en mantener las repúblicas, exigencias divinas sustentadas en el derecho natural.

Para nuestros propósitos analíticos, cuando señala la diferencia manifiesta entre los indios al comparar su estado previo a la conquista y el que devino tras esta, describe al gobierno incaico como opresor, tiránico, violento, cruel y abusivo, coartando la libertad (AGI, Indiferente 1624: fols. 62v-64v). A través de doce argumentaciones macizas, su impresión es que los españoles liberaron a los indios de un régimen plagado de autoridades violentas que promovían la pobreza y la dependencia total de las comunidades locales a un régimen esclavizante: "Antes eran tan avasallados y señoreados de los ingas, que no hay ningún esclavo que tenga tan poca libertad como ellos tenían" (fol. 63v). Incluso, intervenían en las decisiones familiares raptando a las hijas de los Ayllus "las cuales el inca tenía encerradas y con gran guardia que nadie las veía" (fol. 63v). No obstante, y siguiendo un relato recurrente en las informaciones antes citadas, convenía en que:

> "estando debajo del poder de los ingas eran regidos y gobernados con inviolables y concertadas leyes, porque tenían tan excelente orden y leyes que hay muy pocas Repúblicas que con tanto concierto y orden sean regidas y gobernadas. Porque los ingas tenían cuenta muy particular con todos los que tenían debajo de su Imperio y no se casaban ni nacía nadie de quien no tuviese noticia, y sobre cada diez mil indios tenían unos que los gobernaba, y sobre cada mil otro, y sobre cada ciento otro, y sobre cada diez y cada cinco habían también el suyo. El cual orden y concierto y policía ahora les falta, lo cual no es razón; pues tienen mejor Dios y mejor Rey, justo es que les den mejores y más útiles y provechosas leyes y gobierno. El Señor alumbre a Su Majestad y a su alto Consejo para darles tan excelentes y perfectas leyes y tan aventajadas de las de antes que tenían" (fol. 63v).

Claramente, esta descripción es similar a la relatada por el mercader Juan Griego, a la relatada por clérigos y a la sostenida por virreyes y oidores; que los incas se valieron de concertadas leyes, que expresaron un orden republicano y que controlaban eficientemente a distintas unidades sociopolíticas a través de autoridades definidas para ello. Con todo, una larga cadena discursiva, que comienza alrededor de 1540, había dibujado, al amparo de diversos argumentos, el carácter republicano del gobierno incaico y la necesidad perentoria de ponderar la restitución de algunas de sus instituciones de coacción. Tal ponderación, en manos de la experiencia, se tornará vital para el ejercicio complejo del dominio y la disposición de una mano de obra cada vez más reducida y esquiva para la fiscalidad colonial. Bajo elucubraciones jurídicas y políticas, la descripción gubernamental de los cusqueños relevó la existencia prehispánica de un orden político en coherencia con la naturaleza inherente de los gobernados. Esta existencia republicana irá transformándose en una cruel tiranía con el advenimiento del virrey Toledo y con la pluma incisiva del oidor Matienzo.

A modo de conclusión

Hacia 1569, en el Perú, se había vuelto una necesidad imperiosa "recuperar" algunos de los dispositivos de control económico operados por el Inca, frente a la imposibilidad de mantener el régimen tributario en el contexto colonial del siglo XVI. En otros términos, el conocimiento *in situ* permitió la producción de un saber instrumental al ejercicio de la gobernabilidad virreinal y reorientó, en la praxis, una serie de medidas elaboradas en los círculos cortesanos de poder en la metrópoli. En virtud de aquello, los letrados coincidían en una descripción sobre las sociedades andinas que equilibraba a conveniencia dos argumentos complementarios: la necesidad de sujetar a los indios dada su natural inclinación hacia vicios, desenfrenos e infidelidades y el hecho de ponderar la capacidad de los incas de gobernar a aquellos (control, vigilancia, exacción, abundancia, riqueza). La clave de ese poder se sustentó en el miedo y la obediencia. De hecho, el miedo, frente a la habituación de un orden con control atomizado, devino de una explicación humoral que tradujo y explico con suficiencia el temple del indio y su disposición natural para ser sujetado y controlado.

A su vez, la instalación de la maquinaria gubernamental española implicó un contexto territorial y humano de difícil sujeción, mostrando una precariedad en los aparatos de coacción peninsular sobre poblaciones diversas y sobre espacios complejos. Las dinámicas del poder local, plagadas de situaciones convulsas y poco estables, determinaron la necesidad de un permanente equilibrio entre autoridades varias (alcaldes de indios, clérigos, regidores y corregidores, entre otros) y el poder regio. Fue sobre un espacio conmocionado y a la vez rearticulado sociológica y económicamente, en que las instituciones incaicas debían perdurar en las voces hispanas. Entre 1540 y 1570, y antes del advenimiento del quinto virrey, la documentación aquí analizada permite aventurar a afirmar, más allá del valor etnohistórico del inca en sí mismo, que la escritura oficial de distintos sujetos coloniales hace circular un saber gubernamental necesario para remediar el mal gobierno colonial y para poder instalar un orden tributario estable y eficiente. La naturaleza de los indios –en sentido aristotélico– imponía semejante restitución.

Uno de los aspectos más interesantes al analizar un corpus fragmentario constituido por *cartas*, *informes*, *pareceres* y *tratados* que, a pesar de los intereses disímiles y/o contrapuestos de sus redactores en función de la posición estratégica que cada uno ocupaba en el concierto de los intereses locales y personales, es la similitud en la apreciación del estado de las cosas en el Perú y la asignación discursivamente transversal a los incas de gobernantes justos, prudentes, articuladores del buen gobierno y la policía sociopolítica, sin dejar de advertir al eventual receptor los componentes autoritarios y casi tiránicos de sus prácticas punitivas –asociadas al tributo–, desde el inicio de su expansión en los Andes. La evidencia documental parece afirmar que ambos estatutos sociopolíticos no eran excluyentes, en el contexto en que se asumían el buen gobierno, el orden republicano y la tiranía en el siglo XVI (Mumford 2011 y 2012).

Fuentes primarias

Archivo General de Indias (AGI):
-Lima 120
-Lima 121
-Indiferente 1624
New York Public Library (NYPL)
-Obadian Rich Collection, MS 74
Biblioteca Nacional de España (BNE)
-Ms 2010

Referencias citadas

Agüero, A. 2008. *Castigar y perdonar cuando conviene a la Republica. La justicia penal de Córdoba del Tucumán, siglos XVII y XVIII.* Madrid: Centro de Estudios Políticos y Constitucionales.

Araya, A.1999. *Ociosos, vagabundos y malentretenidos en Chile colonial.* Santiago: LOM/DIBAM.

Bandera, D. de la. 1881 [1557]. "Relación general de la disposición y calidad de la provincia de Guamanga, llamada San Joan de la Frontera y de la vivienda y costumbres de los naturales della" en *Relaciones Geográficas de Indias*, Tomo I, pp. 96-104. Madrid: Tipografia de Manuel Hernández.

Barrera-Osorio, A. 2006. *Experiencing Nature. The Spanish American Empire and the Early Scientific Revolution.* Austin: University of Texas Press

Brading, D.1991. *Orbe Indiano.* México: FCE.

Brendecke, A. 2012. *Imperio e información. Funciones del saber en el dominio colonial español.* Madrid/ Frankfurt: Iberoamericana-Vervuert.

Castro-Klaren, S. 2001. "Historiography on the Ground. The Toledo circle and Guamán Poma", En I. Rodríguez (ed.), *The Latin American Subaltern Studies Reader*, pp. 143-171. Durham and London: Duke University Press.

Cerrón-Palomino, R. 2006. "Tocuyricoc", *Boletín de la Academia Peruana de la Lengua* Vol. 42 (42): 209-228.

Clifford, J. 2001. *Dilemas de la cultura. Antropología, literatura y Arte en la perspectiva postmoderna.* Barcelona: Gedisa.

Colajanni, A. 2004. El virrey Francisco de Toledo como el primer "antropólogo" aplicado de la Edad Moderna, en Laurencich, L. *El Silencio Protagonista. El primer siglo jesuita en el virreinato del Perú 1567-1667.* Quito: Abda Yala.

Curatola, M. y De la Puente, J. 2013. *El quipu colonial, Estudios y materiales.* Lima: PUCP.

Domínguez, N. 2008. "Betanzos y los Quipucamayos en la época de Vaca de Castro

(Cuzco, 1543)", *Revista Andina* 46: 155-192.

Duviols, P. 1979. "Datation, paternité et idéologie de la "Declaración de los Quipucamayos a Vaca de Castro" (Discurso de la descendencia y gobierno de los Ingas)". En *Les cultures ibériques en devenir. Essais publiés en hommage à la mémoire de Marcel Bataillon (1895-1977)*, pp. 583-591. Paris: Fondation Singer-Polignac.

Espinoza, W. 1978. *Los modos de producción el imperio de los Incas*. Lima: Editorial Mantaro-Grafital Editores.

Esteve Barba, F. 1968. "Estudio preliminar". En *Crónicas peruanas de interés indígena*, Biblioteca de Autores Españoles, Vol. 209. Madrid: Ed. Atlas.

Fossa, L. 2006. *Narrativas problemáticas. Los incas bajo la pluma española*. Lima: PUCP- IEP.

Foucault. M. 1979. *La arquelogía del saber*. México: Siglo XXI editores.

Garriga, C. 2006. "Sobre el gobierno de la justicia en indias (siglos XVI-XVII)", *Revista de Historia del Derecho* 34: 67-160.

Gentile, M. 2013. "Un memorial pretoledano sobre el Tahuantinsuyu: relectura en 2012", *Anuario Jurídico y Económico Escurialense*, XLVI: 497-524.

Gibson, C. 1948. *The Inca Concept of Sovereignty and the Spanish Administration in Perú*. Austin: The University of Texas Press.

González, S. y Zuleta, J. 2019. "Narración y argumentación en la Historia índica (1572) de Pedro Sarmiento de Gamboa", *Estudios atacameños* nº 61: 27-47.

Hyland, S. 2003. *The jesuit and the incas. The extraordinary life of Padre Blas Valera*, S.J. Ann Arbor: The University of Michigan Press.

Honores, R. 2004. "El licenciado Polo y su informe al licenciado Briviesca de Muñatones (1561)". En Ignacio Arellano y Frmín del Pino (eds.), *Lecturas y ediciones de crónicas de Indias. Una propuesta interdisciplinaria*. Madrid/Frankfurt: Iberoamericana/Vervuert.

Julien, C. 2016a. "Relación breve de la religión y gobierno de los Ingas" (ca. 1551). En Joanne Pillsbury (ed.), *Fuentes documentales para los estudios andinos*, Vol. III, pp. 1707-1709. Lima: PUCP.

Julien, C. 2016b. "Relación de las muchas cosas acaecidas en el Perú" (ca. 1552). En Joanne Pillsbury (ed.), *Fuentes documentales para los estudios andinos*, Vol. III, pp. 1717-1720. Lima: PUCP.

Julien, C. 2000. *Reading Inca History*. Iowa: University of Iowa press.

Julien, C. 1988. "How Inca decimal Administration Worked", *Ethohistory*, 35 (3): 257-279.

Lamana. G. 2012. *Pensamiento colonial crítico. Textos y actos de Polo Ondegardo*. Lima: IFEA/CBC.

Levillier, R. 1921. *Gobernantes del Perú. Cartas y papales, siglo XVI*. Colección de Publicaciones Históricas de la Biblioteca del Congreso Argentino, Tomo I. Madrid: Sucesores de Rivadeneira.

Levillier, R. 1921. *Gobernantes del Perú. Cartas y papales, siglo XVI*. Colección de Publicaciones Históricas de la Biblioteca del Congreso Argentino, Tomo III. Madrid: Sucesores de Rivadeneira.

Lohmann, G. 1966. *Juan de Matienzo, autor del Gobierno del Perú (su personalidad y su obra)*. Sevilla: Escuela de Estudios Hispano- Americanos.

Lohmann, G.1957. *El Corregidor de indios en el Perú bajo los Austrias*. Madrid: Ediciones Cultura Hispánica.

MacCormack, S. 2006. *On the Wings of Time: Rome, The Incas, Spain, and Peru*. Princeton: Princeton University Press.

Marzal, M. 1993. *Historia de la antropología indigenista: México y Perú*. Barcelona: Editorial Anthropos.

Merluzzi, M. 2014. *Gobernando los Andes. Francisco de Toledo virrey del Perú (1569-1581)*. Lima: PUCP.

Mignolo, W. 1981. "El Metatexto Historiográfico y la Historiografía Indiana", *Modern Languages Notes*, Vol. 96 (2): 358-402.

Mignolo, W. 1982. "Cartas, crónicas y relaciones del descubrimiento y la conquista", en Madrigal, Iñigo – editor– *Historia de la literatura hispanoamericana,* Tomo I, época colonial, pp. 57-116. Madrid: Ed. Cátedra.

Millones Figueroa, L.1998. "De Señores Naturales a Tiranos: El concepto politico de los incas y sus cronistas en el siglo XVI", *Latin American Literary Review*, Vol. 26 (52): 72-99.

Morong, G. y Brangier, V. 2019. Los incas como ejemplo de sujeción. La escritura etnográfica del oidor de Charcas, Juan de Matienzo (1567), *Estudios Atacameños* 61: 5-26.

Moscovich, V. 2016. "Guaman Poma de Ayala, ¿testigo de la administración imperial en el Cuzco y las provincias?" en *La memoria del mundo inca: Guaman Poma y la escritura de la Nueva corónica,* Jean-Philippe Husson (editor), pp. 243-270. Lima: Fondo editorial PUCP.

Mumford, J.R. 2011. "Francisco de Toledo, admirador y émulo de la "tiranía" inca", *Histórica*, Vol. XXXV (2): 47-65.

Mumford, J. 2012. *Vertical Empire; The General Resettlement of Indians in the Colonial Andes*. Duke: Duke University Press.

Murra, J. 1975. *Formaciones económicas y políticas del mundo andino*. Lima: IEP.

Murra, J. 1977. *La organización económica del Estado inca*. México: Siglo XXI.

Ortiz de Zúñiga, Í. 1967 [1562]. *Visita de la provincia de León de Huanuco*, Tomo I, John Murra (ed.). Lima: Universidad Hermilio Valdizan.

Ossio, J. 2008. *En busca del orden perdido. La idea de la historia en Felipe Guamán Poma de Ayala*. Lima: PUCP.

Pagden. A. 1988. *La caída del hombre natural*. Madrid: Alianza editorial.

Parra, R. 2015. *La tiranía del Inca. El Inca Garcilaso y la escritura política en el Perú colonial* (1568-1617). Lima: Ediciones Copé.

Parssinen, M. 2003. *Tawantinsuyu. El estado inca y su organización política.* Lima: Instituto Francés de Estudios Andinos, Pontificia Universidad Católica del Perú y Embajada de Finlandia.

Pease, F. 1995. *Las crónicas y los Andes.* Lima-México: FCE.

Pease, F. 1992 *Curacas, reciprocidad y riqueza.* Lima: PUCP.

Pease, F. 1978. *Del Tawantinsuyu a la historia del Perú.* Lima: IEP.

Pereña, L. 1982. *Juan de la Peña. De Bello contra Insulanos. Intervención de España en América.* Madrid: CSIC.

Pérez Fernández, I.1988. *Bartolomé de Las Casas en el Perú: 1531-1573.* Cusco: Centro de Estudios Rurales Bartolomé de Las Casas.

Polo y La Borda, A. 2019. "La experiencia del imperio. Méritos y saber de los oficiales imperiales españoles", *Historia Crítica* nº 73: 65-93.

Pol-Droit, R. 2009. *Genealogía de los bárbaros; Historia de la inhumanidad.* Barcelona: Paidos.

Rostworowski, M. 1983. *Estructuras andinas del poder. Ideología política y religiosa.* Lima: IEP.

Rostworowski, M. 1988. *Historia del Tawantinsuyu.* Lima: IEP.

Rowe, J. 1957. "The Incas Under Spanish Colonial Institutions", *Hispanic American Historical Review*, Vol. XXXVII (2): 155-199.

Rowe, J. 1966. "Un Memorial del Gobierno de los Incas del Año 1551", *Revista Peruana de Cultura* 9 (10): 26-39.

Sánchez-Concha, R. 1996. "El licenciado Hernando de Santillán y sus observaciones en torno de las formas tiránicas de los curacas", *Histórica* vol. XX (2): 285-302.

Santillán, H. 1968 [1563]. *Relación del origen, descendencia, política y gobierno de los Incas,* F. Esteve Barba (ed.), *Crónicas peruanas de interés indígena*, Vol. 209, BAE, pp. 97-150. Madrid: Ed. Atlas.

Segovia, Bartolomé de. 2019 [1552-1556]. *La relación Conquista y población del Pirú, fundación de algunos pueblos*, Pilar Roselló (ed). Lima: PUCP.

Solodkow, D. 2014. *Etnógrafos Coloniales. Alteridad y escritura en la Conquista de América (siglo XVI).* Madrid/Frankfurt: Iberoamericana-Vervuert.

Stern, S.1986 [1982]. *Los pueblos indígenas del Perú y el desafío de la conquista española, Huamanga hasta 1640.* Madrid: Alianza Editorial.

Szemiński, J. y Ziólkowski, Ma. 2015. *Mythes, rituels et politique des Incas dans la tourmente de la conquista.* París: L'Harmattan.

Trimborn, H. 1935. "Unsere älteste ethnographische Quelle über das Inkareich", *Zeitschrift für Ethnologie* 66: 402-416.

Wedin, A. 1966. *El concepto de lo incaico y sus fuentes.* Uppsala: Studia Histórica Gothoburgencia VII.

Zavala, S. 1976. *El Servicio personal de los indios en el Perú (extractos del siglo XVI)*, Tomo I.

México: El Colegio de México.

Zuidema, T. 2008. "El Inca y sus curacas: poliginia real y construcción del poder", Bulletin de l'Institut français d'études andines [En línea], 37 (1), Publicado el 01 octubre 2008, consultado el 24 junio 2020. URL: http://journals.openedition.org/ bifea/3284.

Zuloaga, M. 2012. *La conquista negociada, guarangas, autoridades locales e imperio en Huaylas, Perú (1532-1610)*. Lima: IEP/IFEA.

La gente detrás del libro. Los aillus reales en la *Historia de los incas* de Pedro Sarmiento de Gamboa[1]

Soledad González Díaz
Universidad Bernardo O'Higgins, Chile

Erick Figueroa Ortiz
Universidad Bernardo O'Higgins, Chile

En la segunda mitad del siglo XVI, el nuevo orden social impuesto por el proceso de conquista en el Cusco delineó la existencia de tres grupos sociales privilegiados, aunque no en iguales proporciones: de un lado estaban los primeros conquistadores y sus herederos, de otro las elites incaicas y, finalmente, los grupos étnicos que habían adquirido su emergente status social gracias a la colaboración con los vencedores, como, por ejemplo, los cañares. Ninguno de estos grupos constituía un conjunto homogéneo. Las hijas e hijos de hombres españoles y mujeres incas gradualmente se posicionaban como nuevos actores sociales, cada uno con trayectorias y expectativas muy distintas. La relación entre estos grupos fluía al compás de un complejo escenario político, fluctuando entre la negociación y el conflicto.

Las elites incaicas que permanecieron en el Cusco tras su ocupación definitiva en 1537 perdieron sus palacios emplazados en la parte baja de la ciudad, cedidos por Francisco Pizarro como mercedes a los primeros conquistadores. Ahora vivían segregadas en las faldas de los cerros y en la periferia de la ciudad, agrupadas en torno a ocho parroquias creadas con el objetivo de evitar su dispersión, evangelizarlas y, posteriormente, asegurar el pago de tributos. El pro-

[1] La presente investigación fue posible gracias al financiamiento del proyecto FONDECYT N° 11160141 "La *Historia de los incas* de Pedro Sarmiento de Gamboa en la perspectiva de los estudios andinos: hacia una reconstrucción de su historia textual" y del proyecto InES 29 "Implementación y Fortalecimiento de las Capacidades de Innovación y Transferencia Tecnológica". Las gráficas en versión infografía están disponibles en forma gratuita para su descarga en el siguiente enlace: https://www.vicdata.cl/infografia-aillus-reales.html

ceso de reasentamiento de las elites cusqueñas fue progresivo y duró poco más de 10 años, entre 1559 y 1572. Polo de Ondegardo, siendo corregidor del Cusco, creó en 1559 las cinco primeras parroquias: Santa Ana, San Cristóbal, San Blas, Belén y San Sebastián. Durante la administración toledana, en 1572, se crearon las otras tres: Santiago, Hospital de Naturales y San Jerónimo (Julien, 1998: 82-93) (Ver figura 1).

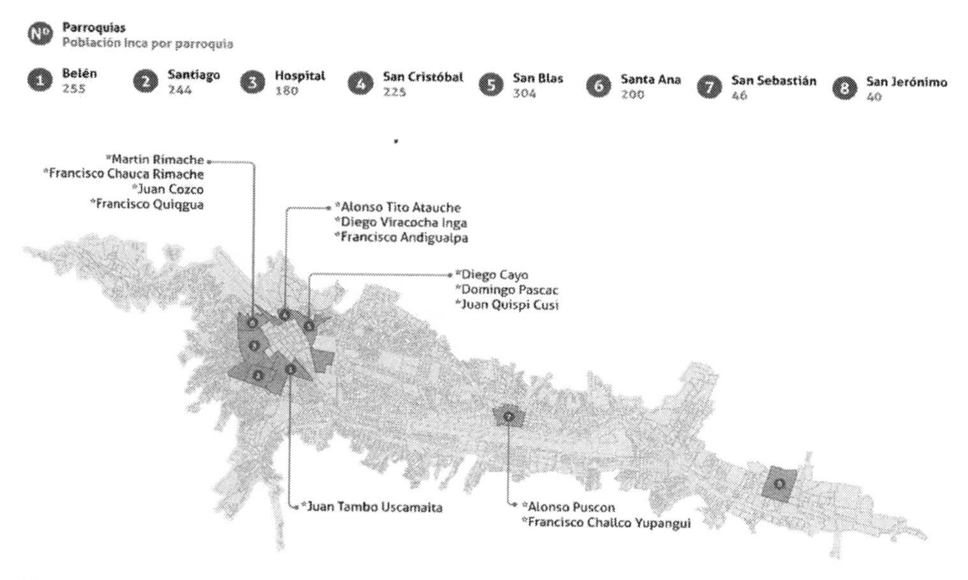

Figura 1: Mapa del Cusco con sus ocho parroquias y la población inca en cada una de ellas según la Tasa toledana de 1572 (Cook, 1975: 210-212). Los nombres consignados en la gráfica corresponden a los Incas cuya residencia pudimos identificar a lo largo de la investigación y que más se han abordado en el presente capítulo. La traza urbana del Cusco fue elaborada siguiendo los planos y datos publicados por Donato Amado (2009) y Crayla Alfaro y José Beltrán-Caballero (2018).

Disconforme con el nuevo trato impuesto por los españoles, una parte de estas elites se refugió en Vilcabamba, donde permaneció por más de 30 años. Encuentros y desencuentros intermitentes marcaron el rumbo de las negociaciones de los rebeldes con las autoridades coloniales durante todo ese tiempo. La llegada del virrey Francisco de Toledo, no obstante, daría un nuevo y definitivo giro al conflicto.

En la perspectiva de Toledo, la consolidación del dominio de la Corona española en los Andes dependía, en el plano teórico, de disipar cualquier duda jurídica respecto a la ilegitimidad del señorío hispano. La *Historia de los Incas*, junto con otros textos contemporáneos como el *Parecer de Yucay*, encarna esta dimensión teórico-jurídica del plan de Toledo. La *Historia* fue formulada con el objetivo de refutar las ideas difundidas por el *Tratado de las Doce Dudas* de Bartolomé de las Casas, que reivindicaba el derecho de los Incas a gobernar el Perú. La *Historia* argumentaba que los Incas habían gobernado en beneficio propio, como crueles e ilegítimos tiranos y transgrediendo la ley natural (González y Zuleta, 2019). Su autor fue Pedro Sarmiento de Gamboa, un hábil navegante, capitán y cronista que hizo carrera en la corte virreinal bajo la protección de Toledo.

La *Historia* se compone de tres partes. La primera consiste en una dedicatoria al rey Felipe II, la cual Sarmiento utiliza para contraargumentar los postulados de Las Casas. La segunda parte es un recuento de la historia del Perú desde su poblamiento hasta la década de 1570, cuyo eje narrativo es la genealogía de los doce Incas que, en la versión de Sarmiento, gobernaron el Tawantinsuyu. La tercera y última parte corresponde a la ratificación de la crónica por 42 representantes de los aillus reales incaicos, con el objetivo de que manifestaran si estaban conformes o no con la versión de su propio pasado que Sarmiento había elaborado (Ver figura 2)

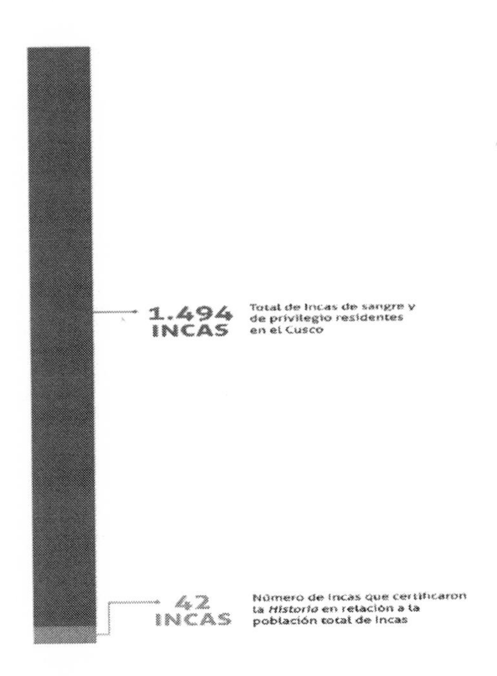

Figura 2

Según la Tasa toledana, la elite cusqueña estaba compuesta por 1494 incas, cifra que englobaba tanto a los incas de sangre como a los de privilegio[2]. Las biografías de quienes certificaron la crónica de Sarmiento representan un pequeño porcentaje de las trayectorias particulares de esa elite: solo un 2,8%, equivalentes a 42 Incas.

La ratificación lleva por título *Probanza y verificación de esta Historia* y consistió en la lectura del texto, escrito en español, a viva voz en quechua. Se trató de una traducción oral y simultánea, de la que no tenemos registro escrito, y que Toledo encomendó a un intérprete de su máxima confianza. En un gesto aparentemente contradictorio, los Incas certificaron que la *Historia* era verdadera, en desmedro de la legitimidad de sus antepasados y de su propio prestigio. Esta aparente contradicción se explica por el abrumador clima de coerción que existía en el Cusco colonial.

En este capítulo ahondaremos en las identidades de los descendientes de los Incas que certificaron la *Historia,* cuyos nombres y edades aparecen consignados en la ratificación (Sarmiento, 1942: 191-193) ¿Quiénes eran estas personas? ¿Qué posición ocupaban dentro del complejo y dinámico universo social de las elites incaicas de fines del siglo XVI? ¿Tenían intereses comunes más allá de coincidir en la ratificación? ¿Eran todos líderes étnicos? ¿Qué fue de ellos después de ratificar la *Probanza*?

Nuestra hipótesis es que tras la aparente uniformidad que se desprende de la lectura de la certificación subyacen dos generaciones con destinos y expectativas distintas (Ver figura 3). En medio de ambas, uno de ellos emerge con un protagonismo anclado en procesos transversales como, por ejemplo, el reconocimiento de su estatus social y el conflicto con la autoridad toledana.

La generación más antigua reunía mayoritariamente a individuos que rondaban los 70 y 60 años, que en su juventud habían ocupado altos cargos militares en el gobierno de Huayna Capac. La madurez de sus vidas transcurrió entre guerras y conflictos: primero entre Huáscar y Atahualpa, luego entre los Incas y los Conquistadores y, más tarde, entre las guerras civiles españolas. En la época de Toledo, algunos eran considerados respetadas autoridades étnicas, en virtud de su experiencia, estatus y avanzada edad. El aillu de Pachacuti concentró al mayor número de exponentes de esta generación. Es, a su vez, el más representado en la *Probanza*, con 8 miembros.

[2] Según la tasa, los cusqueños de las 8 parroquias corresponden a 1294 cusqueños. Sin embargo, la suma de los valores de las parroquias individualizadas arroja la cifra de 1494 (Cook, 1975: 210- 212).

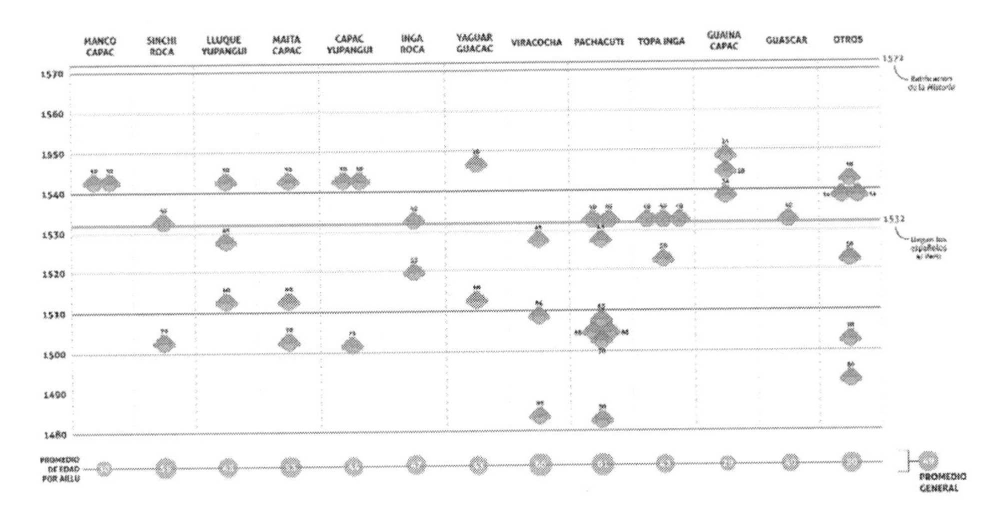

Figura 3: Las dos generaciones que certificaron la *Historia* según sus edades. Cada Inca está representado por una cabeza, sobre la cual se indica la edad que tenía al momento de la certificación. La posición de cada individuo depende de su año de nacimiento, señalado en el eje vertical izquierdo de la gráfica. En el eje horizontal superior se indica el aillu al que pertenecía cada Inca y en el eje horizontal inferior el promedio de edad de cada aillu.

La generación más nueva, en cambio, estaba compuesta mayoritariamente por hombres de 40 o 30 años, nacidos durante o después de la conquista hispana. Con los ojos puestos en el futuro, buscaron incesantemente un lugar de privilegio en el nuevo orden colonial en medio de continuos cuestionamientos a su legitimidad, tanto de parte de las autoridades coloniales como de otros señores étnicos. Los aillus de Huayna Capac y Huáscar estuvieron conformados exclusivamente por miembros de esta generación. Este último también fue el menos representado en la *Probanza*, con solo un miembro: Alonso Tito Atauche. La baja representatividad del aillu de Huáscar en la certificación se explica porque Atahualpa persiguió y exterminó a gran parte de su descendencia. Algunos miembros de esta elite lideraron y desarrollaron, en los años siguientes, estrategias colectivas de reivindicación ante el sistema jurídico colonial, la mayoría de las veces sin éxito, ampliando paulatinamente su capacidad de representación más allá de la adscripción a un determinado aillu real.

Hasta el momento, hemos identificado la huella documental de alrededor de 27 de los Incas que certificaron la *Historia*, es decir, más de la mitad ocuparon cargos políticos de representación comunal, denunciaron en tribunales los abusos de corregidores y otras autoridades, litigaron o fueron testigos en pleitos por tierras, firmaron probanzas para eximirse del pago de tributos o del servicio personal, concedieron poderes para ser representados en la metrópoli o la capital virreinal, o declararon en otras instancias convocadas por Toledo. Las más de las veces su aparición en la documentación no pasa de ser una mención fugaz, un nombre entre varios. Las menos, es posible unir pistas y trazar sus trayectorias a largo plazo. Por eso, más allá del exhaustivo registro de cada una de las apariciones de estos Incas en la documentación, que por cierto hemos realizado, nos concentramos en dar a conocer las identidades de quienes se repiten con más frecuencia en la documentación, engarzando sus trayectorias en los eventos que se desencadenaron en los meses posteriores a la *Probanza.*

La identificación de los Incas que certificaron la *Probanza* fue posible gracias a las sólidas investigaciones que, desde hace ya varias décadas, han contribuido a delinear sus biografías desde diversas perspectivas. Fundamental ha sido la publicación de probanzas, testimonios y otras fuentes documentales provenientes de diversas colecciones o archivos (Santisteban, 1948; Rowe, 1985; Urbano, 1997; De la Puente, 2016; Segalini, 2017). También el estudio de la transformación de las elites incaicas a lo largo del periodo colonial (Sherbondy, 1996; Julien, 1998; Zuidema, 2002; Garrett, 2003; Segalini, 2004 y 2017; Ottazzi, 2008 y 2014; Amado, 2017; De la Puente, 2018) y el derrotero de su descendencia posterior (Decoster, 2002; Quispe-Agnoli, 2016; Castro, 2019).

Nuestra investigación también se basa en fuentes documentales inéditas, provenientes del Archivo Departamental del Cusco y el Archivo de Indias. Parte de esta documentación ha sido abordada por especialistas en estudios previos. Nos referimos concretamente al juicio de residencia del juez Gabriel de Loarte, estrecho colaborador de Toledo, que contiene importante información sobre el destino de algunos de los protagonistas de la certificación, también trabajado parcialmente por Nowack y Julien (1999), Murra (2001) y Glave (2020). El juicio de residencia de Loarte está conformado por tres abultados legajos y algunas hojas se encuentran en pésimo estado de conservación debido a la erosión de la tinta metalogálica, dos obstáculos difíciles de sortear a la hora de abordar integralmente su contenido. Por ello, se trata de una fuente compleja, que aún tiene mucho que revelar sobre los actores, eventos y coyunturas del escenario político cusqueño de la segunda mitad del siglo XVI[3].

[3] La signatura del juicio de residencia del juez Loarte es Archivo General de Indias. Justicia, 463, 464 y

No ha sido fácil identificar a los Incas que certificaron la *Historia*, pues dos individuos pueden tener nombres similares o idénticos. La edad de cada uno, dato que a menudo acompaña sus testimonios o declaraciones, tampoco contribuye a esclarecer sus identidades. Tratándose de una sociedad con escasos niveles de alfabetización, salvo contadas y privilegiadas excepciones, las personas no llevaban la cuenta exacta de sus edades. Menos aún las que habían nacido durante el dominio incaico. Las erratas derivadas de los sucesivos traslados de la mayoría de la documentación o la poca familiaridad de los escribanos con la onomástica quechua es otro obstáculo a tener en cuenta. Estando conscientes de estas dificultades, hemos señalado oportunamente con una nota a pie de página aquellos casos que planteen dudas o contradicciones.

Finalmente, hemos complementado el presente estudio con visualizaciones de datos que contribuyen a dimensionar cifras, comparar diferencias generacionales y ubicarnos geográficamente en el Cusco del siglo XVI. Se trata de un trabajo interdisciplinario que integra a la investigación histórica el diseño, a cargo del infografista Víctor Martínez Mellado.

1572

La estrategia de Toledo no solo contemplaba disipar cualquier duda jurídica respecto al señorío de los incas, sino también liquidar el protagonismo social, económico y simbólico que habían acumulado en las administraciones previas, tanto en el Cusco como en Vilcabamba. Esta dimensión más práctica del plan de Toledo involucraba tres acciones concretas: en el Cusco, neutralizar a un grupo de influyentes Incas, emprendiendo un juicio espurio en su contra; en Vilcabamba ejecutar a Tupac Amaru, el cuarto gobernante de los Incas rebeldes; y, como golpe de gracia, obligar a todos los Incas a pagar tributo y prestar servicio personal.

La ratificación de la *Historia* se desarrolló en la tensa calma que precede la tormenta, a fines de marzo de 1572. No era la primera vez que Toledo involucraba a las elites incaicas en un procedimiento de este tipo. Dos meses antes, en enero, 37 miembros de los aillus reales habían certificado cuatro paños pintados con la genealogía de los Incas. De ellos, 17 también certificarían la *Historia* en

465. Para el presente trabajo nos hemos concentrado en el Interrogatorio de AGI Justicia, 465, f. 2732- 2847, conformado por 49 preguntas y las declaraciones de 34 testigos. El Interrogatorio tuvo lugar en enero de 1576, casi cuatro años después de la *Probanza*.

marzo[4]. Según Juan de Vera, cura de la iglesia del Cusco, la legitimidad de dicha verificación fue opacada por el proceder de Toledo ante los descendientes de Huayna Capac, a quienes trató de persuadir de que los Incas habían sido tiranos y no reyes. Su gesto no fue bien recibido. El virrey, en un intento por apaciguar los ánimos, intervino y suavizó el significado del término "tirano", explicándoles que el rey de Castilla, como los Incas, también había tomado muchos reinos por la fuerza y que, en consecuencia, no había razón para enojarse (Urbano, 1997: 240). El término "tirano" constituía la piedra angular del proyecto toledano y, apelando a una dudosa ambigüedad en su significado, Toledo consiguió que los propios incas reconocieran a sus ancestros como tales (González y Zuleta, 2019). Los aillus reales, por su parte, comprendieron cómo operaban las probanzas e interrogatorios convocados por el virrey.

Tanto la verificación de los paños como la de la *Probanza* de la *Historia* fueron oficiadas por el mismo equipo. Entre los actores claves estuvieron el juez Gabriel de Loarte y el traductor Gonzalo Gómez Jiménez, protegido del virrey que poco a poco adquiriría un cuestionado protagonismo en los meses siguientes. Era mestizo, hijo de un mendigo[5]. Su conflictiva personalidad y condición marginal es evidente en varios testimonios del juicio de residencia del juez Loarte, en el que su nombre emerge una y otra vez vinculado a irregularidades y abusos. Mal intencionado, vil, borracho y escandaloso son algunos de los calificativos que los testigos le atribuyen[6]. A menudo era objeto de burlas no solo por su comportamiento, sino también por su orientación sexual, pues tenía modales de mujer y fama de "puto" en el Cusco y en el valle de Yucay[7]. Gonzalo Gómez Jiménez fue el intérprete oficial de Toledo durante el convulso año de 1572.

Dos meses después de la ratificación de la *Historia*, en mayo de 1572, Toledo emprendió un juicio espurio contra Carlos Inca, hijo de Cristóbal Paulo Inca, y un grupo de otros 6 influyentes Incas. Carlos Inca era una figura respetada entre las elites cusqueñas e hispanas, un acaudalado encomendero casado con María

---

[4] Certificaron también los paños (Jiménez de la Espada 1882, 247-249): Diego Cayo Gualpa, Alonso Puscon, Juan Tambo Uscamayta, Felipe Uscamaita, Francisco Andiguallpa, Francisco Challco Yupangui, Diego Cayo, Francisco Quicgua, Cristóbal Pisactopa, Andrés Topa Yupangui, García Pillcotopa, Juan Cozco, Francisco Saire, Alonso Tito Atauchi, Juan Apanca, Diego Viracocha Inga. En la probanza de los paños también ratifica un "don Domingo", que hemos identificado, tal como Gary Urton (2004, 80-86) con Domingo Pascac.

[5] Declaración de Julio Salas. AGI, Justicia, 465, f. 2747v.

[6] Martín Palacios declaró que un día, estando Gómez Jiménez ebrio en un tambo en el Collao, lo habían apaleado sin que siquiera lo notara, mientras yacía borracho en el piso. AGI, Justicia, 465, f 2810v.

[7] Alonso Quiso Yupanqui declaró que a menudo bebía con otros indios, que lo perseguían, se reían de él y le tiraban piedras. AGI, Justicia, 465, f. 2831.

de Esquivel, española bien posicionada en la jerarquizada sociedad cusqueña. Aunque fueron apresados sin saber el porqué, el principal cargo que Toledo levantó contra ellos consistía en una supuesta alianza con los rebeldes de Vilcabamba[8]. También los acusaron de proclamar al hijo de Carlos Inca, Melchor Carlos Inca, como *capac*, título que en tiempos del Tawantinsuyu correspondía a rey o emperador (Nowack y Julien, 1999: 20). Tres de los acusados habían certificado la *Historia* meses antes[9]. Estuvieron en la cárcel 80 días sin que Toledo ni Loarte les notificaran la causa del arresto o presentaran cargos.

Toledo emprendió la campaña contra los Incas rebeldes de Vilcabamba al mismo tiempo que Carlos Inca y el resto de los acusados estaban en prisión. Tras su captura, Tupac Amaru fue encarcelado en Sacsayhuaman a la espera de su ejecución, que se concretó en septiembre de 1572. Estando preso, negó conocer a Carlos Inca y al resto de los acusados.

Con cualquier pretensión jurídica de reivindicar el derecho de los Incas a gobernar el Perú neutralizada, con los principales exponentes de la elite incaica en la cárcel y con el enclave rebelde de Vilcabamba aniquilado, Toledo tenía el camino despejado para dar el golpe de gracia a los descendientes de los Incas: desde agosto de 1572 tanto los Incas de sangre como los de privilegio estaban obligados a pagar tributos y cumplir con el servicio personal. Toledo se refirió a ellos, en una carta escrita al Consejo de Indias en septiembre de 1572, como indios "sin dueño", señalando que algunos servían informalmente a particulares (Julien, 1998: 86). La medida se extendía, según la tasa, hasta 1582. 1572 fue un

[8] En la actualidad, no disponemos del juicio que Toledo emprendió contra Carlos Inca, sino de los autos que forman parte del juicio de residencia del juez Loarte (AGI, Justicia, 464 y 465), ocasión que Carlos Inca aprovechó para denunciar el corrupto proceder de Loarte como juez durante su gestión. Carlos Inca sostiene que Loarte estaba al tanto de las falsas traducciones de Gonzalo Gómez Jiménez y que, sin embargo, había encubierto sus malas prácticas. También responsabiliza a Loarte de la desaparición del expediente original. Entre los testigos convocados para declarar figuran Antonio Sánchez, escribano público del Cusco, y Juan Núñez, escribano de la causa, quienes afirmaron que habían llevado el proceso personalmente a Chucuito, en donde se encontraba el virrey para entonces, con el objetivo de que emitiera la sentencia (AGI, Justicia, 465, f. 2770). Lo mismo declaró Francisco Pérez, procurador de Carlos Inca (AGI, Justicia 465, f. 2786v). Finalmente, no se esclarece el destino del expediente. Tampoco se han encontrado traslados o copias posteriores.

[9] Nos referimos a Alonso Tito Atauche, Diego Cayo y Francisco Andigualpa. Existe confusión respecto a la identidad de este último en la documentación, pues en algunas declaraciones se menciona como testigo del proceso a un Francisco Toyro Gualpa (Nowack y Julien, 1999) o Francisco Tuyro Gualpa (Glave, 2020). En el expediente que hemos consultado un Toyro Gualpa también es mencionado por Antonio Sánchez como testigo (AGI, Justicia, 465, f. 2751v). Sin embargo, la referencia a Francisco Andegualpa como uno de los enjuiciados es clara tanto en las preguntas como en las respuestas que conforman el interrogatorio (AGI, Justicia 465, f. 2733v y f. 2804).

mal año para las elites incaicas en el Cusco (Ver figura 4).

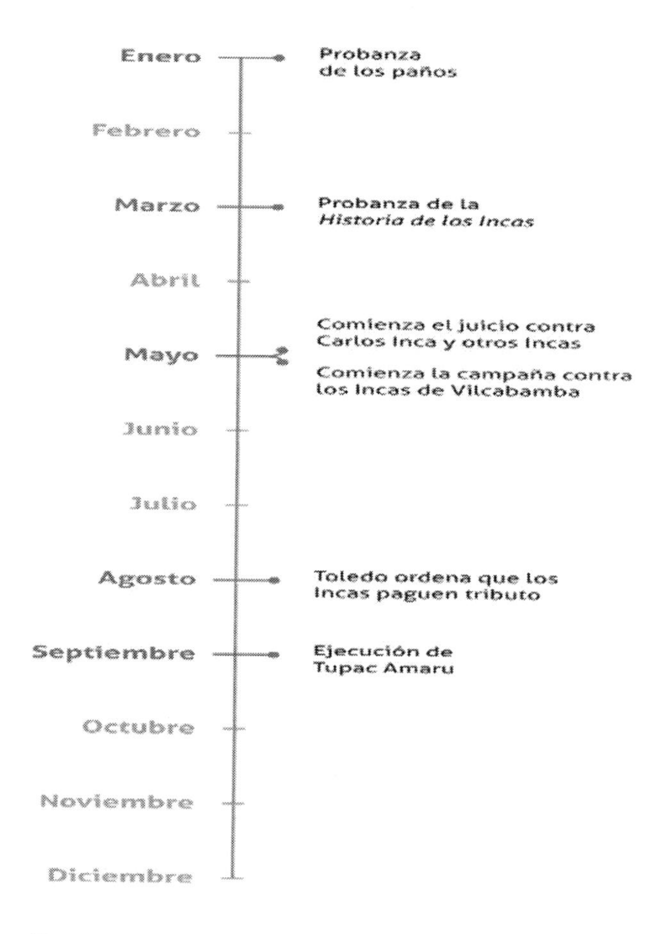

Figura 4: Cronología de los eventos en 1572

La generación más antigua: entre el recuerdo y el exilio

Disponemos de antecedentes documentales relevantes para tres de los incas más ancianos de esta generación: Domingo Pascac, Francisco Andigualpa y Diego Cayo. Todos ellos habían certificado los paños dos meses antes de ratificar la *Historia de los Incas*, de modo que no era la primera vez que se enfrentaban a un procedimiento jurídico convocado por Toledo[10]. También fueron entrevis-

[10] Domingo Pascac es referido en la certificación de los paños como "Don Domingo" (Jiménez de la Espada, 1882: 247- 249).

tados en las *Informaciones*, una serie de interrogatorios sobre el pasado incaico ideados por el virrey para recopilar información que validara su tesis de la tiranía e ilegitimidad del gobierno incaico[11]. Los diferentes interrogatorios se llevaron a cabo en distintas ciudades y momentos, desde marzo de 1571 a marzo de 1572, y el criterio para seleccionar a los entrevistados era que fuesen "los más viejos y ancianos y de mayor entendimiento que se han podido hallar, de los cuales muchos son caciques y principales" (Levillier, 1940: 3-4). Pascac, Andigualpa y Cayo cumplían con tales características.

Domingo Pascac, del aillu de Pachacuti, fue el Inca más anciano que ratificó la *Probanza*, con 90 años (Sarmiento, 1942: 192). Vivía en la parroquia de San Blas (Levillier, 1940: 141). Su avanzada edad lo convirtió en un informante clave para acceder a fragmentos del esquivo pasado incaico, al punto de ser considerado una autoridad en la materia (Urton, 2004: 80-84). Pascac no solo fue convocado por funcionarios españoles para testificar en probanzas o informaciones sobre eventos acontecidos en el gobierno de Huayna Capac, durante el cual transcurrió gran parte de su juventud y adultez, sino también por elites indígenas para testificar en su favor. Su participación en dos probanzas hechas por curacas evoca fugazmente el recuerdo del funcionamiento de las instituciones incaicas[12]. En ambos casos se trata de caciques que, probablemente producto de las presiones de las autoridades coloniales, negaban haber servido en tambos o pagado tributo durante la administración incaica. No lo habían hecho nunca y tampoco pretendían hacerlo ahora. Pascac apoyó el testimonio de los caciques de los pueblos de Maras y Mullaca afirmando que había visto cómo los demandantes estaban destinados al servicio exclusivo de Huayna Capac, acudiendo a la guerra cuando él lo solicitaba, atendiendo sus chacras y bailando en sus fiestas[13]. En otra instancia también apoyó las pretensiones de abolengo de Rodrigo Sutic Callapiña, principal de Pacaritambo, testificando que había visto quiénes eran sus padres y que sabía por "tradición antigua" que su abuelo paterno era descendiente de Manco Capac[14]. Pascac fue un testigo de vista, testimonio y autoridad

[11] Todos declararon en Cusco. Domingo Pascac, cuyo nombre aparece como "Domingo Pascal" declaró en junio de 1571 (Levillier, 1940: 141- 148); Francisco Andigualpa en marzo de 1571 (Levillier, 2008: 118-121) y Diego Cayo en septiembre de 1571 (Levillier, 1940: 167- 173).

[12] Se trata de la Probanza de Rodrigo Sutic Callapiña, cacique principal del pueblo de Pacaritambo, 02/05/1569, (Urton, 2004: 151-161) y la Probanza de Sancho Usca Paucar, cacique principal del pueblo de Maras, y Alonso Auca Puma, cacique del pueblo de Mullaca, 12/05/1569 (Segalini, 2017: 40-54). Tal como Segalini ha señalado, ambas probanzas fueron elaboradas con apenas 10 días de diferencia.

[13] Probanza de Sancho Usca Paucar, cacique principal del pueblo de Maras, y Alonso Auca Puma, cacique del pueblo de Mullaca (Segalini, 2017: 43).

[14] Probanza de Rodrigo Sutic Callapiña (Urton, 2004: 155-156).

a la vez.

Otros datos sobre la vida de Domingo Pascac surgen en las *Informaciones*, donde testificó sobre los ritos y costumbres de los Incas, declarando que su padre había sido capitán de Huayna Capac y de Topa Inca[15]. En crónicas como la de Juan de Betanzos, Topa Inca movilizó grandes ejércitos para la represión de rebeliones en el Antisuyo y el Collasuyo (Betanzos, 2015: 269-276). El lugar del recuerdo de Pascac estaba en la épica de ese pasado imperial. Su rastro en la documentación se perdió después de ratificar la *Historia*. Es probable que haya fallecido en los meses siguientes.

Francisco Andigualpa, de 89 años, también fue un prominente miembro de esta generación. Ratificó la *Probanza* por el aillu de Viracocha (Sarmiento, 1942: 192) y vivía en la parroquia de San Cristóbal[16]. Anteriormente, había sido entrevistado individualmente para las *Informaciones*, una excepción dentro del formato colectivo que caracterizó los interrogatorios. Se identificó como gobernador de la provincia del Condesuyo. Respondió a un interrogatorio breve, cuyas preguntas versaban, en términos generales, sobre "si era verdad" -la estrategia retórica más usada en los interrogatorios- que entre los Incas no existía un gobierno en forma antes de Pachacuti y Topa Inca. Si bien en las *Informaciones* la mayoría de las respuestas no hacen más que repetir el contenido de la pregunta, cuando Andigualpa afirmó que las conquistas de Topa Inca habían abarcado desde Quito a Chile, lo hizo evocando el recuerdo de sus antepasados, individualizándolos: lo había oído de Acos Topa, Chalco Yupanqui y su abuelo Purun Gualpa, servidores de Topa Inca[17]. Chalco Yupanqui es consignado en la *Historia* de Sarmiento como uno de los tres capitanes a cargo de la conquista del Antisuyo en tiempos de Topa Inca (Sarmiento, 1942: 143-144).

Aunque dos décadas más joven que Pascac y Andigualpa, Diego Cayo fue el tercer líder étnico más antiguo de esta generación. Tenía 70 años y era cabeza del linaje de Pachacuti (Sarmiento, 1942: 192). Su esposa era Beatriz Cusirimay, hija de Paulo Inca, el padre de Carlos Inca[18]. Fue alcalde de la parroquia de San Blas a dos años de su fundación. El alcalde constituía el cargo comunal con más responsabilidades dentro del cabildo de la parroquia, siendo la institución polí-

---

[15] En las *Informaciones*, 20/06/1571, Domingo Pascac se identificó como descendiente de Viracocha y no de Pachacuti, como en la *Historia*.

[16] Declaración de Felipe Saire, intérprete público, AGI, Justicia, 465, f. 2786v.

[17] *Informaciones*, 13/03/1571 (Merluzzi, 2008: 118-121)

[18] Segalini, 2009: 123. En la residencia del juez Loarte, sin embargo, los testigos se refieren a ella como Beatriz Cocaguaco, AGI, Justicia, 465, f. 2732.

tica que mediaba entre la comunidad de Incas y las autoridades virreinales. Ante cualquier transgresión al orden por parte de la comunidad, el alcalde era el responsable directo ante el cura o el corregidor. También era el encargado de coordinar la entrega de leña, huevos y pescados al cura doctrinero, además de velar por el pago del tributo (Julien, 1998: 85). Diego Cayo también poseía valiosos antecedentes sobre el pasado incaico. Al ser preguntado sobre las edades de Pachacuti, Topa Inga y Huayna Capac en las *Informaciones*, declaró haber visto una tabla y quipus que registraban sus edades al morir: alrededor de 100, 60 y 70 años, respectivamente.

Francisco Andigualpa y Diego Cayo personificaban un prestigio simbólico que Toledo capitalizó en función a sus propósitos. Ambos fueron acusados en el proceso contra Carlos Inca y Loarte confiscó todos sus bienes y propiedades. Para entonces, mayo de 1572, un clima de secretismo y miedo imperaba en el Cusco. Uno de los testigos de la residencia de Loarte afirmó que el juicio se "hacía con tanto silencio", que nadie sabía lo que ocurría en la causa[19]. Las personas temían hablar con los Incas libres y con Diego de Escobar, cuñado de Carlos Inca, por miedo a ser enjuiciados[20].

Durante el proceso, y a pesar de su avanzada edad, Andigualpa y Cayo estuvieron presos en la parte alta de la cárcel pública y en los calabozos, aislados unos de otros, en aposentos sin ventanas y en condiciones miserables[21]. Los encarcelaron engrillados, bajo la custodia permanente de indios cañares. No podían recibir visitas de procuradores o familiares[22].

A poco andar, la cárcel pública y los calabozos no dieron abasto, pues los testigos convocados en el juicio que se negaban a inculpar a Carlos Inca y sus compañeros también eran encarcelados. El contingente de presos aumentó aún más tras la llegada de los Incas capturados en Vilcabamba, en su mayoría capitanes y parientes de Titu Cusi. Este grupo fue encarcelado en los palacios de Collcampata, la casa del propio Carlos Inca, que Toledo había confiscado y transformado en una fortaleza (Nowack y Julien, 1999: 24-35). Paralelamente, el virrey y Loarte habilitaron otra prisión en la casa de Juan Pancorbo, un acaudalado vecino de Cusco. Allí estuvieron Bautista Acos y Alonso Quiso Yupanqui, indios principales que Gómez Jiménez mandó a apresar hasta que declarasen en contra

[19] Declaración de Julio Salas, AGI, Justicia 465, f. 2747.
[20] Declaración de Gonzalo de Monzón, AGI, Justicia 465, f. 2815.
[21] Declaración de Antonio Sánchez, escribano público del Cusco, AGI, Justicia 465, f. 2751.
[22] Declaración de Francisco Pariancasa, yanacona de Carlos Inca, AGI, Justicia 465, f. 2844v.

de Carlos Inca. Estuvieron presos cinco meses, sin ropa ni comida. Ambos declararon que Gómez Jiménez mojaba constantemente las habitaciones para hacerlas más inhóspitas, amedrentándolos con golpes y tortura[23]. En estas condiciones estuvieron recluidos Francisco Andigualpa y Diego Cayo. Producto de las malas condiciones de su cautiverio y su vejez, Andigualpa enfermó gravemente. Entendiendo que pronto moriría, las autoridades lo trasladaron a su casa, en donde falleció antes de que la sentencia fuese ejecutada[24]. Diego Cayo, por su parte, siguió encarcelado a la espera del fallo.

Gómez Jiménez utilizó dos estrategias para obtener declaraciones en contra de los inculpados: la primera fue tergiversar sus testimonios y la segunda obligarlos a atribuir las declaraciones a indígenas muertos. Así, cuando los Incas regresaran y preguntaran quién había testificado contra ellos "culparían al muerto y no al testigo"[25]. En vista de las arbitrariedades del proceso, un grupo de Incas se organizó y acudió al jesuita Alonso Barzana, quien escribió una carta dirigida a Loarte en favor de los inculpados. Entre ellos estaba otro exponente de esta generación, Juan de Apanga, de 80 años, que ratificó la *Probanza* de la *Historia* sin adscribir a un aillu específico (Sarmiento, 1942: 193). Loarte, al recibir la carta, se enfureció y amenazó con golpearlos, desincentivando futuros intentos de denuncia[26].

Diego de Escobar solicitó a Loarte que reemplazara a Gómez Jiménez como intérprete, apelando a que interpretaba "contrario a la verdad"[27]. También se querelló Hernando Saen, procurador de Diego Cayo, Alonso Tito Atauche y Agustín Condemayta[28]. Loarte ignoró las solicitudes, argumentando que Gómez Jiménez era "bien hombre y buen cristiano"[29]. En algún momento del proceso, Loarte cedió ante las presiones y nombró a otros dos intérpretes, no para que ocuparan el lugar de Gómez Jiménez, sino para que estuviesen presentes en los

---

[23] Declaración de Bautista Acos, principal de San Cristóbal, AGI, Justicia 465, f. 2828v.

[24] Declaración de Felipe Saire, AGI, Justicia,465, f. 2786v. Declaración de Pedro Quisa, residente en Yucay, AGI, Justicia,465, f. 2803v

[25] Por ejemplo, Pedro Quisa declaró que había llevado una carta a Vilcabamba durante la administración previa, es decir durante el periodo del gobernador Lope García de Castro, mientras estaban activas las negociaciones con los rebeldes por intermedio del corregidor Diego Rodríguez de Figueroa. En la declaración, sin embargo, solo quedó registrado que había llevado cartas a Vilcabamba (AGI, Justicia 465, f. 2802v). Francisco Curicapa, tributario de Belén, declaró que Gómez Jiménez le dijo "que no era mucho que él mintiese, que se acordase de algún indio muerto" y le atribuyera la confesión (AGI, Justicia 465, 2841v).

[26] Pregunta 22 del interrogatorio (AGI, Justicia 465, 2735v).

[27] Declaración de Gonzalo de Monzón, AGI, Justicia 465, f. 2815v.

[28] Declaración de Hernando Saen, AGI, Justicia 465, f. 2764.

[29] Declaración de Pedro de Miranda, clérigo y presbítero, AGI, Justicia 465, f. 2806v.

interrogatorios actuando como garantes. Hernando de Morales, uno de ellos, no tardó en denunciar las arbitrariedades de la traducción. En reprimenda, Loarte trató de golpearlo y suspendió los interrogatorios[30]. Pedro Miguel, el otro intérprete, declaró que durante los interrogatorios calló muchas cosas por miedo, pues Gómez Jiménez lo golpeó y le metió los dedos en los ojos, diciéndole que "él no sabía por dónde iba este negocio"[31].

Finalmente, al cabo de nueve meses, los acusados del juicio de Carlos Inca fueron declarados culpables y condenados al exilio en Nueva España, al igual que los Incas provenientes de las redadas a Vilcabamba. Alrededor de 20 hombres y mujeres, entre ellos Diego Cayo, partieron rumbo a Lima, la primera parada. El grupo estaba constituido en su mayoría por las madres, esposas, hijos o parientes de los acusados. Había un bebé de ocho meses, muchachos entre tres y cinco años de edad y ancianos. Se fueron con lo puesto, viajando por caminos inhóspitos, encadenados y custodiados por indios cañares[32]. Los niños iban desnudos[33]. La mayoría enfermó gravemente en el camino. Cuando llegaron a Lima fueron nuevamente encerrados en la cárcel de la Audiencia.

Diego Cayo murió al llegar a Lima[34]. Fue enterrado en el hospital de naturales junto con otros 17 Incas, entre ellos los niños que enfermaron en el camino y fallecieron en Lima[35]. Los testigos coincidieron en sus declaraciones en que la causa de la enfermedad había sido la diferencia de "temple y constelación" entre la tierra seca y fría del Cusco y la tierra caliente de Lima[36]. En los siglos XVI y XVII, las enfermedades se atribuían con frecuencia a los cambios de temple, es decir, a los efectos que causaba el traslado desde un lugar con determinadas características ecológicas a otro de propiedades contrarias (Morong, 2021: 134-137). Carlos Inca y otros pocos Incas sobrevivieron y, aunque muy enfermos, continuaron las acciones legales en contra de Loarte desde la capital virreinal.

---

30 Declaración de Hernando Saen, AGI, Justicia 465, f. 2763.

31 Pregunta 16 del interrogatorio (AGI, Justicia 465, f. 2734v). Declaración de Antonio Sánchez, AGI Justicia 465, f. 2754v.

32 Declaración de Francisco Paz, AGI, Justicia 465, f. 2795v.

33 Declaración de Juan Pacaritambo, intérprete, AGI, Justicia 465, f. 2791.

34 Declaración de Francisco de Losa, AGI, Justicia 465, f. 2772.

35 Declaración de Esteban de Villasán, hermano del hospital de naturales del Cusco, AGI, Justicia 465, f. 2774.

36 "y que es verdad que la ciudad de Los Reyes es tierra caliente como el artículo dice, y enferma. Y que siempre en ella enferman y mueren los indios que desta ciudad y de toda tierra fría a ella bajan por ser como es deferente temple del de su nacimiento y constelación" declaró Alonso de Carvajal, AGI, Justicia 465, f. 2742v.

La muerte de Francisco Andigualpa y Diego Cayo, el trato inhumano que Gómez Jiménez les infligió, la impunidad con que el juicio se llevó a cabo, el encubrimiento cómplice de Toledo y las humillaciones que experimentaron tanto los Incas presos como los que quedaron en libertad debieron ser un duro golpe para la entereza, autoridad y proyecciones de las elites incaicas. No importó que Andigualpa fuese un gobernador de alto rango durante el Tawantinsuyu, ni que Cayo fuese un alcalde legitimado por la propia administración colonial. En la agenda del virrey no había excepciones.

Domingo Pascac, Francisco Andigualpa y Diego Cayo representaron la facción más longeva de la generación de Incas que certificaron la *Probanza*, pero no todos pertenecieron a su mismo rango etario. La biografía de Juan Tambo Uscamayta, al menos una década más joven que ellos, anticipa en buena parte el derrotero que marcará el destino de la siguiente generación: la presión legal de legitimar sus propiedades en medio del complejo proceso de reasignación de tierras que siguió a la Conquista. Más allá de las esperables disputas entre principales y encomenderos, este proceso también enfrentó a las elites incaicas entre sí.

Juan Tambo Uscamayta, de 60 años, ratificó la *Probanza* por el aillu de Mayta Capac (Sarmiento, 1942: 192) y fue alcalde de la parroquia de Belén, al mismo tiempo que Diego Cayo era alcalde de San Blas[37]. No obstante, en la documentación no destaca tanto por su protagonismo como líder individual, sino más bien por su activa participación en litigios por tierras, encabezando el aillu de Mayta Capac de la parcialidad de Urin Cusco.

Los pleitos transcurren en la década de 1560, antes de la llegada de Toledo, época en la que Tambo Uscamayta estuvo más activo. Su rival en tribunales fue Diego Cayo Topa y el motivo unas chacras cercanas a Guaricanga Guasi. Ambos eran hijos de connotados Incas principales: Tambo Uscamaita de Antonio Quispe Uscamaita, y Diego Cayo Topa de García Cayo Topa, este último conocido en el Cusco colonial por abrazar tempranamente el bautismo y las costumbres españolas (Martín, 2004: 366 y 385). Según Cayo Topa, el gobernador Vaca de Castro había cedido las tierras a su padre, sus principales y su gente hacía más de quince años. Y en efecto, así lo demostraban sucesivas mercedes otorgadas a

[37] Julien (1998: 85) registra a un Juan Uscamaita como alcalde de Belén en 1561. Sabemos que residía en Belén y que fue una autoridad étnica porque los expedientes revisados se refieren a él, en reiteradas ocasiones, como "Juan Tambo Uscamaita y los indios a él sujetos" (Archivo Departamental del Cusco, Corregimiento, Causas Ordinarias, Legajo 27). Este legajo también ha sido estudiado por Segalini (2004: 137-143).

su favor. Si bien Tambo Uscamayta reconocía la cesión, argumentaba que García Cayo Topa las había obtenido siendo su representante en tribunales, tras la muerte de su padre, cuando era un adolescente inexperto en materia legal y no sabía cómo legalizar la herencia. En años posteriores, García Cayo Topa había acudido sistemáticamente a tribunales para reinscribir la propiedad a su nombre, de ahí las mercedes que tenía a su favor. Cuando Tambo Uscamayta denunció la usurpación, los testigos coincidieron con él, argumentando que según la costumbre incaica era imposible que la parcialidad de Hanan Cusco, a la que pertenecía Diego Cayo Topa, tuviese tierras en la de Urin Cusco, a la cual pertenecía Tambo Uscamayta. Las autoridades fallaron a favor de Uscamayta (Sherbondy, 1996: 188-191). Vale la pena mencionar que Juan Tambo Uscamayta, como Francisco Andigualpa, Diego Cayo o Domingo Pascac, no sabía escribir[38]. Ser analfabeto debió ser, claramente, una desventaja ante los tribunales coloniales.

El pleito anterior constituye un ejemplo poco frecuente de cómo las autoridades coloniales respetaron fueros incaicos en determinadas circunstancias (Sherbondy, 1996; Zuidema, 2002). Sin embargo, también evidencia la naturaleza de los conflictos que enfrentaron a las diferentes facciones cusqueñas: la necesidad de que las antiguas jerarquías fuesen legitimadas por el nuevo orden, resguardando sus intereses. Juan Tambo Uscamayta continuó defendiendo las propiedades del aillu de Mayta Capac en los años siguientes. En 1566 nuevamente acudió al tribunal para vetar el ingreso de tres indígenas a las tierras de Chanca Cocha y Gualcanga -o ¿Guaricanga? - Guasi. Declaró que, si bien en un principio los había "recogido" para que sembraran allí, al cabo de un tiempo los indígenas abandonaron su tarea y se fueron a "los pueblos del capitán Martín Dolmos"[39]. Ya no era un adolescente inexperto en materia legal y sabía perfectamente que sin el reconocimiento del sistema jurídico español sus pretensiones de propiedad sobre tierras heredadas no tenían valor alguno.

En la misma época en que Juan Tambo Uscamayta defendía las demandas territoriales del aillu de Mayta Capac, el cuestionamiento al sistema de encomiendas constituía uno de los temas más gravitantes de la contingencia política virreinal (Morong, 2021: 138-139). El debate entre juristas ensayaba posibilidades que iban desde la abolición total a la defensa irrestricta de la encomienda. Un clima agitado se vivía en el Cusco, donde las protestas contra la perpetuidad no fueron

[38] Juan Tambo Uscamayta (ADC, Corregimiento, Causas Ordinarias, Legajo 27, f. 14v), Francisco Andigualpa (Merluzzi, 2008: 121), Diego Cayo (Levillier, 1949: 173), Domingo Pascac (Urton, 2004:156).

[39] ADC, Corregimiento, Causas Ordinarias, Legajo 27, f. 34-35.

extrañas. Conocemos la opinión de Juan Tambo Uscamayta sobre la materia a propósito de un juicio contra un intérprete llamado Antón Ruiz, acusado de intentar persuadir a los indígenas sobre los nocivos efectos que para ellos tendría la perpetuidad. La proyección de Ruiz auguraba un oscuro futuro para los Incas, a quienes, en su perspectiva, les arrebatarían los montes, abrevaderos, ganados y haciendas. La reacción de Juan Tambo Uscamayta demuestra la cautela y desconfianza hacia el régimen virreinal que poco a poco iba ganando terreno entre las elites cusqueñas: si bien los Incas como él eran libres y, en consecuencia, la perpetuidad de la encomienda no era un asunto que les incumbiese, él y otros habían enviado a Lima un representante legal para contradecirla[40]. En la próxima década las palabras de Antón Ruiz cobrarían más sentido que nunca.

Entre dos mundos: Alonso Tito Atauche

Alonso Tito Atauche, de 40 años, fue el único representante del aillu de Huáscar en la *Probanza* (Sarmiento, 1942: 193). Era nieto de Huayna Capac e hijo de Tito Atauche, uno de los hermanos de Huáscar que peleó a su favor en la guerra contra Atahualpa. Si bien es el exponente más emblemático de la generación joven de la *Probanza*, su prestigio social, sus vínculos con otros aillus y su pasado lo anclan también a la generación anterior.

Siendo muy joven definió de qué lado estaría en el complejo escenario cusqueño, defendiendo los intereses de la Corona y colaborando con su propio ejército en la persecución y captura de Francisco Hernández Girón, enemigo de la implementación de las Leyes Nuevas en el Perú. Se casó con Constanza de Castilla, hija del conquistador y encomendero español Baltazar de Castilla. Cuando Toledo llegó al Cusco, Alonso Tito Atauche y Carlos Inca, vecinos en la parroquia de San Cristóbal, eran los miembros más acaudalados de la nueva generación de Incas que habían consolidado su posición social negociando sus privilegios con los españoles.

El reconocimiento que las autoridades coloniales habían otorgado a Alonso Tito Atauche no era solo nominal, sino también legal. Las prerrogativas se materializaron en la promulgación de tres reales cédulas, que garantizaban privilegios legales tanto para él como para su descendencia (Decoster, 2002: 202-207).

[40] El fiscal de Su Majestad con Antón Ruiz, mestizo, sobre la contradicción de la perpetuidad y lo que dio a entender a los indios. AGI, Justicia 434, N.2, R.1, f. 13v- 14v. Este juicio también ha sido citado por Abercrombie (2002: 69), De la Puente (2016: 28) y Glave (2016: 91).

La primera cédula reconocía las numerosas propiedades que Alonso Tito Atauche decía tener en el Cusco y sus alrededores, incluyendo chacras, solares, casas, pastos, punas y salinas, con una buena cantidad de vacas y ovejas, además de aproximadamente 60 yanaconas de servicio. La cédula también señalaba que el goce perpetuo de dichas propiedades lo heredarían sus hijos y descendientes[41].

La segunda cédula legitimaba los derechos de los muchos hijos e hijas que Alonso Tito Atauche tenía fuera de su matrimonio con indias solteras, con el objetivo de que accedieran a beneficios vedados para hijos naturales, según dos ordenamientos citados en la cédula[42]. La cédula señalaba, por ejemplo, que en caso de cometer algún delito o poseer deudas impagas, los hijos naturales de Alonso Tito Atauche no cumplieran la condena en la cárcel pública, reemplazando el presidio por la cárcel del cabildo, destinada -en teoría- a estadías temporales o arrestos menores. La cédula también prohibía enjuiciarlos sin dar parte a la Real Audiencia, los habilitaba para ejercer cargos públicos, concejiles o reales, y les permitía exhibir las armas reales en las puertas de sus casas en señal de sus privilegios. La cédula, no obstante, no especificaba los nombres de los hijos o hijas en cuestión, omisión que generaría en los próximos dos siglos múltiples peticiones de quienes decían ser sus descendientes en diferentes tribunales virreinales (Quispe-Agnoli, 2016; Castro, 2019).

La tercera y última cédula designaba a Alonso Tito Atauche y a sus descendientes como Alcalde de los Cuatro Suyos. En la cédula, el nombramiento está planteado como un reconocimiento por la captura de Hernández Girón, aunque en la práctica el documento establece una serie de responsabilidades para el cargo, entre las cuales figuran velar por la pacificación del Perú y el cobro de

41 Provisión real de merced y amparo de tierras hechas a don Alonso Tito Atauchi, Bruselas, 20/10/1555. Reproducida en 1649 en los "Autos pertenecientes al Hermano Nicolas de Castilla Tito Atauchi, bisnieto del Inga y legitimación de su persona para la herencia que hizo a Nuestro Convento de Nuestro Padre San Agustín del Cusco, donde profesó de religioso converso de nuestra orden. Murió el año de 1644". Transcrita por Decoster (2002: 206-207).

42 Real Cédula de privilegios de don Alonso Tito Atauchi, 1544. Reproducida en 1800 en el "Expediente sobre las pretensiones de Doña Maria Joaquina Inca vecina de México y descendiente que dice ser de los Emperadores del Perú con su hermano D. Manuel Uchú Inca Titu Yupanqui". Transcrita por Decoster (2002: 204- 206). Los ordenamientos citados en la cédula, Cortes de Soria (1380) y las Cortes de Briviesca (1387), no se refieren específicamente a los hijos o hijas nacidas fuera del matrimonio, sino más bien a los que engendraban los clérigos en barraganas, es decir, en mujeres solteras (Figueras Vallés, 2003: 73). Respecto al supuesto año de origen de la cédula, 1544, tenemos dudas y tal vez se trate de un error: si Alonso Tito Atauchi declara tener 40 años en la probanza de la *Historia*, significa que nació alrededor de 1532 y que para 1544 tenía 12 años. Es poco probable que a esa edad alguien engendre muchos hijos e hijas, como declara la cédula.

tributos[43]. No tenemos antecedentes sobre la gestión de Alonso Tito Atauche como Alcalde de los Cuatro Suyos, pero sí sabemos que el Alcalde de los Cuatro Suyos era una figura pública y reconocida entre sus pares (Amado, 2017: 153-159). En los años posteriores otros Incas ejercieron el cargo, enfocándose en fiscalizar el pago de las tasas y empadronar a los tributarios. Sus declaraciones dejan en evidencia que se trataba de un cargo remunerado, aunque las autoridades coloniales no siempre respetaron este mandato.

Al comienzo de la administración toledana, Alonso Tito Atauche continuó colaborando con las autoridades españolas. Así lo confirma su intervención en las *Informaciones*, a pesar de los años que lo separaban del resto de los declarantes, y su participación en la certificación de los paños y la ratificación de la *Probanza* de la *Historia*. En las *Informaciones*, Alonso Tito Atauche declaró junto con Diego Cayo y, como él, también confirmó haber visto los quipus y tablas en que estaban registradas las edades de los últimos incas. Sin embargo, en los meses que siguieron a la *Probanza*, Toledo cambió las reglas que habían normado el trato entre Alonso Tito Atauche y los virreyes previos. En un giro radical, Toledo lo acusó de traición junto con Francisco Andigualpa y Diego Cayo, con quienes compartió la prisión y el exilio.

Desencuentros cotidianos anticipaban el nuevo rumbo que tomaría la relación entre la administración virreinal y Alonso Tito Atauche. En una ocasión, Gómez Jiménez lo había ofendido públicamente, en medio de una escandalosa borrachera. Alonso Tito Atauche ordenó que lo amarraran y lo llevasen a los calabozos del Cabildo. No se trató de un incidente aislado, pues ya varias veces el traductor había amenazado a los Incas, diciéndoles que tarde o temprano habrían de pagar por sus actos[44]. Y así sucedió. Mientras Alonso Tito Atauche y Diego Cayo estuvieron presos, Gómez Jiménez los humilló constantemente, enrostrándoles su desgracia, provocándolos y disuadiendo con ironías cualquier intento de denunciar la arbitrariedad de sus traducciones: si querían acusarlo de borracho, no hacía falta, pues ya todos lo sabían, les dijo en una oportunidad[45].

Alonso Tito Atauche fue uno de los Incas que sobrevivió a las adversidades del camino, aunque su salud quedó muy deteriorada. Y su estabilidad financiera

[43] Real cédula de alcalde mayor de los cuatros suyus otorgada a don Alonso Tito Atauche, Bruselas, 20/10/1555. Reproducida en ¿1756? en el "Primer cuaderno de merced y amparo de posesión concedido por el Rey Carlos V, a don Felipe Tupayupanqui, don Alonso Tito Atauchi y doña Juana Marca Chimbo Coya". Transcrita por Decoster (2002: 202- 203).

[44] Declaración de Felipe Saire, AGI, Justicia 465, f. 2785v.

[45] Declaración de Francisco Paz, AGI, Justicia 465, f.2793.

también. Para evitar la confiscación de su patrimonio traspasó a su esposa la propiedad de sus bienes mediante una carta de dote (Decoster, 2002: 186). A pesar de ello, el juez Loarte embargó una parte importante de los bienes, dejando a su familia en la calle y sin dinero para solventar los gastos del juicio. En general, las mujeres de los Incas enjuiciados vendieron sus vestidos, ajuares de casa y joyas a muy bajo precio, para sustentarse y apoyar a sus maridos[46].

Mientras Alonso Tito Atauche y Carlos Inca estuvieron en prisión, Diego de Escobar, cuñado de este último, tomó las riendas de la batalla legal para probar su inocencia, viajando constantemente desde el Cusco a los tribunales de Charcas y Lima para recopilar los antecedentes de la causa[47]. No obstante, el juez Loarte boicoteó una y otra vez sus intentos. En una ocasión, De Escobar logró obtener una confesión de Gómez Jiménez y la guardó en casa de su hermana María de Esquivel, pero Loarte irrumpió en ella y los confiscó[48]. En otra, cuando apeló formalmente a la sentencia y denunció la arbitrariedad del proceso ante la Audiencia de Lima, De Escobar y los Incas juzgados solicitaron a Loarte el expediente, pero este se los negó[49]. Loarte también retuvo los originales de la probanza que otorgaba a Alonso Tito Atauche el título de "regimiento perpetuo del Cusco", denominación que, al parecer, recibe la cédula que lo nombraba Alcalde de los Cuatro Suyus en el expediente[50]. El juez Loarte ideó múltiples maneras para obstruir el desarrollo del juicio.

Los testigos declararon que vieron a Alonso Tito Atauche y los demás Incas enjuiciados "andar peregrinando con sus destierros y prisiones" casi cuatro años[51], entre los meses de prisión en Cusco, el camino al destierro, la cautividad en Lima y la posterior estancia en el hospital en la misma ciudad[52]. Como Alonso Tito Atauche y sus consortes, en el transcurso de todo ese tiempo, los Incas del Cusco también estaban librando su propia batalla legal, pero en otro frente: el del pago de tributos.

---

[46] Declaración de Hernando de Morales, AGI, Justicia 465, f.2778.

[47] Álvaro Muñoz declaró que había visto a Diego de Escobar salir a Lima, Charcas y otros lugares seis o siete veces. AGI, Justicia 465, f. 2836.

[48] Declaración de Hernando Bachicao, AGI, Justicia 465, f. 2783.

[49] Declaración de Antonio Sánchez, escribano del proceso, AGI, Justicia 465, f. 2757

[50] Conservar una prueba de hidalguía era responsabilidad de los propios demandantes (Garrett, 2003: 11). Juan Núñez, escribiente en el oficio de Antonio Sánchez, declaró que durante la causa fueron presentados "muchos recaudos" favorables y probanzas enviadas por Felipe II y Carlos V. AGI, Justicia 465, f. 2770v.

[51] Declaración de Rui López de Torres, AGI, Justicia 465, f. 2797v.

[52] Declaraciones de Hernando de Morales (AGI, Justicia 465, f. 2778), Hernando Bachicao (AGI, Justicia 465, f. 2781v.), Martín Palacios (AGI, Justicia 465, f. 2812) y Gonzalo de Monzón (AGI, Justicia 465, f. 2817v.).

La generación más nueva: liderazgos transversales y cooperación

A diferencia de la generación más antigua de Incas que ratificaron la *Probanza*, la más joven se centró en defender sus intereses en el adverso escenario trazado por Toledo, con el objetivo de eximirse del servicio personal y los tributos impuestos por las autoridades coloniales, y diferenciarse de las nuevas elites indígenas que poco a poco ganaban terreno en el renovado escenario político cusqueño. Sus estrategias fueron cambiando a lo largo del tiempo: las demandas individuales de determinados miembros de la elite cusqueña dieron paso a demandas colectivas, algunas veces cohesionadas en torno a una memoria familiar y, posteriormente, congregando a miembros de diferentes parroquias.

Andrés Topa Yupanqui, García Pilco Topa -ambos de 40 años- y Cristóbal Pisac Topa, de 50, ya habían comprendido la necesidad de certificar su estatus nobiliario ante los tribunales virreinales un par de años antes de ratificar la *Probanza* por el aillu de Topa Inca (Sarmiento, 1942: 193). En 1569, los tres lideraron un grupo de 22 Incas que aseguraban ser nietos de Topa Inca o de sus hermanos Amaro Topa Inca y Topa Yupanqui, y concurrieron ante el teniente corregidor del Cusco -Juan de Ayllón- con el objetivo de acreditar su condición de nobles ante diez testigos. Aunque las razones que movieron a Topa Yupanqui, Pilco Topa y Pisac Topa a acudir ante las autoridades y certificar su ascendencia no están del todo claras, su demanda parece anticiparse a los acontecimientos que se desencadenaron a partir de 1572. En el documento aseguraron encontrarse pobres y abatidos, padeciendo de mucho trabajo y siendo tratados como indios comunes. Se sentían herederos del estatus de privilegio de su abuelo Topa Inca, señor del reino del Perú, y para demostrarlo enumeraron en detalle las provincias conquistadas por él y sus hermanos (Rowe, 1985). Se trató de una nostálgica demanda, que apelaba a ese pasado que la generación anterior atesoraba en sus recuerdos, pero que ellos no habían protagonizado. Los tres también ratificaron la probanza de los paños meses antes que la de la *Historia* (Jiménez de la Espada, 1882: 249). Lo hicieron junto a Juan Cusco, de 40 años, que certificó los paños por el aillu de Pachacuti (Jiménez de la Espada, 1882: 247), pero que en la *Probanza* de la *Historia* adscribió al aillu de Topa Inca (Sarmiento, 1942: 193).

Al poco tiempo de que Toledo decretara que a partir de agosto de 1572 todos los Incas debían pagar tributo comenzó el registro para determinar el número exacto de tributarios en las parroquias del Cusco. Los de San Cristóbal fueron empadronados por el comendador Martín García de Loyola y entre ellos estaba Diego Viracocha Inca, que ratificó la *Probanza* en la categoría de otros aillus con

34 años (Sarmiento, 1942: 193). Meses antes, como Juan Cusco, había ratificado la probanza de los paños adscribiendo a otro aillu: el de Huayna Capac (Jiménez de la Espada, 1882: 249).

Diego Viracocha era hijo natural de Paulo Inca y esposo de Beatriz Paico. Los descendientes de Paulo Inca, como los de Alonso Tito Atauche, estaban eximidos del pago de tributos en virtud de una merced otorgada por Carlos V en 1544, por lo cual se organizaron y solicitaron a la Real Audiencia hacer valer sus derechos. Y tuvieron éxito: la Real Audiencia revocó la medida en junio de 1576 (Amado, 2017: 100). La fecha de inicio de la demanda – diciembre de 1573 (Ottazzi, 2014: 55)- coincide con la estancia en Lima de Carlos Inca, hermano o medio hermano de Diego Viracocha, y Alonso Tito Atauche, cuyas peticiones ante la Audiencia fueron constantemente obstruidas por Loarte. Se trata de dos demandas paralelas, aunque con matices distintos, que arribaron a destinos completamente opuestos. En otras palabras: no existía una política virreinal o un marco jurídico que regulara las peticiones de la nobleza incaica.

Los descendientes de Viracocha también se movilizaron en contra de las presiones toledanas. Entre ellos figuran Francisco Chalco Yupanqui, de 40 años, que ratificó la *Probanza* precisamente por el aillu de Viracocha, y Alonso Puscón, de 40 años que, si bien la certificó por el aillu de Sinchi Roca, más tarde aparece vinculado al de Viracocha (Sarmiento, 1942: 191-192). Como los descendientes de Paulo Inca o Alonso Tito Atauche, Puscón y Chalco Yupanqui también estaban exentos de pagar tributo en virtud de dos cédulas expedidas por Carlos V a favor de los descendientes de Viracocha en 1544 y 1545. Dichas cédulas solo fueron dadas a conocer en 1575, a propósito del conflicto que ambos tuvieron con el encomendero Martín Dolmos por el pago de tributos. Después de una estancia en prisión, Puscón y Chalco Yupanqui lograron revocar la sentencia gracias a las cédulas cuya veracidad, según la crítica actual, es dudosa (Ottazzi, 2014: 36-58).

Puscón y Chalco Yupanqui habían sido caciques de los pueblos prehispánicos de Bimbilla y Callachaca antes del reasentamiento en parroquias. Posteriormente fueron trasladados a San Sebastián (Segalini, 2009: 109 y 121). En las décadas que siguieron a 1570, su rol como líderes étnicos en el proceso de reconfiguración social de las elites cusqueñas sería fundamental. Más allá de su filiación a un antepasado común o a un determinado aillu real, la nobleza cusqueña entendió que ahora se enfrentaba a problemas y amenazas comunes y que era imprescindible actuar corporativamente (Ottazzi, 2014). Puscón y Chalco Yupanqui sistemáticamente se aliaron a otros principales, articulando los intereses de los Incas de distintas parroquias y operando por medio de representantes, a quienes concedieron poderes para que velasen por sus demandas, al tiempo que litigaban contra otros curacas por tierras y deslindes.

En 1582, cuando Francisco de Toledo ya había regresado a España el año anterior y había muerto pocos meses después, Puscón y Chalco Yupanqui encabezaron una solicitud al virrey Martín de Enríquez para nombrar como representante a Cristóbal de Molina, cura del hospital de naturales y autor de la *Relación y fábulas de los Incas*. El objetivo era que los representara ante la Real Audiencia o quien correspondiera para ser reservados del servicio personal y el pago de tributos, por su condición de gente principal y descendientes de los Incas, que habían sido señores del reino. El poder estaba suscrito por los "incas caciques principales de las ocho parroquias de esta gran ciudad del Cusco" (Amado, 2017: 65-66).

Puscón y Chalco Yupanqui no solo fueron reconocidos como líderes por sus pares, sino también por elites étnicas no incaicas. Una muy influyente en el Cusco colonial fue la conformada por los principales de los cuatro suyos, autoridades étnicas que pagaban tributo y veían con preocupación las solicitudes de exención elevadas por las elites incaicas, puesto que sus tasas aumentaban en la medida en que estos recibían más privilegios. En su perspectiva, entre los solicitantes había muchos que pretendían ser descendientes de Incas y que, en realidad, no lo eran. Por ello, en 1584 se acercaron a las autoridades cusqueñas e hicieron un listado de los legítimos descendientes de los antiguos señores del Cusco. Al menos 16 Incas que habían ratificado la *Historia* 12 años antes estaban en el listado[53]. Puscón y Chalco Yupanqui estaban entre ellos, identificados como "principales de mucha calidad" (De la Puente, 2016: 59 y 61).

Puscón y Chalco Yupanqui fortalecieron su liderazgo étnico en 1595, cuando formaron parte del Cabildo de los Veinticuatro Electores, institución de origen

[53] El listado al que nos referimos está conformado por dos documentos publicados por José De la Puente (2016): El primero es el *Testimonio de la excepción de los Incas* o *Memoria hecha por los pecheros de los cuatro suyos* y el segundo la *Declaración de Don García Tuiro Gualpa y otros señores ante Damián de la Bandera*. Además de Alonso Puscon y Francisco Chalco Yupanqui, en el *Testimonio* también figuran: Alonso Tito Atauche, Andrés Topa Yupanqui, Cristóbal Pisac Topa, Juan Quispi Cusi, Francisco Cota Yupanqui, Francisco Chauca Rimache, Juan Yupanqui, Cristóbal Pisac Topa, Francisco Chauca Rimache, Juan Cusco, Francisco Quicgua y Martín Rimache. La residencia de estos 4 últimos Incas se consigna en Santa Ana. Francisco Saire y Francisco Ninancoro son consignados como "muertos" (De la Puente, 2016: 48-57).

El segundo documento, la *Declaración*, menciona a Juan Tambo Uscamayta y Francisco Cocamaita (De la Puente, 2016: 57-63).

peninsular que constituyó una importante instancia de representación para las elites incaicas a fines del siglo XVI. Los veinticuatro electores eran responsables de la elección anual del alférez real, un cargo de alto prestigio simbólico cuya función consistía en pasear por el Cusco el estandarte del rey durante la celebración de la fiesta de San Santiago. El alférez real portaba en tan solemne evento la mascaypacha, el máximo símbolo de poder de los gobernantes incaicos prehispánicos. Mediante esta performance los incas recordaban al resto de la población que no solo habían sido señores en el pasado, sino que también lo eran, de un modo diferente, en el presente. Como electores en 1595 también participaron Juan Quispe Cusi, de 45 años, que años atrás habían ratificado la *Probanza* por el aillu de Pachacuti (Sarmiento, 1942: 192) y el ya mencionado Juan Cusco (Amado, 2017: 113).

Puscón y Chalco Yupanqui volvieron a ser electores al menos en dos ocasiones más, en 1598 y 1600. En 1598 debieron ratificar la votación desde la cárcel, en donde se encontraban presos por denunciar a los corregidores Antonio Osorio y Jerónimo Costilla por obligarlos a prestar servicio personal (Amado, 2017: 118 y 120). Para entonces, Alonso Puscón tenía 68 años y Francisco Chalco Yupanqui 73. Habían pasado casi 30 años desde la *Probanza* y dentro de los veinticuatro electores eran los únicos que habían participado en ella. En la *Historia*, Toledo y Loarte eran un recuerdo, un capítulo de un pasado cada vez más lejano.

Al poco tiempo, en 1601, Puscón y Chalco Yupanqui suscribieron un memorial dirigido a la Corona junto con otros 9 incas descendientes de diversos gobernantes del Tawantinsuyu (Amado, 2017: 123). En el memorial, en donde se identifican como nietos de Viracocha Inca, solicitaban que más padres de la Compañía de Jesús fuesen enviados a predicar al Perú, pío deseo que acompañaban con una serie de otras peticiones “por la obligación que todos los incas y señores tenemos del bien y aumento de nuestros súbditos”[54]. Una de ellas era que el Rey se informara por medio del jesuita Diego de Torres sobre los agravios que los indígenas sufrían en las minas de Potosí, Vilcabamba y Castrovirreyna, en desmedro de sus haciendas y mujeres. Esta vez, a diferencia de las peticiones anteriores, los Incas no solo actuaron corporativamente, sino que también incorporaron demandas de carácter ecuménico, que velaban por el bienestar del resto de los indígenas, a quienes consideraban sus súbditos.

El último rastro documental que tenemos de Puscón y Chalco Yupanqui es

[54] AGI, Patronato 191, R21, f. 1.

2 años más tarde, en 1603, cuando sus expectativas cruzaron el Atlántico y otorgaron un poder a cuatro apoderados mestizos para que los representaran ante el Consejo de Indias: Melchor Carlos Inca, hijo de Carlos Inca; el Inca Garcilaso de la Vega; Alonso Fernández de Mesa y Alonso Márquez de Figueroa. Junto con otros doce incas, Puscón y Chalco Yupanqui solicitaban, una vez más, eximirse del pago de tributos y del servicio personal, denunciando que día a día eran apremiados para cumplir con ambas obligaciones. Ambos vivían, según sus propias palabras, pobres y necesitados y pedían algún tipo de merced que les permitiese sustentarse a ellos, sus mujeres y sus descendientes (Santiesteban, 1948: 248). Según el Inca Garcilaso de la Vega, él envió los papeles a la Corte, pero Melchor Inca nunca los presentó al Consejo por temor a que las autoridades peninsulares le quitaran las mercedes otorgadas al enterarse de que había muchos otros que, como él, tenían sangre real (Garcilaso, 2008, II: 1216). Don Melchor murió en 1610 en Alcalá de Henares, sin nunca haber retornado al Cusco (De la Puente, 2018: 2). Con él, también murieron las pretensiones de mercedes de Puscón y Chalco Yupanqui.

No todo fue cooperación entre los aillus cusqueños. Los mismos Puscón y Chalco Yupanqui mantuvieron sucesivos pleitos con sus vecinos de la parroquia de San Jerónimo, para determinar quiénes eran responsables de la producción y mantención de ciertos predios ubicados en el deslinde entre dicha parroquia y la de San Sebastián[55].

Los conflictos por tierras también convivieron con rivalidades que los aillus heredaron del pasado. El caso de Francisco Ninancoro, que certificó la *Probanza* por el aillu de Huayna Capac (Sarmiento, 1942: 193), ilustra muy bien cómo rencillas familiares afectaron la convivencia de los Incas coloniales. Ninancoro fue el Inca más joven que ratificó la *Probanza*, con 24 años, es decir, había nacido en plena rebelión de los encomenderos, alrededor de 1548. Era nieto de Atahualpa, considerado un traidor por los Incas cusqueños, que lo veían como un colaborador de Francisco Pizarro en Cajamarca. Su padre, del mismo nombre, había llegado al Cusco de la mano de Diego de Almagro en 1534, un conquistador. De ascendencia quiteña y un pasado marcado por el estigma de la deslealtad, Francisco Ninancoro padre se crio bajo el amparo del obispo de Charcas Domingo de Santo Tomás, alejado de la simpatía de sus parientes. En al menos dos oportunidades -1554 y 1557-, acudió a los tribunales para eximirse del pago de tribu-

[55] Archivo Departamental del Cusco. Protocolos Notariales N°17, Notario Antonio de Salas. 1571-1600. (Año 1584)

tos, entre otras prerrogativas (Ottazzi, 2008: 42- 44). Según el Inca Garcilaso de la Vega, Francisco Ninancoro padre era sobrino de su madre, Isabel Chimpu Ocllo. Garcilaso relata que cuando este murió, un Inca cusqueño se acercó a su madre a darle no el pésame sino el pláceme. Como otros cusqueños, se regocijaba de la muerte de Francisco Ninancoro. Entre otros insultos, el cusqueño le dijo al Inca Garcilaso que Atahualpa no debía ser hijo de Huayna Capac, sino de cualquier indio de Quito, poniendo en duda su legitimidad y la de sus descendientes. De lo contrario, afirmó, no habría sido capaz de destruir el imperio y apagar la sangre y descendencia de los Incas (Garcilaso, 1976, II: 280-281). Al parecer, Francisco Ninancoro hijo, a pesar de la hostilidad de sus parientes cusqueños, siguió viviendo en la ciudad imperial. Tenemos constancia de que, en 1584, ya estaba muerto[56].

De la generación más joven de la *Probanza*, al menos Alonso Tito Atauche y Alonso Puscón sabían firmar[57]. Suponemos que varios debieron estar familiarizados con la cultura escrita y ser bilingües. Por ello, fueron más receptivos a los proyectos editoriales que proliferaron en el virreinato, más allá del de Sarmiento. Por ejemplo, la *Historia del origen y genealogía Real de los Reyes del Perú*, escrita por Martín de Murúa en 1590, consigna como uno de sus 5 informantes a Juan Quispi Cusi "cacique principal de la parroquia del señor Sant Blas"[58]. Quispi Cusi ratificó la *Probanza* siendo cabeza del linaje de Pachacuti con 45 años (Sarmiento, 1942: 192).

***

A lo largo del presente capítulo nos hemos adentrado en las biografías de algunos de los Incas que certificaron la *Probanza* de la *Historia*, insertándolas en una narrativa histórica que abarca, aproximadamente, desde la década de 1540 hasta la de 1600. Nuestro eje ha sido 1572, el año en que la ratificación se llevó a cabo.

La *Probanza* congregó a 2 generaciones de Incas unidas por un pasado común y por distintos grados de parentesco. En la nueva generación destacaron impor-

---

56 El *Testimonio* señala que "los hijos de Ylaquita y Ninancoro son Don Francisco Ylaquita, Don Sebastián Ylaquita y Francisco Ninancoro, muerto" (De la Puente, 2016: 52).

57 Alonso Tito Atauche (Levillier, 1940: 173; Jiménez de la Espada, 1882: 252) y Alonso Puscón (Santisteban, 1948: 249).

58 La referencia a Juan Quispi Cusi como uno de los informantes de la *Historia del origen* de Murúa aparece en el folio 1v del manuscrito, sobre el cual fue adherido otro folio posteriormente. La identificación del texto, efectuada por Thomas B. F. Cummins y Juan Ossio, fue posible gracias a la utilización de luz de fibra óptica y la mejora digital de la reproducción (Cummins, 2014: 59).

tantes autoridades de la escena cusqueña colonial. Los más emblemáticos fueron Diego Viracocha, Alonso Tito Atauche -alcalde de los cuatro suyus-, Francisco Chalco Yupanqui y Alonso Puscón, los dos últimos miembros del cabildo de los veinticuatro electores. Siempre en un contexto colonial, estos cargos revistieron de prestigio a Incas que, en estricto rigor, solo habían heredado el recuerdo de un Imperio desaparecido. No se trataba de gobernadores de la provincia del Condesuyo, como Francisco Andigualpa. Salvo Alonso Tito Atauche, la nueva generación no experimentó el trauma del exilio ni la nostalgia del recuerdo.

Apelando a un estatus nobiliario extraviado entre fines del Tawantinsuyu y comienzos de la conquista hispana, las autoridades étnicas de la nueva generación legitimaron su posición liderando peticiones para eximirse del servicio personal y del pago de tributo. Con el paso del tiempo, estos líderes comprendieron la necesidad de actuar colectivamente. Las viejas rivalidades entre aillus, como las que quedaron en evidencia en el funeral de Francisco Ninancoro padre, fueron relegadas a un segundo plano, despejando el camino para el desarrollo de estrategias de representación más colaborativas. En sus demandas, los líderes incaicos de fines del siglo XVI no solo representaron a sus propios aillus reales, como el de Topa Inca o Viracocha en la década de 1560 o 1570, sino también al resto de los aillus reales que residían en las distintas parroquias, convirtiéndose en agentes corporativos. En ocasiones, elevaron solicitudes por el bien de todos los indígenas, sus "súbditos", ampliando aún más su identificación con grupos no necesariamente nobiliarios. Esta postura marca una diferencia radical con la generación más antigua, que se autopercibía como un estamento con fueros especiales: la perpetuidad no compete a los Incas, decía Juan Tambo Uscamayta. Los Incas son indios sin dueño, diría casi una década más tarde el virrey Francisco de Toledo.

Fuentes primarias

Archivo Departamental del Cusco. Protocolos Notariales N°17, Notario Antonio de Salas. 1571-1600.

Archivo Departamental del Cusco. Corregimiento. Causas Ordinarias. Legajo 27, 1693-1699. Cuaderno 12. Expediente sobre tierras en la parroquia del Hospital.

Archivo General de Indias. JUSTICIA, 434, N.2, R.1. El fiscal de Su Majestad con Anton Ruiz Mestizo. La contradicción de la perpetuidad y lo que dio a entender a los indios.

Archivo General de Indias. JUSTICIA, 465. Residencia del doctor Loarte por su cargo

de corregidor del Cusco (continuación).
Archivo General de Indias, PATRONATO, 191, R21, f. 1.

Referencias citadas

Abercrombie, T. 2002. "La perpetuidad traducida: del "debate" al Taki Onqoy y una rebelión comunera peruana". En: Decoster, J. (ed.) *Incas e indios cristianos. Elites indígenas e identidades cristianas en los Andes coloniales*. Cusco: Institut français d'études andines, Centro de Estudios Regionales Andinos Bartolomé de Las Casas, pp. 55-84.

Alfaro, C. y Beltrán-Caballero, J. 2018. La imagen del Cusco Inka en la historia: apuntes sobre arquitectura y arqueología para su reinterpretación. *Transatlantic Studies Network,* num 5: 169-177.

Amado, D. 2009. "La formación de parroquias y la nobleza incaica en la ciudad del Cuzco". En: Degregori, L. (ed.) *El ombligo se pone piercing. Identidad, patrimonio y cambios en el Cuzco*. Cusco: Centro Guaman Poma de Ayala, pp. 13- 48.

Amado, D. 2017. *El estandarte real y la mascapaycha. Historia de una institución inca colonial*. Lima: Pontificia Universidad Católica del Perú.

Betanzos, J. 2015 [1551]. *Suma y narración de los incas*. Francisco Hernández Astete y Rodolfo Cerrón Palomino (eds.). Lima: Fondo Editorial Pontificia Universidad Católica del Perú.

Castro, N. 2019. Estrategias familiares, práctica jurídica y comunidad de memoria. Los descendientes de Tito Alonso Atauchi y Viracocha Inca en Charcas, Siglos XVI-XVIII. *Revista Estudios Atacameños,* num. 61: 177- 198.

Cook, N. (ed.). 1975. *Tasa de la Visita General de Francisco de Toledo*. Lima: Universidad Nacional Mayor de San Marcos.

Cummins, T. 2014. "Dibujado de mi mano. Martín de Murúa as Artist". En: Cummins, T.; Engel, E.; Anderson, B. y Ossio, J. (eds.), *Manuscript cultures of colonial Mexico and Peru. New questions and approaches*. Los Angeles: Getty Research Institute, pp. 35-64.

De la Puente, J. 2016. Incas pecheros y caballeros hidalgos: la desintegración del orden incaico y la génesis de la nobleza incaica colonial en el Cuzco del siglo XVI. *Revista Andina,* num. 54: 9- 63.

De la Puente, J. 2018. *Andean cosmopolitan. Seeking Justice and Reward at the Spanish Royal Court*. Austin: University of Texas Press.

Decoster, J. 2002. "La sangre que mancha: la Iglesia colonial temprana frente a indios, mestizos e ilegítimos". En: Decoster, J. (ed.) *Incas e indios cristianos. Elites indígenas e identidades cristianas en los Andes coloniales*. Cusco: Institut français d'études andines, Centro de Estudios Regionales Andinos Bartolomé de Las Casas, pp. 180-210.

Figueras Vallés, E. 2003. *Pervirtiendo el orden del santo matrimonio: bígamas en México, siglos XVI-XVII*. España: Publicacions Universitat de Barcelona.

Garcilaso de la Vega, Inca. 1976 [1609]. *Comentarios reales.* Prólogo, edición y cronología de Aurelio Miro Quesada. Venezuela: Biblioteca Ayacucho.

Garcilaso de la Vega, Inca. 2008 [1617]. *Segunda parte de los comentarios reales.* Tomo II. Prólogo de Ricardo González Vigil. Lima: Universidad Inca Garcilaso de la Vega.

Garrett T., D. 2003. Los incas borbónicos: la elite indígena cuzqueña en vísperas de Tupac Amaru. *Revista Andina,* num. 36: 9-51.

Glave, L. 2016. Hacia una prosopografía de la nobleza andina colonial. Comentario a De la Puente, J. "Incas pecheros y caballeros hidalgos: la desintegración del orden incaico y la génesis de la nobleza incaica colonial en el Cuzco del siglo XVI". *Revista Andina,* num. 54: 84-91.

Glave, L. 2020. El testimonio de García Inquiltopa y las "pruebas" del virrey Toledo contra los incas del Cuzco. *Mundus Alter. Fuentes para la Historia Colonial Andina,* num. 27.

González, S. y Zuleta, J. 2019. Narración y argumentación en la *Historia índica* (1572) de Pedro Sarmiento de Gamboa. *Revista Estudios Atacameños,* num. 61: 27-47.

Jiménez de la Espada, M (ed.). 1882. "Fe y testimonio que va puesta en los cuatro paños, de la verificación que se hizo con los indios, de la pintura e historia dellos". En: *Colección de libros españoles raros o curiosos. Tomo XVI.* Madrid: Imprenta de Miguel Ginesta, pp. 245-257.

Julien, C. 1998. La organización parroquial del Cusco y la ciudad incaica. *Tawantinsuyu,* num. 5: 82-96.

Levillier, R. (ed.). 1940. "Informaciones sobre el origen y descendencia de los incas". En: *Don Francisco de Toledo. Supremo organizador del Perú II. Sus informaciones sobre los incas.* Buenos Aires: Imprenta Porter.

Martín, M (ed.). 2004. "Discurso sobre la descendencia y gobierno de los Incas". En: Betanzos, J. *Suma y narración de los Incas.* Madrid: Polifemo, pp. 361-390.

Nowack, K. y Julien, C. 1999. La campaña de Toledo contra los señores naturales andinos: el destierro de los Incas de Vilcabamba y Cuzco. *Historia y Cultura,* num. 23: 15-81.

Merluzzi, M (ed.). 2008. "Informaciones sobre el origen y descendencia de los incas". En: *Memoria histórica y gobierno imperial. Las informaciones sobre el origen y descendencia de los Incas.* Rosario: Prohistoria Ediciones.

Morong, G. 2021. "Haciendo relación de las cosas tocantes a su gobierno". El orden del Inca en la documentación colonial temprana (Perú, 1540- 1570). *Diálogo Andino,* num. 65: 133-149.

Murra, J. 2001. Litigio sobre los derechos de los "señores naturales" en las primeras cortes coloniales en los Andes. *Historias. Revista de la Dirección de Estudios Históricos,* num. 49: 101- 106.

Ottazzi, G. 2008. *Para no morir de hambre ni de vergüenza. Probanzas de descendientes de*

Incas en el siglo XVI. Tesis para obtener el título de Licenciada en Historia. Lima: Pontificia Universidad Católica del Perú.

Ottazzi, G. 2014. *Ascenso colonial de un Ayllu Real. Los descendientes del Inca Huiracocha. Cuzco (1545-1690)*. Tesis para optar el grado de Magíster en Historia con mención en Estudios Andinos. Lima: Pontificia Universidad Católica del Perú.

Quispe-Agnoli, R. 2016. *Nobles de papel. Identidades oscilantes y genealogías borrosas en los descendientes de la realeza incaica*. España: Iberoamericana Vervuert.

Rowe, J. 1985. Probanza de los incas nietos de conquistadores. *Revista Histórica*, vol. IX, num. 2: 193- 245.

Santisteban, J. 1948. Dos documentos importantes sobre el Inca Garcilaso. *Revista Universitaria*, vol. XXXVII, num. 94: 234- 252.

Sarmiento de Gamboa, P. 1942 [1572]. *Historia de los Incas*. Buenos Aires: EMECE.

Segalini, L. 2004. Nota sobre el cuaderno N°8, legajo N°27, del Fondo Corregimiento del ADC, y la historia incaica. *Revista del Archivo Regional de Cusco*, num. 16: 137-143.

Segalini, L. 2009. Organización socio-espacial del Cuzco prehispánico: datos sobre la repartición de tierras de los grupos aristocráticos incas. *Revista Andina*, num. 49: 105-133.

Segalini, L. 2017. ¿"Incas de privilegio"? La probanza de Sancho Usca Paucar y Alonso Auca Puma, caciques principales de Maras y Mullaca (4-12 de mayo de 1569). *Revista Andina*, num. 55: 9-71.

Sherbondy, J. 1996. Panaca lands. Re-invented communities. *Journal of the Steward Anthropological Society*, num. 24: 173- 201.

Urbano, H. 1997. Carta de Juan de Vera al Consejo. 09/ 04/ 1572. En: Sexo, pintura de los Incas y Taqui Onkoy. Escenas de la vida cotidiana en el Cuzco del siglo XVI, *Revista Andina*, num. 15: 207-246.

Urton, G. 2004. *Historia de un mito. Pacariqtambo y el origen de los Inkas*. Cusco: Centro Bartolomé de Las Casas.

Zuidema, T. 2002. "La organización religiosa del sistema de panacas y memoria en el Cuzco incaico". En: Decoster, J. (ed.) *Incas e indios cristianos. Elites indígenas e identidades cristianas en los Andes coloniales*. Cusco: Institut français d'études andines, Centro de Estudios Regionales Andinos Bartolomé de Las Casas, pp. 13-26.

“QUE DE ESTO HAYA LIBRO O QUIPO”

LAS ORDENANZAS DEL VIRREY DON FRANCISCO DE TOLEDO PARA LOS QUIPUCAMAYOS

MÓNICA MEDELIUS
PhD. Pontificia Universidad Católica del Perú

Durante su largo periplo por el territorio del virreinato del Perú iniciado en 1570, el virrey don Francisco de Toledo propuso la creación de cargos y de funciones que debían desempeñar, entre otras autoridades indígenas, los quipucamayos[1]. Los quipucamayos fueron autoridades principales quienes, desde la época prehispánica y entrada la administración colonial, debían “dar cuenta” de todos los recursos disponibles y de la población a su cargo por medio del uso de cuerdas anudadas o quipus. Durante su Visita General, Toledo conoció de primera mano la destreza de estos oficiales, ya que fueron ellos, quienes, como autoridades principales de sus poblaciones, debieron informarle detalladamente acerca de lo que había en sus regiones.

Las disposiciones emitidas por Toledo, que se llevarían a la práctica desde su mandato hasta al menos fines del siglo XVI, buscaban organizar a la población local en lo político, económico e incluso geográfico, bajo la supervisión de la administración colonial. El virrey no esperó finalizar su recorrido de casi cinco años para dar las Ordenanzas[2], sino que paso a paso fue sumando aspectos relativos a las autoridades locales, según el escenario que se le presentaba y la conveniencia en aplicarlas. Mediante una red de autoridades locales, Toledo preten-

---

[1] Sobre los quipucamayos: el vocablo *quipu* quiere decir *ñudo*, o cuenta por *ñudo* (González Holguín, [1608] 1952); las definiciones atribuidas al término *camac* tienen relación con el acto de animar, definido por Polo Ondegardo, Joseph de Acosta, Bernabé Cobo y Martín de Murúa (Taylor, 1999:372). *Camac* vendría a ser ‘la fuerza que anima’ de Garcilaso [de la Vega]” (Taylor, 2000:6-7). *Qquipucamayok* sería el contador por *ñudos*. El *quipucamayo* sería el “animador de *quipus*”, quien “haría hablar” a los nudos (González Holguín, [1608] 1952:48).

[2] Honores (2005:102) advierte que las ordenanzas del virrey Toledo reemplazarían “el sistema privado de asistencia legal a cargo de abogados y procuradores de causa por un modelo de naturaleza pública sufragado por el tributo de la encomienda y cuya defensa estaría en manos de oficiales conocidos como los protectores y defensores de los naturales”.

día ordenar puntual y definitivamente la mano de obra en las poblaciones sujetas y acrecentar los recursos económicos y productivos para cumplir con la tasa de tributo (Lohmann, 1986). Así, para legitimar la autoridad de los quipucamayos en sus poblaciones de origen y ante la administración colonial, el virrey moldearía sus funciones mediante mandatos específicos.

¿Cómo podrían moldear las Ordenanzas las funciones de los quipucamayos? Si de un lado el virrey Toledo tuvo en cuenta la autoridad ostentada y el desempeño de estos oficiales respecto al uso de los quipus que venía de la época prehispánica, de otro lado, las instrucciones que derivaban de las ordenanzas moldeaban su actividad para que fuera provechosa para la administración colonial. La respuesta de acción a esas instrucciones, a su vez, dependía de un oficial, superior en jerarquía, de las comunidades en la cual estaban insertos. Si siguieron operando los quipucamayos como tales, podrían haberse desempeñado en cargos que les permitía relacionarse con la administración y a la vez dar cuentas por sus poblaciones de origen. Habiendo sido así, en este artículo examino las ordenanzas toledanas para dar a conocer cómo éstas: a) definieron algunas de las funciones que los quipucamayos llevaban a cabo al interior de las comunidades de las cuales formaban parte; b) reconocieron la autoridad de los quipucamayos y los llevó a desempeñar nuevas funciones al exterior de sus comunidades, es decir, para la administración colonial; c) incidieron puntualmente en su participación en procesos judiciales de la época toledana y post - toledana; d) incidieron en *reducir* a escritura, por mano del escribano o quipucamayo lo que estuviese en los quipus.

A pesar de haber dado el virrey Toledo unas ordenanzas generales para todo el territorio, éstas podrían haberse aplicado de manera casuística y eran tanto susceptibles de ser acatadas, pero no cumplidas[3] como de ser modificadas según la especificidad de las circunstancias[4]. De acuerdo con estas ordenanzas, a la vez que fueron legitimadas algunas autoridades tradicionales indígenas reconocidas por sus comunidades, se crearon nuevos cargos para atender el orden colonial

---

[3] Tau Anzoátegui (1980) indica que en cuanto a la fuerza jurídica de las leyes recopiladas se estableció que tuvieran fuerza de ley y pragmática sanción en lo que decidiesen y determinaren. La pragmática decía que se guarden, cumplan y ejecuten las leyes. Sin embargo, quedan en su fuerza y vigor las cédulas y ordenanzas dadas a nuestras reales audiencias en lo que no fuesen contrarias a las leyes de ella.

[4] Un ejemplo de ello, las ordenanzas sobre las lenguas generales. Antes de su visita general, Toledo había reconocido como lengua general el quechua y dispuesto que a los indios de Chucuito no se les consintiesen hablar la puquina ni aymara" (AGI, Lima 29). Cuando terminó su recorrido por el sur de Perú, reconoció como generales a las lenguas puquina y aymara en vista de su amplia difusión en esa zona (Toledo, 1989 [1575], vol. II: 97-100).

que venía a imponerse. Entre estas autoridades con nuevos cargos estarían los quipucamayos al lado de los caciques y principales de pueblos y repartimientos. La adaptación de sus funciones en esta etapa de consolidación de la administración, por lo tanto, deberá entenderse en contextos políticos y económicos específicos. Asimismo, se debe ponderar cuán posible fue que las ordenanzas emitidas por Toledo tuvieran una incidencia en el desempeño de especialistas en el uso de quipus hasta varios años luego de concluido su mandato. En otras palabras, dichas ordenanzas –que los oficiales coloniales buscaron hacer cumplir en contextos específicos— habrían condicionado e influido en cómo debieron dar cuentas, a quién darlas y cuándo hacerlo, razón por la cual los quipucamayos y otras autoridades indígenas debieron aceptar cargos, algunos de ellos de corte español que facilitaban o, al menos, que no impedían la continuidad de la planificación, registro y control valiéndose del uso de quipus en manos de los quipucamayos.

Los quipucamayos pertenecían a un grupo élite de autoridades indígenas que se esforzaba en cumplir con imposiciones coloniales para preservar las poblaciones indígenas de las cuales formaban parte. Mediante la documentación de visitas, probanzas y procesos judiciales, especialmente juicios de residencia, se hace notorio el reconocimiento de los quipucamayos como autoridades en contacto permanente con la administración colonial. Así, con la venia de los caciques principales de las comunidades a las cuales estaban adscritos, como fueron Jauja, Canta, Huarochirí, Cañete y Cercado de fines del siglo XVI, los quipucamayos acataron las ordenanzas y continuaron como autoridades dentro de sus grupos locales.

En sus ordenanzas, el virrey Toledo distinguió dos tipos de oficiales a quienes llamó quipucamayo y cuyo desempeño podría rastrearse en instancias judiciales de la segunda mitad del siglo XVI: de un lado, el contador de quipus que informaba sobre asuntos censales o tributarios a solicitud de sus caciques; y, de otro, aquel que daba fe del enunciado de los contadores, a quien, aparentemente, Toledo equiparó con un escribano de cabildo. Si de la institución de los quipucamayos se nombraron oficiales para dar cuentas y para dar fe de la información que se daba en instancias judiciales, ¿de qué dependió que unos quipucamayos fuesen asimilados para dar fe de un asunto y otros como contadores? Hubo jerarquías entre los quipucamayos, unos considerados de mayor entendimiento que otros y esto habría incidido en la diversidad de cargos reconocidos para estas autoridades. Sin embargo, podría ocurrir que los dos tipos identificados en las ordenanzas tendrían algo de contador y algo de escribano, y la diferencia estribaría en qué aspecto era mejor reconocido por los oficiales coloniales para denominarlos de uno u otro modo. Esto sugiere, a la vez, que podría haber subtipos diferenciados por los cargos que ocuparon y las responsabilidades que se les imponía, los cuales no fueron ordenados en las disposiciones gubernativas toledanas, pero que resultaron de la práctica del ejercicio. De cualquier modo, los dos tipos de quipucamayo mencionados en las ordenanzas permiten notar en qué consistía el desempeño de los diversos quipucamayos llamados contadores o asimilados a escribanos.

Si en las ordenanzas se caracterizó al quipucamayo en tanto contador o escribano de cabildo, es necesario conocer cómo se les pedía atender las disposiciones toledanas en interrelación con otras autoridades quienes, como ellos, tendrían un pie en la administración colonial y otro en las comunidades indígenas. Si se precisaba la actuación de los quipucamayos, en la práctica y sin estarlo dispuesto, más aún, interpretando alguna disposición a conveniencia, un procurador o, tal vez, un cacique principal, podría desempeñarse como quipucamayo. Además de los cargos como escribanos o contadores, habría otros cargos pudieron ocupar los quipucamayos que quedaron por fuera de estas denominaciones y de las funciones decretadas en las ordenanzas del virrey Toledo. Mediante el conocimiento de la escritura, los quipucamayos como tales o como escribanos, lo que hicieron fue acreditar y darle relevancia al registro en quipus, aclamando la veracidad del instrumento y la credibilidad de su portador/lector. Una lectura respecto a la orden de *reducir* a escritura—sobre lo cual haré referencia más adelante-- permite ponderar si el registro primero fue en quipus y después escritura o si, por el contrario, se atendió la ordenanza de Toledo pasando directamente del hecho/suceso al registro en escritura. Es decir, si fue: a) suceso + registro en quipus + verbalización oral + escritura alfabética; o, b) suceso + verbalización oral + escritura alfabética.

Cuando el virrey expidió las ordenanzas, algunos de los quipucamayos reconocidos como hábiles para informar acerca de sus comunidades y pueblos habrían sido ya ladinos[5]. Sin embargo, aun siendo algunos de ellos conocedores de la lengua hispánica, en algunos procesos judiciales llamaron a *lenguas* o intérpretes y a un procurador para dar sus testimonios, pues se tildaban a sí mismos como

[5] En el siglo XVI, el término ladino refería a cualquier hablante castellano no nativo con habilidad en el lenguaje y las costumbres hispánicas; y el término *lengua* se impuso en lo cotidiano para dar cuenta de aquellos individuos capaces de traducir un idioma a otro (Jurado, 2010).

"indios incapaces", como sucedió con Pedro Chuquillanqui, indio ladino y contador del repartimiento de Ananguanca, Jauja, en 1579, en un pleito ventilado en la Audiencia de Lima por un asunto de tributos (Archivo General de la Nación, en adelante AGN, Real Audiencia de Lima, Legajo 19, Cuad. 93A, folios sin numerar). Si la presencia del intérprete fue necesaria aún si el quipucamayo era ya ladino, posiblemente fue para facilitar la comprensión del interrogatorio a aquellos del grupo que no conocían la lengua hispánica y asegurarse que se transmitía aquello que buscaba fuese entendido. En otros procesos judiciales, se afirmaba que la información solicitada a caciques debía obtenerse de los quipus que estaban en manos del quipucamayo de la comunidad; es decir, el quipucamayo verbalizaba su registro en quipus y el manuscrito habría hecho visible la continuidad de su uso. Las ordenanzas, al dictaminar que se "reduzca a escritura" no impedían que se registrase en quipus, sino que se terminara el proceso de registro mediante escritura[6].

Es posible averiguar en qué medida se cumplieron las ordenanzas a través de la actuación las propias autoridades coloniales en juicios de residencia, y responder a las preguntas: ¿Los quipucamayos aceptarían cambiar el registro en quipus por la escritura, es más, estaba en ellos la decisión? ¿Se podría probar que algunos de los quipucamayos, en tanto fueron a su vez autoridades principales, formaron parte de los planes de alfabetización propuesta por ordenanza del virrey Toledo, y de ahí, pasarían a ser reconocidos como escribanos de cabildo? ¿Quién de ellos sería elegible para escribano? ¿Se podría hallar el momento y las circunstancias en las cuales un quipucamayo pasó de dar cuentas o ser testigo, a ser llamado luego "escribano de cabildo o de concejo"?

Antes de continuar, quisiera hacer notar que algunas de las ordenanzas para los pueblos de Chucuito dan fe de la particularidad de las comunidades y, por lo mismo, han de ser entendidas en el contexto político, económico y social en el cual se expidieron[7]. Nombraré dichas ordenanzas y haré hincapié en aquellas mencionadas como *Ordenanzas Generales*. La presentación sigue un orden temático y cronológico.

---

[6] En la Nueva España, el uso de esta lengua hablada por los testigos indígenas y litigantes fue expresamente política. El español era la lengua de la Corona, del sistema legal y de la iglesia. Denotaba poder en la sala y además testificar en castellano disipaba dudas españolas acerca de los testigos indígenas (Yannakakis, 2008: 2166).

[7] Como advierten Noejovich y Sales (2008:19), el virrey Toledo "no implicó su visita personal a cada uno de los repartimientos: se limitó al trayecto del 'eje Huancavelica-Potosí', con énfasis en el repartimiento de Chucuito.

Las Ordenanzas para los quipucamayos en situaciones específicas: las cuentas del ganado de los hospitales de Paria y de Chucuito

En Potosí, en abril de 1575, Toledo dictó unas ordenanzas en relación con la actuación del administrador de los bienes de comunidad y hospitales de la ciudad de Paria. Al virrey le preocupaba la abundante cantidad de pesos que los religiosos recibieron de los hospitales y de la comunidad sin haber dado razón de los gastos que se realizaron con este ingreso. Por consiguiente, solicitaba al mencionado administrador que se informase sobre el "esquilmo, frutos y rentas" que los dichos religiosos recibieron "tomando para esto cuenta y razón de los caciques y quipucamayos y demás personas a cuyo cargo hubieren estado las dichas haciendas" (Sarabia Viejo, 1989 [1575]:39-46, t. II), precisando el dinero cobrado, según el censo, de la venta de ganado. Enseguida, se guardaría el dinero en una caja con llave que estaría en manos de las autoridades locales indígenas:

> [...] y las llaves de la dicha caja habéis de tener vos la una y la otra el cacique principal del dicho repartimiento y en ausencia la segunda persona, y la otra un alcalde del pueblo donde estuviere la dicha caja y la otra el **quipucamayo** general del dicho repartimiento y en la dicha caja han de estar todos los papeles y escrituras tocantes a los dichos bienes y libros del recibo y gasto de ellos. (Sarabia Viejo, 1989 [1575]:56, t. II).

Con esta Ordenanza se legitimaba, de un lado, el poder que para el cuidado de la caja de la comunidad tendrían las autoridades indígenas, con una diferenciación entre aquellos que serían quipucamayos y los caciques, pero en igual jerarquía respecto al manejo de recursos económicos de la comunidad. Para los propósitos administrativos, estarían en igual condición: a) el cacique o su segunda persona; b) el administrador de la comunidad; c) el quipucamayo; d) el alcalde. Estos tendrían bajo su responsabilidad tomar las cuentas y guardar papeles y escrituras que eran de importancia para la administración colonial y para sus comunidades. De ambos lados –español e indígena-- se daba así máxima confianza al quipucamayo en cuanto al manejo de recursos, pues era éste una de las autoridades de quien el administrador debía tomar la cuenta del ganado de la comunidad, aún si no se especificaba que el quipucamayo debía escribir. Sin embargo, la participación de los quipucamayos para los propósitos de tomar las cuentas a los religiosos podría generar una situación tirante con aquellos que administraban los hospitales de Paria, pues el solo hecho de tomar cuentas era colocar a los quipucamayos en una posición superior a la de los curas. Además de exponer las relaciones y complementariedad en las acciones de diversas instituciones del ámbito administrativo colonial, es decir, de los mencionados quipucamayos, caciques, alcalde y administrador de la comunidad para llevar las cuentas, la ordenanza pone de manifiesto la sanción que este conjunto de personas impondría sobre la actuación y desempeño de los religiosos.

La ordenanza no solo se refirió a la función de las autoridades que supervisarían los ingresos, los censos, y los bienes; además, se solicitó a los "*mayorales* que anden sobre ellos [los pastores]" que una vez al año o dos "tengan el quipu y cuenta de todo" tanto del ganado vacuno como del ovejuno. Sin embargo, al mayoral no se llamó "quipucamayo", aunque sí conocía acerca del manejo de quipus. Al igual que los religiosos, sería sancionado por la cúpula administrativa de Paria de la cual formaba parte el quipucamayo propiamente dicho. La ordenanza no aclara quién transvasaría la cuenta del quipu del mayoral a escritura, pero sí que la cuenta del administrador de los hospitales pasaría al corregidor[8] de aquel distrito y de ahí un traslado iría al fiscal, letrado y procurador de la ciudad de La Plata (Sarabia Viejo, 1989 [1575]: 44-45, t. II).

Cuadro No. 1

Secuencia de la información que debía entregarse sobre las cuentas de ganado.

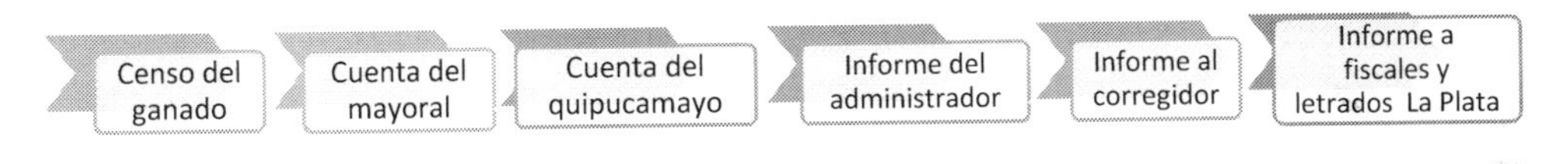

Fuente: Sarabia Viejo, 1989 [1575]: 44-45, t. II). [Elaboración propia]

Esta cuenta del censo de ganado y de los esquilmos sería independiente de aquella que contenía la tasa y los bienes de la comunidad. La caja de la tasa tendría tres llaves y sería manejada por el corregidor, el cacique principal y un alcalde; mientras que la caja de los censos, esquilmos y aprovechamientos del repartimiento tendría cuatro llaves, la cual, como he mencionado, estarían en manos

[8]A inicios de la década de 1560, Lope García de Castro dividió el territorio del virreinato en provincias y colocó en cada una de ellas a un corregidor, pero sin delimitar su jurisdicción. El cargo y las funciones que desempeñarían los corregidores, según ordenanzas del virrey Toledo debían mejorar estructuralmente los anteriores corregimientos. Debían atender sobre todo demandas, para lo cual se debió contratar personal capacitado en procedimientos legales para apoyarlo en sus funciones (Zimmermann, 1968: 37; 147). Ver también Keith, 1971; Moreno Cebrián, 1977; Lohmann Villena, 2001; Brading, 2015: 153.

del administrador, del cacique o segunda persona, del alcalde y del quipucamayo[9].

En 1571, el licenciado Polo Ondegardo (1872 [1571]: 5-177, vol. XVII) había sugerido que se debía gobernar a los pobladores de los Andes, considerados vasallos del Rey, según sus propias leyes y por sus fueros[10]. Si bien las autoridades coloniales debieron identificar el origen de las leyes para luego poder transcribirlas y organizarlas, no habrían establecido un cuerpo de leyes exclusivamente para la población indígena (Mumford, 2008:6-8). Aquello que se conoce al respecto, relatado por algunos cronistas y visitadores, refiere a algunas de funciones de los caciques y principales en la época prehispánica, como aquella de dar cuentas que se complementaban unas a otras de manera jerárquica, para cuyo fin, harían uso de los quipus[11]. Toledo, mediante sus ordenanzas, habría respetado la costumbre prehispánica de los quipucamayos en cuanto al registro de cuentas en los quipus, adicionando que se redujeran a escritura, pero a la vez habría dificultado que se mantuvieran de manera jerárquica y complementaria en varios niveles de autoridad: el contador de tasa registraría en sus quipus la tasa ordenada por el corregidor, a quien más tarde daría cuentas, y no a una autoridad superior indígena. Sin embargo, sería el cacique principal del repartimiento quien tendría que conocer la tasa impuesta para llamar a su turno al quipucamayo para que diera las cuentas al corregidor.

En las visitas de Huánuco, Chucuito y Songo de la década de 1560, es decir, antes de la expedición de las ordenanzas, las autoridades principales de estas provincias relataron que fueron a su vez quipucamayos[12]. Según las circunstancias, cuando debían dar cuentas sobre el censo o sobre los bienes de la comuni-

---

[9] El virrey Toledo explicó en febrero de 1575 que las instrucciones dadas al corregidor para determinar la tasa de las provincias de Cochabamba, Porco y Paria resaltaban la orden a los indios de tasa "para que tomen en quipo de lo que hubiere que pagar para que se entiendan que no se les ha de llevar más"; para guardar lo cobrado se debía tener una caja con tres llaves, una de las cuales quedaría en manos del escribano de concejo y quipucamayo (Noejovich y Sales, 2008).

[10]Sobre la obra de Ondegardo, ver Díaz Rementería (1976:189-215), Honores (2005). Tau sugiere que en América española la palabra costumbre "tiene un sospechoso parentesco con la voz fuero, utilizada de modo genérico para aludir a ciertos privilegios o preceptos fundamentales y acaso antiguos que gozaban las ciudades o también a los indígenas" (2001: 90).

[11] Sobre las jerarquías en la información de los quipus ver Urton y Brezine (2007:357-388). Los investigadores hallaron quipus pares de naturaleza jerárquica demostrativos de que la información se expandía en las cuerdas de un primer nivel (abajo) y se resumían en un tercer nivel (arriba), manejados por autoridades chunka (de 10 tributarios), pachaca (de 100 tributarios) y guaranga (de 1000 tributarios), respectivamente. Los niveles de autoridad entre quienes ejercían la función de quipucamayo se hicieron notorios en la información transmitida: aquel a cargo de la cuenta de ganado posiblemente no dominaría el sistema completo como lo haría uno encargado de dar una cuenta total de determinada provincia.

[12] Para las visitas, ver: Huánuco, Ortiz de Zúñiga, I. (1967) [1562; Chucuito, Diez de San Miguel, G. (1964); y Songo, Murra, J. (1991).

dad destinados al tributo, ejercían y se presentaban ante otras autoridades como quipucamayos, no solo de su comunidad, sino de una parcialidad y de un repartimiento, bajo el mandato de un cacique principal. Sus, cuentas, extraídas de quipus, iban acorde con la jerarquía ostentada en ese momento, pues una misma autoridad podría ser a la vez principal de pueblo, de parcialidad o de repartimiento. Mientras que como principal de pueblo daría cuentas de bienes producidos, siendo de parcialidad sintetizaría lo entregado por otros pueblos; como principal de repartimiento ampliaría dicha información. Eran valorados como principales por su cualidad en dar cuentas, como informó el cacique de los queros, don Cristóbal Xulca Condor, durante la visita de Huánuco de 1562[13].

Toledo tuvo en cuenta la jerarquía de autoridades indígenas. En febrero de 1575, durante su visita a la provincia de los Charcas, impuso un salario para los caciques y principales, explícito en las instrucciones para la tasa de Paria. Se aclaraban los nombres de aquellos caciques y principales, pero no se mencionaron a los quipucamayos. Sin embargo, al mes siguiente, en marzo, el virrey pidió a los caciques que el dinero cobrado a los indios sea guardado en la caja de comunidad, y de ahí la llevasen a Potosí: "[...] para hacer barras si los indios que la ganaren y hubieren de pagar, no la tuvieren en Potosí porque entonces cumpliran con que los principales de ellos la hagan varras alli y traigan relacion e quipo al dicho corregidor de ello" (*Repartimientos de indios hecho en el año de 1582, en varias ciudades y distritos*, publicado en Cook (1975: 9)).

Si, como dice la ordenanza, fueron los *principales* los que manejaban los quipus y hacían la relación de la tasa, significaba que continuaban ejerciendo la función de quipucamayo. Enseguida, cuando el virrey Toledo mencionó los salarios para los caciques y principales de la ciudad de Chucuito, agregó al listado, específicamente, a las segundas personas y quipucamayos generales (Noejovich y Sales, 2008, f. 310r-312v: CCLVI-CCLXI). Don Francisco Calisaya y don Pedro Aculupata[14] recibirían un salario por ejercer como quipucamayos y, dentro de sus funciones, estaría el meter la plata de la tasa en la caja de la comunidad, hacer quipu de todo lo que entrare y saliera de la caja y tener la llave de esta, en conjunto con los caciques principales don Martin Cari y don Martín Cusi. Calisaya

13 "[...]el ynga mandaba al cacique principal de las cuatro guarangas que tuviese cuenta con los otros caciques de cada guaranga y que los de las guarangas la tuviese con los de las ciento que eran pachacas y éstos de las pachacas la tuviesen con los de las chungas que son los mandones de a diez indios y éstos tenían cuenta con todo ello y sobre todo acudían al cacique principal" (Ortiz de Zúñiga 1967 [1562]: 35-36, t.1).

14 Más adelante, en la ordenanza expedida en julio del mismo año de 1575, al quipucamayo que ejercía funciones junto a Calisaya se le llamó Copaca y no Aculupata. (Sarabia Viejo, 1989 [1575]:74, t. II).

y Aculupata no fueron mencionados como principales, solo como quipucamayos. Parecería que algunas autoridades continuarían ejerciendo como caciques y principales, pero otras serían reconocidas específicamente como quipucamayos.

En 1567, las cuentas del ganado entregadas por los caciques y quipucamayos en circunstancias de la visita de Garcí Diez de San Miguel al repartimiento de Chucuito fueron expuestas independientemente del resto de bienes listados en los quipus del repartimiento. Una vez expedidas las ordenanzas, los quipucamayos debían continuar con su cumplimiento al tomar las cuentas de ganado separadamente de aquellos bienes de la comunidad, pero a la vez en armonía con sus contrapartes coloniales e indígenas. En 1575, posterior al mandato del virrey, la Ordenanza podría aplicarse y repetirse en otras zonas del territorio virreinal, disponiendo para ese efecto con la activa participación de los quipucamayos. Si esta norma fue específica para ese momento y lugar --ya que se dieron los nombres de las personas que ejercerían como quipucamayos--, documentos judiciales de época toledana y post - toledana provenientes de otros espacios virreinales permiten notar que algunos principales habrían continuado, a la vez, ejerciendo como quipucamayos. Tal fue el caso de un pleito entre los caciques principales y los indios del común del repartimiento de Huamantanga contra el corregidor de Canta, Alonso de Armenta llevado a cabo en 1593, ya que este último había incurrido en abusos para solicitar una cantidad de ovejas de Castilla por fuera de lo acordado en la retasa. Aun si el corregidor Armenta hubiera impedido el registro en quipus alegando que lo pondría por escrito, y que los indios del repartimiento en su conjunto conocieran las cuentas, todos ellos esperaban que fuera el principal y quipucamayo --apellidado *llamayana,* por el cargo y la actividad que realizaba-- entregara los datos precisos para acusar el ilícito[15].

Tres meses luego de expedida la ordenanza, en julio del mismo año de 1575, Toledo dio una instrucción al administrador de los bienes de comunidad de la provincia de Chucuito, con relación a los pastores que cuidaban el ganado, a fin de que estos: "[…]se muden de año a año y cuando se mudaren se halle presente el dicho Alonso de Estrada y quipucamayos y caciques y por cuenta entreguen el dicho ganado los que salieren a los que entraren [...]" (Sarabia Viejo, 1989 [1575]: 75-76, t. II)[16].

[15] Archivo General de la Nación. Real Audiencia de Lima. Juicio de Residencia. Leg. 11, Cuad. 33, 1596 y Leg. 12, Cuad. 33, 1596

[16] Esta misma instrucción hace referencia a las cuentas que debieron dar los quipucamayos respecto al ganado de Castilla para "dar ración a los frailes de la orden de Santo Domingo que los doctrina" en los pueblos

El virrey solicitaba al administrador que la cuenta registrada por los quipucamayos incluyese varios asuntos relacionados con las obligaciones de las personas que estaban a cargo del ganado. A su vez, les pedía a los quipucamayos que, de los pastores, obtuviesen datos precisos acerca del ganado en sí mismo, tanto del ganado vacuno, porcino, así como de las ovejas de Castilla y de la tierra. Respecto a los pastores, se pedía a los caciques y quipucamayos que expusieran sobre: a) quiénes salían y entregaban el ganado cada año; y, b) quiénes recibían el ganado y que los quipucamayos estuvieran presentes para velar por su cuidado y por los productos obtenidos de éste, en especial cuando el administrador estuviese haciendo el registro; c) el número de cabezas; d) la división del ganado en machos/hembras; e) la fecha para trasquilarlos; f) la lana obtenida pesada; g) finalmente, se especificaba que los quipucamayos debían supervisar la trasquilada, a fin de que no se robaran lana, y entregarla al cacique para la confección de ropa para la tasa (Sarabia Viejo, 1989 [1575]: 77, t. II)[17].

Más aun, la ordenanza mandaba al administrador del ganado y de los bienes de la comunidad, Alonso de Estrada, a que diese cuenta a los quipucamayos de los aspectos relacionados con la guarda, trasquilada y gastos del ganado de la tierra. La cuenta revestía cierta complejidad pues debía relacionarse las funciones de las personas con el contexto de la producción, todo lo cual registraban los quipucamayos, actualizando constantemente la información en quipus, pero no se le daba instrucciones a estos últimos para que administraran el ganado o los pastores, simplemente que supervisaran y registraran lo que el administrador Alonso de Estrada, por un lado, y el cacique, por otro, debían hacer (Sarabia Viejo, 1989 [1575]:78, t. II)[18].

En la misma ordenanza, el virrey pedía que se pusieran los bienes y los pesos de plata para iglesias y hospitales en la caja de comunidad "apartada de la caja real donde entran y han de entrar los tributos de esta provincia que paga a Su Magestad de tasa". Las cuatro llaves de la caja de la comunidad estarían en manos del corregidor, del administrador Alonso de Estrada y de don Felipe Copaca y don Felipe Calisaya, quipucamayos del ganado y de los bienes de la comunidad

de Acora, Ilave y Zepita (Sarabia Viejo, 1989 [1575], p. 79. Tomo II).

17 "[...] [el administrador] dividirá en dos o tres partes apartando los pacos [...] y se hallarán presentes a la trasquila los dichos quipucamayos, la cual dicha lana se entregará a los caciques de los dichos pueblos para que en ellos se reparta para hacer la dicha ropa de tasa [...]".

18 "Item, averiguará luego quién ha guardado hasta ahora el dicho ganado y hecho su trasquila y lo que se ha hecho de la lana y multiplico y en qué se ha gastado y la recogerá por la orden que está mandado en el ganado de la tierra y dará la cuenta a los quipucamayos para que den cuenta de ello con el dicho Alonso de Estrada [...]".

(Sarabia Viejo, 1989 [1575]:74, t. II). Tal y como dictaminó en la ordenanza de abril del mismo año, estarían los bienes de comunidad diferenciados de aquellos de la tasa: el requerimiento del virrey era que el administrador pusiese en la cuenta de los bienes de comunidad la lana a entregar a los caciques para hacer la ropa de la tasa, es decir, el insumo, aunque no el producto de la tasa en sí mismo (Sarabia Viejo, 1989 [1575]: 77, t. II). Este asunto venía de tiempo atrás.

En 1567, durante la visita efectuada al repartimiento de Chucuito, las autoridades indígenas se expresaron acerca del asunto de las cuentas del ganado de Chucuito indicando que la hechura de la ropa era administrada por algunos principales de pueblo, quienes tenían bajo su responsabilidad el cobro y pago de jornales de los tejedores, pero los caciques principales de toda la provincia tenían el control del ganado. Estos caciques principales, a su vez, dependían de sus subalternos –autoridades principales y quipucamayos– para el manejo riguroso de las cuentas del ganado de la comunidad. Aun así, en 1567, el visitador Garci Diez de San Miguel no podía controlar la exactitud de los datos presentados por todas aquellas autoridades indígenas--caciques principales, quipucamayos y sus subordinados de pueblos. Debido a las inconsistencias en las cuentas, Garci Diez solicitó le presentasen ante sí los quipus de todas las cabeceras, a los cuales daba mayor credibilidad que a los quipus que mantenían especialistas de los pueblos a ellas sujetos. Finalmente, la orden fue que anualmente se tomase cuenta del ganado de la comunidad, por quipus, y don Garci insistió en que fuesen los caciques principales quienes administrasen la cuenta y no los *principalejos* o autoridades menores.

En 1575, a ocho años de la visita de Garci Diez a Chucuito y estando el virreinato bajo el mando del virrey Toledo, los caciques principales de este repartimiento, junto con el quipucamayo don Francisco Calisaya, alegaban sobre la dificultad de instaurar una tasa personal sobre el ganado, puesto que había unos indios muy ricos y otros muy pobres, pero resultaba difícil "saber la hacienda que tiene cada indio" (Noejovich y Sales, 2008, f.251v-252v, CCVI-CCVII). Más adelante, los caciques principales de las parcialidades de Hanansaya y Urinsaya, don Martin Cari y don Martin Cusi, así como don Pedro Cutimbo y otros caciques principales, expusieron sobre otros asuntos que les preocupaba respecto del ganado, pero manifestaron estar de acuerdo en que esta tasa "fuese real y se repartiese conforme a las haciendas" (Noejovich y Sales, 2008, f. 253v-254v, CCVIII-CCIX). No se especificó cuál fue el papel desempeñado por el quipucamayo don Francisco Calisaya en 1575, cuando se presentó a argumentar sobre lo difícil de llevar a cabo la tasa personal. No hubo cuentas, ni censos, solo dio su parecer. Si en la visita de Chucuito de 1567, Calisaya figuraba entre los principales de Hanansaya, además de ser quipucamayo y contador de esa parcialidad, durante la visita de Toledo no fue nombrado entre el grupo de caciques y principales. No obstante, quedó especificado que se reservaría de la tasa de la ciudad de Chucuito a:

> [...]dos quipucamayos y contadores de toda esta dicha provincia, que han de tener la **cuenta y quipo del tributo y tasa** que se pagase y se metiere y sacare en la caxa de la comunidad y una de las llaves de ella y del quipo y cuenta del ganado de la comunidad demás de la cuenta que ha de haver de lo susodicho por el libro que a de haver en la dicha caxa (Noejovich y Sales, 2008, f. 294v, CCXLIII).

Por medio de la ordenanza impartida en 1575, se instruía a los caciques principales para que junto a ellos tuviesen la cuenta del ganado, el administrador, los quipucamayos y el corregidor. Contrario a lo que se suele suponer respecto a que entre autoridades indígenas y coloniales solo sería posible una relación asimétrica en la cual la autoridad indígena estaría por debajo de la colonial, las autoridades indígenas y las coloniales se interrelacionaron como pares para tratar, al menos, la cuestión del ganado del repartimiento de Chucuito. Se exigía al administrador "hacer cargo" en libro con la cuenta y razón del ganado vacuno entregada a la comunidad y a los hospitales, cuenta que previamente habría sido tomada de los quipucamayos, y la cuenta de estos provenía de aquella de los pastores. Luego de haber pasado las cuentas por varias manos, llegarían al corregidor. No obstante, el asunto se complejizaba con tanto intermediario y con la articulación de toda la serie de operaciones de registro y contables que debía llevar a cabo cada uno de ellos; se sumaba a esta complejidad el registrar productos no autóctonos, tales como lo fueron las ovejas de Castilla, el ganado vacuno y el ganado porcino.

La ordenanza no se limitaba a la cuenta del ganado o de los pastores a su cargo, hacía un llamado para que: "[...] Ítem, [de] los carneros que hay y hubiere adelante del multiplico de las dichas ovejas de Castilla hará hato y manada aparte y los venderá los que fueren manadas y cantidad con asistencia del Corregidor y por pregones y los quipucamayos [...]" (Sarabia Viejo, 1989 [1575]:79, t.2).

Efectivamente en este mismo año de 1575, los caciques de Chucuito hicieron un "cargo" y "descargo" con quipus de todas las cuentas de ganado de su Majestad[19]. Esta cuenta de cargo y descargo incluía los animales guardados y los que se habían entregado, perdido, robado o "rancheado". En su declaración, los caciques dieron el número de animales clasificados por carneros grandes, ovejas grandes, carneros pacos, ovejas pacos--en ese orden--que recibieron en guarda por parte de Diego Pacheco y Juan Vásquez de Tapia, sus encomenderos. El descargo sobre la cuenta inicial, es decir, el balance de lo que habría en ese momento, incluía mencionar el contexto: la batalla de Guairina, la de Desaguadero, lo entregado a Gonzalo Pizarro, a Francisco de Carvajal, los animales que se murieron o robaron, figurando en primer lugar los que dieron voluntariamente y en segundo lugar los que les fueron tomados a la fuerza. El orden de presentación de los pueblos de Chucuito fue exactamente igual al de la Visita de Garcí Diez de 1567: a) Chucuito b) Acora c) Ilave d) Juli e) Pomata f) Yunguyo y g) Zepita, posiblemente en orden geográfico, habiendo sido Chucuito el pueblo que entregó mayor número de cabezas, según su propio inventario.

En esa ocasión, aun si los caciques principales y quipucamayos generales hubieran dependido de los principales de pueblo y estos últimos de los guardas de ganado para conocer el número de cabezas de las cuales disponían en Chucuito—tal y como se podría inferir de las instrucciones de la ordenanza arriba mencionada-- habrían sido aquellos mismos caciques principales y quipucamayos quienes tendrían el cargo de dar "cuenta y razón" al corregidor y no así los guardas pastores de ganado. Si la orden que dio el corregidor de Chucuito luego de la visita de 1567 a fin de que las cuentas de ganados fueran dadas solo por los caciques y no por los guardas de dicho ganado-- porque las daban confusamente, como indicó en su momento el mencionado corregidor--, ocho años después se mantendría vigente y habría sido validada con la ordenanza del virrey Toledo. Sin embargo, para la entrega de estas cuentas del ganado, se trastocó la naturaleza de intermediarios: en 1575 ya se tendría autoridades de corte español, como el corregidor y el alcalde, quienes debían interactuar de manera directa con los quipucamayos; y, los fiscales y procuradores de La Plata, quienes debían interactuar de manera indirecta con los mismos quipucamayos. Igualmente, la información a entregar no solo se refería al número de cabezas, sino a diversas actividades que los pastores y el administrador debían realizar como la trasquilada o esquilmo, el peso de la lana y la comercialización o venta de esta.

Finalmente, el virrey Toledo zanjó la ordenanza de 1575 mandando darle

[19] AGI. Audiencia de Charcas, 37, 1575.

cumplimiento por parte del administrador y corregidor, y que: "[...] se notifique a los dichos don Felipe Calisaya y don Felipe Copaca, quipucamayos generales del dicho ganado, para que sepan, vean y entiendan lo que han de ser obligados a guardar y que tengan razón en sus quipus del dicho ganado principal y multiplico y de lo que se vendiere [...]" (Sarabia Viejo, 1989 [1575]:81, t. II)·

Si bien los quipucamayos mencionados estarían dedicados exclusivamente a los asuntos "del dicho ganado", tendrían que tomar la cuenta a los guardas de éste y luego dar esta cuenta al corregidor y al administrador. De este modo, los "quipucamayos generales del dicho ganado" actuarían como bisagra entre, de un lado, la gente de comunidad a cargo de las actividades de este rubro y, de otro, quienes representaban a la administración colonial.

El virrey aún no había concluido el asunto del manejo de las cuentas del ganado. Más adelante, el 6 de noviembre, Toledo dio una nueva instrucción para los pueblos de La Paz, expresando, no solo que tuviesen cuidado con las ovejas de Castilla y de la tierra, en conjunto el cacique principal con el parecer del padre de la doctrina o el corregidor, para tranquilarlas repartir la lana y el esquilmo de las ovejas entre los indios más pobres, pero, sobre todo: "[…]que de esto haya libro y quipu que tenga el escribano o quipucamayo, en el cual se asiente lo que se repartiere para que haya cuenta y razón de todo y se dé al Corregidor […]" (Sarabia Viejo, 1989 [1575]: 207).

Para el conteo del ganado, no solamente estaría presente el corregidor, en esta ocasión volvió a mencionarse al cacique —omitido en la cuenta de julio de ese mismo año de 1575 sobre los bienes de la comunidad y del ganado de Chucuito--, al padre de la doctrina y al escribano o quipucamayo. Asimismo, todo aquello que se repartiera a los pobres estaría registrado por el escribano o quipucamayo en libro y quipu, diligencia que no estuvo impuesta al administrador de Chucuito y que ahora recaía en el escribano, además de tener la cuenta de los bienes de la comunidad. Es decir, si anteriormente se mencionó que el administrador haría "libro" de las cuentas, en esta ocasión se requería de un escribano para asentar dichas cuentas. Aparentemente, al emitir esta ordenanza, Toledo se habría referido a que la función del escribano recaería en el quipucamayo quien asimilaría la función escribanil, pero también podría tratarse de un hecho concatenado de que las cuentas en libro estarían a cargo del escribano, y las del quipu, a cargo del quipucamayo. Cabe insistir en que estas ordenanzas fueron emitidas por el virrey Toledo especificando que eran para los pueblos de La Paz. Si en 1575 la figura del quipucamayo quedaba aparentemente asimilada con la del escribano, en la etapa post - toledana esta asimilación de las dos figuras especificándose que el quipucamayo actuaría como escribano no sería evidente.

Las ordenanzas relacionadas con las cuentas del ganado se sucederían unas a otras y, según a quien estaba dirigida la instrucción, se mencionaría la obligación de contar con la comparecencia de un quipucamayo. Un punto de la ordenanza expedida el 6 de noviembre de 1575 para los pueblos de indios en general (Sarabia Viejo, 1989 [1575]:229, t.II, Ordenanza XXVII), complementaria a la anterior, estuvo dirigida a los pastores para que diesen cuenta del ganado entregado a ellos y del "multiplico", sin necesidad de contar con la presencia de un quipucamayo. No obstante, en otro punto de la misma ordenanza sobre "cómo se ha de hacer y repartir el esquilmo del ganado de Castilla y de la tierra, y libro de cuenta que de esto se ha de tener" pedía a los alcaldes que, junto con el cacique principal, tuviesen gran cuidado con las ovejas de Castilla y de la tierra para ser trasquiladas a tiempo, y se retomó el propósito de repartir la lana y esquilmo entre los indios más pobres de los pueblos, según el parecer del padre de la doctrina y del corregidor, especificando que el libro y quipu de la cuenta lo hiciere "el escribano *de pueblo* o quipucamayo" (Sarabia Viejo, 1989 [1575]:235, t. II).

Cabe resaltar que, respecto al protocolo de escribano, el traslado al papel no se realizaba de manera arbitraria, sino que se ajustaba a unos moldes previamente establecidos por una tradición discursiva, por lo que los textos presentaban una estructura fija[20]. No tengo plena certeza acerca de la medida en la cual el quipucamayo habría pasado por el proceso de adquirir los conocimientos acerca de los moldes establecidos para escribir, aunque es probable que el virrey notara la habilidad de algunos quipucamayos en la escritura, lo cual impulsaría a dictaminar la ordenanza del 6 de noviembre de 1575 para otorgarle funciones de escribano de pueblo. Por otro lado, es significativo el reparto de obligaciones que hizo el virrey entre varios responsables del ganado: a) la persona que debía hacer el esquilmo; b) el alcalde y el cacique principal repartían la lana; c) el padre de la doctrina y el corregidor daban su parecer; d) el escribano de pueblo o quipucamayo llevaban cuenta de lo que se repartía para dar cuenta al corregidor. Esta actividad productiva no recaía en una sola persona, sino que requería de varios concurrentes, cada uno de los cuales cumpliría un papel determinado.

En el transcurso de las visitas de Huánuco (1564), Chucuito (1567) y Songo

20 Desde el siglo XVI debió existir un libro de protocolo de escribano y otorgantes indígenas en cada una de las parroquias creadas. Este libro de registro, que contendría una serie de documentos, se actualizaba en cada negocio "desde la oralidad de otorgantes y escribano" (Navarro,2015, p. 74-75).

(1568-69), algunas autoridades se presentaron ante los visitadores como principales a cargo de una población y en otras ocasiones, esos mismos se presentaron como quipucamayos. Los caciques principales mencionaban y nombraban a sus subalternos, es decir, señalaban a los principales como quipucamayos cuando tenían que dar cuentas, no solo de la población que lideraban y de la cual formaban parte, sino de todo un pueblo, pachaca, guaranga, parcialidad o repartimiento, unidades políticas mayores en la cual los quipucamayos estaban insertos.

En la década del sesenta del siglo XVI, algunos quipucamayos ostentaban otros cargos, no solo el de principal, sino el de gobernador. En la provincia de Chucuito, Pedro Cutimbo habría sido primero cacique principal de la parcialidad de Hanansaya, cargo que debió asumir hasta tanto don Martín Cari estuviese en edad para hacerlo. Más adelante, al momento de la visita a Chucuito de 1567, Cutimbo era ya gobernador de toda la provincia de Chucuito, es decir, de Hanansaya y Urinsaya, por lo que fue llamado por el visitador para que, con sus quipus, diese cuenta del censo de la época inca. Aun si con su declaración parecía contradecir el discurso y las cuentas de don Martín Cari, cacique principal de Hanansaya de Chucuito, Cutimbo fue respetado en su afirmación, posiblemente como reconocimiento del cargo de gobernador que ostentaba y de su destreza en el manejo de quipus.

Años más tarde, al enfatizar Toledo que las ordenanzas iban dirigidas al *escribano de pueblo o quipucamayo* parece revelar que en algunas ocasiones las cuentas estarían a cargo de los quipucamayos y en otras de escribanos (Sarabia Viejo, 1989 [1575]: 218, t. II). La frase no parece clara del todo, pues no se sabe si está tratando de a) equiparar a un quipucamayo con un escribano, es decir, que estableció un paralelo entre ambos y una palabra es la traducción de la otra; b) ponderar la posibilidad de que un quipucamayo con ciertas cualidades pudiese actuar, eventualmente, como escribano, aunque el uso de las dos palabras lo alejaría de una exacta equivalencia; o c) si podrían ser dos personas distintas.

Respecto a la condición del escribano-quipucamayo, quedan algunas interrogantes abiertas: a) en qué situación y cuáles fueron los requisitos para haber sido señalado como "quipucamayo o escribano"; b) si esto dependió del grado de alfabetización; c) si esta alfabetización acompañada de la habilidad para las cuentas podría haber sido relevantes para que ocupasen otros cargos administrativos coloniales. En otras palabras, a partir de las ordenanzas toledanas, aparentemente cabría la posibilidad de que algunos de los quipucamayos, al ser reconocidos como escribanos de cabildo o gobernadores, se estarían convirtiendo en sujetos coloniales en detrimento de su actuación al interior de sus pueblos o comunidades, pero queda por comprobarlo con estudios de caso. Asimismo, otros quipucamayos habrían sido encargados de cuentas comunales, o de ganado, bajo la supervisión y dirección de aquellos de mayor entendimiento, como los escribanos de cabildo o los procuradores de pueblo.

En su *Relación* de 1571 dirigida al virrey Toledo, el licenciado Polo Ondegardo argumentaba sobre la necesidad de perpetuar las instituciones prehispánicas para gobernar las poblaciones indígenas. Efectivamente, el virrey Toledo había instruido a los visitadores para que se mantuvieran las costumbres del tiempo del inca (Romero, 1924: 117-172). Sin embargo, la perpetuación de dichas instituciones se vería hasta cierto punto frenada por el afán de Toledo de lograr beneficios económicos para superar la acuciante situación económica de la Corona. Y si, para lograr este fin, se pondría en funcionamiento una burocracia administrativa colonial que acaparaba y consumía tiempo y disponibilidad de las autoridades indígena, esto redundaría en dejarlas sin espacio para administrar las propias poblaciones que se buscaba perpetuar[21]. Si Toledo impartió sus ordenanzas para ser aplicadas en casos particulares, él mismo y los virreyes que lo sucedieron las aplicarían cuándo, dónde y cómo las considerasen convenientes y, de otro lado, es posible ponderar cómo las autoridades indígenas las respetaron porque también serían de su propia conveniencia.

Efectivamente, si la burocracia administrativa colonial iba creciendo, a su vez debió contar con el apoyo de autoridades indígenas, entre ellas, los quipucamayos, pero no hay pruebas de que fueran nombrados escribanos de pueblo, aunque en la práctica y como quipucamayos sí dieran fe de la actuación de oficiales coloniales. Pese a ello, el licenciado Cristóbal Ramírez de Cartagena —crítico acérrimo de los virreyes de turno-- mencionó en sus memorias redactadas en 1591 que las cuentas que aparejaba el cacique con los corregidores causaban mucho daño a los indios[22]. El motivo por el cual era dañina esta forma de llevar cuentas--explicaba el licenciado Ramírez--tenía que ver con la orden dada por el virrey García de Mendoza para que hubiese un escribano quien, a costa de las cuentas de los bienes de la comunidad, supervisara cada cuatro meses las cuentas

[21] Toledo compartió el interés que tenía Polo Ondegardo en la posibilidad de juntar elementos indígenas con el derecho castellano (Merluzzi, 2014:125). A pesar del mandato del Rey de imponer leyes y costumbres de pre - conquista, los oficiales coloniales no hicieron ninguna investigación sistemática sobre esas costumbres y no definían un cuerpo de ley separado para los sujetos indígenas (Mumford, 2008).

[22] AGI. Justicia, 481, f. 2757r-2758v. Hacia fines de 1591, el licenciado Ramírez de Cartagena redactó una Memoria, con el propósito de dar cuenta de la situación de los indios en el virreinato del Perú (Medelius, 2013).

del corregidor. Esta orden quebrantaba aquella expedida años atrás por el virrey Toledo, según la cual disponía que dos escribanos de cámara de la audiencia tuviesen salario para que "no se llevasen derechos a los indios ni caciques ni comunidades", orden que sí cumplió el virrey Martín Enríquez y, posteriormente, el Conde del Villar. García de Mendoza hizo caso omiso a las ordenanzas de Toledo, lo que redundaba en cargar a los indios por tener que pagar una cohorte de intermediarios que manejasen sus asuntos, sumado el escribano de cámara[23], quien sería de una categoría distinta a la de aquellos denominados escribanos de pueblo. Si bien el quipucamayo continuaba formando parte del grupo de autoridades y oficiales intermediarios de las comunidades o pueblos indígenas durante los gobiernos del virrey Toledo y del virrey Conde del Villar, el parecer del licenciado Ramírez era que se volviese al orden como "en tiempo de su infidelidad [cuando] no había más ley que la voluntad del ynga y de un gobernador que sería puesto en cada provincia que llamaban *tucuyrico" (*Archivo General de Indias, en adelante AGI. Justicia, 481: f. 2758r; Medelius, 2013)[24]. Podría haber sido que el *tucuyrico* fuese quien, a finales del siglo XVI, era llamado gobernador, aún si las fuentes de estudio no especifican esta paridad en el cargo del gobernador con el *tucuyrico* prehispánico.

En algunos procesos judiciales de fines del siglo XVI, indios letrados que actuaron como escribanos dieron fe y rubricaron testimonios, entre otras, de aquello que el *lengua* o intérprete verbalizaba y que hubiera sido enunciado previamente por autoridades principales indígenas. En 1591, en el juicio de residencia del corregidor de Jauja, Martín de Mendoza, se presentaron los caciques principales y quipucamayos, tanto para dar fe de la actuación del oficial español como para dar cuentas precisas sobre asuntos puntuales[25]. El escribano se limitó dar fe de los testimonios, sin expresar que conocía las cuentas y no asumió ambos papeles de quipucamayo y escribano a la vez. A su vez, el Rey don Felipe II, mediante cédula, pidió que hubiera un procurador para que registrase por memoria en quipus los agravios cometidos por el corregidor. El gobernador y asimismo

23 La escribanía de cámara, también llamada de su majestad u oficial, era un cargo perteneciente a la Real Audiencia. Sus miembros, los escribanos, se dedicaban a funciones oficiales del gobierno colonial (Guajardo-Fajardo, 1995).

24 La palabra *tucuirico*, *tocricoc*, *tocorico* significa, literalmente, "verlo todo". Hay consenso sobre el significado del vocablo, que se registra como *gobernador* (Cerrón-Palomino, 2008). En la época prehispánica, el *tucuyrico*, habría estado al control de una *guaman* o provincia a fin de llevar las cuentas, en conjunto con el quipucamayo de la localidad, respecto a la "gente de guerra" y de todo aquello que entraba o salía en aquel espacio controlado (Cieza, 1995 [1553], p. 26; Morong y Brangier, 2019). Para la época colonial, el tucuyrico tenía entre sus funciones asentar en su quipu los pleitos que acaeciesen entre indios (Matienzo, 1967 [1567]:33-34, cap. XIV).

25 AGN, Real Audiencia de Lima. Juicios de residencia. 1591. Legajo N 8, Cuaderno 21

el procurador y los contadores tendrían registro en quipus, pero el escribano, no.

De cualquier modo, la vigencia de las ordenanzas toledanas y la multiplicidad de labores que por medio de ellas se le solicitaba llevar a cabo a los quipucamayos continuaron aun después de concluido el mandato del virrey. Estas autoridades indígenas estuvieron al frente de asuntos económicos y monetarios, fiscalizando las cuentas de la comunidad, además de los asuntos administrativos, y la supervisión, en alguna medida, de miembros de la Iglesia. Los quipucamayos tendrían que relacionarse con otras autoridades coloniales que desempeñaban tareas o actividades complementarias a la suya.

De la particularidad a la generalidad: Ordenanzas sobre el gobierno y administración de pueblos de indios de La Paz

El 6 de noviembre de 1575, en Arequipa, el virrey Toledo daría las siguientes ordenanzas particulares para los pueblos de indios de La Paz y otra para la vida en común de los indios. Aun si se refiere a los pueblos de La Paz, el virrey, al ver la particularidad de las regiones, comunidades, repartimientos, redactó una ordenanza que podría adaptarse y reflejar los cargos coloniales que desempeñaría la cúpula administrativa en cada uno de los pueblos visitados. El virrey de turno fuese ya el mismo Toledo o quienes le siguieron en el cargo, haría extender sus ordenanzas, dictadas según la particularidad, pero determinadas para que se aplicasen por doquier, posiblemente, a pesar de lo dificultoso que resultaría su puesta en práctica. Los grupos y comunidades podrían ser políticamente diversas, así como las circunstancias eran otras, y las personas autoridades coloniales, clero, encomendero, eran otros, lo cual podría influir en la aplicación de dichas ordenanzas. Estas indicaban que:

> [...] Ordenanzas para el pueblo de tal parte:
>
> Primeramente, ordeno y mando que en el pueblo de tal parte haya dos alcaldes y cuatro corregidores y un alguacil y un escribano de concejo o quipucamayo, que este ha de estar perpetuo en tanto que tuviere habilidad y suficiencia para ello […] (Sarabia Viejo, 1989 [1575]:204, t. II).

Esta ordenanza, expedida inicialmente para los pueblos de La Paz, fue el molde diseñado por Toledo para luego emitir las “Ordenanzas generales para la vida común en los pueblos de indios” de la misma fecha, 6 de noviembre de 1575 (Sarabia Viejo, 1989 [1575]:217, t. II), cuyo título deja en claro que pretendía ordenar la vida en común de los indios. Amerita destacar el grupo selecto en el cual se encontraba inserto el quipucamayo, según lo expuesto en la última ordenanza. Si en las anteriores ordenanzas toledanas a estas se hacía expresa mención a la actuación del alcalde y de los caciques de las comunidades indígenas en estrecha relación con los quipucamayos, cada uno de ellos desenvolviéndose según su cargo para dar las cuentas de la comunidad; y, del lado español, el administrador, el corregidor y algún religioso, ya en las *Ordenanzas generales* se sumaban los alguaciles, regidores y las segundas personas. Para Toledo, el desempeño de estas autoridades estaría en concomitancia con aquel del quipucamayo cuando asumía una función equiparable, en la práctica, con la de escribano de concejo.

Esta ordenanza puntualizó algunos aspectos que traslucen la necesidad de contar con un escribano o quipucamayo en diversas circunstancias. Principalmente se trataba de la presencia medular de este oficial en situaciones que iban desde asentar el nombramiento de autoridades para los pueblos de indios, pasando por la supervisión del esquilmo, el desempeño de alcaldes y religiosos, mantener la custodia de la caja de los bienes de la comunidad, y avalar los testamentos de indios enfermos. Espacial y sincrónicamente, parecería que el escribano de cabildo quedaba ubicado más cercano a la oficialidad administrativa colonial que a su propia comunidad. Diacrónicamente, las funciones que desempeñaría el escribano de cabildo guardarían relación con aquellas descritas por los cronistas acerca del *tucuyrico* prehispánico (Cieza de León, 1985 [1553]:56; Santillán, 1879 [1574]:381-382).

En ciertas circunstancias y como parte del grupo de autoridades que el virrey Toledo buscaba constituir, los quipucamayos llegaron a sobresalir, pero no en el cargo ni recibiendo el nombre de escribano de cabildo o de concejo. Si bien Toledo intentó equiparar escribano y quipucamayo, las fuentes manuscritas dan cuenta de dos oficiales identificados en dos personas, no una sola persona asumiendo los dos cargos. De otro lado, los quipucamayos no serían los únicos en sobresalir, pues formarían parte de las autoridades indígenas con cargos de corte español otros oficiales como los procuradores, administradores y gobernadores quienes, aunque no fueron señalados como quipucamayos por el virrey Toledo, tendrían un papel preponderante para manejar cuentas de las comunidades mediante el uso de quipus. Estas autoridades, al ser parte de la cúpula administrativa de sus comunidades, podrían ir adecuando sus funciones sin dejar de ser autoridades indígenas y sin llegar a ser consideradas autoridades españolas. Así, las ordenanzas habrían avalado y reafirmado aquello que Toledo encontró en los pueblos de indios y comunidades durante su visita por el territorio peruano, aunque el virrey hubiera buscado respetar y, en ocasiones, enaltecer aquellas autoridades relevantes y que le permitieran establecer un orden administrativo que se ajustara a sus necesidades de gobierno (Cuadro No. 2).

Cuadro N° 2

Cargos coloniales e indígenas para mantener las cuentas en cada pueblo de indios

Cargo	Número de oficiales	Especificidad de la función
Alcalde	2	- Elegido por su antecesor en las casas de cabildo - Velar por la hacienda de bienes de la comunidad con los caciques y segundas personas.
Regidor	4	Elegido por su antecesor en las casas de cabildo. Velar por la hacienda de bienes de la comunidad con los caciques y segundas personas
Alguacil	1	
Escribano de concejo **Escribano de cabildo** **Escribano de pueblo** **Quipucamayo**	1	Nombramiento perpetuo mientras que sea hábil para ello. - Presenciar la elección de autoridades del pueblo o repartimiento y asentar los resultados - Supervisar el esquilmo - Registrar el desempeño de alcaldes y religiosos, y sus ausencias para descontarle lo correspondiente - Mantener la custodia de la caja de los bienes de la comunidad - Avalar los testamentos de indios enfermos.
Cacique y segunda persona	1	Tomar las cuentas cada año con el alcalde y el regidor
Procurador del cabildo	1	"Ver y entender todas las cosas de que hubiese necesidad y conveniere para proponerlas al cabildo, agua, montos y pastos" (Sarabia Viejo, 1989 [1575]: 236).
Gobernador	----	----

Fuente: Sarabia Viejo (1989 [1575], Tomos I y II). [Elaboración propia].

Las funciones de los quipucamayos fueron adecuándose a las circunstancias del momento y/o acatando de las ordenanzas de Toledo. Tanto al virrey de turno como a la administración colonial y, más aún a la Corona, resultaba urgente obtener de los quipucamayos el registro del rendimiento de la mano de obra indígena y del cumplimiento del tributo para su ingreso en las arcas reales. A inicios de 1588, durante el juicio de residencia llevado a cabo al Conde del Villar, los quipucamayos debieron presentarse ante la Audiencia de Lima para ventilar los excesos en las solicitudes de los allegados al virrey para entregarles semanalmente una cantidad enorme de huevos y gallinas, por fuera del tributo y a un precio por debajo de lo acordado. Con el debido registro en sus quipus, quipucamayos y autoridades principales de Canta, Huarochirí, Cercado y Cañete dieron las cuentas pertinentes. Entre el más de medio centenar de autoridades, ninguna de ellas, salvo una, asumió el doble papel de quipucamayo y escribano de cabildo. El quipucamayo de San Salvador de Pachacama, repartimiento de Cañete, don Alonso Cayre, no pudo dar cuentas con sus quipus: dio cifras vagas, y finalmente firmó de su nombre como escribano mas no como quipucamayo. En esa misma ocasión, don Sebastián Quispe Ninavilca, que había sido reconocido años atrás como alcalde mayor, cacique principal y quipucamayo se presentó para avalar la misma queja solo como cacique principal, sin quipus (AGI, Justicia 481).

Al tener tanto don Alonso Cayre como don Sebastián Quispe Ninavilca esos reconocimientos no significaba que ejercieran todos los cargos a la vez. Para ejercerlos, al menos el cargo de escribano y de alcalde, debieron haber sido alfabetizados. Ejemplos como este lleva a ponderar que el paso del quipu a la escritura no debe ser considerado solo como el cambio de un sistema de registro a otro, sino que podría ser analizado en el marco de la adaptación de las funciones de las personas que manejaban los quipus para dedicarse a cumplir con otras funciones que les posibilitaban mediar por sus comunidades en el ámbito burocrático colonial. En ese sentido, los quipucamayos podían funcionar paralelamente en varios aspectos de la organización colonial, por lo que amerita conocer la respuesta de acción de los quipucamayos y si efectivamente las ordenanzas fueron obedecidas por ellos, es decir, qué sucedió en la práctica. Para conferir y legitimar la autoridad de los quipucamayos, habría sido necesario decretar las condiciones que les permitiría ser parte del nuevo sistema colonial, que fue lo que pretendió hacer el virrey Toledo.

Las *Ordenanzas generales,* en el acápite específico sobre el escribano de cabildo, instruía sobre las obligaciones que tendrían debido a su oficio[26]. Esta ordenanza sintetizaba las responsabilidades que el virrey encontró viables de exigirse en las distintas zonas y espacios que visitó. La cuestión es que las particularidades de cada lugar detallado se tornaron generalidades para un sinnúmero de espacios coloniales, y las ordenanzas siguieron ese mismo camino: serían generales para el virreinato del Perú, ya no se especificaría que fueran para tal o cual pueblo. Así, el virrey se refirió a que el escribano estaría al tanto de asuntos tales como los testamentos, las informaciones, y caja de la comunidad para asentarse por memoria:

> [...] porque todo lo demás que se pudiere, **que los indios suelen poner en quipus, se ordena y manda que se reduzca a escritura por mano de dicho escribano**, para que sea más cierto y durable, [...] en lo que tocare a los corregidores y sus tenientes y otras cosas particulares, que ellos suelen asentar en los dichos quipus, porque cuando se les pidiera cuenta de ello o les convenga, esté más claro y la den mejor, y el dicho escribano la haga y escriba toda sin poner excusa [...] (Sarabia Viejo, 1989 [1575]:238, t. II).

Esta propuesta virreinal presenta algunos temas de interés para analizar y es clave para entender los cambios en las funciones e interrelaciones de los quipucamayos con otros actores sociales. Asimismo, resulta significativo el respaldo al uso de sus quipus como fuente primaria ---para luego reducir esa información a escritura-- en asuntos que involucraban a oficiales coloniales como el corregidor y sus tenientes. El asunto es encontrar respuestas de los quipucamayos y escribanos, quienes a través de las informaciones o pleitos y cuyos testimonios escritos se mantuvieron en las cajas de la comunidad o en archivos locales y parroquiales, dieron cuenta de cómo se interpretó la ordenanza en la práctica. Así, para atender las presunciones que derivaron de las ordenanzas, el enfoque debe ponerse en el propio discurso y actuación de estos sujetos. La fijeza de la escritura y la *memoria* puesta en papel por parte de los intermediarios andinos letrados sería un complemento a la movilidad que podría tener el quipu en manos de especialistas locales de las comunidades.

La flexibilidad de los quipus, es decir, el atar y desatar aquellos nudos que significaban "cosas", permitía que el sistema de cuerdas se sostuviera manejado por especialistas, para que el resultado se fijase en papel por mano del escribano de cabildo y que, finalmente, llegase a las autoridades coloniales. El propósito de

[26] Del escribano de cabildo. Ordenanza II. A lo que está obligado el escribano por razón de su oficio, t. II: 238.

la ordenanza fue pedir al escribano de ir "reduciendo a escritura los dichos quipus y lo que toca a la caja de bienes de comunidad y repartimientos de la tasa, para que ninguno sea agraviado, y hacer con testamentos y cosas". Sin embargo, no se le pedía que desestimara los quipus, sino que --como mencionara líneas atrás-- a la información plasmada en quipu, se le sumara la escritura. Así, ante la administración colonial, se daría la complementariedad entre el oficio de los quipucamayos y los escribanos de cabildo.

Consideraciones finales

Si tenemos presente que el virrey Toledo había sugerido que se debían respetar y mantener algunas instituciones indígenas prehispánicas para facilitar el orden administrativo y, especialmente, el cobro del tributo, las ordenanzas expedidas para los quipucamayos habrían tenido ese fin. Por medio de ellas, además, se autorizaba al escribano de cabildo para dar fe de la información transmitida por oficiales de una de aquellas instituciones que se buscaba preservar: la de los quipucamayos. Sin embargo, no es posible concluir que el escribano formaba parte de la institución de los quipucamayos. Para que el quipucamayo pudiera desempeñarse como tal se hacía necesario respetarle su preeminencia, de tal modo que administrara su población o, al menos, que sobre ella diera cuenta. Y para este fin, debía hacerse evidente el ejercicio de su función con un medio comprensible a la administración colonial, es decir, mediante escritura. El traslado de aquello expresado verbalmente se hacía por medio de un *lengua* o intérprete para que finalmente fuera plasmado por escrito por la autoridad que se desempeñaba como escribano de cabildo.

Mediante sus ordenanzas, Toledo dictaminó asimismo la actuación de los principales de pueblos en general, según el cargo de corte español que podrían ocupar, pero sin especificar que estarían registrando información en quipus, aunque, en la práctica, así lo harían. A partir de las ordenanzas presentadas se plantea y pondera si en la etapa post – toledana, especialmente en el último decenio del siglo XVI:

a) Los quipucamayos siguieron operando para tomar cuentas de aspectos económicos y productivos y para informar acerca de asuntos administrativos de sus comunidades. Sus funciones, normadas por el virrey Toledo, continuaron siendo respetadas.

b) Algunas de las funciones de los quipucamayos implicaron dar fe de acciones de oficiales de la administración colonial, así como de sus propias comunidades, pero eso no significó haber sido escribanos de cabildo. No es suficiente con inferir que los quipucamayos podrían haber sido letrados, habrá que indagar acerca de cuáles de ellos tendrían el privilegio de ser alfabetizados, y comprobar si esta fue la vía para acceder al nombramiento de escribano. El virrey Toledo había propuesto que en los colegios para indios se educaran especialmente los hijos de indios nobles e hijos de caciques, pero cabe la duda si dentro de esa categoría "indios nobles o caciques principales" estuvieron insertos o subsumidos los quipucamayos, o si fueron solo algunos los privilegiados y de qué dependió la selección. Ante la perspectiva de que algunos quipucamayos habrían sido letrados mientras otros no, es decir, que unos dominarían el uso de los quipus y la escritura y otros solo el manejo de los quipus, el virrey dictaminó que se usara "quipu o libro", pues habría sido más importante contar con el registro de la información, que insistir en el medio a utilizar. La alfabetización no los catapultaba incuestionablemente a ser escribano, pues algunos quipucamayos eran letrados, o al menos supieron firmar, y se mantuvieron como contadores.

c) Las funciones de los quipucamayos en la época toledana y post - toledana serían diversas, aunque no corresponderían propiamente a aquella heterogeneidad de la época prehispánica, pues las circunstancias para desempeñarse eran otras, las necesidades eran otras, como también lo eran las funciones de las personas de la administración colonial con las cuales debían relacionarse e interactuar recíprocamente. Las funciones de los quipucamayos que buscó resaltar el virrey Toledo dependerían de aquello hallado, de aquello que se trataba de preservar o cambiar en ámbitos económicos y sociales para lograr consolidar la administración colonial. Asimismo, influyeron los intereses de la persona en sí misma, de oficiales los propiamente comunales, así como de aquellos del entorno colonial.

De lo anterior se puede deducir que los quipucamayos fueron reconocidos y respetados como interlocutores de sus comunidades ante la administración colonial, lo cual les permitía fungir de intermediarios en un espacio en el cual se ventilaban pleitos, atendían asuntos del día a día o facilitaban la resolución de disputas inter - comunidades e intra - comunidades, así como de sus comunidades con agentes externos a ellas. Estos intermediarios tendrían un pie a cada lado de la institucionalidad indígena y española. ¿Hasta qué punto el quipucamayo, en toda su variación de desempeño, no sería una autoridad netamente local e indígena pero sí una autoridad heterogénea, en términos funcionales o políticos, que podía conectar su espacio comunal con la administración colonial? De ahí parte la necesidad de argumentar sobre la resistencia indígena al declive de la institución de los quipucamayos con la consecuente continuidad del uso de sus quipus, que relegaba la introducción cabal de la escritura a finales del siglo XVI en las provincias del virreinato del Perú. De la parte española, la administración colonial que se consolidaba entendió la necesidad de legitimar y darles reconocimiento a las autoridades indígenas con destreza en el uso de quipus, siempre y cuando se le sumara el uso de la escritura a lo plasmado en cuerdas, tal como lo indicó el virrey Toledo mediante sus ordenanzas. La legislación toledana buscó ordenar y reconocer aquello que sirvió a la función del gobierno sobre el control de la población indígena.

Fuentes primarias

AGI Archivo General de Indias:

- Audiencia de Charcas, 37
- Audiencia de Lima, 29
- Justicia, 481.

AGN Archivo General de la Nación, Lima:

- Real Audiencia de Lima, Juicio de Residencia, 8
- Real Audiencia de Lima, Juicio de Residencia, 11
- Real Audiencia de Lima, Juicio de Residencia, 12
- Real Audiencia de Lima, Juicio de Residencia 19
- Real Audiencia de Lima. Causas Civiles, 19

Referencias citadas

Brading, D. 2015. *Orbe indiano. De la monarquía católica a la república criolla, 1492-1867*. Cuarta reimpresión. México: Fondo de Cultura Económica.

Cerrón-Palomino, R. 2008. *Voces del Ande. Ensayos sobre onomástica andina*. Lima: Fondo

Editorial de la Pontificia Universidad Católica del Perú.

Cieza de León, P. 1995. *Crónica del Perú*. Primera parte. Lima: Fondo Editorial Pontificia Universidad Católica del Perú.

Cieza de León, P. 1985 [1553]. *Crónica del Perú*. Segunda parte. Lima: Fondo Editorial de la Pontificia Universidad Católica del Perú.

Cook, N. D. 1975. *Tasa de la visita general de Francisco de Toledo*. Introducción y versión paleográfica de N.. Cook y los estudios de A. Málaga Medina y T. Bouysse Cassagne. Lima: Universidad Nacional Mayor de San Marcos.

Díaz Rementería, C. 1977. *El cacique en el Virreinato del Perú. Estudio histórico-jurídico*. Sevilla: Publicaciones de la Universidad de Sevilla.

Diez de San Miguel, G. 1964. *Visita hecha a la provincia de Chucuito por Garci Diez de San Miguel en el año 1567* [1567]. Documentos Regionales para la Etnología y Etnohistoria Andina, 1. Versión paleográfica: Waldemar Espinoza Soriano. Lima: Ediciones de la Casa de la Cultura del Perú.

González Holguín, D. 1989 [1608]. *Vocabulario de la lengua general de todo el Perú llamada lengua Qquichua o del inca*. Lima: Universidad Nacional Mayor de San Marcos.

Guajardo-Fajardo, M. 1995. *Escribanos en Indias durante la primera mitad del siglo XVI*. Madrid: Consejo General del Notariado.

Honores, R. 2005. *El ius Comune en los Andes. Una aproximación a los informes del Licenciado Polo de Ondegardo (c.1517-1575)*. Lima: Pontificia Universidad Católica del Perú. Tesis para optar el grado de Magister en Derecho con mención en Derecho Civil.

Jurado, C. 2010. "Don Pedro de Dueñas, indio lengua. Un estudio de caso de la interpretación lingüística andino-colonial en el siglo XVII". *Anuario de Estudios Bolivianos, Archivísticos y Bibliográficos*, N° 16: 285-309.

Keith, R. 1971. "Encomienda, Hacienda and Corregimiento in Spanish America: A Structural Analysis". *En*: *Hispanic american historical review*, N° 51: 431-446.

Lohmann Villena, G. 2001. *El corregidor de indios en el Perú bajos los Austrias*. Lima: Fondo Editorial Pontificia Universidad Católica del Perú.

Matienzo, J. 1967 [1567]. *Gobierno del Perú*. Buenos Aires: Compañía Sud-Americana de Billetes de Banco.

Medelius Olcese, Y. 2013. "El licenciado Cristóbal Ramírez de Cartagena: Relator, fiscal, y oidor de la Audiencia de Lima. Su memorial de 1591". *Surandino Monográfico*, N° 3: 63-92.

Merluzzi, M. 2014. *Gobernando los Andes. Francisco de Toledo virrey del Perú (1569-1581)*. Lima: Fondo Editorial Pontificia Universidad Católica del Perú.

Moreno Cebrián, A. 1977. *El corregidor de indios y la economía peruana del siglo XVIII (los repartos forzosos de mercancías)*. Madrid: Consejo Superior de Investigaciones Científicas.

Morong Reyes, G. y Brangier Preñailillo, V. 2019. "Los incas como ejemplo de sujeción.

El Gobierno del Perú y la escritura etnográfica del oidor de Charcas, Juan de Matienzo (1567)". *En Estudios Atacameños. Arqueología y Antropología Surandinas*, N° 61: 5-26.

Mumford, J. 2008. "Litigation as Ethnography in Sixteenth-Century Perú: Polo de Ondegardo and the Mitimaes". *Hispanic American Historical Review*, N° 88: 5-40.

Murra, J. 1991. *Visita de los valles de Sonqo en los yunqa de coca de La Paz [1568-1570]*. Madrid: Instituto de Estudios Fiscales, Instituto de Cooperación Iberoamericana.

Navarro, R. 2015. *El libro de protocolo del primer notario indígena (Cuzco, siglo XVI): cuestiones filológicas, discursivas y de contacto de lenguas*. Frankfurt am Main: Vervuert.

Noejovich, H. y Salles, E. 2008. *La visita general y el proyecto de gobernabilidad del virrey Toledo*. Tomo I – Volumen I. Lima: Fondo Editorial Universidad de San Martín de Porres.

Ondegardo, P. de 1872 [1571]. Relación de los fundamentos acerca del notable daño que resulta de no guardar a los indios sus fueros. *En*: *Colección de documentos inéditos relativos al descubrimiento, conquista y colonización de las posesiones españolas en América y Oceanía*. Vol. XVII. Madrid: Imprenta de M. Bernaldo de Quirós.

Ortiz de Zúñiga, I. 1972 [1562]. *Visita de la Provincia de León de Huánuco en 1562*. Tomo II, editado por J. Murra. Huánuco: Universidad Nacional Hermilio Valdizán.

Romero, C. 1924. "Libro de la visita general del Virrey Toledo, 1570-1575". *Revista Histórica*, T. VII: 114-126.

Santillán, F. 1879 [1574]. "Relación del origen, descendencia, política y gobierno de los incas. *En*: Ministerio de Fomento". *Tres relaciones de antigüedades peruanas*. Madrid: Imprenta y fundición de M. Tello.

Sarabia Viejo, M. 1989. *Francisco de Toledo: disposiciones gubernativas para el Virreinato del Perú*. Sevilla: Escuela de Estudios Hispanoamericanos, Monte de Piedad y Caja de Ahorros de Sevilla.

Tau Anzoátegui, V. 1980. "La ley se 'obedece, pero no se cumple'. En torno a la suplicación de las leyes en el Derecho indiano". *En V Congreso del Instituto Internacional de Historia del Derecho Indiano*, volumen 2, tomo II, pp. 55-112.

Taylor, G. 2000. *Camac, camay y camasca y otros ensayos sobre Huarochirí y Yauyos*. Cusco: Centro de Estudios Regionales Andinos Bartolomé de las Casas.

Urton, G. y Brezine, C. 2007. "Information Control in the Palace of Puruchuco: An Accounting Hierarchy in a Khipu Archive from Coastal Peru". En Burger, R., Morris, C y Matos Mendieta, R. (eds.), *Variations in the Expression of Inka Power*. (357-384). Washington DC: Dumbarton Oaks Research Library.

Yannakakis, Y. 2008. *The Art of Being In-between. Native Intermediaries, Indian Identity, and Local Rule in Colonial Oaxaca*. [version Kindle], Durham y Londres: Duke University Press.

Zimmermann, A. F. 1968. *Francisco de Toledo, Fifth Viceroy of Peru, 1569-1581*, Nueva York: Greenwood Press.

PARTE II

La construcción del poder virreinal s. XVI

Pedro de Avendaño, un escribano en las entrañas del poder virreinal*

Julio Alberto Ramírez Barrios
Universidad de Sevilla, España

Introducción

El lenguaje simbólico adquirió una gran profusión en la cultura del Barroco como instrumento para hacer tangibles y comprensibles ideas y conceptos complejos y abstractos (Lozano, 2014: 71-73). La metáfora fue uno de los mejores ejemplos de esta cultura simbólica, donde se conjugaban la imagen y la palabra, sobre las que giró la literatura de emblemas y empresas tan del gusto de los siglos modernos (González, 1999: 85). La imagen y la palabra, o el buril y la pluma a los que hacía mención Saavedra Fajardo en la dedicatoria al príncipe Baltasar Carlos de su famoso tratado *Idea de un príncipe político christiano representada en cien empresas*, empleados "para que por los ojos, y por los oídos (instrumentos del saber) quede más informado el ánimo de V. A. en la sciencia de Reynar, y sirvan las figuras de memoria artificiosa" (Saavedra, 1655). Durante el Siglo de Oro, cuando la literatura emblemática tuvo su mayor desarrollo, el reloj sobresalió como una de las imágenes arquetípicas para representar el buen gobierno. Una de las referencias más interesantes de esta metáfora, para lo que aquí interesa, se encuentra en las *Empresas morales* de Juan de Borja. Decía así en la empresa titulada "Si a supremo dirigatur":

> Gran semejança tiene el relox con el buen govierno de la República... El Relox se compone de ruedas grandes, y pequeñas; el gobierno, con ministros grandes y pequeños, que ayudan a governar al Príncipe... en el buen govierno han de andar a la par, el dezir y el hazer... el Relox no ha de pararse; ni los negocios han

* Este trabajo se ha realizado en el marco del Proyecto I+D "*Negocios reservados y documentos secretos: el sigilo en el gobierno de la Monarquía (Andalucía y América, ss. XVI-XVIII)*" (P20_00634) y del Proyecto I+D+i FEDER Andalucía 2014-2020 "*Entre Andalucía y América: actores y prácticas documentales de gobierno, representación y memoria*" (US-1380617), financiados por la Consejería de Economía, Conocimiento, Empresas y Universidad de la Junta de Andalucía.

de dexar de hazer su curso... (Borja, 1680: 398-399).

Como expresaba Juan de Borja, el gobierno se componía de grandes y pequeños ministros, engranajes que en armonía debían ayudar al Príncipe en el buen gobierno de la República. Saavedra Fajardo también utilizó la metáfora del reloj en la *Empresa 57* de su tratado, donde sus ruedas representaban a los consejeros del sistema polisinodial que gobernaban junto al monarca. La empresa comenzaba haciendo alusión al "tan mudo y oculto silencio" con el que obraban las ruedas del reloj, es decir, los consejeros (Saavedra, 1655: 439-440). Pero si mudo y oculto era el trabajo de los consejeros, las ruedas mayores del reloj de gobierno, con más razón podía aplicarse la metáfora de Saavedra a aquellas ruedas pequeñas de las que hablaba Juan de Borja. Unas ruedas pequeñas que podemos interpretar como los oficiales o ministros menores cuyo desempeño era imprescindible para el funcionamiento ordinario del gobierno[1].

Aunque se suele representar a este grupo de oficiales como alejados de los ámbitos decisorios y con escasa influencia -de ahí su menor presencia en la documentación- (Gaudin, 2017: 25-26), no siempre fue así. Hubo oficiales subalternos que sí tuvieron influencia y ganaron notoriedad, como es el caso de ciertos oficiales de la pluma, cercanos al poder y a la toma de decisiones. En una sociedad mayoritariamente iletrada, en la que el documento se hacía cada vez más necesario, los profesionales de la escritura se convirtieron en actores esenciales para el gobierno (Gómez, 2005: 543-548). En especial en Indias, donde el factor distancia ayudó a potenciar el documento y sus valores (Gómez, 2011). E igualmente ocurrió con los oficiales de la pluma, que fungieron como resortes privilegiados para la comunicación y la información, sujetos en quienes las autoridades depositaban su confianza (Gómez, 2005: 547-548).

Uno de los más destacados oficiales de la pluma de los primeros años de la conquista y dominio castellano sobre las provincias del Perú fue Pedro de Avendaño, escribano de Cámara de la Real Audiencia de Lima y de la gobernación de Nueva Toledo. El importante papel que jugó en la sociedad limeña de mediados del siglo XVI permite reconstruir su vida y sus actuaciones en los aledaños del poder y en sus mismas entrañas. A ese objetivo dedicamos el presente trabajo a fin de comprobar como un simple escribano pudo atesorar un inmenso poder

[1] Este grupo de oficiales que auxiliaban a instituciones y autoridades también pueden recibir el nombre de "oficiales subalternos" (Gayol, 2007), "infraletrados" (Gaudin, 2017) o "ministros menores", como hemos podido constatar que eran denominados en documentación del siglo XVII (Archivo General de Indias [en adelante AGI], Lima, 34).

gracias al ejercicio de su oficio.

Primeros años en las Indias como oficial de la Real Hacienda

Pedro de Avendaño era natural de la villa burgalesa de Santa Gadea, hijo de Pedro del Corro y de doña Teresa de Avendaño (Romera, 1980: 489-490), siendo 1508 el posible año de su nacimiento (Busto, 1986: 173). En las distintas probanzas que realizó durante su estadía en el Perú no daba cuenta de sus primeros años en Castilla ni de cuándo se embarcó hacia el Nuevo Mundo. Las primeras noticias que tenemos de Avendaño como servidor de la Corona en los territorios de ultramar nos las ofrece él mismo en una carta de su puño y letra, fechada en Santiago de Cuba el 15 de agosto de 1532. En ella informaba de su nombramiento por el licenciado Juan de Vadillo -oidor de la Audiencia de La Española y que por entonces ejercía de teniente de gobernador-, como tesorero de la isla por ausencia de Lope Hurtado, que había marchado hacía España junto a dicho oidor. Así mismo, Avendaño daba aviso del cobro de 1.450 pesos de oro fino pertenecientes a la Corona y que remitía en el navío Santa María de la Ayuda. No era esta la única información referida al navío que recién partía del puerto de Santiago de Cuba, y quizás tampoco la más relevante. Avendaño hacía saber al monarca que en el navío viajaba hacia España el gobernador y capitán general de Cuba, Gonzalo de Guzmán, junto al oidor Vadillo y a fray Miguel Ramírez de Salamanca, obispo de Cuba. Se daba cuenta en la misiva de cómo el obispo, con el apoyo de Gonzalo de Guzmán, habían "yntentado y hecho aquí ynformación contra el licenciado Vadillo por vía de inquisición", al que amenazaba con encarcelarlo en el Castillo de San Jorge, ubicado en el barrio sevillano de Triana y sede de la Inquisición (AGI, Patronato, 178, R.14).

En Cuba debió permanecer por algún tiempo ejerciendo como oficial de la Real Hacienda e informando a la Corona sobre dicha materia. Una Real Cédula despachada por Carlos I el 13 de septiembre de 1533 da cuenta de ciertas cartas remitidas por Avendaño en febrero y marzo de aquel año en las que hacía extensa relación de los asuntos tocantes a la hacienda en la isla (AGI, Santo Domingo, 1121, L.1, f. 162r). Pocos días después, el 25 de octubre, se le dirigía una nueva Real Cédula, esta vez en respuesta a una carta del 6 de junio, en la que el monarca agradecía a Avendaño el cuidado que tenía en la cobranza de las rentas reales, conminándole a que continuase con su labor e informándole como venía haciendo (AGI, Santo Domingo, 1121, L.1, f. 178v).

Tras esta correspondencia entre Pedro de Avendaño, el monarca y el Consejo, perdemos toda pista sobre su quehacer en las Indias hasta abril de 1538, cuando llega al Perú. En la ciudad de Lima tomó contacto con el gobernador Francisco Pizarro, que lo nombró contador de la Real Hacienda por la ausencia de Domingo de la Presa. Según hizo constar en una información presentada en 1561, durante el juicio de residencia que se le practicó y sobre el que volveremos más adelante, en tal ocupación se encontraba cuando Francisco Pizarro fue asesinado por las huestes almagristas. Al tener noticia de la llegada de Vaca de Castro, envió a su encuentro a Juan Gutiérrez, que actuaba como su oficial y del que tenía plena confianza, llevando consigo ciertas cartas y despachos para informarle de lo acontecido. En los meses siguientes fue comisionado por el gobernador Vaca de Castro para ejercer labores de intendencia, provisionando con todo lo necesario a la gente de guerra reunida para combatir a Diego de Almagro (AGI, Justicia, 469). Desde mayo de 1542 compaginó la comisión para el despacho de las tropas reales con el oficio de contador, en esta ocasión por el ausente Juan de Cáceres (AGI, Justicia, 486).

Avendaño se encontraba en el desempeño de dichas ocupaciones cuando llegó al Perú Agustín de Zárate con comisión para tomar las cuentas de los oficiales reales de aquellas provincias, entre ellos las del contador y sus tenientes (AGI, Lima, 566, L.5, f. 28v-29v). Desde este momento comenzó a extenderse una sombra de duda sobre las actuaciones de Pedro de Avendaño, que solo hizo crecer en los siguientes años, fuera cual fuera el oficio que desempeñase o la labor que se le encomendase.

La Corona tuvo una especial preocupación ya desde los primeros años de la conquista por el control de la Real Hacienda indiana y de sus oficiales. En lo que respecta a las provincias del Perú, se aprovechó la promulgación de las *Leyes Nuevas* de 1542, y el envío de las nuevas autoridades que habían de regir aquellas tierras, para despachar jueces de cuentas o contadores generales para examinar las cuentas reales. La tarea recayó en Agustín de Zárate, escribano de Cámara del Consejo Real, que llegó a la ciudad de Lima el 26 de junio de 1544 (Hampe, 1991: 136). Por aquellos días la capital del virreinato se preparaba para recibir con el debido boato al sello real, que por encarnar a la misma persona del monarca era indispensable para el establecimiento de la Real Audiencia y el ejercicio por parte de sus oidores de la suprema jurisdicción regia (Ramírez, 2017).

Las dificultades que encontró Zárate para cumplir con su cometido no fueron menores. A las reticencias de los oficiales reales para la toma de sus cuentas se unieron las crecientes tensiones entre la Audiencia y el virrey y la amenaza de insurrección de los encomenderos, capitaneados por Gonzalo Pizarro. Por ello, sus primeras actuaciones se demoraron a principios del año 1545, cuando resolvió recluir a los oficiales reales en la cárcel pública con el propósito de que asistieran cotidianamente al examen de sus cuentas (Hampe, 1991: 136-140). Tras las primeras pesquisas, Zárate acusó a Pedro de Avendaño de cobrar ciertas cantidades del almojarifazgo como teniente de contador y no realizar el debido registro ante el tesorero, Alonso de Riquelme. Este confesó que Avendaño cobraba a mercaderes, y a otras personas, derechos de almojarifazgo que debían en ropa o en dinero, dándoles una cédula en la que se decía que no debían nada a Su Majestad. Además, no asentaba el cobro de los derechos en la copia que debía entregarle para así cobrar de los otros que venían en los navíos. Añadía el tesorero, en testimonio del fraude, que en ocasiones enviaba a su teniente a cobrar los maravedíes del almojarifazgo que adeudaba Avendaño y que este se comprometía a pagarlos más tarde, sin cumplir con su palabra. Por último, según la declaración de Riquelme, Pedro de Avendaño dilataba dar las copias de los que debían derechos de almojarifazgo para propiciar que los deudores partiesen, de modo que no se supiese los derechos que como contador había cobrado y dificultando el control sobre sus cuentas (AGI, Justicia, 486).

El fiscal de la Audiencia de Lima dio por buenas las acusaciones vertidas contra Pedro de Avendaño, solicitando a Zárate que le sentenciase "en las mayores e más graves penas criminales capitales que por fuero e por derecho e leyes e premáticas destos reynos hallare" e imploraba que se le condenara con la pérdida de todos sus bienes, que podrían ser destinados a la Cámara y Fisco de Su Majestad. Las acusaciones contra Avendaño parecieron tan graves al fiscal que aconsejaba que permaneciera preso. Agustín de Zárate convino con el fiscal en mantener en prisión a Avendaño, al que hizo poner grilletes para impedir que escapase (AGI, Justicia, 486). La sentencia del contador general no se hizo esperar y el primero de julio de 1545 condenó a Pedro de Avendaño a entregar al tesorero el dinero que por dicho proceso constaba que había cobrado del almojarifazgo, así como las cantidades que había dejado de cobrar por mala fe o negligencia. La suma de todo ello alcazaba los 976 pesos de oro. La sentencia remitía al Consejo de Indias ciertas causas para su determinación. La razón era que en aquellos momentos la Real Audiencia de Lima había sido deshecha de forma astuta por Gonzalo Pizarro, por lo que era imposible el ejercicio de la justicia regia (Ramírez, 2020a: 108). En el entretanto que se determinaba lo remitido al

Consejo, Zárate condenó a Pedro de Avendaño a no poder usar ni ejercer oficio ninguno relacionado con la Real Hacienda, ni como oficial principal ni como teniente (AGI, Justicia, 486).

La sentencia pronunciada por el contador general fue apelada ante el Consejo de Indias, que el 7 de noviembre de 1558 confirmó la inhabilitación de Avendaño para ejercer oficios de Real Hacienda, aplicando a su vez el "quatro tanto para la cámara e Fisco de Su Magestad" a la pena impuesta. La sentencia definitiva del Consejo de Indias, en grado de revista, no llegó hasta el 5 de junio de 1569, casi 25 años después de iniciado el proceso y ya fallecido el acusado. En ella se daba por justa la sentencia anterior, confirmándose las penas impuestas, a saber: 976 pesos de oro que debían restituirse a sus dueños por los fraudes cometidos en el cobro del almojarifazgo, y 2.000 ducados aplicados por tercias partes a la Cámara del rey para sufragar salarios y ayudas de costa de los oficiales del Consejo, a pasajes de religiosos que embarcasen hacia las Indias y, por último, para los estrados reales del Consejo (AGI, Escribanía, 952).

Volviendo al proceso incoado en Lima, Agustín de Zárate decretó el 1 de julio de 1545, mismo día en que dictó sentencia, que Avendaño ingresase nuevamente en la cárcel pública (AGI, Justicia, 489). Sin embargo, podemos deducir que su estancia no se prolongó por mucho tiempo. Para una persona de probada habilidad y oportunismo, la rebelión de Gonzalo Pizarro era una ocasión idónea para buscar nuevos acomodos, dejando atrás el tropiezo que supuso la sentencia de Zárate para sus pretensiones personales.

La participación de Avendaño en las guerras civiles peruanas

La rebelión de Gonzalo Pizarro no fue una más entre las numerosas insurrecciones que se produjeron en los primeros años de la conquista a lo largo y ancho de las Indias, cuando las estructuras que sustentaban el poder real se mostraban aún débiles. Tal fue la gravedad del levantamiento pizarrista que el cronista Calvete de Estrella llegó a considerar el desafío a la autoridad del monarca mayor que la revuelta de las Comunidades:

> Porque cuando las Comunidades se levantaron en España, el emperador, ni por su edad ni por la experiencia de reinar y gobernar en paz y en guerra, ni por la grandeza de su estado, estaba en tanta autoridad y reputación, y aunque siempre fue muy grande, ni se tenía tanta noticia del valor de su persona en cuanto estaba y se conocía quién era, al tiempo que Gonzalo Pizarro y los españoles que le

seguían se levantaron con el Perú; y así fue mayor su atrevimiento y temeridad que la de las Comunidades de España (Calvete, 1889: T.I, 101-102).

Aunque los protagonistas de las crónicas y documentos que narran la rebelión son las autoridades reales y los líderes y capitanes de los bandos enfrentados, oficiales ajenos a las armas y a los ámbitos decisorios tuvieron una implicación superior a lo que podríamos esperar de ellos por su posición y ocupaciones. Así ocurrió con los oficiales de la pluma de la Real Audiencia (Ramírez, 2022) o con nuestro protagonista, Pedro de Avendaño.

Recordemos que Pedro de Avendaño ejercía como contador de la Real Hacienda al tiempo que se instalaron en la ciudad de Lima el virrey Blasco Núñez Vela y la Real Audiencia. Según se testimoniaba en la probanza de 1561 antes citada, en un primer momento Avendaño mostró fidelidad a la autoridad representada en el virrey sirviendo en todo aquello que se le ordenaba para resistir a las huestes de Gonzalo Pizarro, sin especificar en qué consistió su colaboración. Podemos conjeturar que Avendaño no quiso significarse durante las convulsas jornadas que precedieron a la encarcelación del virrey y a la proclamación de Pizarro como gobernador y capitán general de las provincias del Perú, manteniéndose en una actitud contemporizadora hasta convenir a qué bando adherirse. Así, declaraba que no se halló presente ni prestó ayuda en las maniobras para apresar al virrey, pero tampoco se mostró contrario a ello. Cierto es que Avendaño tenía otras preocupaciones, encarnadas en la figura de Agustín de Zárate y en el examen de sus cuentas, que a la postre le llevó a prisión.

Mientras la fortuna de Avendaño decaía, el poder de Gonzalo Pizarro iba en aumento, encumbrándose como el hombre más poderoso del virreinato. Por tanto, no es de extrañar que Avendaño inclinara su balanza hacia las huestes insurrectas. También pudo ayudar a la elección que Agustín de Zárate, impulsor de la primera reprobación a la que tuvo que hacer frente en su estadía en el Perú, mostrara su apoyo a Gonzalo Pizarro. Y no solo porque fuera una de las autoridades que más claramente apostaron y defendieron el nombramiento de Pizarro como gobernador (Lohmann, 1977: 31-35). Como señala Teodoro Hampe, Zárate tras su nombramiento entabló lazos personales con el líder de la rebelión, acomodándose a la nueva situación. De él llegó a decir el cronista Antonio de Herrera que "era cosa notable el cuidado y diligencia con que… andaba lisonjeando a Gonzalo Pizarro, alabando sus hechos y grandezas" (Hampe, 1985: 27-28).

Teniendo todo ello presente, se comprende mejor la carta que Pedro de Avendaño dirigió a Gonzalo Pizarro el 22 de julio de 1545, pocos días después de la sentencia dictada por Zárate. Decía así:

> Que, á estar Vuestra Señoría en esta ciudad, no hubiera consentido que fuera molestado ni que se me hubiera hecho agravio ninguno sin causa y por satisfacer a terceros apasionados. El negocio tuvo fin y yo quedé molestado y aun gastado de la mayor parte de mi hacienda; y al fin quedamos conformes Agustín de Zárate y yo al tiempo de su partida y satisfizo en que él no fue culpado en lo hecho, ni había en su mano. Ya él es partido y Dios le lleve con bien. ¡Mala obra me hizo sin yo se lo merecer! (Pérez de Tudela, 1964: T.I, 554).

La carta demuestra cómo Avendaño, por propia voluntad e interés, se aproximó a Gonzalo Pizarro, aunque en su probanza se excusaba por su colaboración con los insurrectos "por temor y miedo". Y así podría ser si no existiese la correspondencia con Pizarro, pues son notorias las amenazas proferidas contra aquellos que no se avenían a su movimiento, y muy especialmente las atrocidades cometidas por su maestre de campo, Francisco de Carvajal. De hecho, en la probanza se manifestaba que Avendaño se había unido a Carvajal cuando ambos se hallaban en Cuzco, "por fuerza" según dijeron algunos de los testigos presentados, oficiando desde entonces como su secretario. Desde allí marcharon a Charcas para combatir a Diego Centeno, capitán siempre fiel a la Corona, campaña en la que se urdió un complot para asesinar a Carvajal (AGI, Justicia, 469). El episodio es recogido por las crónicas sobre las guerras civiles peruanas, durante la refriega que mantuvieron en el pueblo de Pocona las tropas de Gonzalo Pizarro, capitaneadas por Francisco de Carvajal, y las leales a la autoridad del rey, con Lope de Mendoza al frente. Aprovechando el tumulto, la oscuridad de la noche y el ruido de arcabuces, algunos de los integrantes del bando rebelde concertaron con los realistas Damián de la Vandera y Francisco Rodríguez Matamoros matar a Carvajal (Gutiérrez, 1905: T.III, 257-258).

La *Relación de las cosas acaecidas en las alteraciones del Perú después que Blasco Núñez Vela entró en él*, cuyo autor no solo debió ser coetáneo a los acontecimientos, sino que pudo presenciarlos, es la crónica que da mayor protagonismo a Avendaño. Según este testimonio, los "concertados" para acabar con Carvajal, entre los que se encontraba su secretario, Pedro de Avendaño, acordaron enviar un indio "muy ladino" al capitán Lope de Mendoza para que le avisase del plan trazado y para que aquella noche acometiese con sus tropas a Carvajal, propiciando la ocasión de matarlo. Aunque Lope de Mendoza estaba presto a alejarse de Pocona, el plan de los traidores a Carvajal le persuadió de hacerlo y llegada la noche se lanzó con sus hombres hacia la plaza de la villa, donde comenzó el combate entre los dos frentes. En mitad de la confusión y del ruido, mientras Carvajal animaba a los suyos, entró en escena Pedro de Avendaño. La crónica lo relata así:

> El capitán Carvajal andaua animando su gente y en esto Pedro de Avendaño tomó vn arcabuzero con quien tenía concertado el negocio y, mostrándolo al capitán Carvajal, le tiró y le dio en vna nalga. Y como el dicho capitán se sintió herido, viendo que no le hauía hecho mucho daño y entendiendo que de su parte le hauían tirado, simuló, y, tomando consigo al dicho Pedro de Avendaño, se metió en vnas paredes y tomó vna capa vieja y otro sombrero, de manera que no le pudiessen conoscer, y tornó a donde se daua el combate. Y el dicho Pedro de Avendaño le tornó a mostrar a otro arcabuzero, el qual le tiró otra vez y le erró.

Lope de Mendoza decidió retirar sus tropas al no consumarse el plan, encaminándose esa misma noche hacía un hato que era propiedad de Carvajal y donde guardaba gran cantidad de oro y plata (Casas, 2003: 249-250). Avendaño quedó en Pocona junto a Carvajal, aunque lo más sensato hubiera sido intentar escapar y unirse al ejército realista, vista su participación en la conjura. Más aún, si como manifestaron algunos testigos, Carvajal pensaba que Avendaño fue uno de los que trataron de asesinarle (AGI, Justicia, 469). Se hace difícil entender que el tan cruel e inmisericorde Carvajal no tomara represalias contra su secretario ante la más mínima sospecha de traición. Fuera por fortuna o por sus probadas dotes para superar obstáculos, lo cierto es que Avendaño conservó la vida, y con ella la posibilidad de alcanzar nuevas metas.

Tras este suceso, la probanza insistía en la fidelidad de Avendaño al rey. Prueba de ello es que mantenía comunicación con los servidores de Su Majestad, a quienes daba avisos para favorecer su causa aprovechando la posición privilegiada que mantenía dentro de las filas rebeldes. Avendaño abandonaría finalmente el bando de Gonzalo Pizarro cuando conoció la llegada al puerto de El Callao de la armada enviada por el presidente Gasca, a cuyo mando se encontraba Lorenzo de Aldana. Corría el otoño de 1547 y Avendaño supo leer a la perfección cómo podrían desarrollarse los acontecimientos con el habilidoso Pedro de la Gasca al frente de las fuerzas llamadas a restablecer la autoridad real. Relatan los testigos presentados por Avendaño en la probanza cómo este fue recibido con gran regocijo por la armada de Lorenzo de Aldana, aplicándose con diligencia "escribiendo y despachando cosas que convenían para la guerra en servicio de Su Magestad contra Gonzalo Pizarro" (AGI, Justicia, 469).

Años después de la rebelión de Gonzalo Pizarro se produjo un nuevo cuestionamiento de la autoridad real, encabezado por Francisco Hernández Girón. La participación de Pedro de Avendaño en este nuevo levantamiento recuerda bastante a su desempeño durante el alzamiento pizarrista. Así, Avendaño se ocupó del pertrecho de municiones, víveres y soldados necesarios para desbaratar el levantamiento y de tener cuenta y razón de los gastos de la Real Hacienda, a pesar de la prohibición de entender en dichos negocios tras los abusos probados en el proceso que contra él siguió el contador Agustín de Zárate[2].

Y para mayor similitud con su implicación durante la rebelión de Gonzalo Pizarro, Avendaño hizo gala de su astucia y habilidad para asestar un duro golpe, esta vez con éxito, al bando insurrecto. Del episodio nos da noticia el oidor Hernando de Santillán, cuando la ciudad de Lima vivía "con gran congoja y confusión" el avance del Hernández Girón. En esta coyuntura, Toribio Galíndez de la Riba, que acompañó y sirvió al presidente Gasca en servicio de la Corona (Ramírez, 2020a: 145), se hizo caudillo de los rebeldes en la ciudad de Lima y persuadió a 30 o 40 soldados para pasarse a sus filas y huir al campo de Hernández Girón. La maniobra llegó a noticia de los oidores de la Real Audiencia, que llamaron a Pedro de Avendaño para que se informase de cuándo y cómo Galíndez de la Riba llevaría a efecto su plan, valiéndose de los contactos y espías que tenía en la ciudad. Avendaño, junto al portero de la Real Audiencia, Hernando de Sepúlveda, logró la información requerida por los oidores y que permitió desbaratar la conjura.

Además de dar aviso de los planes de Galíndez de la Riba, Avendaño fue el artífice de su arresto, ganándose previamente su confianza y amistad. La noche en que debían huir los conjurados le fue a buscar, primero a su casa y más tarde a una huerta propiedad de Ana Xuárez, donde al fin lo encontró escondido entre unos plátanos, lo prendió y desarmó. Tras ello, Avendaño se hizo con "una carga de papeles de Galíndez" entre los que halló numerosos memoriales en favor de Hernández Girón "apuntados muchos avisos y causas para la justificación de la tiranía en perjuicio de la autoridad de Su Magestad y de su justicia" (AGI, Justicia,

[2] En la probanza presentada en 1561 por Pedro de Avendaño se interrogaba a los testigos si sabían que durante la alteración de Hernández Girón se había ocupado de los gastos de la Real Hacienda, formando un volumen "a fin de que se entendiese lo que se gastaba e a quién se daba y de quiénes había que cobrar, el cual dicho libro y cuidado que tuvo ha sido y es una de las principales causas e importante para que Pedro Rodríguez Puertocarrero, contador, tuviese claridad para tomar las cuentas y cobrase parte de lo que a Su Magestad se debe" (AGI, Justicia, 469).

469). La confianza depositada por los oidores en Avendaño muestra cómo, pese a las sombras de actuaciones pasadas, se apreciaban mucho sus habilidades y relaciones, fraguadas en el desempeño de los más renombrados oficios de la pluma en el Perú.

Restablecimiento de la autoridad real y acceso de Avendaño a los oficios de la pluma

Con el restablecimiento de la autoridad real por Pedro de la Gasca, el virreinato del Perú por fin alcanzó la paz y quietud ansiada, al menos por un tiempo. Avendaño, que durante los últimos meses de la contienda se había ocupado de labores de intendencia, accedió a dos de los oficios de la pluma más importantes en el Perú: la escribanía mayor de la gobernación de Nueva Toledo y la escribanía de Cámara de la Real Audiencia de Lima.

El acceso de Pedro de Avendaño a los oficios de escribanía obliga a hacer alusión al privilegio concedido en 1521 a Juan de Sámano, secretario del Consejo de Indias, de las escribanías de gobernación de las provincias indianas, una merced que se fue ampliando conforme avanzaba la conquista y que le facultaba a renunciar dichos oficios en sus hijos "o en otra persona que quisyere". Antes de continuar es necesario realizar una aclaración. Aunque pasadas unas décadas las escribanías de gobernación y de Cámara se consideraron oficios autónomos -ejercidos por personas diferentes y con títulos propios-, en un principio estuvieron equiparadas y englobadas en el privilegio que tenía concedido Juan de Sámano. Es decir, las escribanías de Cámara se consideraron como anexas a las de gobernación (Gómez, 2012: 52-57).

Con anterioridad a las *Leyes Nuevas* y al establecimiento de la Real Audiencia, el territorio que luego sería de su jurisdicción contaba con dos escribanías de gobernación, la de Nueva Castilla y la de Nueva Toledo, que pertenecían a Sámano por ampliación que de su privilegio se le otorgó por Real Provisión de 26 de octubre de 1536, documento que también le facultaba para la renuncia de los oficios (AGI, Patronato, 246, N.1, R.13). En virtud de esta facultad, Juan de Sámano dio poder el 6 de septiembre de 1540 a Cristóbal Vaca de Castro, que viajaba a Perú con la comisión de entender en el conflicto entre pizarristas y almagristas, para que renunciase en su nombre el oficio de escribanía mayor de la gobernación de Nueva Toledo. La renuncia no se produjo hasta años después, una vez que Vaca de Castro había entregado el gobierno al primer virrey del

Perú, Blasco Núñez Vela. El 6 de julio de 1544 Vaca de Castro otorgaba carta de renunciación del oficio en Pedro de Avendaño, "aviendo consyderaçión a la habilidad y sufiçiençia... y a que concurren en vos las habilidades y calidades que para el huso y exerçiçio del dicho ofiçio se requieren". No sabemos si se le realizó un examen por el virrey y la Audiencia para comprobar sus habilidades, aunque su práctica en el empleo de la pluma era patente, tanto en el despacho de la guerra como ejerciendo de secretario de Francisco de Carvajal. Lo que sí podemos afirmar es que no poseía título de escribano real, al contrario que su homólogo en la escribanía de gobernación en la Nueva Castilla, Jerónimo de Aliaga (Ramírez, 2022).

Como el propio Avendaño reconocía, tuvo que abonar por la renuncia la cantidad de 8.000 pesos de oro, por lo que podemos hablar de una venta encubierta, práctica habitual en la renuncia de oficios en Indias (Tomás y Valiente, 1992: 38). El pago de dicha cantidad generó un conflicto entre Vaca de Castro y Juan de Sámano. Al momento de la renuncia, Pedro de Avendaño hizo un primer pago a Vaca de Castro de 4.386 pesos para que los entregara a Sámano, comprometiéndose a saldar el resto el año siguiente. Sin embargo, Vaca de Castro no hizo entrega del dinero al llegar a España, lo que motivó la denuncia del secretario Sámano ante el Consejo de Indias en defensa de su derecho, solicitando que se le restituyese el dinero que le correspondía de los bienes embargados a Vaca de Castro en la Casa de la Contratación de Sevilla. El 11 de enero de 1546 el Consejo de Indias despachaba una Real Cédula en que mandaba al corregidor de la villa de Arévalo, en cuya fortaleza se hallaba preso Vaca de Castro, que le tomara declaración sobre el adeudo a Sámano (AGI, Lima, 578, L.1, f. 117v-118v). Tras la declaración de Vaca de Castro (AGI, Justicia, 1175, N.7), el Consejo dictó un auto el 22 de enero del mismo año en que le condenaba a saldar la deuda (AGI, Lima, 578, L.1. f. 145r-146v).

Volviendo al nombramiento como escribano de gobernación de Nueva Toledo, Avendaño no llegó a ejercer el oficio tras la carta de renuncia de julio de 1544, de lo que se quejó en carta dirigida al secretario Sámano el 28 de noviembre del mismo año. En ella expresaba las dificultades que había encontrado para la admisión al oficio, así como para determinar la jurisdicción en que debía ejercerlo (AGI, Justicia, 1175, N.7). Ese mismo día remitía una nueva carta con rumbo a la Península, esta vez con Vaca de Castro como destinatario, donde declaraba que había sido admitido al oficio por los oidores de la Audiencia, "por sentencia en vista y grado de revista". Sin embargo, confesaba con pesar en relación al uso del oficio, que "hasta agora no se ha podido acabar cosa alguna, creo que mi desdicha lo haze y según van los negoçios hasta que de allá venga recabdo no pienso poder ganar en el ofiçio un peso de oro" (AGI, Justicia, 1175, N.7).

La convulsa situación que se vivía en el Perú debió ser determinante para que Avendaño no pudiera ejercer como escribano, y también para dificultar la obtención de la necesaria confirmación real del título. Aunque no se le puede achacar a Avendaño desinterés por conseguir el plácet de la Corona. El 24 de noviembre de 1544 otorgó carta de poder a Miguel Páez, Juan de Alba, Pedro de Mena, Luis Ruiz e Iñigo López de Mondragón para que en su nombre acudiesen al Consejo de Indias con objeto de presentar la renunciación de la escribanía de gobernación y solicitar la pertinente confirmación real que le facultara para usarlo por sí o por sus tenientes. A ello añadía que suplicasen al monarca que el título expedido comprendiese la merced para ejercer una escribanía de Cámara de la Real Audiencia de Lima (AGI, Justicia, 1175, N.7). Esta última petición tenía como sustento un auto dictado por el Consejo de Indias el 19 de enero de 1544 con el que se establecían las dos escribanías de Cámara que debían auxiliar al supremo tribunal en el ejercicio de sus funciones.

El auto comenzaba expresando que las provincias de Nueva Castilla y Nueva Toledo quedaban sujetas a la Real Audiencia proveída en la ciudad de Los Reyes, por lo que se consumían sus respectivos gobernadores y se hacía preciso declarar "quántos escrivanos y quáles avían de resydir en la dicha Abdiençia". A continuación, se declaraba que en atención a los agravios que podían recibir los escribanos de dichas gobernaciones, se les hiciese merced a sus titulares de los oficios de escribanía de Cámara de la Audiencia recién creada. Así, una escribanía debía corresponder a Jerónimo de Aliaga, como escribano de gobernación de Nueva Castilla, y la otra a la persona que nombrase Juan de Sámano, quien tenía la merced de la escribanía de Nueva Toledo (Gómez, 2012: 53; AGI, Patronato, 246, N.1, R.16). Una Real Provisión de 13 de febrero de 1544 daba licencia y facultad a Jerónimo de Aliaga y a la persona nombrada por Sámano para usar los oficios de escribanía de Cámara, documento último que debían presentar los apoderados de Avendaño a favor de su solicitud (AGI, Patronato, 246, N.1, R.17).

Pedro de Avendaño decidió retomar los trámites para la confirmación de sus títulos cuando declinaba el levantamiento pizarrista y las fuerzas realistas parecía que se impondrían definitivamente. Así, volvía a otorgar carta de poder el 21 de febrero de 1548, esta vez a Pedro de Castañeda, para solicitar la confirmación de la escribanía de gobernación de Nueva Toledo y de una de las escribanías de

Cámara de la Audiencia, entendiéndose esta como oficio anexo (AGI, Patronato, 246, N.1, R.13). La confirmación llegó finalmente el 12 de marzo de 1549 en forma de Real Provisión, comprendiendo la merced los dos oficios solicitados, de igual forma que los gozaba Jerónimo de Aliaga (AGI, Patronato, 246, N.1. R.17).

Para entender el poder e influencia que adquirió Pedro de Avendaño al frente de las escribanías de Cámara y de gobernación, y que más adelante analizaremos, es necesario ofrecer un bosquejo con las funciones de cada uno de los oficios. Los escribanos de Cámara, dentro del amplio abanico de oficiales de la pluma que trabajaban en la Audiencia, jugaban un papel destacado al resultar fundamentales para que el tribunal cumpliera con las funciones que le eran propias en la administración de justicia. Máxime si consideramos que la justicia administrada por la Audiencia basaba su proceder en el documento escrito (Gayol, 2007: T.I, 174-175; Gómez, 2020: 327-328). Bajo su control, auxiliados por oficiales y escribientes, se formaban los expedientes con la documentación aportada por los procuradores, se realizaban las probanzas necesarias para sustanciar los pleitos o se daba cauce a la tramitación de las acciones pertinentes para que los ministros del tribunal ejercieran la justicia (Gayol, 2007: T.I, 175-179). Esto en lo que atañe a los procesos que se determinaban en la Audiencia. Pero sus funciones abarcaban otros campos, relacionados con el gobierno del propio tribunal, como el control de los distintos libros registros o la expedición de otros documentos expedidos por los ministros de la Audiencia para comunicarse con otras instituciones.

Por su parte, la escribanía de gobernación era uno de los oficios más reputados en el virreinato y de mayor influencia, consecuencia de su proximidad al "alter ego" del monarca (Lohmann, 2005: 472), considerado como "ofizio de tanto caudal, calidad, satisfacción y crédito…único en aquellos reynos" (Torres, 2006: 82). Entre las funciones que desempeñaba este prominente oficial de la pluma estaban el refrendar y autorizar las provisiones, autos y mandamientos despachados por el virrey, la presentación de peticiones y memoriales o el cuidado del archivo de los papeles de gobierno (Torres, 2006: 82). En la práctica, buena parte de los negocios del virreinato debían pasar por las manos del escribano de gobernación, por lo que el ejercicio de dicho oficio requería de ciertas capacidades y competencias. Por ello, los virreyes siempre intentaron que las escribanías de gobernación fueran servidas por personas de su plena confianza, como fue el caso de Pedro de Avendaño y el virrey Cañete (Ramírez, 2018: 600-607).

De la "pribanza" con el virrey Cañete a la suspensión de sus oficios

Gracias al desempeño en ambos oficios Avendaño ganó poder e influencia en la sociedad limeña, y con ello su hacienda se incrementó notablemente, no siempre por vías legítimas. Un ascenso que se hizo más notorio con la llegada al Perú en 1556 de un nuevo virrey, Andrés Hurtado de Mendoza, marqués de Cañete. Si bien, el marqués de Cañete desconfió en un primer momento de la "conciencia y secreto" de Pedro de Avendaño, pese a reconocer su habilidad y la mucha experiencia en los negocios del virreinato (Levillier, 1921: T.I, 278). Esta primera impresión, que en nuestra opinión no distaba de la realidad, cambió al cabo de pocas semanas. Avendaño fue capaz de hacerse con la confianza del virrey, como ya había hecho en ocasiones anteriores con otras autoridades, demostrando una vez más su destreza y su conocimiento de los resortes del poder en aquellas tierras.

La confianza del virrey Cañete en Pedro de Avendaño era tal que se le llegó a considerar como su valido, sobre todo a raíz del casamiento entre Pedro de Córdoba, sobrino del virrey, y Teresa de Avendaño, hija del escribano de Cámara y gobernación. A partir de este momento, el virrey se convirtió en el protector de Avendaño (Sánchez Bella, 1960: 445), que creyó gozar de impunidad para cometer cuantos actos ilícitos estimara oportunos para su propio beneficio y hacienda. Un beneficio que también alcanzaba al virrey, pues, tal y como se contemplaba en una capitulación de la dote de Teresa de Avendaño, si del matrimonio con Pedro de Córdoba no resultara descendencia sus bienes pasarían a los hijos y herederos del marqués de Cañete (AGI, Lima, 92, R.10, N.47). Resulta muy esclarecedor el testimonio de Francisco de Carvajal, teniente del escribano Jerónimo de Aliaga, para quien la "pribança" tras entablar lazos familiares fue tanta que "en esta ciudad no se trataba otra cosa e se dezía públicamente que quien quisiese negoçiar con el dicho visorrey avía de contentar primero al dicho Pedro de Avendaño" (AGI, Justicia, 469).

El testimonio de Francisco de Carvajal sirve para subrayar que, entre los oficios de la pluma que ejercía Pedro de Avendaño, el virrey Cañete valoró especialmente el de gobernación. Ya vimos al analizar las funciones de este oficio como era fundamental para ejercer el gobierno del virreinato, por lo que los virreyes siempre intentaron que fuera ejercido por personas de su confianza. Relación de confianza que era más que evidente entre el virrey Cañete y Pedro de Avendaño. Por ello, el virrey le quiso liberar de sus responsabilidades al frente de la escribanía de Cámara de la Audiencia para que se concentrara en atender los negocios de gobierno. De modo que el 11 de diciembre de 1556 despachó una provisión en la que daba poder y facultad a Pedro de Avendaño para usar el oficio de escribanía de Cámara de la Real Audiencia por su lugarteniente, Antonio de Quevedo, entendida su habilidad y suficiencia para el ejercicio del mismo. En el expositivo del mandamiento del virrey se daban las razones para otorgar dicha licencia, que imposibilitaban a Avendaño acudir a los estrados del supremo tribunal:

> Por quanto Pedro de Avendaño... me ha hecho relaçión diziendo que bien sabía la mucha ocupaçión que con mi persona tenía ordinariamente para el espidiente de los negoçios que continuamente ay de gouernaçión y estado de la tierra y de la Real Hazienda, tasas e visitas de los naturales y acuerdos que sobre ello se hazen y de manera que con mucho trabajo puede residir personalmente en los estrados reales y acuerdos de Justiçia e vso del dicho ofiçio (AGI, Justicia, 476).

Pese a la privanza del marqués de Cañete, Pedro de Avendaño no pudo evitar ciertos conflictos ni escapar a la acción de la justicia. Aunque se ha de reconocer que las consecuencias sin la intervención del virrey hubieran sido mucho mayores, en menoscabo de su hacienda e intereses.

El primer episodio que analizaremos tuvo su inicio antes de que Avendaño entablara lazos con el virrey, cuando aún mostraba recelo por las actuaciones y la condición del escribano. En carta de 15 de septiembre de 1556, el marqués de Cañete informaba al Consejo de Indias que a su llegada halló que Avendaño acostumbraba a poner tenientes como escribano de gobernación, arrendando públicamente los oficios. Así había hecho en el asiento de Potosí, La Plata, Chucuito, Arequipa y otros lugares, por cuyos arriendos recibía unos 3.500 pesos anuales. A continuación, el virrey señalaba cómo los tenientes robaban para pagar sus arrendamientos y que osaban hacerlo porque Pedro de Avendaño utilizaba su posición en la Real Audiencia, como escribano de Cámara, para favorecerlos y que no fueran perseguidos. El remedio que encontró el virrey fue quitar los tenientes de escribanos de gobernación y que en adelante se despachase con los escribanos públicos del número, como se hacía en España. Pero el remedio iba en claro perjuicio de Avendaño, que había desembolsado 8.000 pesos por la escribanía de gobernación, cuyo título incluía la facultad para nombrar tenientes (Levillier, 1921: T.I, 277-278). En compensación del agravio le hizo merced de la encomienda de Lucanes, en términos de Guamanga, que había pertenecido al difunto Alonso de Badajoz (AGI, Justicia, 432, N.2, R.2, f. 6r-8r).

La carta del virrey Cañete expedida en septiembre de 1556 fue recibida y analizada con sumo interés por el Consejo de Indias, extrayéndose importantes consecuencias de su contenido, que afectaron a los oficios de la pluma y al propio Pedro de Avendaño. En primer lugar, el Consejo de Indias hacía propios los argumentos contra la facultad para poner tenientes expresada por Cañete en su misiva. En consecuencia, despachó una Real Provisión el 12 de junio de 1559 en la que se prohibía expresamente a los escribanos en Indias, ya fueran de Cámara o de gobernación, que pusieran tenientes en ninguna ciudad, villa o lugar, y que tanto los negocios de justicia como de gobierno pasasen ante los escribanos del número de dichos lugares (AGI, Justicia, 432, N.2, R.2, f. 10v-12r)[3]. Como vemos, el dispositivo de la Real Provisión estaba en plena consonancia con el parecer del virrey. Sin embargo, la carta del virrey tuvo otra consecuencia en sentido contrario de lo que había resuelto. Con misma fecha que la Real Provisión que prohibía el nombramiento de tenientes, el Consejo expidió una Real Cédula dirigida al conde de Nieva en la que despojaba a Avendaño de los indios encomendados por el virrey Cañete. El destinatario del documento fue el conde de Nieva y no el marqués de Cañete, que había sido destituido de su cargo como virrey por los excesos cometidos desde su llegada al Perú (Sánchez Bella, 1960: 435-440). En la Real Cédula se censuraba que el virrey Cañete concediera una encomienda a Pedro de Avendaño -que rentaba unos 13.000 pesos cada año-, pues al estar ordenado por la Corona que se quitasen los tenientes de escribanos no cabía causa ni razón para que se le recompensara. Por tanto, se ordenaba al conde de Nieva que cuando llegase a las provincias del Perú quitase los indios a Avendaño, que debía restituir todas las rentas que hubiese llevado desde que se le hizo merced de la encomienda (AGI, Justicia, 432, N.2, R.2, f. 1r-2r).

El conde de Nieva no pudo dar cumplimiento al mandato regio hasta dos años después de expedida la Real Cédula. Aunque el nombramiento como virrey se produjo en diciembre de 1558, su entrada en la ciudad de Lima no tuvo lugar hasta febrero de 1561 (Busto, 1961-1962: 236). Tras informarse sobre el asunto y obtener constancia de la concesión de la encomienda, dictó un auto el 16 de julio de 1561 por el que revocaba el título otorgado a Avendaño y ordenaba que los indios fuesen puestos "bajo la cabeza de la Corona" (AGI, Justicia, 432, N.2, R.2, f. 2r-3v), con los evidentes beneficios para la Real Hacienda, que bien pu-

[3] La disposición regia fue incorporada a la *Recopilación de las Leyes de Indias* en el Libro II, Título XXIII, Ley II: "Ordenamos Y mandamos, que los Escrivanos de las Audiencias no puedan poner Tenientes de Escrivanos de Governacion, ni de Justicia en las Ciudades, Villas y Lugares de sus distritos, ni en las Audiencias fe les permita exercer por Tenientes".

diera ser el verdadero motivo para que el Consejo tomara tal decisión.

Como era de esperar, Avendaño no estuvo conforme con la desposesión de una renta tan cuantiosa, alegando del auto del virrey Nieva ante el Consejo de Indias. En primer lugar, pedía que la Real Cédula de 12 de junio de 1559 fuera obedecida, pero no cumplida hasta que fuera oída su contradicción. Y, como principal argumento, exponía en su alegación que la merced no le fue hecha para compensar la prohibición de poner tenientes, sino por los muchos servicios que había realizado a la Corona (AGI, Justicia, 432, N.2, R.2, f. 3v-6r). Aunque este argumento se contradice con lo expuesto en alguna ocasión por el propio Avendaño. Así, una de las preguntas de la ya citada probanza de 1561 apuntaba a la consumación de los tenientes en la escribanía de gobernación como causa para la concesión de la encomienda, a lo que se añadía los servicios prestados y la calidad de su persona (AGI, Justicia, 469).

Las alegaciones de Avendaño fueron atendidas por el Consejo de Indias, que en sentencia de vista y revista revocó el auto del virrey Nieva, ordenando que le fuese restituido el repartimiento de los Lucanes con todos sus indios "libres y quitos y sin costa alguna, con los frutos y rentas, desde la contestación desde dicho pleito hasta la real restitución" (AGI, Escribanía, 952)[4].

A la par que se desarrollaba este episodio, Avendaño tuvo que afrontar distintas causas ante la Real Audiencia por cohechos y por su mala praxis en el ejercicio de las escribanías de Cámara y de gobernación[5]. Las noticias sobre los abusos cometidos por Pedro de Avendaño no dejaban de llegar a la Audiencia, viéndose obligada a dar parte de ello a un recién llegado virrey Cañete y que, por tanto, contaba con poca información sobre aquellas provincias que debía administrar y gobernar. El oidor Cuenca resumía las razones que empujaban a enjuiciar a Avendaño de la siguiente forma:

> Y dello el reino todo tenía tanta quexa que públicamente dezían que el dicho secretario les tomaba sus haziendas por fuerça y les hera forçado dársela porque no les hiziese hechar del reino, como abía hecho a otros muchos porque no se abían querido dexar cohechar (AGI, Lima, 92, R.10, N.47).

El virrey Cañete no había entablado privanza con Avendaño cuando se le dio

[4] La Real Provisión ejecutoria de dichas sentencias fue despachada en Guisando el 20 de abril de 1565 (AGI, Patronato, 290, R. 110).

[5] Las malas prácticas documentales de Pedro de Avendaño serán analizadas en el siguiente epígrafe al tratar sobre el juicio de residencia que se le efectuó por el licenciado Briviesca de Muñatones.

noticia de sus desmanes, por ello se entiende que diera comisión el 9 de septiembre de 1556 a Cuenca, como alcalde de Corte, para hacer información y todas las diligencias precisas para conocer los hechos y hacer justicia. Eso sí, dichas diligencias debían hacerse ante Juan Muñoz Rico, personaje de gran relevancia en el entorno del virrey Cañete (AGI, Justicia, 472). Muñoz Rico había servido como secretario al virrey Antonio de Mendoza, primero en Nueva España y más tarde en Perú (AGI, Lima, 567, L.7, f. 377v). A la llegada del marqués de Cañete a Lima, sabedor de su suficiencia, le tomó como su criado y secretario personal (Lizárraga, 1916: 51). No sería esta la única responsabilidad que el virrey encomendó a Muñoz Rico, que debió ver en su secretario las aptitudes y, sobre todo, la confianza necesaria como para ponerle al frente de los más importantes oficios de la pluma en el virreinato: canciller de la Audiencia, escribano de Cámara y de la gobernación. Con ello el virrey se aseguraba el control de la expedición de documentos en las más altas instituciones representativas del monarca en el Perú y, en consecuencia, ejercer su poder de forma más efectiva (Ramírez, 2018: 599-614).

La vía libre concedida por el virrey Cañete para proceder contra Avendaño no tuvo mucho recorrido. A los pocos días de otorgar la comisión al oidor Cuenca, Cañete dictó un auto en el que la revocaba y ordenaba que se pusiera en libertad al escribano, preso en su casa desde que comenzaran las pesquisas. A su vez, Avendaño recusó al oidor Cuenca por el perjuicio que estaba causando a su honra, sin tener autoridad y comisión para iniciar "inquisición general de su vida", apuntando que solo los visitadores de la Corona podían hacerle información al ser oficial de la Real Audiencia, como así ocurriría pocos años después (AGI, Justicia, 472). De modo que la privanza que recién comenzaba Avendaño con el virrey reportaba sus primeros frutos: la paralización de las diligencias para encausarle. Pero lo que no pudo evitar es que el oidor Cuenca le suspendiera de los oficios de escribanía, de los que se sirvió para su propio beneficio (AGI, Lima, 92, R.10, N.47).

Avendaño alegó de la suspensión decretada por la Audiencia, que le privaba de los medios para su sustento personal y posicionarse en un lugar de privilegio en la maquinaria del gobierno de las provincias del Perú. En el escrito dirigido a la Audiencia aludía a que había recusado a los oidores Cuenca y Mercado de Peñalosa y que hasta que no se determinase sobre dichas recusaciones no podía entenderse en la causa iniciada por Cuenca. Añadía que, aunque la causa siguiese su curso tras las recusaciones, primero se le debía dar traslado de los cargos para ser despojado de los oficios. Además, señalaba que en caso de suspensión se le permitiera nombrar a personas que ejercieran por él dichos oficios hasta que se feneciera la causa. Por último, pedía que no se ejecutase ningún auto de la Audiencia sin que fuera confirmado en revista, como establecían las ordenanzas de la Audiencia cuando la causa era de cuantía mayor a los 50.000 maravedíes. Respecto a la recusación del oidor Cuenca, es interesante referir las razones que, en opinión de Avendaño, le llevaron a iniciar la causa que terminó en la suspensión de sus oficios. La respuesta nos la ofrece una de las preguntas de la probanza de 1561 a la que hemos aludido en ocasiones anteriores. En ella se exponía que el virrey quitó al oidor Cuenca "el gobierno de todo este reino que tenía puesto en su mano, porque en todas las cosas y negocios no hacía otra cosa el virrey sino solo lo que el dicho oidor ordenaba y quería", reemplazándole por el secretario Avendaño. Por tanto, la enemistad manifiesta de Cuenca hacia el virrey y Avendaño se debía a una clara y evidente pérdida de poder (AGI, Justicia, 474). La Audiencia no estimó las alegaciones presentadas, y en auto de 10 de enero de 1558 confirmaba la pena de suspensión de los oficios de escribanía impuesta a Pedro de Avendaño (AGI, Justicia, 472).

El auto de la Audiencia supuso al mismo tiempo un revés para el virrey Cañete, pues con la suspensión de Avendaño perdía el control sobre la gestión de los negocios. Una merma que trató de evitar colocando en la escribanía de Cámara de la Audiencia y en la de gobernación a personas de su plena confianza.

En lo que respecta a la escribanía de Cámara, la suspensión afectó a Antonio de Quevedo, teniente de Pedro de Avendaño y que, recordemos, había sido proveído en el oficio por el virrey Cañete para que Avendaño se centrara en el despacho de los negocios de gobierno. Quevedo puso una demanda a los oidores de la Audiencia cuando fue apartado de la escribanía, entendiendo que la suspensión incumbía a Avendaño y no a él, argumento que fue contestado por la Audiencia en un auto en que expresaba que "está claro que çesado el ofiçio del prinçipal e propietario, çesava el açesorio". Resulta llamativo comprobar cómo Antonio de Quevedo evitó cualquier mención a su paso por la escribanía de Cámara de la Audiencia de Lima en la información de servicios que presentó en el Consejo de Indias el año de 1578, cuando servía como escribano en la Audiencia de Chile (AGI, Chile, 39, N.14).

Para suplir a Quevedo, el virrey expidió una Real Provisión el 3 de enero de 1558 en la que nombraba a su secretario personal, Juan Muñoz Rico, como escribano de Cámara de la Audiencia limeña (AGI, Justicia, 474). El secretario del virrey murió a los pocos meses, por lo que se tuvo que proveer otra persona para servir el oficio. En esta ocasión la provisión correspondió a los oidores de la Real Audiencia, que en un auto de 10 de abril de 1559 nombraba en lugar de Muñoz Rico a Diego Muñoz Ternero, su teniente en la escribanía, al que otorgaron facultad para refrendar "todas las provisiones, mandamientos, autos y proveimientos y otras cosas que en la Audiencia se despacharan" (AGI, Justicia, 473).

El nombramiento de la Audiencia no gustó al virrey, pues perdía el control sobre el despacho de los negocios de justicia que le aseguraba su secretario personal. Para revertir la situación, el virrey ordenó el 18 de noviembre de 1559 al alguacil Dionisio Adame que acudiera a casa de Avendaño, donde se encontraba Diego Muñoz Ternero ejerciendo la escribanía en su lugar, le tomara los papeles del oficio y los entregara al escribano real Juan González Rincón, que suponemos debía mantener con Cañete algún tipo de relación de confianza, a tenor de lo acostumbrado con anterioridad. Además, la provisión del virrey Cañete prohibía a Muñoz Ternero usar la escribanía en adelante bajo pena de 1.000 pesos y destierro perpetuo. Ante la provisión que le despojaba del oficio, Muñoz Ternero acudió al virrey para expresar su protesta, pero este le mandó salir de la sala donde se encontraban sin cambiar su parecer. A continuación, Muñoz Ternero fue al aposento del oidor decano, Bravo de Saravia, para trasmitirle el agravio causado por el virrey. El oidor se encaminó hacia los corredores de la Audiencia, donde el virrey Cañete esperaba a los magistrados del tribunal para hacer audiencia pública. El encuentro entre ambos originó un cruce de palabras que desembocó en la prisión del oidor, que, según testimonio del virrey, le había proferido "çiertas palabras desacatadas y escandalosas" (AGI, Justicia, 471; AGI, Lima, 92). Ese mismo día, el 22 de noviembre de 1559, el virrey despachó una provisión al oidor Altamirano, que se había aliado con el virrey contra su compañero de estrados (Angeli, 2008: 96-98), para que hiciese información del suceso y lo llevará al Real Acuerdo para su determinación. Muñoz Ternero no volvió a ejercer el oficio de escribanía que perteneciera a Avendaño, que continuó en poder de González Rincón hasta la llegada del visitador Briviesca de Muñatones (AGI, Justicia, 469).

El virrey encontró menos problemas para mantener bajo su influencia la escribanía de gobernación de Nueva Toledo. El mismo día en que la Audiencia decretaba la suspensión, el virrey Cañete nombraba a Juan Muñoz Rico como escribano de la gobernación en lugar de Pedro de Avendaño. De esta forma, el secretario personal del virrey acaparó los oficios de los que había sido despojado

Pedro de Avendaño. Pero la suspensión pudo no acarrear un perjuicio económico a Avendaño, como advertía el oidor Cuenca en carta dirigida al Consejo en febrero de 1558. En ella informaba de los nombramientos de Muñoz Rico, que entendía que acudiría con todos los derechos cobrados a Pedro de Avendaño, por lo que este "robará mejor que hasta ahora" (AGI, Lima, 92, R.10, N.47). La muerte de Muñoz Rico hizo peligrar la instrumentalización por parte del virrey Cañete de la escribanía de gobierno, como así ocurrió con la de Cámara, cuya provisión correspondió en un primer momento a la Audiencia. Sin embargo, el virrey no podía dejar el despacho de los negocios de gobernación en persona ajena a su círculo. Así, el marqués de Cañete ordenó que Pedro de Avendaño volviese al uso y ejercicio del oficio, haciendo caso omiso a lo decretado por el tribunal limeño (AGI, Justicia, 469). Avendaño conservó la escribanía de gobernación hasta el juicio de residencia que le practicó el visitador Briviesca de Muñatones. De ello nos ocupamos en las siguientes páginas.

La residencia a Pedro de Avendaño: ¿su caída definitiva?

Los excesos cometidos por el marqués de Cañete durante su gobierno movieron a la Corona a destituirle y buscar un sustituto. El elegido fue el conde de Nieva, que viajó al Perú acompañado de tres comisarios con la misión principal de dar fin al problema de la perpetuidad en las encomiendas. Entre los comisarios se hallaba el licenciado Briviesca de Muñatones, a quien Felipe II confió un encargo especial: realizar una visita a la Real Audiencia de Lima y a sus oficiales (Angeli, 2013: 10-11). Pedro de Avendaño no escapó a la inquisitiva inspección de Briviesca de Muñatones. De hecho, su juicio de residencia ocupa buena parte de la decena de legajos conservados de la visita a la Audiencia, revelándose como el "procesado estelar" (Glave, 2016: 105).

Tras las informaciones y pesquisas secretas, Briviesca de Muñatones imputó una serie de cargos a Pedro de Avendaño, centrados en su mayoría en el mal uso de los oficios de escribanía de que tenía merced (AGI, Justicia, 469)[6]. La residencia comenzaba acusando a Avendaño de la expedición fraudulenta de una Real Provisión en el pleito que se seguía en la Audiencia entre Gómez de Solís y Juan

[6] Todos los cargos que a continuación se analizarán, así como los descargos presentados por Avendaño, se encuentran en AGI, Justicia, 469. Aunque las informaciones, probanzas y diligencias varias que generó la residencia a Avendaño se encuentran diseminadas por buena parte de los legajos que componen la visita de Briviesca de Muñatones.

Vendrel por la mina de Porco. El mal proceder del escribano en el despacho del documento afectaba al contenido del mismo, "mudando la sustancia" de lo que el tribunal había decretado. La mudanza era sutil -cambió el verbo interponer por otorgar, en referencia a la apelación presentada-, pero con evidentes consecuencias para las partes en conflicto. En su descargo, Avendaño declaró que la puesta por escrito del documento y del decreto manipulado había correspondido a su teniente, Antonio de Quevedo. Además, continuaba excusándose, el oidor Bravo de Saravia, en funciones de semanería, había dado visto bueno con su firma al contenido del documento, que se pasó al resto de oidores para su validación, y al propio Avendaño para que lo refrendara. Negaba el escribano que hubiera dolo o culpa en lo sucedido y que solo se trataría de un error de su teniente, pues si hubiera tenido intencionalidad maliciosa hubiera cambiado todo el decreto.

Con relación a la expedición de esta Real Provisión, el visitador realizó otro cargo a Pedro de Avendaño por usar sin tener facultad el oficio de registrador de la Audiencia y registrar el documento. El registrador tenía como función principal tener "el nuestro registro del Audiençia Real de las prouinçias del Perú...y registréis las cartas y prouisiones que con nuestro título se oviere de despachar y registrar" (Ramírez, 2020a: 362-363), entendiéndose por registro como cada uno de los documentos trasladados o copiados, previo cotejo con el original, y cuya finalidad era preservar la memoria de lo despachado (Gómez, 2008: 214-215). La titularidad del cargo de registrador correspondía por aquellos años a Bartolomé de Murga, tesorero de la reina de Bohemia, que siempre sirvió el oficio por tenientes. Fue el caso de Bartolomé Gascón, escribano del número de la ciudad de Lima, que lo ejerció desde junio de 1553 hasta mayo de 1556 (Ramírez, 2020a: 153). En este período se produjo la usurpación del oficio denunciada en la visita y que tenía un objetivo claro: encubrir la manipulación del decreto incluido en la Real Provisión. Así, Avendaño tomó el registro que obraba en poder de Bartolomé Gascón y consignó en el mismo el documento falseado, una utilización del registro que no se limitó a esta sola ocasión y por la que fue reconvenido hasta por tres ocasiones. Avendaño se defendió de la acusación formulada haciendo presentación de un poder de Diego de Zárate, en nombre de Bartolomé de Murga, con fecha de 15 de abril de 1551, en el que se le nombraba registrador de la Audiencia en lugar de Bartolomé de Murga. Sin embargo de dicho poder, el visitador consideró ilegítimo el uso del oficio al no haber sido recibido en él ni realizado las solemnidades necesarias para su uso.

Un último cargo le fue imputado en vinculación a la Real Provisión de la que venimos tratando, aunque ya no por mala praxis documental. Avendaño fue acusado de intentar asesinar a Álvaro García, que solicitaba la causa por parte de Vendrel, el perjudicado por la manipulación del documento. La denuncia de Álvaro García fue una de las motivaciones para que el oidor Cuenca iniciara las pesquisas contra Avendaño, que terminaron con la suspensión de los oficios. Según exponía el cargo, cuando Avendaño tuvo noticia de la petición presentada por Álvaro García en la Audiencia "echó" dos criados para que le acuchillasen, ocasionándole varias heridas y la muerte si no se hubiera defendido. Avendaño negó la acusación, responsabilizando a su teniente Quevedo de cualquier delito que se hubiera producido.

La residencia continuaba con una serie de cargos relacionados con el incorrecto ejercicio de la escribanía de Cámara. Así, se denunciaba que en muchas de las peticiones que se presentaban en la Audiencia y en el Real Acuerdo, después de vistas y proveídas por los oidores, Avendaño añadía, mudaba y quitaba del decreto lo que le convenía e interesaba, un fraude que también practicaba en la expedición de Reales Provisiones. Uno de sus oficiales, el escribano público Ambrosio de Moscoso, llegó a declarar que no solo manipulaba los decretos, sino que rompía muchas de las peticiones que se presentaban en la Audiencia (AGI, Justicia, 472). Además, no guardaba el secreto debido en las causas de gobierno y justicia que pasaban ante él, con los daños y perjuicios que con ello se generaban. Álvaro García detallaba algunos casos en su denuncia. Por ejemplo, que reveló a Pedro de Valdivia, gobernador de Chile, el nombre de las personas que de forma reservada enviaban quejas y avisos contra él. O la costumbre de escribir cartas a los cabildos y personas particulares dándoles cuenta de muchos de los negocios tratados por la Audiencia, haciéndoles entender que por su mano y dependencia pasaba el despacho de todos los negocios. Unas cautelas que tampoco guardaba al escribir las sentencias que los oidores daban en el Acuerdo por su propia mano, pues llevaba a su casa los puntos de las sentencias pronunciadas para que sus oficiales las ordenaran, contraviniendo el secreto y recaudo al que estaba obligado.

Los perjuicios a la justicia del rey eran evidentes en las acusaciones vertidas en la residencia. Así, se le inculpaba de ocultar procesos criminales "de mucha calidad y cantidad" sin manifestarlo a los oidores y fiscales del tribunal, dando ocasión a que muchos delincuentes escaparan a la justicia y que los delitos públicos quedaran sin castigo. La defensa de Avendaño a este cargo era algo pobre, teniendo en cuenta la grave acusación que pendía sobre él. En su descargo declaró que si de algún proceso no se había dado noticia a los magistrados sería del tiempo en que fue despojado de muchos de sus papeles, sin poder usar plenamente sus oficios, haciendo referencia a la pena de suspensión. Otros cargos incidían en negligencias cometidas en el expediente de los procesos, tales como tomar y asignar a su oficio muchos procesos criminales sin estarles repartidos o no depositar los procesos fenecidos en el archivo de la Audiencia. Todas esas acusaciones por malas prácticas en la escribanía de Cámara de la Audiencia apuntan a que Avendaño quería hacer de la justicia real -impartida por los oidores- su justicia personal, sujeta a sus intereses y corruptelas.

Por otra parte, se le acusaba de usar los oficios estando suspendido y despachar Reales Provisiones solo con la firma del virrey, sin que tuviese poder ni facultad para hacerlo. Los virreyes, en principio, solo podían expedir Reales Provisiones en su calidad de presidentes de la Audiencia y junto a los oidores. Esto era visto por los virreyes como una clara merma a su autoridad, especialmente en las primeras décadas del virreinato y con el marqués de Cañete como mejor exponente, que no dudó en despachar cuantas Reales Provisiones creyó conveniente, en negocios de cualquier calidad. La Corona le reconvino por esta práctica, que asumió con el correr de los años ante la persistencia de los virreyes en expedir con título y sello real (Ramírez, 2020b: 305-337). La defensa ofrecida por Avendaño por esta acusación fue que no le habían notificado la suspensión y, en cuanto a la expedición de Reales Provisiones, manifestaba que era práctica acostumbrada por todos los virreyes y gobernadores, en lo que llevaba razón, aunque ello no significaba que estuvieran facultados por el monarca. Así mismo, en la residencia se le recriminaba que sin ser escribano real hiciera uso de este oficio dando fe pública y otorgando escrituras.

Buena parte de los cargos que hasta ahora se han relatado, en los que se denunciaba la mala praxis de Avendaño en el ejercicio de las escribanías de Cámara y de gobernación, tenían como fin último obtener réditos en forma de influencia y de beneficios económicos por vía extraordinario e irregular. De ello se ocupaban decenas de cargos de la residencia en los que se ponía ejemplo, con nombres y cifras, de cómo Avendaño utilizó las escribanías para aumentar su hacienda. Los cargos se pueden resumir en la denuncia de dos prácticas. En primer lugar, que Avendaño no guardaba el arancel de la Audiencia y cobrara más derechos de los estipulados en los distintos negocios en los que participaba como escribano. Anexa a esta culpa, se le imputaba que, en los procesos, provisiones y demás documentos en los que llevaba "derechos demasiados" asentaba solo lo que correspondía por arancel y no lo que realmente cobraba, añadiendo engaño a engaño. En segundo lugar, se le hacía cargo por recibir gran cantidad de pesos de oro, presentes y dádivas de personas particulares para que les favoreciese en sus negocios ante el virrey, para lo que contaba con la colaboración de algunos de sus criados. Según testimonio de Muñoz Ternero, algunos de los pretensores de la gracia del virrey acudían de forma voluntaria a Pedro de Avendaño para que su negocio fuera mejor atendido, pero otros se veían forzados a pagar, ya que el escribano retenía "en sí los despachos hasta que se le diese lo que él quería" (AGI, Justicia, 469).

El visitador Briviesca de Muñatones dictaba el 11 de septiembre de 1561 un auto por el que remitía al Consejo de Indias la determinación de la culpa y pena por los cargos resultantes de la residencia practicada a Pedro de Avendaño, que debía seguir en persona la causa en la Corte. Así mismo, se le prohibía usar los oficios de escribano de Cámara y de gobernación hasta que se determinara finalmente sobre los cargos, se le secuestraban los bienes y se le ordenaba pagar mil pesos para ayuda de las costas de la residencia, no permitiéndole salir de la cárcel hasta que no satisficiera dichas demandas. En una carta dirigida al Consejo unos meses después, Briviesca de Muñatones justificaba la conveniencia de remitir la residencia "porque esta tierra está tan contaminada" que era difícil hacer justicia (AGI, Lima, 92, R.14, N.76).

El Consejo de Indias, en grado de remisión y apelación, vio la residencia de Pedro de Avendaño y pronunció sentencia definitiva el 30 de mayo de 1565. El fallo del Consejo de Indias fue beneficioso en grado sumo para Avendaño, siendo absuelto en la mayoría de los cargos. El Consejo halló culpa en Avendaño por la manipulación de la Real Provisión despachada en el pleito entre Gómez de Solís y Juan Vendrel, así como por el registro de dicho documento. También dio por probados los cargos sobre la utilización de sus oficios para cobrar más derechos de los que le correspondían por arancel y recibir cohechos por su intercesión ante el virrey. Sin embargo, de las decenas de cargos particulares por estas prácticas fraudulentas solo se le encontró culpable en un par de casos y por una cuantía menor. La pena impuesta por el Consejo de Indias se reducía a la suspensión de los oficios de escribanía y al pago de cierta cantidad de dinero por los cohechos probados, apenas unos cientos de pesos, después de cuyo pago le serían devueltos todos sus bienes. Pero la suspensión, que puede entenderse como una pena de especial gravedad, quedó en nada, pues se decretó que esta fuera por ocho años contándose desde diciembre de 1557, fecha en que fue suspendido por la Audiencia de Lima. Por tanto, en la práctica la pena de suspensión estaría cumplida cuando volviese al Perú.

Una sentencia tan benévola del Consejo de Indias ante las graves acusaciones que se le realizaron en el Perú, y que quedaban demostradas en la residencia, hace que nos preguntemos qué influencias pudo tener en la Corte para tal impunidad. Como oficial subalterno en el lejano Perú no se le presuponen las contactos y relaciones que harían falta para ello, que sí obraban en autoridades indianas, en aquellas ruedas grandes del reloj de gobierno que representaba Juan de Borja en sus *Empresas Morales*. La posible respuesta nos la ofrece la correspondencia entablada por Pedro de Avendaño con el Gran Duque de Alba cuando ya se hallaba en la Corte para seguir su residencia. Parece que el duque de Alba confió en los conocimientos de Avendaño sobre las provincias del Perú y su administración para intentar hacer efectiva la merced de unas rentas en tributos de indios vacos que le había concedido el monarca años atrás (AGI, Indiferente, 738, N.61). El trato entre ambos hace pensar que fuera probable la intercesión del duque de Alba ante el monarca y el Consejo de Indias para que Avendaño viera reducida la pena impuesta por el visitador Briviesca de Muñatones.

Una vez resuelto definitivamente el juicio de residencia, Pedro de Avendaño decidió volver al Perú para servir sus oficios. La licencia se le concedió el 3 de septiembre de 1565 (Romera, 1980: 489-490), por lo que a su llegada a Lima la suspensión ya se habría cumplido. Pero antes de partir consiguió que se le despachara una Real Cédula que obligaba a la Audiencia a recibirle en sus oficios, ante el temor expresado de que "algunas personas con pasiones particulares" se lo impidiesen (AGI, Lima, 569, L.11, f. 259v-260r). Además, el Consejo le concedió el título de escribano real, cuya posesión era requisito[7] para el ejercicio de sus oficios (AGI, Lima, 569, L.11, f. 283v-284r). Su vuelta al Perú no fue lo plácida que podría esperar tras salvar el mayor escollo que encontró en su carrera como servidor de la Corona. El 15 de febrero de 1567 se despachó una Real Cédula al licenciado Castro, gobernador de las provincias del Perú, para que Avendaño fuese "preso y traydo a estos reynos [España]"[8], donde moriría un año

[7] Así quedaba establecido en la *Recopilación de las Leyes de Indias,* Libro V, Título VIII, Ley III. Pero debemos aclarar que la posesión del título de escribano real no era requisito al momento que Pedro de Avendaño fue nombrado escribano de Cámara y de gobernación de Nueva Toledo.

[8] Guillermo Lohmann no refiere la causa por la que fue apresado nuevamente Pedro de Avendaño, ni ofrece la fuente de dónde extrajo la información. Se han revisado los libros registros de este período conservados en el Archivo General de Indias en busca de la citada Real Cédula, pero no se ha podido hallar.

más tarde (Lohmann, 2005: 473).

Avendaño dejó como única descendencia a su hija Teresa que, junto a su marido Pedro de Córdoba y Guzmán, fue el germen de un extenso, longevo y poderoso linaje peruano, que entroncó con otros ilustres linajes, como el de los Carvajal y Vargas, que ostentó por generaciones el oficio de Correo Mayor de las Indias. Añádase que a dicho linaje pertenecieron los marqueses de Casa-Xara y los condes de Vallehermoso, actuales condes de Casa-Palma (Fernández, 1910: T.VIII, 29-62). Sin embargo, el apellido Avendaño quedó relegado ante otros de mayor nobleza y raigambre, quizás el último revés que tuvo que sufrir la honra y fama que siempre buscó.

Conclusiones

Si tuviéramos que buscar un símil para representar la vida de Pedro de Avendaño en el Perú bien podría ser el de un carrusel, con sus continuos giros, subidas y bajadas. Avendaño llegó a acaparar gran poder e influencia, pero sus actuaciones siempre bordearon la irregularidad y con frecuencia se enmarcaron como prácticas corruptas. Solo la acción de la justicia le puso freno en algunas ocasiones, más de las que le hubiera gustado, pero menos de las que hubiese merecido. Y todo ello fue posible por la posición privilegiada que ocupó en la sociedad limeña, a la que accedió por su carácter taimado, a base de buenas dosis de oportunismo. En su promoción social fue clave el uso y ejercicio de las escribanías de Cámara y de gobernación de Nueva Toledo, como palancas que le permitieron residir junto a los principales polos de poder en el Perú, la Real Audiencia y el virrey, e incluso influir en sus decisiones. Esta puede ser una nota común a todos los que ejercieron dichos oficios, en mayor o menor medida. Pero Avendaño fue un paso más allá, instrumentalizando los oficios para obtener pingües beneficios económicos, como quedó acreditado en su juicio de residencia. El arribismo de Avendaño se hizo especialmente evidente durante el mandato del marqués de Cañete, que supo ver en el escribano el asistente ideal para ejercer un mayor control sobre los negocios del virreinato. Retomamos, por última vez y como cierre, la metáfora del reloj con la que se abría este estudio. Las ruedas pequeñas del reloj de gobierno eran fundamentales para su funcionamiento armónico y preciso. Avendaño fue una de esas pequeñas ruedas que daba vida al reloj, que pretendió, y por momentos consiguió, mover las manecillas que marcaban el rumbo del Perú colonial.

Fuentes primarias

AGI Archivo General de Indias

- Chile 39
- Escribanía 952
- Indiferente 738
- Justicia 432
- Justicia 469
- Justicia 471
- Justicia 472
- Justicia 473
- Justicia 474
- Justicia 476
- Justicia 486
- Justicia 489
- Justicia 1175
- Lima 34
- Lima 92
- Lima 566
- Lima 567
- Lima 578
- Patronato 178
- Patronato 246
- Patronato 290
- Santo Domingo 1121

Referencias citadas

Angeli, S. 2008. Los oidores de la Real Audiencia de Lima en la segunda mitad del siglo XVI. *Allpanchis*, núm. 71: 77-112. https://orcid.org/0000-0002-2718-8520

Angeli, S. 2013. "¿Buenos e rectos jueces?": La visita a la Audiencia de Lima por el licenciado Briviesca de Muñatones, 1560-1563". *Jahrbuch für Geschichte Lateinamerikas*, núm. 50: 9-28. DOI : 10.7767/jbla.2013.50.1.9

Borja, J. 1680. *Empresas* morales. Bruselas: por Francisco Foppens.

Busto Duthurburu, J. A. 1961-1962. El conde de Nieva, virrey del Perú. *Boletín del Instituto Riva-Agüero*, núm. 5: 10-236.

Busto Duthurburu, J. A. 1986. *Diccionario histórico biográfico de los conquistadores del Perú* (Tomo I). Lima: Librería Studium Ediciones.

Calvete de Estrella, J. C. 1889. *Rebelión de Pizarro en el Perú y vida de don Pedro Gasca*. Madrid:

Imprenta de M. Tello.
Casas Grieve, M. 2003. *Relación de las cosas acaecidas en las alteraciones del Perú después que Blasco Núñez Vela entró en él.* Lima: Fondo Editorial PUCP.
Fernández de Bethencourt, F. 1910. *Historia genealógica y heráldica de la Monarquía Española, Casa Real y Grandes de España.* Tomo Octavo. Madrid: Establecimiento tipográfico de Jaime Ratés.
Gaudin, G. 2017. *El imperio de papel de Juan Díez de la Calle: pensar y gobernar el Nuevo Mundo en el siglo XVII.* Madrid; Zamora (Michoacán): Fondo de Cultura Económica; El Colegio de Michoacán.
Gayol, V. 2007. *Laberintos de justicia: procuradores, escribanos y oficiales de la Real Audiencia de México (1750-1812).* Zamora (Michoacán): El Colegio de Michoacán.
Glave Testino. L. M. 2016. "El orden de la visita: el Archivo Judicial del visitador Briviesca de Muñatones "Juez de jueces". Lima, 1561". En: Rojas García, R. (Coord.), *Archivo General de Indias: el valor del documento y la escritura en el gobierno de América.* Madrid: Ministerio de Educación, Cultura y Deporte, pp. 94-112.
Gómez Gómez, M. 2005. "Gobernar la palabra: los oficios de la pluma como agentes de la administración pública en Indias". En: Navarro García, L. (Coord.), *Jornadas sobre élites urbanas en Hispanoamérica.* Sevilla: Universidad de Sevilla, pp. 541-555.
Gómez Gómez, M. 2008. *El sello y registro de Indias: imagen y representación.* Köln: Böhlau Verlag.
Gómez Gómez, M. 2011. "La documentación de Indias. Reflexiones en torno al método diplomático en Historia". En: Munita Loina, J. A. (Ed.), *Mitificadores del pasado, falsarios de la Historia: Historia medieval, moderna y de América.* Bilbao: Universidad del País Vasco, pp. 165-185.
Gómez Gómez, M. 2012. Secretarios y escribanos en el gobierno de las Indias: El caso de Juan de Sámano. *Revista de Historia del Derecho*, núm. 3, pp. 30-63.
Gómez Gómez, M. 2020. "La producción de documentos reales durante el Antiguo Régimen: espacios, actores y prácticas". En: Martín López, M. E. (Coord.), *De scriptura et scriptis: producir.* León: Universidad de León, pp. 305-354.
Gutiérrez de Santa Clara, P. 1904. *Historia de las guerras civiles del Perú (1544-1548).* Madrid: Librería General de Victoriano Suárez.
Hampe Martínez, T. 1985. Agustín de Zárate: precisiones en torno a la vida y obra de un cronista indiano. *Caravelle*, núm. 45: 21-36.
Hampe Martínez, T. 1991. Agustín de Zárate, contador y cronista indiano (Estudio biográfico). *Mélanges de la Casa de Velázquez*, núm. 2, vol. 27: 129-154.
Levillier, R. (Dir.). 1921. *Gobernantes del Perú: cartas y papeles, Siglo XVI.* Madrid: Sucesores de Rivadeneyra.
Lizárraga, R. 1916. *Descripción colonial.* Buenos Aires: Librería La Facultad.
Lohmann Villena, G. 1977. *Las ideas jurídico-políticas en la rebelión de Gonzalo Pizarro: la*

tramoya doctrinal del levantamiento contra las Leyes Nuevas en el Perú. Valladolid: Secretariado de Publicaciones de la Universidad de Valladolid.

Lohmann Villena, G. 2005. El secretario mayor de la gobernación del virreinato del Perú (Notas para un estudio histórico-institucional). *Revista de Indias*, vol. LXV, núm. 234: 471-490. https://doi.org/10.3989/revindias.2005.i234.393

Lozano López, J. C. 2014. "La cultura simbólica en el Barroco". En: Arce Oliva, E. C.; Castán Chocarro, A.; Lomba Serrano, C. (Coord.), *El recurso a lo simbólico: reflexiones sobre el gusto II*. Zaragoza: Institución Fernando el Católico, pp. 67-89.

Pérez de Tudela Bueso, J. (Ed.). 1964. *Documentos relativos a don Pedro de la Gasca y a Gonzalo Pizarro*. Madrid: Real Academia de la Historia.

Recopilación de las leyes de los reynos de las Indias [1680]. 1681. Madrid: Julián de Paredes.

Ramírez Barrios, J. A. 2017. Mecanismos de persuasión del poder regio en Indias: el recibimiento del sello real en la Real Audiencia y Chancillería de Lima. *Nuevo Mundo Mundos Nuevos* [En línea], Debates, Puesto en línea el 11 diciembre 2017. URL:<http:// journals.openedition.org/nuevomundo/71568>. https://doi.org/10.4000/nuevomundo.71568

Ramírez Barrios, J. A. 2018. "Oficios de la pluma y criados del virrey: control y abuso de la expedición documental en el Perú virreinal". En: Andújar Castillo, F.; Ponce Leiva, P. (Coord.), *Debates sobre la corrupción en el mundo ibérico, siglos XVI-XVIII*. Alicante: Biblioteca Virtual Miguel de Cervantes, pp. 599-614.

Ramírez Barrios, J. A. 2020a. *El sello real en el Perú Colonial: poder y representación en la distancia*. Sevilla; Lima: Editorial Universidad de Sevilla; Fondo Editorial PUCP.

Ramírez Barrios, J. A. 2020b. "La corte virreinal en el Perú colonial: recursos cancillerescos para el ejercicio del poder". En: Gaudin, G.; Rivero Rodríguez, M. (Coord.), *"Que aya virrey en aquel reyno". Vencer la distancia en el imperio español*. Madrid: Ediciones Polifemo, pp. 305-337.

Ramírez Barrios, J. A. 2022. En defensa de la autoridad real: oficiales de la pluma de la Real Audiencia de Lima durante la rebelión de Gonzalo Pizarro. *Revista de Historia del Derecho* (61-91).

Romera, L.; Galbis Díez, M. C. 1980. *Catálogo de Pasajeros a Indias: durante los siglos XVI, XVII y XVIII. Vol. IV (1560-1566)*. Madrid: Ministerio de Cultura.

Saavedra Fajardo, D. 1655. *Idea de un príncipe político christiano representada en cien empresas*. Amberes: Casa de Ierónymo y Iván Bapt. Verdussen.

Sánchez Bella, I. 1960. El gobierno del Perú, 1556-1564. *Anuario de Estudios Americanos*, vol. 17: 407-524.

Tomás y Valiente, F. 1972. *La venta de oficios en Indias (1492-1606)*. Madrid: Instituto de Estudios Administrativos.

Torres Arancivia, E. 2006. *Corte de virreyes: el entorno del poder en el Perú en el siglo XVII*. Lima:

Las relaciones del virrey Toledo con el reino de Chile[1]

Matthias Gloël
Universidad Católica de Temuco, Chile

Introducción

Francisco de Toledo, virrey del Perú entre 1569 y 1581, es probablemente el virrey más estudiado del Perú de los Austrias. Después de la controversia clásica entre hispanismo (Levillier, 1935) e indigenismo (Valcárcel, 1940), más recientemente se ha producido una amplia historiografía acerca de este personaje (Gómez Rivas, 1990; Merluzzi, 2003; Mumford, 2012; Salles y Noejovich, 2008; Tantaleán Arbulú, 2011). También se publicaron, en dos tomos, sus disposiciones gubernativas (Lohmann Villena y Sarabia Viejo, 1986). Este renovado interés por la figura del virrey Toledo coincide con una revaloración historiográfica de los virreyes en general que se ha producido en las últimas dos décadas, historiografía que ha logrado superar la tradicional interpretación de éstos como meros agentes de una administración colonial (Rivero Rodríguez, 2011; Cardim y Palos, 2012; Aznar, Hanotin y May, 2014).

El nombramiento de Toledo llegó en un momento crucial para el gobierno de las Indias. Tras muchos años de crisis por las revueltas de los encomenderos (Salinero 2017) y la decepción de los últimos virreyes, el conde de Nieva en Perú y el marqués de Falces en Nueva España, se convocó en 1568 la llamada *Junta Magna* (Abril Stoffels, 1996; Merluzzi, 2007; Ramos, 1986) para reorganizar y reestructurar el gobierno de aquellos reinos.

Una de las prioridades de Francisco de Toledo era conocer detalladamente el territorio, las naciones que lo habitaban y su historia para elaborar su gobierno en base a todo este conocimiento (Ruiz Guadalajara, 2013: 257). Este planteamiento refleja la idea de que un buen gobernante debía conocer a los vasallos y

[1] El presente texto es resultado del proyecto Fondecyt de Iniciación 11190354.

súbditos de su territorio. Para ello, emprendió un largo viaje entre 1570 y 1575 para conocer las distintas provincias. Recordemos que, si bien como gobernador solamente estaba a cargo de los reinos del Perú propiamente tal, sin embargo, como virrey tenía autoridad desde Panamá hasta el Estrecho de Magallanes, sobre el territorio denominado en la historiografía actual como Virreinato del Perú.

A pesar de lo anterior, el virrey en su extendido viaje no pasó por la gobernación de Chile, posiblemente porque lo estimaba como un viaje muy complejo y demoroso. Así se lo comenta al rey en una carta del 25 de marzo de 1571, en la cual escribe sobre las dificultades de los obispos chilenos para asistir a los concilios en Lima. Señala que "desde Lima a Chile se tardan seis meses de navegación" (Medina, 1957: 367). Efectivamente, es preciso recordar que el segundo concilio de Lima estaba convocado inicialmente para el año 1565, sin embargo, se inició solamente 1567 (y asistió el obispo de La Imperial) por los contratiempos de la distancia (Dussel, 1979: 209). Lo anterior, por una parte, le debió parecer demasiado tiempo y por otra, se suma el inconveniente de viajar en barco, lo cual lo hubiera dejado completamente incomunicado con el resto del territorio durante un tiempo demasiado prolongado.

La exclusión de Chile del viaje toledano posiblemente ha contribuido a una imagen de un Chile que no tenía relevancia para el virrey, quien a su vez no se habría preocupado por dicho territorio. Esto por lo menos explicaría la casi total ausencia de la gobernación chilena en los estudios, tanto clásicos como actuales, sobre el gobierno virreinal de Francisco de Toledo. Esta misma ausencia es compartida por la mayor parte de la historiografía chilena, la cual de forma generalizada no ha dado mucha importancia a los virreyes del Perú, afirmando, como, por ejemplo, Sergio Villalobos (2004: 16) que "antes de la Emancipación, Chile y Perú ya formaban entidades claramente separadas".

El largo mandato de Toledo y su importancia para Chile suele ser largamente ignorado por la historiografía chilena, con la casi única excepción del contexto de la llegada de los corsarios ingleses, liderados por Francis Drake a partir de 1578, ya en la fase final del gobierno toledano. En este sentido, se toman en cuenta las medidas adoptadas por el virrey, las cuales afectaban toda la costa del Pacífico, tanto del Perú como de Chile (Soto Rodríguez, 2006: s/p; Concha Monardes, 2016: 40-42; Onetto, 2017: 70-72).

Sin embargo, trabajos recientes sobre la Guerra Defensiva (1612-1626) han mostrado la importancia que tuvieron los virreyes para lograr la implementación de esta política de corte más pacífica, diseñada por el jesuita Luis de Valdivia y aprobada desde la corte por Felipe III y el duque de Lerma (Díaz Blanco, 2010; Gloël, 2022). Por ello, consideramos necesario revisar las relaciones, comunicaciones e implicancias que tuvo este virrey, cuyo gobierno es considerado tan importante para el asentamiento definitivo de la corona en el Perú, con los distintos actores claves de la gobernación chilena, es decir, gobernadores, oidores, militares y cabildos.

La hipótesis que planteamos que el virrey Toledo estuvo muy pendiente y muy vinculado a los problemas y asuntos de la gobernación de Chile. Esto quedaría evidenciado en la numerosa correspondencia que mantuvo con los actores claves en el territorio chileno, por una parte, y la información que Toledo le proveía a la corte sobre la situación de Chile. En cuanto a esto último contamos con el antecedente de un estudio recientemente publicado en el cual se evidenció que la influencia del virrey fue decisiva para la supresión de la Real Audiencia de Concepción en 1573 (Gloël, 2021).

El análisis se llevará a cabo alrededor de cinco aspectos claves para el gobierno chileno de aquella época: el gobierno propiamente tal, la guerra prolongada con los llamados araucanos, el problema de los piratas y corsarios, la religión y la hacienda. El objetivo principal será evidenciar cuáles de dichos aspectos cobraban más relevancia en la preocupación y gestión del virrey y cuál es su posición respecto a estos asuntos. Nuestra hipótesis es que la preocupación principal del virrey es la guerra en el interior de Chile que ya se podía considerar prolongada y costosa en el momento de la llegada de Toledo. A eso se sumaría el asunto corsario en la última parte del virreinato. No por eso creemos que los demás aspectos no le parezcan relevantes, especialmente el gobierno, pero suponemos que la evangelización y el tema de hacienda se encuentran relegados a segunda fila mientras durara la guerra.

Gobierno

Cuando Francisco de Toledo inició su virreinato en 1569, en Chile se encontraba gobernando el doctor Melchor Bravo de Saravia como gobernador y presidente de la recientemente instalada (1567) Real Audiencia de Concepción. Contaba con una larga trayectoria en Indias, principalmente como oidor de la Audiencia de Lima. Hasta la instalación de la Audiencia de Concepción, el gobierno de Chile había estado a cargo de la generación de los primeros conquistadores, concretamente en las personas de Pedro de Valdivia (1541-1553), Francisco de Villagra (1553-1557 y 1561-1563), Pedro de Villagra (1563-1565) y Rodrigo de Quiroga (1565-1567), interrumpido solo entre 1557 y 1561 por el gobierno de García Hurtado de Mendoza, hijo del virrey Andrés Hurtado de Mendoza quien lo envió a Chile por la muerte del gobernador designado Jerónimo de Alderete (Sáez y Gloël, 2021).

Antes de embargar hacia el Perú, el virrey designado asistía a las sesiones de la ya mencionada *Junta Magna*, donde aprovechó la oportunidad de expresar su rechazo hacia las audiencias, las cuales serían culpables de la falta de autoridad que estaban sufriendo los virreyes a la hora de gobernar (Merluzzi, 2003: 49). En este sentido, ya en febrero de 1570 Toledo le recomienda a Felipe II la supresión no solo de la Audiencia de Chile, sino también de las de Charcas y Quito, ya que "hacen parece harto menos que promete lo mucho que gastan" (Levellier, 1921: 358). Su relación con la Audiencia de Charcas se podría calificar como emblemática en este sentido. Los oidores ignoraban las ordenanzas del virrey casi en bloque, con la excepción de Juan de Matienzo, el único oidor que trataba de promover los proyectos de Toledo en Charcas (Lohmann Villena, 1966). Pero también con la Audiencia de Lima tuvo fuertes controversias el virrey Toledo, por una parte, acerca de la cuestión de la custodia del sello real y por otra, por la expedición de Reales Provisiones, cosa que un virrey en teoría no podía hacer (Ramírez Barrios, 2020: 111 y 266).

El mismo día que el virrey envió la carta mencionada (8 de febrero de 1570), un terremoto afectó gravemente la ciudad de Concepción, dejando la mayor parte de la ciudad destruida (Palacios Roa, 2015: 40). Sin duda, esto contribuyó a la iniciativa de varios oidores pedir el traslado de la audiencia a otro lugar en Chile, petición a menudo expresada directamente al rey, ya que el virrey no podía tomar tal decisión. Sin embargo, también hubo intentos de los oidores de exponer este punto al virrey, esperando su intervención favorable al monarca. Así, el oidor Egas de Venegas le expone a Toledo en abril de 1571 la situación lastimosa que vivían en Concepción, en medio de hambre y pobreza, sin cobrar incluso los salarios, por lo que le parece conveniente "hasta que las cosas de la guerra fueran en mejoría mudar la Audiencia a Santiago o a la Imperial" (Medina, 1956: 370-371).

Sin embargo, el virrey no cambió su parecer y durante los años 1572 y 1573 desde distintos lugares de su viaje por las provincias peruanas insiste en la necesidad de suprimir la Audiencia de Concepción. Así, el 1 de marzo de 1572 le refiere al rey que ""todos convienen en que no solo se podria escusar pero ques y sera dañosa en el entretanto que aquella tierra anduviere en guerra" (Levillier, 1924a: 205).

Más allá de sus reparos contra la audiencia como institución, el virrey creía que especialmente su presidente y gobernador de Chile, Bravo de Saravia, no era la persona apta para este cargo. Particularmente en las cartas de 1573, quizás al no haber dado resultado inmediato sus recomendaciones de los años previos, Toledo carga con dureza contra el gobernador. Por una parte, señala que Saravia "está muy viejo para aquello y aun para otro trabajo" (Carta del 20 de marzo de 1573, Medina, 1957: 11) y, por otra, recomienda que si no se suprime la Audiencia de Chile, que por lo menos habría que "proveer un presidente y gobernadores y capitán general que supiese más de esto que de letras" (Carta del 3 de junio de 1573, Medina, 1957: 15). El virrey, con un connotado perfil militar no cree que un letrado como Bravo de Saravia, que además en 1573 tenía ya 51 años, sea la persona indicada para una gobernación que hacía más de dos décadas se encontraba en guerra con los naturales.

La relación entre Bravo de Saravia y los oidores también era más que problemática y ha sido identificada como uno de los motivos principales del mal funcionamiento de la Audiencia de Concepción (Barrientos, 1992-1993; Martiné, 1997; Ferrada y Gloël, 2021). Esta dinámica de confrontación culminó en unas discrepancias fundamentales acerca de las competencias de presidente y oidores, las cuales se basaban en una interpretación diferente de unas cédulas que había llegado desde la corte.

Sin embargo, no son ni el gobernador ni los oidores que daban a conocer dichos problemas. Son, por una parte, cabildos como el de Concepción (Medina, 1957: 41-44) o La Serena (Medina, 1957: 60-61) que enviaron cartas al virrey y, por otra, personajes destacados como el fiscal Juan de Navia (Academia Chilena de la Historia, 1992: 320-321), Rodrigo de Quiroga (Medina, 1957: 53-54) y su yerno, Martín Ruiz de Gamboa (Medina, 1957: 35-36). Cabe destacar que Quiroga era uno de los enemigos políticos principales de Bravo de Saravia y que ya en 1569 había enviado una carta al rey detallando la mala gestión generalizada del gobernador. El virrey se aprovechó de esta enemistad para desacreditar aún más al gobernador, al nombrar Quiroga Capitán General en agosto de 1571. De hecho, el virrey ya le habían quitado antes el poder y la autoridad militar al obligarlo a entregar los asuntos militares a Lorenzo Bernal de Mercado en base a una cédula que autorizaba a Toledo a entrometerse en los asuntos de Chile (Archivo

General de las Indias, en adelante AGI: Chile 18 R.5 N.22).

Ruiz de Gamboa quien era partidario de su suegro aprovechó las circunstancias para seguir desacreditando a la Audiencia y al gobernador, pidiendo la intervención directa del virrey, pues "éste es el principal negocio que Vuestra Excelencia debe remediar con la autoridad que de S.M. tiene y ningún juicio puedo hacer yo a Vuestra Excelencia mayor que advertir como advierto de esto" (Medina, 1957: 36). En la misma línea argumentó el Cabildo de La Serena pidiendo al virrey "sea servido mirar los inconvenientes que por experiencia se ha visto que han sucedido y está claro que sucederán de gobernarse las tierras e reinos por muchas cabezas" (Medina, 1957: 61), lo cual indirectamente señala como superflua a la Audiencia, ya que la división de poderes solo traería problemas.

Toledo le contestó a Quiroga expresando su disgusto con la situación y señalando el "deservicio de Dios y del rey y daño de la república" que estaría causando (Medina, 1957: 68). El concepto de "deservicio" es una acusación muy grave en una sociedad que funciona principalmente en base al servicio al señor a cambio de mercedes. En marzo de 1574 el virrey también le escribió directamente a la Audiencia de Concepción acusando a los oidores y al presidente de mal servicio al rey y señalando el "mucho daño" que estarían provocando (Medina, 1957: 113).

Lo que no sabían ni el virrey, ni el gobernador ni los oidores es que, a la hora de todos estos cruces de cartas, la suerte de la Audiencia como institución ya estaba echada. El 20 de agosto de 1573 Felipe II suprimió al primera Audiencia del Reino de Chile, lo cual, sin embargo, se supo en América solo mucho más tarde. Solamente el 10 de noviembre de 1574, el virrey se refirió en una carta al monarca a la supresión, mostrando su satisfacción con la decisión tomada (Medina, 1957: 131). De hecho, solo dos días antes en una carta a Juan de Ovando, presidente del Consejo de Indias, se había referido al gobernador y a la Audiencia sin saber al parecer, que habían sido revocados (Medina, 1957: 131). En Chile, siguió operando hasta principios de 1575 cuando el propio Rodrigo de Quiroga asumió la gobernación, esta vez con plenos derechos, después de haber gobernado de forma interina entre 1565 y 1567 mientras se constituía la Audiencia.

Ahora el virrey contaba en Chile con Quiroga, Ruiz de Gamboa y Bernal de Mercado con varias personas que eran más de su agrado que Bravo de Saravia. Y el virrey tenía más adeptos en el Reino de Chile, como, por ejemplo, Francisco de Mercado, hermano de Jerónimo de Alderete, gobernador designado en 1555 y fallecido en el trayecto hacia Chile. Con ello, se reduce la distancia política (Rivero Rodríguez y Gaudin, 2020) entre el virrey y los actores claves de Chile, al estar más alineados que con el gobierno anterior. En una carta al rey de 1576 señala la edad avanzada del nuevo gobernador Quiroga y que según él lo más conveniente sería "que el gobierno de estas provincias mane del virreinado del Perú", por la cercanía y las muchas necesidades que tenía Chile para "acabar de perpetuar este reino en la real corona" (Medina, 1957: 265).

En cuanto a la edad del gobernador, efectivamente había nacido en 1512, el mismo año que Bravo de Saravia quien el propio virrey ya había calificado como demasiado viejo para el cargo. Toledo parecía estar consciente del problema, pero como Quiroga era más de su confianza que Bravo de Saravia, le consultó por posibles candidatos como sucesor. El gobernador le respondió a principios de 1578 y aprovechó a recomendar a su yerno Martín Ruiz de Gamboa, "por su antigüedad y prudencia y experiencia y calidad de persona". Ruiz de Gamboa, nacido en 1531, no pertenecía a la primera generación de los conquistadores en torno a Pedro de Valdivia que tenía en Quiroga a uno de sus últimos representantes. Llegó a Chile en 1552, pero como yerno de Quiroga constituía la opción de prolongar el gobierno de este grupo en el Reino de Chile.

El virrey estaba decidido a continuar apoyando este grupo en Chile, lo cual se manifiesta en una carta al rey de abril de 1578 en la cual toca el tema del cargo de gobernador. Desde la corte le habían consultado por tres posibles candidatos: Miguel de Velasco (ya muerto), Lorenzo Bernal y Juan Jofré (muerto también, aunque Toledo no lo sabía a la hora de redactar esta carta). El virrey descarta a todos para el gobierno chileno para recomendar precisamente a Ruiz de Gamboa que según Toledo tiene "más caudal", candidato sin alternativa, ya que "en aquel reino no hay otros" (Medina, 1957: 275).

En 1579, la salud del gobernador decayó todavía más y a mediados del año se enviaron varias cartas al virrey sobre este asunto. Bernal de Mercado le señala que encontraba a Quiroga "con mucha edad con tanta falta de salud que lo más del tiempo está en la cama" (Medina, 1957: 443). Juan de Villalobos, conquistador y en Chile desde 1543, por su parte, también refiere las enfermedades del gobernador y le recomienda al virrey pensar en posibles sucesores (Medina, 1957: 451).

Juan de Ocampo, alcalde de La Imperial, si bien confirma también el estado enfermizo de Quiroga, aprovecha para solicitar al virrey un cambio de gobierno. Le enfatiza a Toledo la necesidad de proveer un gobernador de fuera del reino (Medina, 1957: 435), lo cual se explica por el hecho de que Ocampo no pertenecía al grupo conquistador de Chile, sino que llegó a América solo en 1561, primero a Quito y más adelante a Chile.

Todas las cartas recientemente referidas son del mes de junio de 1579. El 3 de julio el propio Quiroga también le escribió al virrey con el fin de crear de alguna manera hechos en la sucesión. Admite su propio estado delicado por lo que señala haber encargado "las cosas de la guerra de este reino al mariscal Martín Ruiz de Gamboa, el cual entiendo que me ayudará como buen caballero y servirá a Su Majestad con el celo que siempre lo ha hecho" (Medina, 1957: 452). Con ello, en caso de muerte del gobernador su yerno quedaría automáticamente a cargo hasta nuevo aviso desde Lima.

En abril de 1580, Toledo le hace un resumen al rey de los problemas del gobierno de Chile que según él se arrastrarían desde los tiempos de la Audiencia y que en los cinco años (1575-1580) siguientes tampoco se pudieron reconducir. El virrey señala la imposibilidad de resolver la situación desde la distancia, pero sí le sugiere al monarca que el virrey debiese actuar como un supervisor del gobernador, es decir, propone una subordinación más clara de la que existía en aquel momento (Levillier, 1924b: 280). Dicha propuesta nunca se hizo realidad ni para Toledo ni tampoco para sus sucesores.

Finalmente, Toledo le comunica al rey la muerte de Quiroga en carta del 24 de octubre de 1580, indicando además que no haría modificación en la sucesión de Ruiz de Gamboa (Medina, 1959: 91-92). El gobernador no obtendría el cargo de forma definitiva y con la llegada de su sucesor Alonso de Sotomayor en 1583 terminaría el gobierno de los conquistadores de Pedro de Valdivia, dando inicio a la vez al envío de militares experimentados en los campos de batalla europeos, especialmente Flandes. Estos, sin embargo, ya no tendrían que lidiar con el virrey Toledo, cuyo mandato también terminó en 1581.

De hecho, la no continuidad de Ruiz de Gamboa ya estaba decidida en el mismo año 1581, ya que en una consulta del Consejo de Indias del 1 de marzo de aquel año se discute el asunto y el rey insiste en la necesidad de que el Sotomayor "con mas brevedad haga su viage" (Heredia Herrera, 1972: 309), lo cual evidencia que en la corte se veía con urgencia la necesidad de realizar cambios en el gobierno de Chile, quitándole el poder político a los conquistadores.

La Guerra de Chile

Desde un punto de vista de dominio, el territorio de Chile resultó ser uno de los más complejos para la monarquía. La ilusión de un dominio fácil, aparentemente consolidado por la fundación de varias ciudades por el líder de los conquistadores Pedro de Valdivia, se esfumó con la primera gran insurrección indígena en 1553, durante la cual el propio Valdivia perdió la vida.

Si bien es cierto que durante el gobierno de García Hurtado de Mendoza (1556-1560) se vuelve a lograr consolidar la presencia hispana en el sur de Chile, el triunfo definitivo no se pudo conseguir ni en la década de 1550 ni en la de 1560. El optimismo de Bravo de Saravia de poner rápidamente fin a la guerra se desvaneció después de la primera campaña militar en 1568 y en carta a Felipe II del 8 de mayo de 1569 le pide al rey que se manden refuerzos desde Lima y, sobretodo, pagados en Lima, ya que en Chile no habría cómo costearlo (Medina, 1956: 168-169).

En cuanto a Francisco de Toledo, existe una visión sobre el virrey que destaca su poca disposición a colaborar en la guerra de Chile, prefiriendo consolidar el dominio de la corona en los territorios ya conquistados (Góngora, 1951: 299; Onetto, 2017: 176-177). Efectivamente, hay cartas del virrey que pueden apoyar este punto de vista. El 8 de febrero 1570, Toledo envió una serie de cartas a la corte sobre distintas materias de los diversos territorios a su cargo, entre ellos el Reino de Chile. Una de dichas cartas se dirige al Consejo de Indias, donde señala acerca del socorro de Chile "la dificultad con que esto se hace", ya que requeriría a más gente de que disponía, por lo que, para cumplir la exigencia, debería enviar también a personas que se necesitan en el propio Perú (Medina, 1956: 124[2]). Aproximadamente un año después, el 25 de marzo de 1571, en una carta al rey dice abiertamente que el socorro enviado a Chile se hizo contra su voluntad por caer "en vaso de tan poca experiencia para aquel menester y de no buena opinión en el", carta que también cita Onetto (2017: 177) para reforzar el argumento arriba señalado.

Sin embargo, creemos que es preciso analizar esta actitud del virrey en el

---

[2] Esta carta fue publicada por Toribio Medina y éste indica que es del 8 de febrero de 1569, lo cual hallamos imposible, ya que en esa fecha estaba viajando desde Madrid a Sevilla para embarcarse rumbo al Perú donde no llegaría hasta mediados del año. Además, la referencia a Juan Balsa, descendiente del conquistador del mismo nombre, y la oferta de su colaboración para Chile hacen imperativo que la carta se envió desde el Perú. Por la concordancia del contenido con otras cartas del mismo día, concluimos que su fecha debe ser 8 de febrero 1570.

contexto de su relación con la Audiencia de Chile y con el gobernador Bravo de Saravia. En la carta señalada, justo antes de las líneas citadas, el virrey recomienda quitar dicha Audiencia y al gobernador (Medina, 1956: 364), como ocurre en varias de sus cartas, como ya hemos podido documentar. Como vimos arriba, ya en 1570 el virrey recomendaba suprimir la Audiencia, pero todavía no decía lo mismo sobre el gobernador. La carta de 1571 podría ser el resultado del infructuoso socorro que Toledo organizó en 1570 y del que da cuenta a Felipe II en otra carta del 8 de febrero de 1570. Relata sus esfuerzos para enviar un buen contingente a Chile, incluyendo incluso "vagamundos y mestizos", que según los pedidos desde Chile serían "gente mui de serviçio para la guerra" (Levillier, 1921: 404).

De hecho, como recoge Barros Arana (2000[1884]: 310), en enero de 1570 el virrey organizó toda una campaña pública por las calles de Lima para atraer a los "caballeros, gentiles hombres y soldados que quisieren a servir a S.M. en la defensa y pacificación de las provincias del reino de Chile". El fracaso militar del gobernador en la siguiente campaña puede entonces explicar la falta de voluntad de seguir socorriendo a Chile, mientras, insistimos, continuara Bravo de Saravia a cargo de los asuntos militares.

En este sentido resulta interesante otro esfuerzo por parte del virrey en agosto de 1571, justo en el momento que le había quitado el mando militar al gobernador para entregarlo a Bernal de Mercado y Quiroga, tal como arriba ya lo hemos mencionado. El problema era la imagen altamente negativa que tenía Chile en el Perú por lo que el reclutamiento se hacía muy difícil (Concha Monardes, 2016: 75). Por ello, para organizar el siguiente socorro, el virrey recurre a dos medidas extraordinarias para aquel momento mediante una provisión expedida el 16 de agosto de 1571: primero, forma una tropa compuesta por sus propios servidores y, segundo, por primera vez se envían de forma obligada a prisioneros condenados desde el Perú para Chile (Barros Arana, 2000 ([1884]: 311).

Sin embargo, también la siguiente campaña resultó infructuosa y el virrey comenta en una carta al rey del 1 de marzo de 1572 "que la gente que ha ido a los socorros se ha consumido y vuelto a este reino", lo cual también habría llevado a la pérdida de la reputación que tenían los españoles en esa provincia (Medina, 1956: 450). En este contexto hay que recordar la importancia de la reputación como un valor de gran importancia en la mentalidad de la Edad Moderna (Mendieta, 2019). En este sentido le llama la atención al virrey el número de soldados que pide Bravo de Saravia, que prácticamente pide igualar el número de indígenas con españoles (Medina, 1956: 450), algo insólito a ojos del virrey, ya que históricamente se asumía que un español equivalía varios indígenas en términos de trabajo y de guerra.

El problema del virrey para socorrer a Chile sigue siendo, o más bien vuelve a ser, la presencia de la Audiencia y el propio gobernador. Para justificar esta actitud refiere incluso a cartas llegadas desde el mismo Chile. En junio de 1573, Toledo le señala al virrey que el oidor Egas Venegas le pidió no proveer más gente para Chile, ya que "el presidente y oidores de aquella audiencia lo acabarían de destruir respecto a las discordias que tienen entre sí" (Medina, 1957: 14-15) y que ya se mencionaron previamente también en este trabajo.

Para el año 1572 es necesario tener en cuenta, además, que el virrey tuvo que atender paralelamente otro frente militar, con su campaña contra el llamado estado neoinca de Vilcabamba que terminó en mayo de ese año con la decapitación de Tupac Amaru y la conquista definitiva del territorio (Merluzzi, 2008: 246-256). Con todo, el contingente enviado en 1572 debió resultar bastante satisfactorio como tal, tomando como referencia los agradecimientos que le enviaron a Toledo desde varias ciudades chilenas. El Cabildo de La Imperial (3.11.1573) destaca el "socorro tan grande que Vuestra Excelencia fue servido hacernos" (Medina, 1957: 26) y el de Angol (29.9.1573) agradece el compromiso personal del virrey por enviar "tanta gente, armas y municiones y de lo granado de los caballeros de su casa" (Medina, 1957: 16).

El Cabildo de Concepción le envía al virrey dos cartas bien diferenciadas en un mismo día (20.11.1573). Por una parte, también agradece el "tan principal socorro" mandado desde Perú (Medina 1957: 41), pero, por otra parte, señala la imposibilidad de llevar la guerra sin más armas y artillería "porque de todo esto hay grandísima falta y necesidad y sean los más arcabuces, que es el reparo de este reino contra los naturales" (Medina, 1957: 44). Efectivamente, como también lo apunta Concha Monardes (2016:88) en su estudio, la falta de armamento finalmente anulaba la utilidad de los refuerzos enviados a Chile.

Todavía en 1574 en una carta a Bernal de Mercado, Toledo insiste en una guerra de tipo ofensiva, indicándole que "era menester salir a recibir los enemigos en su tierra y no esperarles en lo de paz, comelles sus comidas y que ellos no entrasen a comer ni a robar las nuestras" (Medina, 1957: 70). Paralelamente, Toledo le indica a la Audiencia que no de licencia a nadie para salir del reino si es capaz de participar en la guerra (Medina, 1957: 71).

Pero con la precaria situación que era generalizada y no solo debido a la posible incapacidad del gobernador y de la Audiencia, este propósito resultaba demasiado ambiciosa. Esta precariedad aumentó todavía más con el terremoto de diciembre de 1575, el cual dejó prácticamente destruidas las ciudades de Valdivia (epicentro), Angol, La Imperial, Villarrica, Osorno y Chiloé (Palacios Roa, 2015: 56). Los indígenas aprovecharon esto para pasar a la ofensiva, atacando a los españoles mientras trataban de reconstruir las ciudades. Así, en diciembre de 1576, Ruiz de Gamboa le comenta al virrey los ataques indígenas que hubo en Valdivia y Villarrica en este contexto, por lo que el gobernador, Quiroga ya en ese entonces, tuvo que dirigir la campaña militar hacia allá a defender estos lugares (Medina, 1957: 308).

Esta dinámica ya no mejoraría mucho durante el virreinato de Francisco de Toledo. En enero de 1578 Juan de Mercado le avisa al virrey de una victoria contra los indígenas, sin embargo, en realidad también se trataba de una victoria defensiva contra "los indios que vinieron sobre Angol el año pasado" (Medina, 1957: 347). También los refuerzos fueron menos contundentes, como refiere Barros Arana (2000[1884]: 334) sobre el de 1576, el que tilda de "relativamente insignificante". El propio virrey, por su parte, insiste en una carta a Felipe II en la falta de actitud y reputación de los españoles en Chile, contrastándolo con los indígenas quienes tendrían "flema en la guerra", cosa que les faltaría a los hispanos (Levillier, 1924b: 72).

Como ya hemos adelantado, el escenario hispano en Chile ya no iba a mejorar hasta el fin del virreinato toledano en 1581. A modo de ejemplo se podría referir la carta del Cabildo de Concepción al virrey del 15 de marzo de 1580, en la cual describe el peligro inminente de pérdida en que se encontraban todas las ciudades del sur, por lo que pide a Toledo el envío de "mucha gente, armas y ropa para los soldados que están desnudos" (Medina 1959: 22). El virrey, por su parte, reduce mucho su comunicación acerca del tema de la guerra, con Chile y especialmente con la corte. En 1578 todavía se queja de la falta de cabezas en el reino (Medina, 1957: 375), pero después en los últimos tres años de su mandato apenas informa sobre ello.

Esta realidad de la segunda parte de la década de 1570 en Chile no se ve así reflejada en el memorial que redacta Toledo entre 1581 y 1582 para dar cuenta al rey de su gestión. Este memorial correspondería a lo que posteriormente serían los informes que dejaban los virreyes a sus sucesores. Este memorial según Lohmann Villena (1959: 62) "representa un análisis certero y perspicaz de la situación en que dejaba el gobierno a su suceso". Esto puede ser acertado para el caso del Perú u otras provincias, pero para el caso chileno creemos que no tanto. La impresión que da al virrey acerca de la situación en Chile se puede resumir bastante bien con esta afirmación: "El reino de Chile, aunque no quedaba sin guerra, con los socorros que S.M: ha mandado enviar a este reino y con los que yo hice, quedaba más reforzado y con caudal y fuerza para poder ir los españoles a buscar a los indios a sus casas y tierras" (Hanke, 1978: 133). Esta descripción da a entenderle al rey que los españoles ahora podrían pasar a la ofensiva en Chile, lo cual contrasta mucho con la información que el virrey en realidad tenía de Chile, ya que, como hemos visto, estaba muy bien informado. Por lo tanto, al parecer, le resultaba más importante da un resumen positivo de todos los aspectos a exponer la realidad.

El problema de los corsarios

Al final del virreinato de Francisco de Toledo se agregó al contexto bélico la componente exterior de los corsarios ingleses. Durante más de 50 años, después del descubrimiento del estrecho que llevaría el nombre de Magallanes, la corona consideraba al océano Pacífico fuera del peligro de ataques corsarios, tanto por su lejanía como por lo difícil que era cruzar el estrecho (Mira Caballos, 2019: 201). Sin embargo, en 1575 John Oxenham logró atravesar el Istmo de Panamá y, mucho más grave aún, en 1578 Francis Drake pasó por el estrecho al Pacífico. En una carta al rey del 11 de octubre de 1579, el virrey recordaba este escenario tranquilo y seguro cuando ya había dejado de ser una realidad: "No puedo dejar de encarecer la seguridad grande con que todo esto se a hecho por mar y por tierra". A continuación, compara la ruta de Panamá hasta las costas de Chile con ir "desde Sevilla al puerto de Sanlucar" (Levillier, 1924b: 141).

Sin embargo, con las incursiones de los corsarios ingleses, Chile se estaba convirtiendo en lo que Amy Turner Bushnell (2002: 20) define como "strategic frontier", entendiendo frontera no como confín sino como espacio fronterizo (Merluzzi y Sabatini, 2017: 16). Así lo expresa el gobernador Rodrigo de Quiroga al rey enero de 1579: "Este reino era la llave de los reinos del Perú y de la Nueva España por esta parte del Mar del Sur y que si lo adversarios se apoderasen de él no bastarían diligencias ni fuerzas humanas para echarlos y harían de aquí cruel guerra a los reinos del Perú y de la Nueva España" (Medina, 1957: 381). También el propio virrey en carta del 27 de febrero de 1579 había advertido a la corte la relevancia estratégica de Chile "donde, a mi parecer, cualquier flota que cruce el estrecho de Magallanes vendrá a aprovisionarse en él" (citado en Concha Monardes, 2016: 41).

Durante una década la corona había prácticamente ignorado la actividad de los corsarios en el Caribe, hasta que el 13 de febrero de 1579 Francis Drake logró entrar al puerto de Callao, hecho que evidentemente causó gran conmoción en todos los niveles administrativos (Bradley, 2009: 7). En agosto del mismo año las posibles medidas fueron por primera vez objeto de una consulta del Consejo de Indias, proponiendo "hacer un fuerte en el estrecho o guardar la costa de Perú con galeras" (Heredía Herrera, 1972: 267-268). Sin embargo, las medidas contundentes se harían esperar y ya serían tarea de los sucesores de Toledo.

Lo que sí encontramos en este contexto es un primer aviso sobre el posible peligro de una colaboración entre los enemigos europeos de la corona y los indígenas chilenos. Juan de Villalobos, en carta ya previamente mencionada, le advierte al virrey que los ingleses durante su viaje por la costa se toparon con unos nativos pastores y a continuación, se llevaron a uno de ellos como piloto, con cuya ayuda "tomaron el puerto de Valparaíso" (Medina, 1957: 450). Esta preocupación de alianza entre ingleses o holandeses con los indígenas sublevados de Chile también se iba a convertir más adelante en una preocupación constante en Santiago, Lima y Madrid.

Hacienda

La Hacienda Real fue un tema delicado en cualquier momento de la monarquía de los Austrias. Las necesidades de la corona siempre eran elevadas y al momento de nombrar Francisco de Toledo virrey, habían pasado solo pocos años desde la última suspensión de pagos en 1560 (Carlos Morales, 2016: 88-105). En este contexto, Toledo recibió amplias instrucciones acerca de la Real Hacienda, de ordenarla y de cuidarla. Concretamente, para el reino de Chile se le indica al virrey de apoyarse en personas entendidas tanto en Lima como en Chile, todo con el fin de "excusar los grandes gastos" (Hanke, 1978: 88-89).

Podríamos dividir a grandes rasgos la hacienda en ingresos, gastos y pérdidas. En cuanto a los gastos, el virrey aprovecha el argumento para su campaña contra la Real Audiencia de Concepción que ya hemos tratado. En una de sus primeras comunicaciones hacia la corte del 8 de febrero de 1570 le señala al monarca que en los cinco años desde la fundación de la Audiencia en 1565 "aviendo vuestra magestad puesto de la Real hazienda destas provinçias mucha suma de pesos para la defensa de aquellas y gastado las rentas della no se a aprovechado vuestra magestad de ninguna cosa de aquel reyno para el remedio de lo qual se embio la audiencia" (Levillier, 1921: 402).

En el curso de los ataques corsarios también se perdieron navíos salidos de Chile que directa o indirectamente afectaban a la hacienda. Así el gobernador Quiroga le reporta al virrey el caso de Hernando Lamero, un conocido piloto con larga experiencia en Indias, a quien los ingleses "robaron el navío" (Medina, 1957: 454). En una probanza de servicio de 1588 también se recoge este incidente afirmando que en aquella ocasión se perdió "mucho vino y bizcocho y otros mantenimientos y tablazones" (Medina, 1901: 322).

En términos generales el reino de Chile presenta una discrepancia entre una potencial riqueza y una real pobreza, discrepancia principalmente causada por la larga guerra. Así, el propio Toledo se lo hace saber a Felipe ya en 1571 cuando le habla del "oro que había de venir de Chile, si Dios fuese servido de poner de paz aquel reino" (Medina, 1956: 366). En cuanto a los impuestos, el virrey solamente logra asentar el almojarifazgo a lo largo de la costa con Chile incluido, como le da cuenta a Felipe II en septiembre de 1572 (Medina, 1956: 475-476). El cobro de este impuesto para el comercio entre los distintos territorios de las Indias y de la corona en general se había promulgado por real provisión en 1568 (Gil, 2018: 137).

En cuanto a los metales preciosos, a diferencia del Perú, Chile tenía más bien la fama de ser rica en oro que en plata. Había algunas minas de oro en la parte central y norte (recordemos que Chile comienza en La Serena) donde, sin embargo, había pocos indígenas para poner a trabajar en ellas. En noviembre de 1574 Melchor Calderón, sobrino de Pedro de Valdivia, le escribió al virrey sobre este inconveniente. Dicho Calderón se haría conocido hacia el final de su vida con un tratado (1607) a favor de la esclavitud de los indígenas rebeldes capturados en la guerra (Parodi Ambel, 2019). En 1574, entonces, Calderón le pide autorización a Francisco de Toledo para trasladar a los naturales de la ciudad de Castro a La Serena "para que saquen oro y tengan doctrina", tal como lo había hecho Toledo en el caso de Potosí. Todo ello, promete Calderón, sería "de muy grande efecto para el aprovechamiento de la Real Hacienda y de toda la tierra" (Medina, 1957: 202). La propuesta efectivamente se llevó a cabo y en 1576 se pudo decretar el traslado forzado de indígenas hacia La Serena (Contreras Cruces, 2017: 180).

Sin embargo, las minas más ricas se encontraban en el sur donde la guerra impedía que se pudieran aprovechar. Particularmente, en la última etapa del virreinato toledano se descubren unas minas de oro muy importantes en la zona de La Imperial. El 1 de abril de 1579 Ruiz de Gamboa, en su larga carta al virrey sobre la guerra también comenta este hallazgo y recomienda enfocar el esfuerzo hacia ellas. En vez de enviar indígenas a las ciudades de arriba se debiesen emplear sacando oro en dichas minas de La Imperial (AGI: Chile 18, R.6 N.36). Además, relata haber acordado con su suegro, el gobernador Quiroga, de destinar a todos los soldados disponibles para colaborar en la empresa, ya que "las minas son ricas y les será de mucho fruto y no haciéndolo cesaría el sacar oro" (AGI Chile 18, R.6 N.36). Esta dependencia de la economía de la colaboración militar ha sido destacada recientemente también en un estudio liderado por José Manuel Zavala (2020).

Pero esta noticia le llega a Francisco de Toledo no solo por Ruiz de Gamboa. Dos meses después, en junio del mismo año, Lorenzo Bernal de Mercado le escribe que "en la ciudad Imperial se han descubierto minas de oro muy ricas en tanta cantidad de tierra que no se podrán acabar". Le asegura al virrey que "consiguiéndose paz y V.E. envíe persona que lo mueva todo, los navíos irán lastrados de plata y oro" (Medina, 1957: 444). El mismo día le escribe también el conquistador Juan de Villalobos, aunque con menos información concreta que al parecer no ha obtenido en propia persona ya que refiere a las minas que "dicen ser buenas" (Medina, 1957: 451).

Un año después de la primera noticia que le dio Ruiz de Gamboa a Toledo, Bernal de Mercado le insiste en la importancia de las minas en comparación con las del norte, enfatizando la importancia de "animar a los vecinos encomenderos [de las ciudades del norte] para que dejasen de seguir la pobreza de las minas que labraban y sacasen oro todos juntos en las minas que dijo de La Imperial" (Medina, 1959: 42). Sin embargo, Toledo ya estaba terminando su virreinato y ya no se haría cargo del asunto. Tampoco bajo sus sucesores se iba a dar una situación favorable para sacar oro de las minas de La Imperial. Unos años más tarde, el gobernador Alonso de Sotomayor redacta un parecer sobre las minas en Chile y señala nuevamente la riqueza de dichas minas ("las mejores de aquel reino") pero que "no se benefician por estar de guerra y aunque esté en paz tiene muy pocos indios, que la guerra los ha consumido" (Medina, 1957: 229).

Religión

La conversión religiosa constituía uno de los objetivos principales de la corona en América. La identificación de la monarquía con la fe católica llevó a una actitud intransigente hacia las creencias prehispánicas para implementar la fe cristiana (Duviols, 1977). En términos de administración eclesiástica, Chile se dividió en dos obispados, el de Santiago y el de La Imperial, los cuales se caracterizaban por sus condiciones precarias, especialmente el segundo por causa de la guerra. En el momento de llegar Francisco de Toledo a Lima, en Chile, las órdenes religiosas no tenían una provincia independiente en Chile tampoco. Solo en 1572 crearían la primera los franciscanos (Pérez Puente. 2017: 171).

A eso se puede sumar la falta de clérigos en general y también de seminarios para la formación de los mismos. Éstos se empezaron a instalar en los centros destacados de la corona en América a raíz de los resultados del Concilio de Trento desde la década de los 1560 (Pérez Puente, 2017: 33-132). En este sentido, el 20 de noviembre de 1574, el virrey le escribió a Rodrigo de Quiroga, recientemente hecho gobernador como hemos visto previamente, insistiendo en aumentar el número de sacerdotes y clérigos "que fueren necesarios para las doctrinas y beneficios de esas dichas provincias de Chile" (Medina, 1957: 194).

A fines de los 1570, el rey comenzó además una iniciativa para financiar el envío de jesuitas a Chile. También la propia orden que solo había llegado al Perú en 1568 trataba de expandirse hacia Chile en la segunda parte de aquella década (Maldavsky, 2013: 76). Sin embargo, las gestiones tanto de la corona como del virrey no resultaron demasiado fructuosos. El 18 de abril de 1578, Toledo envía dos cartas al rey en las que toca temas religiosos. En la primera, el virrey toca distintos aspectos de la guerra, la cual haría imposible que "los indios sujetos que están debaxo de vuestro amparo" tengan tiempo para recibir la doctrina, como también en general los sublevados no permiten que los sujetos puedan contribuir ni que se les pueda administrar la justicia, es decir, gobernarles bien (Levillier, 1957: 373). El mismo día en otra carta, Toledo le pide al rey el envío de religiosos para Chile para remediar "la mucha falta que hay para la doctrina de los naturales de aquel reino" (Levillier, 1957: 374). Sin embargo, a diferencia de varias temáticas previamente tratadas, podemos afirmar que el tema de la evangelización para Chile no es un tema constante ni recurrente en la correspondencia del virrey Toledo.

Conclusiones

Ante todo, podemos constatar que la gobernación de Chile tiene una gran relevancia para el virrey Francisco de Toledo, lo cual queda evidenciado al analizar su documentación y correspondencia. Eso sí, los cinco aspectos definidos al inicio, gobierno, guerra, corsarios, hacienda y religión, se atienden de manera muy desigual por parte del virrey. Su preocupación principal se enfoca sin duda en el gobierno de Chile, por una parte y en la guerra con los llamados araucanos, por otra.

Las relaciones a nivel gubernativo se dividen en dos fases principalmente. En la primera (1569-1575), Toledo convive con el gobierno de la Audiencia de Concepción y de su presidente Bravo de Saravia. Desde el primer momento, el virrey trata de conseguir la supresión de dicha audiencia y también del gobernador, ya que considera a ambos como no aptos para el gobierno de Chile. Para él, la Audiencia constituye un gasto innecesario y un letrado como gobernador en una tierra de guerra también le parece infructuoso. Finalmente, en la corte se le hace caso y a principios de 1575 la Audiencia deja sus funciones y el gobernador queda también relevado de su cargo.

La segunda parte de su mandato se encuentra en Chile con Rodrigo de Quiroga, el último gobernador de la generación de los conquistadores alrededor de Pedro de Valdivia. Quiroga es más del agrado de Toledo, con lo cual se acorta de cierta forma la distancia política entre Lima y Chile. El virrey ve con buenos ojos el gobierno de los conquistadores y encomenderos que en otras partes de América había causado tantos problemas. De hecho, cuando se hace inminente la muerte de Quiroga, Toledo apoya el intento de perpetuar el gobierno de este grupo en su yerno Martín Ruiz de Gamboa, intento finalmente no respaldado por la corte.

Muy ligada a los asuntos y problemas del gobierno está la guerra en el sur del territorio chileno. Contrario a lo que se ha afirmado, Toledo intenta en la primera parte de su gobierno apoyar activamente la guerra y la conquista definitiva. Los reparos que existen y que le hace ver al rey tienen más que ver con su desconfianza hacia Bravo de Saravia y la Audiencia que con una falta de voluntad general del virrey. Se ve que cada recorte de competencia del gobernador en materias de guerra viene acompañado por una nueva iniciativa de socorro desde Lima.

En la segunda parte de su mandato y a pesar de tener un gobernador en Chile más de su agrado, Toledo entra en el realismo de que aquella guerra no se puede ganar por el momento, por lo que efectivamente toma una posición más defensiva y de conservación. Las noticias que le llegan de Chile lo convencen cada vez más de que por el momento no hay otro camino que tomar.

En los últimos años se presenta un problema bélico externo que se suma al interno de los naturales. El hecho que los corsarios ingleses logran pasar por el Estrecho de Magallanes y presentarse en toda la costa del Pacífico de repente convierte Chile en un territorio de alto valor estratégico. El virrey está consciente de ello y así se lo expresa a Felipe II. Sin embargo, la toma de medidas desde la corte es lenta y apenas se ponen en práctica sino ya en los gobiernos de los sucesores de Toledo.

Menor atención por parte del virrey reciben los asuntos de hacienda y religión, lo cual, no obstante, no quiere decir que se descuiden por completo. En cuanto a la hacienda real destaca en el contexto chileno el alto potencial de riquezas en metales preciosos y la realidad de pobreza, debido a que por causa de la guerra no se pueden aprovechar las minas de oro, principalmente en el sur. Toledo trata de apoyar la exploración en el norte forzando a indígenas del sur a que se trasladen a La Serena, medida que también había aplicado en el Perú a favor de las minas de Potosí.

En cuanto a la evangelización, el virrey está al tanto de la falta de religiosos que, una vez más, se debe principalmente a la guerra. Así todavía lo reconoce en 1578 tras años de intentos infructuosos de aumentar el número de clérigos y de instalar seminarios. Tampoco la instalación de órdenes religiosas como los franciscanos en Chile, medida apoyada por el virrey, lograron remediar la situación.

Resumiendo estas conclusiones se puede decir que el virrey tiene éxitos y fracasos en su gestión acerca de Chile pero que de forma global no logra cambiar las dinámicas de aquel territorio ni consigue dejar un legado ni a nivel de gobierno ni de guerra, ya que en ambos ámbitos sus aspiraciones se terminen viendo frustradas.

Fuentes primarias

AGI Archivo General de Indias:

- Chile 18

Referencias citadas

Abril Stoffels, R. 1996. "Junta Magna de 1568, resoluciones e instrucciones (fundación de la inquisición limeña". En Abril Stoffels, M. y Abril Castelló, V. (eds.), *Francisco de la Cruz. Inquisición. Actas II, 1. Del mito bíblico a la utopía indiana (papa emperador de Israel y de las Indias y del universo mundo?)*. Madrid: Editorial CSIC, pp. 196-227.

Academia Chilena de la Historia (ed.). (1992). *Real Audiencia de Concepción 1565-1573. Documentos para su estudio*. Santiago : Editorial Universitaria.

Aznar, D., Hanotin, G. y May, N. (eds.). 2014. *À la place du roi. Vice-rois, gouverneurs et ambassadeurs dans les monarchies française et espagnole (XVIe-XVIIIe siècles)*. Madrid: Casa de Velázquez.

Barrientos, J. 1992-1993. "La Real Audiencia de Concepción (1565-1575)". *Revista de Estudios Histórico-Jurídicos*, N° 15: 131-178.

Barros Arana, D. 2000 [1884]. *Historia General de Chile. Tomo Segundo*. Santiago de Chile: Editorial Universitaria.

Bradley, P. 2009. *Spain and the defence of Peru 1579-1700. Royal reluctance and colonial self-reliance*. Morrisville: lulu.com

Cardim, P. y Palos, J. (eds.). 2012. *El mundo de los virreyes en las monarquías de España y Portugal*. Madrid: Iberoamericana.

Carlos Morales, C. 2016. *El precio del dinero dinástico: endeudamiento y crisis financieras en la España de los Austrias, 1557-1647*, Vol. I. Madrid: Banco de España.

Concha Monardes, R. 2016. *El Reino de Chile. Realidades estratégicas, sistemas militares y ocupación del territorio (1520-1650)*. Santiago: Cesoc.

Contreras Cruces, H. 2017. "Indios de *tierra adentro* en Chile central. Las modalidades de la migración forzosa y el desarraigo (fines del siglo XVI y comienzos del XVII)". En Valenzuela, J. (ed.), *América en diásporas. Esclavitudes y migraciones forzadas en Chile y otras regiones americanas (siglos XVI-XIX)*. Santiago de Chile: Ril, pp. 161-196.

Díaz Blanco, J. 2010. *Razón de Estado y Buen Gobierno*. Sevilla: Universidad de Sevilla.

Dussel, E. 1979. *El episcopado latinoamericano y la liberación de los pobres, 1504-1620*. México: Centro de Reflexión Teológica.

Duviols, P. 1977. *La destrucción de las religiones andinas (conquista y colonia)*. México: Ediciones Universidad Nacional Autónoma de México.

Ferrada, N. y Gloël, M. "Creación y supresión de la Real Audiencia de Concepción en Chile: el sistema de encomienda como clave en las relaciones entre gobernantes y encomenderos". *Revista de Historia*, N°28, Vol. 2: 108-137.

Gil, E. 2018. "La fiscalidad como fuente de información del comercio y el tráfico colonial (1573-1650): el almojarifazgo de la Caja Real de Veracruz". *América latina en la historia económica*, Vol 25, N°3: 133-159.

Gloël, M. 2021. "El virrey Toledo: figura clave para la supresión de la Audiencia de Concepción". *Diálogo Andino*, N°65: 165-173.

Gloël, M. 2022. "Los gobernadores interinos de Chile nombrados por los virreyes en el contexto de la guerra defensiva: patronazgo y superación de distancia". En González Fasani, A.M y Chiliguay, A. (eds.), *Historia Moderna. Problemas, debates y perspectivas.* Bahía Blanca: Universidad Nacional del Sur, en prensa.

Gómez Rivas, L. 1990. *El virrey del Perú don Francisco de Toledo: antecedentes socio-políticos de su labor de gobierno.* Madrid: Universidad Complutense. Tesis de doctorado inédita.

Góngora, M. 1951. *El Estado en el derecho indiano. Época de fundación 1492-1570.* Santiago de Chile: Universidad de Chile.

Hanke, L. 1978. *Los virreyes españoles en América durante el gobierno de la casa de Austria*, tomo I. Madrid: Imnasa.

Heredia Herrera, A. 1972. *Catálogo de las Consultas del Consejo de Indias, Tomo I (1529-1591).* Madrid: Dirección General de Archivos y Bibliotecas.

Levillier, R. 1921. *Gobernantes del Perú, Cartas y papeles, Siglo XVI, Tomo III.* Madrid: Sucesores de Rivadeneyra.

Levillier, R. 1924a. *Gobernantes del Perú, Cartas y papeles, Siglo XVI, Tomo IV.* Madrid: Imprenta de Juan Pueyo.

Levillier, R. 1924b. *Gobernantes del Perú, Cartas y papeles, Siglo XVI, Tomo VI.* Madrid: Imprenta de Juan Pueyo.

Levillier, R. 1935. *Don Francisco de Toledo. Supremo organizador del Perú: su vida, su obra (1515-1582).* Madrid: Colección de Publicaciones Históricas de la Biblioteca del Congreso.

Lohmann Villena, G. 1959. "Las relaciones de los virreyes del Perú". *Anuario de Estudios Americanos*, 16: 315-532.

Lohmann Villena, G. 1966. *Juan de Matienzo, autor del «Gobierno del Perú» (su personalidad y su obra).* Sevilla: Escuela de Estudios Hispano-Americanos.

Lohmann Villena, G. y Sarabia Viejo, M. (eds.). 1986. *Francisco de Toledo. Disposiciones gubernativas para el Virreinato del Perú.* Dos tomos. Sevilla: Escuela de Estudios Hispano-Americanos.

Maldavsky, A. 2013. *Vocaciones inciertas. Misiones y misioneros en la provincia jesuita del Perú en los siglos XVI y XVII*, Madrid, Consejo Superior de Investigaciones Científicas.

Martiné, E. 1997. "La Audiencia de Concepción en Chile (1565 - 1573) un caso de Audiencia con expresas funciones de gobierno". *Anuario de historia del derecho español*, N°67: 1379-1398.

Medina, J. 1901. *Colección de Documentos Inéditos para la Historia de Chile* (CDIH), tomo XXV. Santiago de Chile: Imprenta Elzeviriana.

Medina, J. 1956. *Colección de Documentos Inéditos para la Historia de Chile* (CDIH), segunda serie, tomo I, 1558.1572. Santiago de Chile: Fondo Histórico y Bibliográfico J.T. Medina.

Medina J. 1957. *Colección de Documentos Inéditos para la Historia de Chile,* segunda serie, tomo II, 1573-1580. Santiago de Chile: Fondo Histórico y Bibliográfico J.T. Medina.

Medina J. 1959. *Colección de Documentos Inéditos para la Historia de Chile,* segunda serie, tomo III, 1577-1589. Santiago de Chile: Fondo Histórico y Bibliográfico J.T. Medina.

Mendieta, E. 2019. "Injuria, reputación y conflicto en las calles de Bilbao en la Edad Moderna". *Revista de Historia Moderna. Anales de la Universidad de Alicante*, n.º 37: pp. 157-189

Merluzzi, M. 2003. *Politica e governo nel Nuovo Mondo. Francisco de Toledo viceré del Perù (1569-1581).* Roma: Carocci editore.

Merluzzi, M. 2007. "Religion and State Policies in the Age of Philip II: the 1568 Junta Magna of the Indies and the New Political Guidelines for the Spanish American Colonies". En Carvalho, J. (ed.), *Religion and power in Europe: conflict and convergence.* Pisa: Plus-Pisa University Press. Pisa, pp. 183-201.

Merluzzi, M. 2008. *La pacificazione del regno. Negoziazione e creazione del consenso in Perú (1533-1581).* Roma: Viella.

Merluzzi M. y Sabatini, G. 2017. "Introducción". En Favarò, V., Merluzzi, M. y Sabatini, G. (eds.), *Fronteras. Procesos y prácticas de integración y conflictos entre Europa y América (siglos XVI-XX).* Madrid: Fondo de Cultura Económica, pp. 11-24.

Mira Caballos, E. 2019. *Las Armadas del Imperio. Poder y hegemonía en tiempo de los Austrias.* Madrid: La Esfera de los Libros.

Mumford, J. 2012. *Vertical empire. The general resettlement of Indians in the colonial Andes.* Durham: Duke University Press.

Onetto, M. 2017. *Temblores de tierra en el jardín del Edén: desastre, memoria e identidad: Chile, siglos XVI-XVIII.* Santiago: Centro de Investigaciones Diego Barros Arana.

Palacios Roa, A. 2015. *Entre ruinas y escombros. Los terremotos en Chile durante los siglos XVI al XIX.* Valparaíso: Ediciones Universitarias de Valparaíso.

Parodi Ambel, K. 2019. "La esclavitud indígena en Chile: argumentos, autoridades y pseudo-diálogo en el *Tratado* de Melchor Calderón". *Colonial Latin American Review*, Vol. 28, N°4: 496-513.

Ramos, D. 1986. "La crisis indiana y la Junta Magna de 1568". *Jahrbuch für Geschichte Lateinamerikas* num. 23, vol. 1: 1-62.

Pérez Puente, L- 2017. *Los cimientos de la iglesia en la América española. Los seminarios conciliares, siglo XVI.* México: Universidad Nacional Autónoma de México.

Ramírez Barrios, J. 2020. *El sello real en el Perú colonial: poder y representación en la distancia.* Sevilla: Editorial Universidad de Sevilla.

Rivero Rodríguez, M. 2011. *La edad de oro de los virreyes. El virreinato en la monarquía hispánica durante los siglos XVI y XVII.* Madrid: Akal.

Rivero Rodríguez, M. y Gaudin G. 2020. "Introducción". En Rivero Rodríguez, M. y Gaudin G. (eds.), *"Que aya virrey en aquel reyno". Vencer la distancia en el imperio español.* Madrid: Polifemo, pp. 1-12.

Ruiz Guadalajara, J. 2013. "Confines y vecindades de la cristiandad hispánica en América durante el período de las monarquías ibéricas". En Ruiz Ibáñez, J. (ed.), *Las vecindades de las Monarquías Ibéricas.* Madrid: Fondo de Cultura Económica, pp. 235-290.

Sáez, R. y Gloël, M. (2021). "La Gobernación en el siglo XVI: análisis de las dinámicas de poder en Chile durante su etapa fundacional". *Revista Austral de Ciencias Sociales* N°41: 197-218.

Salinero, G. 2017. *Hombres de mala corte. Desobediencias, procesos políticos y gobierno de Indias en la segunda mitad del siglo XVI.* Madrid: Ediciones Cátedra.

Salles, E. y H. Noejovich. 2008. *La visita general y el proyecto de gobernabilidad del virrey Toledo.* Dos tomos. Lima: Universidad de San Martín de Porres.

Soto Rodríguez, J. 2006. "La defensa hispana del reino de Chile". *Tiempo y Espacio N°16*: s/p.

Tantaleán Arbulú, J. 2012. *El virrey Francisco de Toledo y su tiempo. Proyecto de gobernabilidad, el imperio hispano, la plata peruana en la economía-mundo y el mercado colonial.* Dos tomos. Lima: Universidad de San Martín de Porres.

Turner Bushnell, A. 2002. "Gates, patterns and peripheries. The field of Frontier Latin America". En Daniels, C. y Kennedy, M. (eds.), *Negotiated empires. Centers and peripheries in the Americas, 1500-1820.* Londres: Routledge, pp. 15-28.

Villalobos, S. 2004. *Chile y Perú: la historia que nos une y nos separa, 1553-1883.* Santiago de Chile: Ediciones Universitaria.

Zavala Cepeda, J., Dillehay, T. y Medianero Soto, F. 2020. "Economía aurífera, caminos y fuertes en la Araucanía (Ngülümapu) del siglo XVI: en torno a la información de Martín Ruiz de Gamboa de 1579". *Diálogo Andino,* 61: 27-39.

La profesión legal en los Andes coloniales: Abogados y procuradores de causas en Lima y Potosí, 1538-1640

Renzo Honores
Instituto Internacional de Derecho y Sociedad, Perú

A pocos años de la conquista española, Lima y Potosí se erigieron en dos grandes foros para la práctica profesional del Derecho. A pesar de las prohibiciones tempranas de 1529 y 1573, que impedían el paso y la instalación de los expertos jurídicos, ambas ciudades se transformaron rápidamente en "ciudades legales".[1] En el siglo XVI, Lima contaba con una Audiencia (establecida en 1544), una visible profesión legal y un centro para los estudios jurídicos: la Universidad de San Marcos. En 1639, el sacerdote jesuita Bernabé Cobo en su *Fundación de Lima* hizo una descripción de la ciudad en la que enumeró sus diversos juzgados que hacían de ella un verdadero bosque judicial (Cobo, 1964[1639]). La Villa Imperial de Potosí, por su parte, pasó de ser un floreciente sitio minero, sin mayor actividad profesional, a una gran urbe con una nutrida comunidad legal y un activo mercado para la prestación de servicios jurídicos. "Descubierta" en 1545, la ciudad en pocos años contó con una profesión legal estable

[1] Las prohibiciones fueron muy tempranas en la historia colonial de la América española. Estas regulaciones formaban parte de un universo conceptual de la literatura utópica del siglo XVI que era opuesta a la presencia de los profesionales del Derecho. En 1509, los vecinos de la Isla La Española pidieron al rey que impidiera el paso de abogados bajo el argumento que ellos provocarían una inflación de litigios. El mismo razonamiento fue utilizado por las autoridades de la Isla Fernandina (hoy Cuba), años más tarde (Malagón, 1961: 6-11 y 1976: 23). Al producirse la conquista del Perú, Francisco Pizarro había acordado, en agosto de 1529, una similar prohibición que impedía el paso de abogados y procuradores de causas a los territorios que él conquistara: "Asymismo q. mandaremos e por la presenta mandamos e defendemos q. destos nros. Reynos no vayan ni pasen A las dhas. trras. nyngunas personas de las prohibidas q. no pueden pasar A aquellas p. so las penas en las leys e hordenanças e cas. nras. q. çerca desto por nos e por los rreys catholicos estan dadas ny letrados ny procuradores para husar de sus ofiçios," en Lohmann (ed.) (1986: 243). Esta regulación fue transcrita en el libro de provisiones del cabildo de Lima, véase Archivo Histórico Municipal de Lima, en adelante AHML "Libro tercero de cédulas y provisiones" f. 6r (ó 14r en la anotación a lápiz). En 1573, el virrey Francisco de Toledo –entonces en la Villa Imperial—hizo uso de una cédula real para prohibir la instalación de abogados en Potosí. Una referencia a la lógica cultura detrás de estas prohibiciones, en Uribe (2000: 21-22). Por otro lado, el término "ciudad legal" está tomado de Leonard Berlanstein (1975) y designa así a centros urbanos con una presencia notoria de expertos jurídicos y una práctica intensiva del Derecho, ver Berlanstein (1975: 1-2).

luego de la presencia del Virrey Toledo entre 1572 y 1573. En 1603, el informe anónimo listaba el número de especialistas que ejercían en la Villa Imperial: Un grupo de cinco procuradores y veinte abogados que equiparaba el número de expertos de la ciudad de La Plata (hoy Sucre), sede de la Audiencia de Charcas (Anónimo, 1965 [1603]: I, 378)[2]. Aunque con menos tribunales y juzgados que La Plata y Lima, su importancia económica y su vasta población hicieron de la ciudad del Cerro Rico un mercado importante de servicios jurídicos y uno de los grandes centros urbanos del Nuevo Mundo.

Este capítulo examina la conformación de la profesión legal en estas dos ciudades entre 1538 y 1640, un periodo clave en la instalación del orden colonial. Aunque la profesión legal era un cuerpo numeroso y heterogéneo de expertos, este trabajo se concentra en el papel de los agentes jurídicos dedicados a la litigación: los abogados y los procuradores de causas. A diferencia de la litigación contemporánea en la que el abogado monopoliza la defensa y representación profesional, el sistema de asesoría jurídica en los siglos XVI y XVII era ejercido por estos facilitadores, en un sistema de representación dual que procedía de la Alta Edad Media. Este trabajo procura un análisis comparativo de estas dos ciudades para mostrar las diversas experiencias de las comunidades legales en diversas ciudades de los Andes. Compara la composición de los profesionales, su impacto e importancia en ambos centros legales.

La existencia de estos foros legales en los Andes responde al modelo cultural y legal que se impuso a mediados del siglo XVI. Una sociedad juridizada, aunque con matices y diferencias locales, fue edificada gradualmente en la región andina. Este modelo normativo y cultural demandaba el uso de formalidades jurídicas en un procedimiento contencioso, la contratación, el auxilio de los escribanos (o notarios) para la consagración de las transacciones privadas y la intermediación de abogados y procuradores de causas en la litigación civil y canónica. Estos especialistas y los litigantes contribuyeron a la circulación de ideas y prácticas socio-legales gestando gradualmente una compleja cultura jurídica. La interacción entre ellos fue central ya que los usuarios no siempre tuvieron un rol pasivo respecto a los profesionales del Derecho. Los litigantes fueron los informantes de los expertos, proveyeron sus narrativas y gozaron de autonomía para seleccionar los especialistas de sus casos. Igualmente, como hoy sabemos, hicieron viajes locales y transatlánticos. Esta energía legal muestra la

---

[2] La información brindada por este informe fue reutilizada por el contador Francisco López de Caravantes en el siglo XVII, en López de Caravantes ([1630-1632] 1985-1988: I, 142).

enorme inversión en la creación de discursos y prácticas legales.

Este capítulo sostiene la tesis que ese modelo cultural castellano fue reutilizado en los Andes y que los ejemplos de Lima y Potosí permiten apreciar tanto el surgimiento de una clase profesional como el activo uso social del Derecho desde el temprano siglo XVI[3].Las circunstancias y modelos de cada ciudad, una burocrática y el otro emergente punto del corazón económico del imperio determinaron la instalación y reproducción de estos especialistas. Ellos dibujaron una forma de entender la juricidad y gestaron una nueva sociedad en un contexto colonial e imperial. Este trabajo también muestra las divergencias de ambos casos.

Una cultura legal transatlántica en los Andes

Las *Partidas* (c. 1256-1265) el gran cuerpo normativo de Alfonso X "El Sabio" (r. 1252-1284) y de su asesor Jacobo de Las Leyes regularon los servicios jurídicos y los procedimientos legales castellanos. En la Tercera *Partida*, los abogados y los procuradores de causas fueron reconocidos como los principales agentes de la litigación[4]. Las *Partidas* fueron dictadas en un panorama normativo de gradual "racionalización" del procedimiento, una circunstancia que era el resultado de la influencia del emergente Derecho Canónico y del romanismo (Berman, 1983: 120-164 y 199-254; Berman, 1998; Berman, 2003; Berman y Read, 1994). Estas áreas legales crearon principios estandarizados gestando el *ius commune* (la suma del Derecho Civil y el Canónico) (van Caenegem, 1973: 16-23). Con el *ius commune* el procedimiento judicial se convirtió en un proceso reglado, dominado por etapas procesales (demanda, contestación, alegación, y

[3] Sobre estudios de la abogacía en el periodo temprano del siglo XVI para el caso específico de Lima, véanse los trabajos de Lockhart ([1968] 1994: 68-73) y Vega (1966). Referencias para el caso del Cuzco de la segunda mitad del siglo XVI y principalmente de orden documental, en Guevara (1993: 324, 330, 331 y 332). Uno de los activo procuradores de causas citados en esa documentación es Sebastián de Baeza; otro procurador muy importante en esa ciudad en las décadas de 1550 y 1560 fue Gonzalo Rodríguez. Restan aún estudios detallados y sistemáticos sobre los foros provinciales en el Perú del siglo XVI. Sobre estudios de otros procesos de profesionalización en el siglo XVI, el trabajo de Herrera (2003) quien estudia a los escribanos, procuradores de causas y abogados en Santiago de Guatemala (hoy Antigua), ver Herrera (2003: 95, 97-98, 101, 105-110).

[4] La Partida Tercera, Título V trata de los procuradores de causas que son llamados "personeros" y el título VI de los abogados, designados igualmente como "voceros". Un procurador es definido como "aquel que recabda, o faze algunos pleytos, o cosas agenas por mandado del dueño (Título V, Ley 1). Un abogado, en cambio, es "ome que razona pleyto de otro en juyzio, o el suyo mismo, en demandando o respondiendo" (Título VI, Ley 1). Sobre las *Partidas* alfonsinas y la abogacía medieval castellana, véase Alonso Romero y Garriga (2014: 11-13).

apelación) y por la apreciación de las pruebas (en teoría la prueba escrita asumió un carácter preferente)[5]. La tecnificación del procedimiento y su lenguaje esotérico para el no-especializado contribuyó a cimentar la intermediación legal de los procuradores de causas.

Abogados y procuradores de causas eran dos ramas de la profesión legal con una clara división del trabajo entre ellas (Baade, 2001; Brundage, 2008: 203-211). Mientras los abogados fueron los encargados de la argumentación jurídica de las partes, expresados en los principales "escritos" del caso; los procuradores de causas eran los especialistas procesales. Eran ellos quienes representaban a las partes, presentaban sus escritos y recibían las notificaciones. Sólo les estaba permitido escribir los recursos estrictamente procesales. En la experiencia castellana, si bien las *Partidas* del siglo XIII fueron el primer eslabón regulador sobre la profesión legal, las ordenanzas de los Reyes Católicos de 1495 establecieron los principios sobre la actuación de los abogados y los procuradores de causas que serían, más tarde, el modelo para las "ordenanzas" de las Audiencias americanas del siglo XVI[6]. Estas regulaciones crearon una jerarquía laboral siendo los abogados la "rama noble" de la profesión dado su labor intelectual y argumentativa. En cambio, los procuradores fueron vistos como una rama menor, una especie de artesanos manuales de la justicia. Este modelo, con esas consideraciones sociales, fue reproducido en el mundo colonial hispánico.

Desde la Baja Edad Media (siglos XIV y XV), el recurrir a los especialistas para que actuaran como intermediarios legales de las partes se convirtió en un rasgo de la cultura jurídica europea. El siglo XVI fue de su apoteosis, pero también de una gran crítica social (Bouwsma, 1973; Kagan, 1974 y 1981; Amelang, 1984). En Inglaterra, las ciudades estados italianas (como Florencia) y el Sacro Imperio Romano Germánico, los litigantes y sus expertos hicieron un uso frecuente de las cortes reales de justicia[7]. Este fenómeno conocido como litigiosi-

[5] Partida Tercera, Títulos XIII, XVI y XVIII. Las "escrituras" son definidas en *Partidas*: "Escritura de que nace averiguamiento de prueba es toda carta que sea hecha por mano de escriuano publico de consejo, o sellada con sello de rey, o de otra persona autentica", en Partida Tercera, Título XVIII, Ley 1.

[6] Las ordenanzas "de los abogados y procuradores" del 14 de febrero de 1495 regulaba las actividades de los abogados y los procuradores de causas. La parte referida a las obligaciones de los abogados, en Alonso Romero y Garriga (2014: 188-200).

[7] Sobre la "revolución litigiosa" del siglo XVI hay una vasta literatura escrita principalmente en la década de 1980 cuando la litigiosidad era vista como un tema central del debate público en los países industrializados. Entre los principales estudios deben citarse: Kagan (1978 y 1981) para Castilla, Prest (1986: 11-48) respecto a Inglaterra, Strauss (1986: 31-54) sobre el Sacro Imperio Romano-Germánico y Martines (1968: 270-286) para el caso de Florencia. Sobre el "consumo de la justicia", la importancia de la subjetividad y las pasiones humanas en la litigación, el sugerente libro de Smail (2013).

dad[8] supuso una intensa actividad de los usuarios de la justicia quienes reclamaban el pago de sus acreencias, el cumplimiento de las obligaciones a su favor, el reconocimiento de su estatus social, así como sus expectativas de justicia. En Castilla, los litigantes pertenecían a un variado espectro social: campesinos, artesanos, artistas, profesionales y nobles. Los hidalgos litigaban para demostrar su estatus social y su exención del pago de los tributos (cualidad propia de los "pecheros") (Kagan, 181: 120-121; Crawford, 2014: 17-43). Los litigantes de modestos recursos fueron estigmatizados como los responsables de una litigación irresponsable. Irónicamente era el rey (y la hacienda real) uno de los grandes litigantes en la Castilla del siglo XVI; aunque la crítica social obvió este detalle (Kagan, 1981: 10-11)[9]. Lo mismo ocurría con la alta nobleza que hacía un uso frecuente de las chancillerías, enfrentada entre sí por señoríos, propiedades rurales y el reconocimiento de sus derechos nobiliarios. Un elemento clave en esta movilización legal fue la teoría jurídica castellana que presentaba al rey como encarnación de la justicia. Este elemento reforzó la idea de ir a los tribunales y juzgados locales (los poderes vicarios del rey) para alcanzar la ansiada justicia (Pennington 1993; Owens, 2005).

El uso social del litigio como un medio para exigir el cumplimiento de derechos fue exportado a las posesiones españolas en suelo americano, el mundo atlántico hispánico (Aram, 2012). Este modelo cultural castellano de prácticas y de ideología jurídicas no solamente fue reinstalado sino recreado, es decir reutilizado y repensado, en el contexto de la colonización (Bilder, 1999; Watson, 2000). En el caso de los Andes, los registros muestran cómo los colonizadores litigaron encarnizadamente entre sí desde fechas tempranas, al menos desde las décadas de 1530 y 1540. Estos colonizadores litigaban para exigir el cumplimiento de obligaciones patrimoniales. En la década de 1560, los caciques fueron demonizados por la administración y se les acusó de ser irresponsables en el uso del litigio. Pero en realidad el espectro de usuarios activos del Derecho incluía a las entidades corporativas y el propio rey. Este uso social del litigio abrió oportunidades laborales para los profesionales y fue central en la creación de los foros legales en los Andes.

---

8 Definido como la disposición de llevar las diferencias y disputas ante una instancia formal de justicia.

9 En los Andes, la Hacienda Real solía intervenir en varios procesos en la Audiencia de Lima.

Los foros y los mercados de servicios jurídicos: Lima y Potosí

Lima y Potosí eran las dos ciudades más populosas de América del Sur durante los siglos XVI y XVII[10]. Ambos fueron grandes espacios urbanos por su población y su actividad económica. Las estimaciones generales señalan que Lima contaba para 1619 con casi 25,000 habitantes[11] mientras que ya en 1611 Potosí la superaba largamente y albergaba a más de 100,000[12] personas. Ambas ocuparon un lugar central en el área andina desde los comienzos de la colonización. Fundada como la "Ciudad de los Reyes" en 1535, Lima fue establecida como capital del virreinato del Perú y sede de la Real Audiencia por Las Leyes Nuevas de 1542-1543. Aunque distintas en su naturaleza y actividades, ambas ciudades se convirtieron en espacios para la producción, la práctica y la circulación del Derecho. En el caso de Lima, la ciudad fue inicialmente un asentamiento de los conquistadores. La ciudad yacía en un valle fértil (el de Rímac) lo que permitió el desarrollo de la agricultura. Desde el comienzo de la historia de la ciudad muchas disputas llamaron la atención del cabildo. Por ello, en 1538, el concejo requería los consejos legales del doctor Juan Blásquez (Consejo Provincial de Lima, 1935: I, 241 y 271).

Como lo ha demostrado James Lockhart para el periodo entre 1535 y 1560, una clase de artesanos, mercaderes y encomenderos se avecindaron en Lima y

[10] Según los cálculos de Hardoy y Abranovich para 1580 Lima tenía unos 2,000 vecinos y Potosí 400 (Hardoy y Abranovich 1969: 12, cuadro N° 1). Lima era la ciudad con el mayor número de vecinos en la América meridional, aunque eso no significaba la mayor población puesto que Potosí la superaba largamente (véanse las siguientes notas sobre los aspectos demográficos). Para 1630, Potosí era ya la tercera ciudad en número de vecinos en toda América detrás de México y Lima, aunque era la ciudad más populosa del continente. Los datos de Hardoy y Abranovich proceden de las estimaciones de López de Velasco en su *Geografía y descripción universal de las Indias* (de 1574) y del *Compendio y descripción de las Indias Occidentales* de Antonio Vázquez de Espinosa (de 1629).

[11] En un censo de 1593 se dice que la ciudad contaba con una población de 12,790 personas. En 1614 se emprendió un conteo, ordenado por el virrey marques de Montesclaros, cuyas cifras fueron reproducidas por el cronista-historiador Fernando de Montesinos. Fred Bronner calcula sobre la base de la información de Montesinos y del cronista fray Buenaventura de Salinas y Córdoba que Lima podría contar con 25,447 habitantes para esa fecha (incluyendo a laicos y clérigos). Finalmente, en 1619 el arzobispo de Lima preparó un registro de la población asentada sobre las cuatro parroquias de la ciudad (Sagrario, Santa Ana, San Sebastián y San Marcelo) cuyos resultados arrojan la cifra de 24,902. La información y los cuadros en Bronner (1979: 108-112). Bronner estima que un estudio más preciso supone el trabajo paciente en los libros de bautismos, matrimonios y defunciones de las cuatro parroquias de Lima. Hay estudios detallados de parroquias limeñas, Mazet (1976) trabaja el caso de San Sebastián entre 1562 y 1689 y Cosamalón (1999) los matrimonios interraciales en Santa Ana entre 1795 y 1820.

[12] Al llegar a Potosí en 1572, el virrey Toledo condujo un censo que se dice arrojó la cifra de 120,000 habitantes. El censo se ha perdido pero la cifra ha sido recogida como ejemplo del crecimiento desmesurado del Cerro Rico. Hacia 1611 se dice que la población superaba los 160,000. Un recuento de estas cifras sobre la base de los testimonios de la época y los cálculos de los historiadores, en Mangan (1999: 24 y notas 20-21).

la convirtieron en un espacio comercial. Préstamos, deudas, obligaciones (de dar y hacer) se hicieron comunes en la ciudad, actividades que se encuentran registradas en sus archivos notariales. En 1537, por ejemplo, don Pedro de Portocarrero, el célebre encomendero del Cuzco otorgaba una carta de obligación a Gonzalo Pizarro por 200 pesos (Lohmann, 1963: 75)[13]. La ciudad recibió un contingente significativo de españoles debido en parte a la proximidad del puerto del Callao, lo que facilitó que fuera un destino preferencial. En el siglo XVII los banqueros (como Francisco de la Cueva), comerciantes y mercaderes (los llamados "peruleros") se convirtieron en una élite central de la economía imperial como lo reconocía el escritor portugués Pedro de León Portocarrero en su *Descripción del Perú*.

Esta próspera actividad económica contribuyó a la generación de un mercado para la prestación de servicios jurídicos. Estos agentes requerían de los escribanos para darle "buena fé" y valor legal a sus arreglos patrimoniales y requerían de juzgados y tribunales para demandar a sus deudores (Lockhart, 1994[1968]; Herzog, 1996; Burns, 2004, 2005 y 2010; Presta, 2013). Esta economía urbana hizo factible por consiguiente que los abogados y los procuradores de causas contaran con una base permanente de clientes. A su vez, la ciudad al convertirse en la sede de la Audiencia (y residencia permanente del virrey) aumentó considerablemente su importancia política, legal y jurisdiccional. Los litigantes provenían de diversos puntos del virreinato sobre los que la Audiencia tenía jurisdicción. El rango de la Audiencia como corte de apelaciones hizo que muchos litigantes otorgaran poderes de representación a los procuradores de causas.

Para finales del siglo XVI, la ciudad contaba con un consolidado y maduro sistema judicial eclesiástico y secular. En su suelo se erigía la Universidad de San Marcos (inicialmente el "Estudio General del Rosario") que fue el lugar de formación de la élite criolla en Derecho. Una vez concluida la "visita general", hacia 1576, el virrey Toledo reformó el centro de estudios y creó una Facultad de Leyes y Cánones al dotarse las cátedras de Prima y Vísperas de Cánones, así como la de Prima de Leyes (Eguiguren, 1951: I, 430). Fue en ese espacio en donde la primera generación de criollos (usualmente de clase alta) se educó en Derecho[14]. La constitución de la universidad fue importante en la composición

[13] La carta es del 9 de noviembre de 1537.

[14] Diego de Salinas (n. 1558) hijo del mercader Lope de Salinas fue uno de los primeros criollos graduados en Derecho en San Marcos. Obtuvo el bachillerato en 1578, su licenciatura en 1581 y el doctorado en Derecho

de la profesión legal como veremos más adelante. La universidad y las entidades políticas de la ciudad animaron la imaginación de los escritores corográficos de Lima, quienes la presentaron como una de las grandes urbes del mundo hispánico[15]. La influencia simbólica de Lima descansaba en sus autoridades políticas, privilegios reales, tribunales, universidad, colegios, letrados y su comercio (Guibovich, 1999: 55-57; Osorio, 2004: 452-458). A Lima se le conocía como un *caput regni*, una de las cabeceras del virreinato del Perú[16].

La historia de Potosí es distinta, aunque instructiva de la variedad de historias urbanas del mundo colonial. Potosí había nacido como un asiento minero[17]. Su fecha de fundación sigue siendo un misterio[18] (y objeto de apasionadas discusiones públicas), en pocos años gracias a la industria de la plata se convirtió

un año más tarde (Holguín, 2002: 20-33). Aunque la Universidad de San Marcos fue constituída por una cédula del 12 de mayo de 1551 "con los privilegios y franquezas de la de Salamanca", sufrió una reorganización hacia la década de 1570 (en parte promovido por la corona). El virrey Toledo emancipó a la universidad del dominio de los dominicos, le dotó de nuevas rentas, trasladó su local al edificio que ocupaba el Recogimiento de San Juan de la Penitencia, en 1577, y dictó unas nuevas constituciones (Vargas Ugarte, 1981: I, 254-255). Para una discusión sobre los cambios en este claustro desde su constitución como Estudio del Rosario hasta las innovaciones del virrey Toledo, en Monsalve (1998). La identidad de los graduados en Derecho Canónico entre fines del siglo XVI y XVII en la Universidad Nacional Mayor de San Marcos puede encontrarse en el Libro 705 "Expedientes de grados de cánones y teología, 1599-1699".

[15] Este género había nacido en España en el siglo XVI. Escritores y letrados compusieron orgullosos relatos sobre la historia de sus ciudades, exaltando sus hechos más reconocidos y enumerando a los personajes más importantes (Kagan, 1995: 85). En el siglo XVII, el licenciado andaluz Francisco Bermúdez de Pedraza, el célebre autor del *Arte legal para estudiar la jurisprudencia*, escribía que los abogados jugaban un papel muy significativo en su ciudad natal, Granada, en donde se erigía la Chancillería. Bermúdez de Pedraza pasó a enumerar a los letrados más famosos de su ciudad, los que en su opinión habían contribuído en resolver con sus obras y su quehacer professional los "pleytos dudosos" y por consiguiente hacer más llevadera la convivencia social (1608: 127r-127vta).

[16] *Caput regni* era un concepto medieval que denotaba la residencia permanente del rey y de sus cortesanos en un asentamiento urbano. El término 'capital' en su sentido de residencia de autoridades y de la más importante ciudad empezó a ser usado en la segunda mitad del siglo XVII, al menos en las modernas monarquías europeas (Del Río Barredo, 2000: 6). No solamente Lima se llamaba a sí misma "cabecera de los reynos del Perú", analógo título era utilizado por el Cuzco en el siglo XVI. Para el enfrentamiento entre Lima y Cuzco respecto a la "capitalidad" del Perú colonial temprano, en Osorio (2001: 13-41)

[17] En las cartas notariales de 1550 se le menciona como "asiento de Potosí, jurisdicción de la villa de La Plata", véase Archivo y Biblioteca Nacionales de Bolivia, en adelante ABNB Gaspar de Rojas, tomo 1, f. 14vta (14 de Julio, 1550) y f. 19r (11 de Julio de 1550). Cuando el licenciado Polo inició una investigación sobre el uso irrestricto de la mano de obra amerindia en el Cerro Rico, en enero de 1550, le llamó también "asiento" (Espinoza Soriano, 1997: 107-108). En algunos casos, también se le usaba la expresión "villa" para designar a la ciudad, como Hernando de Hurtado que decía presentarse "en la villa de Potosí jurisdicción de la villa de La Plata", en ABNB, Gaspar de Rojas, tomo 1, f 4r (Potosí, 1 de Julio 1550).

[18] Una discusión sobre la fecha presunta de fundación, en Serrano (2002: 297-298). Ciudades como La Plata cumplieron una serie de condiciones para constituirse en villa, como el contar con un acta de fundación, un plano y traza en que se mostrara la asignación de los primeros solares y una lista de los primeros vecinos (Serrano 2002: 299). Teóricamente Potosí debió seguir el mismo modelo. Lo más probable es que Potosí no haya tenido una ceremonia de fundación, lo que sin embargo no impidió que se constituyera en una gran urbe gracias a la industria de la plata y a la importancia económica de la ciudad.

en uno de los principales centros urbanos del mundo hispánico. Desde su "descubrimiento"[19] en 1545, hasta la llegada del virrey Toledo, en noviembre 1572, Potosí había crecido exponencialmente. El *boom* de la industria de la plata en las décadas de 1540 y 1550 contribuyó decididamente a la expansión de la ciudad (en su economía y población). Sin embargo, en la década de 1560, Potosí experimentó una crisis en la producción de la plata. El virrey Toledo consciente que las finanzas imperiales dependían de la minería potosina emprendió la larga marcha al sur. En Potosí, estableció importantes reformas para la recuperación de la industria: instalación de ingenios, uso del mercurio para el mejoramiento de la calidad del mineral y el sistema de mitas. Esto último supuso la movilización de numerosos grupos étnicos que convirtió a la Villa Imperial en un mosaico étnico (Escobari de Querejazu, 1993). No existen registros confiables de su crecimiento poblacional, pero para los propios observadores del siglo XVII era una ciudad vasta, diversa y el verdadero corazón económico del virreinato peruano. Uno de sus orgullosos hijos, Bartolomé Arzáns de Orsúa y Vela contribuyó a forjar su imagen legendaria en el siglo XVIII (Arzáns de Orsúa y Vela, 1965[1700-1736]).

La Villa Imperial estaba jurisdiccionalmente subordinada a la de La Plata. La decisión de instalar la Audiencia en La Plata no estuvo exenta de polémica. Hubo escritores que defendieron la tesis que la sede de la Audiencia fuera la Villa Imperial. Oidores de la Audiencia de La Plata, como los doctores Manuel Barros de San Millán y Diego Martínez de Peralta pidieron expresamente al rey que la sede de la Audiencia se ubicara en Potosí y no en La Plata.Potosí contó con magistrados locales (los corregidores) desde 1549, cuando el licenciado Polo Ondegardo llegó a la ciudad como corregidor de la "provincia de Charcas". En 1563, con el conde de Nieva obtuvo su plena jurisdicción para juzgar casos civiles y criminales. Esta jurisdicción y la circulación de la riqueza atrajeron a una comunidad de facilitadores. Como se ha comentado anteriormente, el informe anónimo de 1603 mencionaba la existencia de una nutrida comunidad de especialistas.

[19] Cieza de León indicaba que un español "de nombre Villarroel" con la compañía y guía de 'ciertos indios' halló el famoso yacimiento ([1553] 1984: 290). Esta temprana versión colonial sería con matices asumida como la versión oficial. Sin embargo, la riqueza del Cerro Rico era conocida, al menos, desde el Horizonte Tardío tal como lo sostienen Mark Abbot y Alexander P. Wolfe, "Intensive Pre-Inca Metallurgy Recorded by Lake Sediments from the Bolivia Andes", *Science* (septiembre 2003) 301: 1893-1895. Comentarios y reseñas de las historias tempranas sobre los orígenes de Potosí como gran centro minero prehispánico y colonial, en Numhauser (2005: 29-38).

La industria minera fue central en la historia potosina. Los "azogueros" eran los grandes personajes de la ciudad. Sin embargo, Potosí era un ejemplo de la vitalidad de economía urbana, una ciudad en la que se vendían productos procedentes de los Andes y de Europa. Esto permitió la formación de una clase de comerciantes y vendedores locales con una activa participación femenina. Jane Mangan ha mostrado magistralmente como la ciudad contaba con estas empresarias, algunas de las cuales habían llegado acompañando a sus contrapartes masculinas que cumplían con el sistema de mita (Mangan, 2005: 48-105 y 134-160). Muchas de ellas se vieron envueltas en disputas patrimoniales.

Lima y Potosí desarrollaron complejas oportunidades económicas. Al ser foros legales contaban con las condiciones jurisdiccionales para el ejercicio profesional del Derecho. Su riqueza y oportunidades crearon mercados para los servicios jurídicos con una población dispuesta a tomar esos servicios. Razones económicas y jurisdiccionales permiten explicar la posición de estas dos ciudades como espacios jurídicos y las condiciones para el establecimiento y reproducción de una clase profesional.

Los abogados de Lima y Potosí: Carreras y prestigio social

En 1544, el licenciado Esquivel era el abogado de Francisco de la Feria[20]. El licenciado Esquivel, abogado de la Real Audiencia, era miembro de la naciente comunidad de abogados que trabajaban en la ciudad. Entre 1538 y 1544 el primer campo de actuación profesional de estos abogados había sido el cabildo, en donde el alcalde dirimía disputas. La importancia jurisdiccional del cabildo fue rápidamente subordinada por la Audiencia, cuando ella fue formalmente instalada en Lima como una corte de apelaciones. Sin embargo, la revuelta y guerra civil entre 1544 y 1549 paralizó casi por completo el cuerpo colegiado limeño, ya que varios de sus miembros se plegaron al bando de Gonzalo y algunos actuaron como sus ideólogos. Fue en 1549 cuando con el Pacificador Pedro de La Gasca, y con la última incorporación del licenciado Melchor Bravo de Sarabia, que la Audiencia fue reabierta. Entre 1550 y 1554, licenciados como García de León (Biblioteca Nacional del Perú, en adelante BNP, A-7C, f. 89r,

[20] AGN-RA (Causas Civiles), Leg. 1, Cuad. 1, 1543. La causa versaba sobre la devolución de 3,000 pesos que Feria exigía a los deudos de Francisco Dávila (muerto en 1539) quien le había robado. Uno de sus argumentos era que "Francisco Dávila me está obligado a pagar los dhos. tres myll pos q[ue] me fueron robados en la dha balsa", f. 85r (Lima, 12 de julio de 1544).

Lima, 25 de septiembre de 1551; A-152, 1552, f. 46vta, Lima, 17 de junio de 1552)[21], Diego de Pineda, Antonio del Prado (BNP, A-335, 1554, ff. 703r-705vta, Lima, 5 de marzo de 1554), M. Gonnis (Archivo General de la Nación del Perú, en adelante AGN-RA (Causas Civiles), Leg. 2, Cuad. 8, 152, ff. 54r-54vta, Lima, 21 de abril de 1553), Alonso Núñez, Cola María Oliva y Pérez (AGN-RA (Causas Civiles), Leg. 2, Cuad. 8, 1552, f.f. 42-42vta, Lima, 19 de julio de 1552) ejercieron como abogados- litigantes en Lima, en el periodo del primer "boom" contenciosos en los Andes. Es con esta generación adscrita a la Audiencia que se inicia una comunidad estable e influyente de abogados, algunos de los cuales serían luego profesores de Leyes en la Universidad de San Marcos en la década de 1570 y 1580.

En el verano de 1561, se llevó a cabo la visita del licenciado Briviesca de Muñatones. Esta fue una de las principales inspecciones a la Audiencia en el siglo XVI y ofrece una viva información sobre la actividad forense de la ciudad. Cinco abogados fueron interrogados por los visitadores. Uno de ellos, el licenciado García de León, prestó su testimonio sobre su propia carrera indicando que contaba con más de diez años de ejercicio en la Audiencia, una versión corroborada por testigos[22]. También en esa visita se inició un proceso a Marcos de Lucio, ya abogado reconocido, acusado de querer corromper a un árbitro, el licenciado Cola María de Oliva. Otro de los abogados sevillanos como Lucio era el licenciado (luego doctor) Jerónimo López Guarnido. Abogado había trabajado en la Audiencia desde 1549. Aunque en 1561 se encontraba el licenciado Francisco Falcón en Lima, no fue interrogado. El sería uno de los grandes abogados de la Audiencia de Lima entre 1561 y 1588 y, probablemente, el mejor del siglo XVI. Los abogados de esta generación desarrollarían largas carreras. En 1590, el licenciado Francisco de León dijo llevar más de "veynte años en esta ciudad". Sevillano, de León fue no solamente abogado, sino también profesor de Vísperas de Leyes en la Universidad de San Marcos (Archivo General de Indias, en adelante AGI, Justicia 480, f. 233vta).

Esta primera generación de abogados peninsulares utilizaba como título distintivo el de "abogado de la Real Audiencia de Lima". El licenciado Jerónimo López Guarnido solía identificarse de esa forma en la década de 1560. Pero este

---

21 Quien solía firmar como "el licenciado de León".

22 Francisco de la Torre, quien dijo tener cincuenta años, dijo conocer al licenciado León (García de León) al menos más de treinta años, AGI, Justicia 475, f. 261r. Joan de Arrandolaça afirmó conocerlo más de diez años (Arrandolaça empezó como procurador en 1549) y Francisco López, el mayor de todos, por lo menos desde hacía trece años, AGI, Justicia 475, ff. 265vta y 271r.

uso que tenía al comienzo una connotación estrictamente laboral se convirtió con el tiempo en un elemento de exclusividad social. Este cambio está relacionado, principalmente, con el auge de los criollos como grupo social y que en el caso de la abogacía la monopolizó completamente desde 1575. En el siglo XVII, los abogados aun los que no ejercían hacían uso de este marcador social. Ser "abogado" independientemente del ejercicio profesional, era una manera de enfatizar la distinción legal. Diego de Salinas (el primer letrado criollo) siempre utilizó este título como elemento de prestancia social a pesar de que no hizo una carrera de abogado-litigante.

Con el virrey Francisco de Toledo, en 1576, se iniciaron los estudios legales en la Universidad de San Marcos. Un grupo de los principales abogados litigantes de la Audiencia como el licenciado Jerónimo López Guarnido y el doctor Marcos de Lucio se vincularon a este centro de estudios como profesores, primero, y luego como sus rectores. Las clases de San Marcos siguieron el modelo de la de Salamanca y la clásica división entre Derecho Civil y Canónico. Los más notables abogados activos en la Audiencia ocuparon las cátedras de Leyes (Prima y Vísperas), Cánones (Prima y Vísperas) e Instituta (Eguiguren, 1951: I, 430-432). Estos abogados prepararían a la nueva generación criolla de letrados. La relación entre abogados y clase intelectual sirvió para que los autores corográficos los presentaran como ejemplo de la sofisticación intelectual de la ciudad. En 1651, el licenciado Solórzano hizo un listado de letrados en San Marcos, casi todos como abogados estaban relacionados a la litigación como los doctores Thomas de Avendaño, Rodrigo de Alloza[23] (rector entonces de la Universidad) y Pedro de Cárdenas y Arbieto (BNP, B-208, 1651: 9).

En la medida que la abogacía era retóricamente definida como oficio honorable y aristocrático[24], los abogados buscaron posiciones dentro de la administración de justicia como un reconocimiento a su estatus. El cambio de paradigma fue iniciado por los abogados con una larga carrera en la Audiencia (como Lopez Guarnido) aunque luego fue reconducido por los letrados criollos quienes la convirtieron en una de sus principales banderas. Desde 1587, se

---

[23] Ya en 1635, el doctor Rodrigo de Alloza y Menacho se identificaba a sí mismo como 'abogado de la Real Audiencia desta ciudad de Los Reyes', AGN-Protocolos Notariales, Diego Gutiérrez, Protocolo 818, f. 253r (Lima, 30 de octubre de 1635). Había nacido en Lima según declara en su testamento, BNP, Z-175, f. 289r (Lima, 18 de febrero de 1653).

[24] Algunos abogados gozaron de gran holgura económica como el licenciado Francisco Falcón hacia la segunda mitad del siglo XVI. Otros, como el licenciado Pedro Palomino de Cárdenas acarreaban numerosas deudas, véase AGN-RA (Causas Civiles) Leg. 60, Cuad. 230, 1614, ff. 5-7 (Lima, 3 de septiembre de 1624).

elevaron las primeras peticiones en pos de una plaza de oidor en las distintas Audiencias americanas. El licenciado Jerónimo López Guarnido fue uno de los primeros. Elaboró su información de servicios que contó con el testimonio de sus colegas como Leandro de Larrínaga, Diego Salinas y Marcos de Luçio. La petición central de López Guarnido fue que se le concediera a uno de sus hijos un repartimiento de indios que valga "4,000 pesos [anuales] de renta" (AGI, Lima 208, N° 16, f. 1r, Lima, 3 de marzo de 1587). El licenciado Alvar Nuñez de Solís, con una larga experiencia como abogado litigante, solicitó alguna plaza como oidor en "una de las plaças de sus reales audiencias" (AGI, Lima 210, N° 5, f. 1vta, Lima, 14 de mayo de 1593). Estas peticiones aumentaron considerablemente sobre todo en el siglo XVII. En 1656, el cabildo intercedió para que al doctor Nicolás Flores y Aguilar[25], regidor de Lima, se le diera una plaza de fiscal o alcalde del crimen de la Audiencia (Ortiz de la Tabla, Mejías y Rivera, 1999: 157). Las peticiones del propio cabildo no eran extrañas ya que, en 1639, en una larga petición proponían a varios abogados para la obtención de algún oficio "provechoso" (Ortiz de la Tabla, Mejías y Rivera, 1999: 124-125). Aunque inicialmente fueron peticiones individuales en poco tiempo el gran cuerpo municipal de la ciudad respaldaba las pretensiones de los postulantes e inclusive instruía a su procurador ante la corte madrileña que intermediase por ellos.

Los criollos de origen aristocrático fueron importantes en el cambio de expectativas dentro de la abogacía limeña. Ellos constituyeron la nueva élite de la abogacía con unas perspectivas diferentes a la primera generación de origen peninsular. En el siglo XVII, el jurista Ramos Galván, con un notable desempeño profesional, buscaba incansablemente una plaza como oidor. Para este eminente abogado obtener una plaza judicial era más honorable que proseguir su carrera forense, hasta entonces brillante. Los abogados limeños del siglo XVII empezaron a exigir recompensas sociales a la Monarquía bajo el argumento de su formación y "calidad". Estos postulantes sentían también que conocían mejor la región que los peninsulares y exaltaban su patriotismo y el cariño por el Nuevo Mundo Esta tendencia continuaría a lo largo del periodo colonial tal como ha sido observada por Victor Uribe-Urán para la Nueva Granada en la segunda mitad del siglo XVIII. Esta generación en suma actuó como

[25] Nicolás Flores y Aguilar había nacido en Potosí en 1600. Se había incorporado a San Marcos procedente de la Universidad de Sevilla, aunque gran parte de su primera educación la había cursado en el Colegio de San Pablo, en Lima (Lohmann, 1983a: II, 134). En San Marcos obtuvo un doctorado en Derecho Canónico, Archivo Histórico de la Universidad Mayor de San Marcos, Libro 705, "Expedientes de grado de Cánones y Teología, 1599-1699". La lista y transcripción del documento en Hampe (2004: 176).

una nueva nobleza de toga.

Mientras que la abogacía limeña tuvo un desarrollo temprano entre 1538 y 1575, la potosina tomó forma principalmente en las décadas de 1570 y 1580. Este proceso forma parte de un momento de cambios significativos en la ciudad como resultado de la visita del virrey Francisco de Toledo. El vicesoberano no solamente procuró el reordenamiento de la producción de la plata, sino que creó una estructura jurídica a pesar de su oposición ideológica a los letrados y a los "pleytos" que en teoría ellos causaban. Esta estructura consistía en un sofisticado cuerpo normativo sobre la explotación de la plata, el uso de la mano de obra, el sistema público de representación legal y el hecho fundamental que la corona ejerciera mayor control sobre la producción argentífera. Además, el crecimiento que la sociedad experimentó como resultado de la revitalización de la industria de la plata creó las condiciones materiales para el resurgimiento de la ciudad, los negocios y por consiguiente las disputas legales.

Hubo, por cierto, letrados como justicias mayores en el periodo anterior al virrey Toledo. El primer caso y el más prominente fue el licenciado Polo Ondegardo, educado en la Universidad de Salamanca y que permaneció en la Villa Imperial entre 1549 y 1550. El afamado licenciado Polo dictó las primeras ordenanzas mineras de la ciudad, aunque éstas (las llamadas "ordenanzas viejas") fueron rápidamente remplazadas en 1561. Pero esta situación de un letrado-corregidor fue excepcional ya que los justicias mayores como los protectores de naturales en la Villa Imperial fueron tradicionalmente hombres de "capa y espada". Hay una enorme cantidad de casos que muestra esa tendencia. Los protectores de naturales fueron hombres sin formación ni grado en Derecho: Lope Hernández, quien no era licenciado, fue protector en 1577, cuando el oficio se instaló en la ciudad (Archivo Histórico de la Casa Nacional de Moneda, Potosí, en adelante AHCM, Escrituras Notariales 7, Luis de la Torre, f. 1419r, Potosí, 12 de julio de 1577). En 1610, Sancho Verdugo Barba (BNP, B-461, 1607, ff, 169r (ó 7r) y 172r (ó 9r), Potosí, 23 de marzo de 1610)[26] y en 1625, don Antonio Cerón, no eran letrados (AHCM, Escrituras Notariales 20, Baltazar de Barrionuevo, 1625, f. 1701, Potosí, 17 de mayo de 1625). Una excepción fue la del licenciado Pedro Guijarro, protector en 1614 (AHCM, Escrituras Notariales 47, Mateo Méndez y Pedro Venegas, f. 1188vta, Potosí, 9 de mayo de 1614).

---

[26] El documento tiene también la signatura 2000000903.

Los asesores del corregidor, en cambio, sí eran letrados. Es el caso en 1580, del licenciado Estrada quien era llamado "asesor letrado" del justicia mayor (ABNB, Expediente colonial N° 3, 1580, f. 11vta, Potosí, 2 de diciembre de 1580). Pero éstos eran abogados al servicio de la monarquía. En la ciudad emergió una clase profesional de abogados dispuesta a brindar patrocinio privado en la litigación. La Real Audiencia de La Plata era el tribunal de apelaciones de la vasta provincia de Charcas y donde se encontraba el grueso de la población de abogados[27]. Un grupo significativo de los abogados que ejercían en la ciudad de Potosí se identificaban como "abogados de la Real Audiencia de La Plata", tal es el caso del licenciado Juan Luis de Oviedo que comentaremos seguidamente. Empero, y como contraejemplo, algunos letrados preferían escuetamente aparecer como "abogados desta Villa" como el licenciado Pedro de Salazar (AHCM, Escrituras Notariales 24, Juan Gutiérrez Bernal, ff. 919r-920vta, Potosí, 3 de marzo de 1592), en 1592, el licenciado Pedro Gutiérrez de Zumárraga[28], en 1607, 1614 y 1640 y el licenciado Baltazar de Molina de la Torre, en 1614 (AHCM, Escrituras Notariales 47, Mateo Méndez, f. 889r, Potosí, 11 de abril de 1614). Tanto Salazar como Gutiérrez de Zumárraga y Molina evitaron cualquier referencia a la Audiencia de La Plata[29]. Tal vez haya habido mucha movilidad entre los abogados de La Plata y los de Potosí y por consiguiente los abogados admitidos en La Plata podían ejercer libremente en la Villa Imperial. Pero aún carecemos de un estudio en ese sentido.

El licenciado Juan Luis de Oviedo es uno de los notables abogados del foro potosino del siglo XVII. En una carta escrita por Bartolomé Salazar se detallan

---

27 Teóricamente podían rendirse las evaluaciones para ser admitidos a ejercer la abogacía ante la justicia local. Pero dada la relativa proximidad de La Plata es probable que los letrados potosinos rindieran sus calificaciones en la Audiencia de La Plata. Lamentablemente solamente hay registros de examinaciones de abogados desde finales del siglo XVII en el ABNB. La Dra. María Clara López Beltrán tuvo la enorme gentileza de entregarnos información puntual y numerosas fichas sobre los abogados de la Audiencia de La Plata. Agradecemos su enorme colaboración. Finalmente, también en La Plata funcionaba la Universidad de San Francisco Javier desde 1624. Aunque no tenemos pruebas documentales es muy plausible que muchos vecinos potosinos educados en Derecho hubieran tomado estudios en esta universidad.

28 El licenciado Pedro Gutiérrez de Zumárraga (conocido usualmente como el licenciado Zumárraga) se identificaba como 'abogado residente en esta Villa' y "abogado desta Villa", AHCM, Escrituras Notariales 40, Pedro Venegas y Felipe Godoy, 1640, f. 270vta (Potosí, 13 de febrero de 1607) y AHCM, Escrituras Notariales 47, Mateo Méndez y Pedro Venegas, 1614, f. 1085r (Potosí, 5 de mayo de 1614)

29 Igualmente, el licenciado Juan de Salas se hacía llamar "abogado desta villa de Potosí del Perú". Salas otorgaba un poder para que tres letrados de la Audiencia de La Plata (Gutiérrez, Velez y Loaisa) presentaran sus peticiones en el "pleyto" que llevaba ante el corregidor de Potosí con Juan Díez de Talavera y que probablemente subiría en apelación a la Real Audiencia de La Plata, AHCM, Escrituras Notariales 40, Pedro Venegas y Felipe Godoy, f. 270vta (Potosí, 13 de febrero de 1607). También en esta carta apoderaba al licenciado Pedro Gutiérrez de Zumárraga.

varios puntos de su carrera y se le presenta como uno de los juristas más importantes de la cudad. Oviedo hizo estudios en Sevilla, fue admitido como abogado en dicha Audiencia y luego decidió migrar al Perú para administrar los bienes de un primo suyo recientemente fallecido: Juan Soto de Oviedo, quien contaba con "ingenio y minas" en la provincia de los Lipes. Estando en La Plata decidió ser admitido en la Audiencia como abogado practicante, hecho que ocurrió en 1634. Estuvo practicando en esta Audiencia como abogado litigante y pasó a Potosí en 1639 en donde forjó su carrera. Fue allí donde se ganó tal prestigio que llevó a que autores como Bartolomé Salazar lo llamaran abogado de "muchas letras". En 1659, el licenciado Juan Luis de Oviedo, quien había sido muy activo en la litigación en Potosí, se identificaba como "abogado de la Real Audiencia de La Plata" (AHCM, CGI, 032, 1656-1657, f 32r-33r, Potosí, 1 de agosto de 1656)[30]. En 1661 dictó su testamento afirmando que era de Mérida, en Extremadura. Bartolomé Salazar en su carta solicitó que Oviedo sea promovido a una Audiencia americana siguiendo el patrón de los abogados limeños.

Los abogados potosinos buscaron también posiciones permanentes dentro de la administración colonial[31]. El licenciado Ibarra luego de cinco años de ejercicio como abogado privado en la Villa Imperial fue nombrado su "teniente del corregidor" a comienzos del siglo XVII (AGI, Charcas 83, N° 7, 1605, f. 1r). El cabildo, el corregimiento y los distintos juzgados potosinos ofrecían oportunidades laborales para que los letrados trabajasen como "consejeros legales". En esencia este trabajo consistía en redactar informes sobre un litigio en particular[32] y fundamentar sus opiniones sobre un asunto "grave en Derecho" de acuerdo con la terminología de la época.

En un siglo, la abogacía estaba ya instalada debidamente en los Andes. La existencia de tribunales y universidades garantizaba su reproducción. La producción intelectual de estos juristas, expresados en memoriales, alegaciones fo-

[30] En 1659 se identificaba como "abogado de la Real Audiencia de La Plata", AHCM, Escrituras Notariales 118, Baltazar de Barrionuevo, f 729r (Potosí, 11 de diciembre de 1659).

[31] Este era un patrón extendido entre los letrados hispanoamericanos. Uribe-Urán (2000) ha documentado detalladamente los casos de abogados neogranadinos solicitando mercedes de oficios reales al Consejo de Indias en el siglo XVIII. Como hemos visto, esta práctica se remontaba a finales del siglo XVI. ¿Era una búsqueda del 'honor', una promoción profesional o el resultado del limitado tamaño del mercado de trabajo?

[32] También estos licenciados podían ser recusados por las partes. El licenciado Pedro de Esquivel que había emitido un parecer como asistente del corregidor fue recusado por uno de los abogados litigantes, el licenciado Juan Luis de Oviedo. En esta ocasión Oviedo trabajó conjuntamente con el procurador de causas, Andrés Muñoz de Céspedes, quien presentó la petición, AHCM, CGI 731, 1655-1665, f. 35r.

renses impresas y libros, especialmente en el periodo entre 1600 y 1650, consolidó su prestigio no solamente como hombres de leyes sino como la *intelligentsia* colonial.

Los Procuradores de causas: Los maestros de la litigación

En la década de 1550 una clase de procuradores de causas ejercían su oficio en diversas ciudades de los Andes[33]. A pesar de las prohibiciones del ingreso de los abogados y procuradores al Perú, estos profesionales ya eran parte del paisaje urbano y legal de estas urbes. Los primeros procuradores de causas de Lima se remontan a 1538 1539 cuando el cabildo decidió contar con gestores procesales para los litigantes: Pedro de Avendaño y Alonso de Navarrete (Concejo Provincial de Lima (1935: I, 235)[34]. En 1544 la instalación de la Real Audiencia de Lima (y sobre todo su reapertura en 1549) fue un catalizador para la presencia y reproducción de una clase permanente de procuradores de causas[35]. Este grupo prestaba servicios a litigantes locales y foráneos. Así, por ejemplo, en 1551, Francisco de la Torre y Francisco López (dos procuradores de la Audiencia) recibieron la carta de "procuración" de Pedro de Orihuela, un vecino del Cuzco, para que lo representase en su *pleyto* con los "yndios carangas" en la Audiencia (AGN-RA (Causas civiles), Leg, 3, Cuad. 14, 1553, f. 13r, Lima, 5 de septiembre de 1551). Este mismo Orihuela se había desplazado a Lima[36] para seguir su juicio contra Pedro Alonso Carrasco, litigio que venía en apelación desde el corregimiento del Cuzco. Orihuela reclamaba a Carrasco que cumpliera con entregarle unos "pedazos" de tierra para compensar los daños que le oca-

33 Como hemos citado en la nota 4, en el Cuzco, Rodrigo Hernández de Niebla y Sebastián de Balza era los primeros procuradores de causas. Hay registros de la actividad de Hernández de Niebla desde 1552 y de Balza hacia 1555, véanse respectivamente AGN-DI Leg. 1, Cuad. 1, 1552, ff 1-9vta (Cuzco, 29 de abril de 1552) y Gonzalo Rodríguez activo desde finales de 1550, AGN-DI Leg 31, Cuad. 614, 1559-1560, ff- 17r-18r, Cuzco, 7 de octubre de 1559) y Archivo Regional del Cuzco, en adelante ARC, Corregimientos, Leg. 1, Cuad. 5, 1551-1585. Hacia 1570, en Trujillo en el norte del Perú trabajaban como tales Gaspar Çuaço y también Alonso Caro, véase, BNP, A-157, 1570, f. 12r (Trujillo, 7 de Julio de 1570) y Archivo Regional de La Libertad, en adelante ARLL, Corregimiento, Leg. 151, Doc # 142, f 9r.

34 El acta del cabildo es del 13 de agosto de 1538.

35 Los primeros procuradores fueron Marco Pérez, Pedro de Valladolid, Diego de Hurtado, Juan Ruiz, Juan Quiñones y Francisco Talavera, BNP, A-33, Diego Gutiérrez, 1544-1548. En este protocolo se registran las cartas a favor de estos seis procuradores, los más antiguos de la ciudad. Uno de ellos, Marco Pérez, era llamado "procurador de causas de la Audiencia y Chancillería de Su Magestad", BNP, A-396, Diego Gutiérrez, 1544 (Lima, 8 de agosto de 1544).

36 Esta práctica era muy usual. Melchor Verdugo, uno de los vecinos y fundadores de Trujillo, había marchado a Lima a atender sus negocios y allí otorgó una carta de procuración a Pedro Bernal 'procurador de cabsas de la Audiencia', BNP, A-396, Diego Gutiérrez, 1544, f.f 80vta-81r (Lima, 4 de agosto de 1544).

sionaba la edificación de un molino en sus tierras (AGN-RA (Causas civiles) Leg. 3, Cuad. 14, 1553, f. 1-1vta, Lima, 20 de junio de 1553).

La población hispánica de los Andes fue activa en el uso de la litigación en esa década. Igualmente, los caciques se caracterizaron por su determinación para defender el patrimonio nobiliario y el comunal ante los juzgados y Audiencias (De la Puente, 2007; Mumford, 2008; De la Puente, 2015)[37]. El uso del litigio por los jefes étnicos generó una fuerte crítica de las autoridades que responsabilizaron a la profesión legal de ser los verdaderos artífices y de vivir a sus expensas. Entre 1549 y 1575, los señores indígenas dependían de los servicios legales privados de procuradores y abogados. En 1552, el cacique Illa Cusiguaman (del Cuzco) se hizo de los servicios de Francisco López[38], procurador de la Audiencia, para que viera en apelación su caso. Pedro de Portocarrero, uno de los encomenderos y vecinos de esta ciudad, había demandado a Cusiguaman acusándolo de haber invadido sus tierras en Ciquillibamba, en un área próxima a la ciudad del Cuzco. En 1551, el teniente Juan de Mori había amparado la posesión de Portocarrero en un proceso contra el mismo cacique.

Aunque la litigación cacical fue copiosa, a la luz de los testimonios, la propia población hispánica y especialmente sus notables hicieron un uso extensivo del Derecho y crearon complejas redes de asistencia legal profesional. Los Pizarro se sirvieron para sus negocios y actuaciones judiciales de Juan Sánchez de Aguirre, uno de los notables procuradores de Lima. Sánchez de Aguirre con una

---

[37] Los estudios sobre la litigación indígena colonial han sido las principales investigaciones sobre el uso del Derecho colonial y de tribunales, aunque varios sectores hicieron uso del sistema legal.

[38] Dada su calidad de minoridad ante los ojos de la doctrina legal del siglo XVI (*miserabilidad* en términos jurídicos), los caciques y sus subordinados debían contar con un 'curador *ad litem*'. La curaduría eran una institución de Derecho Romano reservada a los impúberes varones entre 12-25 años a los que se les consideraba "incapaces relativos" debido a su edad, entendimiento y prodigalidad. Por la curaduría un agente jurídico *sui iuris* (es decir que podía actuar por sí mismo) asumía la representación del menor incapaz para velar principalmente por su patrimonio y en el caso de las curadurías *ad litem* para representarlo judicialmente. Esta institución de base romana fue asumida por el Derecho castellano (en particular por las *Partidas*, un cuerpo de normas y doctrinas romanistas) y luego reutilizada para el uso de la gente andina (Guevara 1993: 97-102 y Guzmán Brito 1997: I, 407). En el mundo colonial el curador *ad litem* debía discernirse (es decir ser nombrado) ante el juez local. En el Cuzco, Bartolomé Arvallo fue el curador *ad litem* de Illa Cusiguaman. Ya en Lima quien asumió esas funciones fue el procurador de la Audiencia, Francisco López. López simultáneamente presentó el escrito que sustentaba la apelación (apelación, nulidad y agravio en la terminología legal) de Illa Cusiguaman y solicitó a la Real Audiencia que le entreguen un traslado de su "poder y curaduría". La Audiencia accedió de inmediato, AGN-DI, Leg. 1, Cuad. 1, 1552, ff. 19-19vta (Lima, 5 de Julio 1552) y f. 22r (Lima, 9 de Julio, 1552). Las curadurías *ad litem* desaparecieron progresivamente cuando el virrey Toledo en 1574 creó un sistema de asistencia pública a favor de los litigantes andinos. Así la defensa judicial recayó en manos de los protectores y defensores de naturales cuyos salarios procedían del tributo indígena.

larga estadía en Lima a la que llegó aproximadamente en 1556[39] sirvió en su oficio hasta 1575. Apoderado de Hernando Pizarro, el jefe sobreviviente del clan, él se encargó de las cobranzas y sus actuaciones procesales (Clemence, 1932-1936: II, 204). Otros miembros notables de la naciente aristocracia contaban también con procuradores permanentes. En 1626, al momento de marcharse del valle de Yucay rumbo a Madrid, los marqueses de Santiago de Oropesa[40] se hacían de los servicios de Fernando de Sotomayor, procurador en la Audiencia, a quien habían dejado una "quenta y carta de pago" (BNP, B-239, 1626, f. 3vta). Los marqueses de Oropesa, que detentaban la única jurisdicción señorial reconocida en el virreinato del Perú, dejaron consigo un impresionante archivo legal. Entre estos habían informes escritos por juristas para respaldar sus derechos como los pareceres de los oidores, el licenciado Juan Jiménez de Montalvo y el doctor Alberto de Acuña (BNP, B-239, 1626, f. 3vta)[41].

Las partes y los procuradores pactaban sus remuneraciones en "cartas de obligación" ante los notarios. En 1605, Alonso de Avila "empedrador" se comprometía en pagar treinta pesos de nueve reales anualmente por el tiempo que duraran sus "pleytos civiles y criminales" (AGN, Francisco González de Balcárcel, Protocolo 754, 1603-1606, f. 147r, Lima, 15 de diciembre de 1605). Los oidores y tasadores también fijaban los "derechos" de los procuradores según la tabla de aranceles[42]. El "oidor semanero" ordenó, en 1567, que una de las partes pagara a los procuradores Alonso de Luçio, cuarenta pesos y a Juan Sánchez de los Ríos, veinte pesos (AGN- Real Audiencia, Varios, Leg. 3, Exp. 1, f. 287r, Lima, 8 de marzo de 1567). Las demandas de los procuradores por dinero extra generaron incidentes como el protagonizado por "un mulato oficial carpintero" y Juan de la Rocha, procurador del número, en 1630. La exigencia del segundo de "ocho patacones del resto del salario" como una contribución adi-

---

39 Poder otorgado por Luys de Campurre a Joan Sánchez de Aguirre, BNP, A-517, 1556, f. 8vta (Lima, 9 de enero de 1556) y AGN-RA (Causas civiles) Leg. 2, Cuad. 8, 1552, ff. 55r-55vta (Lima, 23 de junio 1556).

40 El título fue otorgado en 1613 por Felipe III a Ana María de Loyola Coya (hija de Beatriz Clara Coya) y Juan Enríquez de Borja (emparentado con los marqueses de Alqueñices y con el duque de Lerma, el privado de Felipe III). Al año siguiente la pareja enrumbó al Perú acompañando al virrey, don Francisco de Borja y Aragón, Príncipe de Esquilache, primo de Juan Enríquez. Los marqueses permanecieron en Yucay hasta 1626 cuando decidieron regresar a Madrid (Lohmann 1948: 38-41, 43). Para información sobre las identidades y trayectorias de los distintos titulares del marquesado de Santiago de Oropesa y las implicancias señoriales de su jurisdicción, en Lohmann (1948).

41 "Parecer de los oydores Montalvo y Acuña sobre las dos vidas" [referidos a la transmisión hereditaria de las encomiendas].

42 Las "Ordenanzas de la Real Audiencia de Lima" de 1565 habían establecido que los procuradores lleven "salarios" que le fueran fijados por el presidente y los oidores. También se sancionó que por ninguna razón reciban 'dádivas, ni presentes de las partes", (Ballesteros, 1752: 22r).

cional desencadenó que el primero le hiriera, indignado, gravemente en la cabeza (Suardo, 1935[1629-1634]: I, 84). Otro procurador, Juan de Guedexa Quiroga[43], fue víctima de una paliza al momento de salir de la casa del licenciado Cipriano de Medina, adonde había ido a "despachar cierto pleyto que estaba a su cargo" (Suardo, 1935[1629-1634]: I, 132). Se sospechó que sus atacantes eran litigantes descontentos. Esta exposición a la violencia física refleja la impopularidad de los procuradores y el malestar social por los costos de la litigación y la intermediación legal obligatoria.

La importancia de los procuradores descansaba en su manejo procesal del caso, en un momento en que el procedimiento era un verdadero torneo de escritos, formalidades y plazos judiciales. Las tareas de los procuradores eran variadas, eran ellos quienes asistían a las audiencias judiciales, recibían las notificaciones, redactaban los recursos procesales y estaban en directo contacto con los jueces y sus patrocinados. Aunque considerados la "rama menor" dentro de la profesión debido a sus orígenes sociales y falta de educación universitaria, ellos jugaron un rol central en el curso de los litigios. En cierta forma fueron los artesanos de la litigación. Pedro Carrillo de Valenzuela, procurador de causas en Potosí, no solamente estuvo presente en el despacho del corregidor de la Villa Imperial, sino que acompañó y presentó a los testigos de su patrocinada, María Rodríguez de León, ante el despacho judicial (AHCM, CGI 032, 1656-1657, f. 68r (Potosí, 14 de agosto de 1656).

La Villa Imperial contó también con procuradores desde sus albores como asiento minero. En 1550, Juan de Ramírez otorgó un poder de procuración a Francisco Paredes "procurador de causas en este asiento de Potosí" para que atendiera sus negocios. Para esa fecha Alfonso de Toledo y Francisco de Torres se autodefinían como procuradores (ABNB, Gaspar de Rojas, tomo 1, f. 17r.)[44]. Luego de estos gestores iniciales hay un silencio documental hasta la década de 1570. En esa década, Luis Méndez y Diego Mejía de Osorio fueron dos de los procuradores de causas más activos de la ciudad. Mejía recibió poderes generales y especiales de muchos litigantes, un ejemplo del uso frecuente de los procuradores para asuntos contenciosos y no contenciosos (AHCM, Escrituras Notariales 4, Martín Barrientos, 1574, entre f. 2vta y 3r). Aunque el virrey Toledo hizo reformas en Potosí prohibiendo la presencia de los procuradores, lo

[43] En 1637, Guedexa presentó su primera renuncia al oficio, el que fue tasado en 3,000 pesos, AGI, Lima 186, N° 46, f. 23 (Lima, 11 de mayo de 1637).

[44] Para los apoderamientos de Francisco Torres, véase f. 19r, 20 vta. y 24r.

cierto es que éstos continuaron ejerciendo sus actividades y, contrariamente a lo que quería el virrey, incrementaron su número.

Los usuarios potosinos otorgaron a sus procuradores poderes generales y especiales. En la doctrina legal de la época, la procuración era un mandato, por el cual el litigante confería poderes de representación a su agente. Los apoderamientos "generales" eran otorgamientos de facultades de representación usualmente judiciales (aunque no siempre) para futuros procedimientos, ya que los agentes jurídicos eran más o menos conscientes que sus diferencias terminarían siendo dilucidadas por el sistema judicial[45]. Los otorgamientos especiales se referían a procesos en curso. Hernando Márquez otorgó un poder especial a Diego Mejía de Osorio para que lo representara en el procedimiento que le seguía a Domingo Santos "sobre la propiedad de unas casas" (AHCM, Escrituras Notariales 9, Luis de la Torre, 1578, f. 186r, Potosí, 23 de enero, 1578). El uso de los procuradores también comprendía peticiones que no eran propiamente contenciosas y que no suponían por tanto un litigio. Antonio Ginovés, por ejemplo, ante la muerte de Bautista Ginovés un compatriota suyo, presentó un escrito firmado por su procurador de causas, Luis Méndez, solicitando se le otorgue una copia del testamento de Bautista. En este testamento, una cláusula reconocía una deuda pendiente a su favor, la que Antonio quería hacer efectiva (AHCM, Escrituras Notariales 4, Martín Barrientos, 1574, f. 3r, Potosí, 19 de febrero de 1574). Estas peticiones y tramitaciones se llevaban ante el despacho del corregidor. Otros procuradores, como Juan Agunde de Solórzano, recibieron apoderamientos para la realización de cobranzas ya sean 'judiciales' (vía un juicio ejecutivo) o 'extrajudiciales' (AHCM, Escrituras Notariales 40, Pedro Venegas y Felipe Godoy, 1607, f. 310r, Potosí, 14 de febrero de 1607). Los procuradores de causas potosinos se convirtieron en agentes intermediarios muy importantes en el desarrollo de la economía local.

Los procuradores de causas intervenían numerosas veces en un procedimiento y su número de peticiones y/o escritos superaba largamente el de los abogados. Pedro Carillo de Valenzuela se opuso reiteradas veces al remate de los bienes de su defendida, los que iban a utilizarse para honrar una antigua deuda de 2,200 pesos. Aunque el principal escrito fue firmado por el licenciado

---

[45] Juan de Oviedo un vecino de la Villa Imperial y "veedor del Cerro Rico"' otorgó un poder general de representación a Pedro Carrillo de Valenzuela. Como Oviedo había sido nombrado albacea y tenedor de bienes de doña María Martínez, sabía que esta posición iba a generar reclamaciones, peticiones y eventuales disputas de deudores y acreedores, AHCM, Escrituras Notariales 118, 1658-1659, f. 85r (Potosí, 28 de enero de 1659).

Juan Luis de Oviedo y presentado por Carillo al despacho del alcalde ordinario, lo cierto es que las incontables actuaciones judiciales de oposición al remate corrieron a manos de Carrillo. En un lapso de 25 días presentó cuatro escritos de oposición (AHCM, CGI 032, 1656-1657, ff. 16r-17vta (Potosí, 20 de Julio 1656), ff 32r-33vta, 1 de agosto de 1656, ff. 41r-42r, 2 de agosto de 1656 y f. 43r, 14 de agosto de 1656)[46]. Esta multitud de escritos y de participaciones de los procuradores eran corrientes tanto en Potosí como en Lima y en esencia respondían a sus atribuciones de agentes-facilitadores de sus representados. Entre junio de 1552 y enero de 1553, Joan de Arrandolaça, uno de los míticos procuradores de Lima, presentó al menos quince escritos en el litigio de Juan Martínez de Landaeta a quien representaba (BNP, A-152, 1552, ff. 46-46vta, Lima, 17 de junio 1552, f. 55r, 1 de Julio 1552, f. 57r, 5 de julio 1552, f. 61r, 5 de Julio 1552, f. 63r, 8 de julio 1552, f. 64r, 12 julio 1552, f. 65r, 16 de Julio 1552, f. 66r, 19 de Julio 1552, f. 69r, 23 de agosto 1552, f. 71r, 6 de septiembre 1552, f. 95r, 20 de noviembre 1552, f. 97r, 6 de diciembre 1552, f. 98r, 9 de diciembre 1552, f. 100r, 7 de enero de 1553, escrito que firma con el licenciado de León) y f. 101r, 21 de enero de 1553).

El número de procuradores admitido para trabajar en un foro era limitado[47]. Esto era un ejemplo de la custodia y monopolio profesional de los servicios legales por los facilitadores. Los números fluctuaban entre seis y doce para una Audiencia (las cifras eran mayores en Castilla[48]) y cuatro o cinco para una ciudad capital con un corregidor de españoles[49]. La admisión no era un proceso sencillo

[46] Esta actuación prolífica era frecuente en los procuradores de causas puesto que su cercanía al centro de decisión judicial y su contacto con el procedimiento (ellos tenían los expedientes en sus manos) les permitía estar atento al curso de la causa. Algunos procuradores se quejaban de que sus colegas (y adversarios en un litigio) no devolvieran físicamente el expediente. Arrandolaça requería a Antonio de Hervallejo, procurador de causas, la devolución de un procedimiento. Arrandolaça decía "que el dicho Hervallejo tiene este proceso en su poder y no lo buelbe para que se lo lleve el relator, a fin de que no se vea pues está [el juicio] concluso", BNP A-152, f. 71r (Lima, 6 de septiembre de 1552).

[47] Hay pocos estudios sobre los procuradores de causas en el Nuevo Mundo, lo que llama poderosamente la atención por su centralidad en la litigación colonial. Esto parece obedecer a la extrapolación de la litigación contemporánea a la del Antiguo Régimen, de allí la preponderancia de estudios sobre los abogados como únicos agentes litigantes. Una excepción notable es el trabajo de Víctor Gayol (2002) para el caso de la Nueva España en los siglos XVIII y XIX.

[48] En 1580 el número de 'procuradores de número' en la Audiencia y Chancillería de Granada eran de 19, aunque usualmente el número "antiguo" era de veinte (Gómez, 2000: 201).

[49] Como señal de pertenencia a un grupo cerrado y su consecuente dignidad al desempeñar un 'oficio de pluma', los procuradores se llamaban "de número". Diego Mejía de Osorio era nombrado en las cartas de procuración como 'procurador del número desta Villa [de Potosí]', AHCM, Escrituras Notariales 9, Luis de la Torre, 1578, f. 187r, Potosí, 23 de enero de 1578). En el siglo XVII, todos los procuradores hacían uso de esta denominación, como Pedro Carrillo Valençuela "procurador de caussas del numero desta dha Villa", Escrituras Notariales 118, Baltazar de Barrionuevo, f. 85r, Potosí, 28 de enero de 1659).

exento de conflicto, procuradores celosos impedían el ingreso de nuevos miembros. Thomas de Robledo, procurador potosino, tuvo que sufrir la oposición de sus colegas quienes se resistían a la ampliación de las plazas de procuradores en 1602[50]. Lima alcanzó un número alto de procuradores a finales del siglo XVI con doce expertos aunque esta cifra podía alterarse[51]. La muerte del titular y las vacancias alteraban este número. En 1762, por ejemplo, la Audiencia de Lima contaba con once procuradores debido a la muerte de uno de sus titulares, Juan Baptista Guido. El hijo de Guido, Gregorio, estaba pugnando comprar este oficio que se reputaba como "vaco"[52].

A finales del siglo XVI, como parte de las exigencias fiscales de la corona, se pusieron en venta en las Audiencias y corregimientos varios oficios de "pluma", entre los cuales se encontraban las procuradurías judiciales. Un conjunto de peticiones de confirmación fueron enviadas desde Lima y Potosí al Consejo de Indias de Madrid entre 1578 y 1660. Aunque el precio promedio en Lima era de 800-2,000 pesos[53], en el caso potosino, la inflación provocaba precios más altos. En el caso potosino, Thomas de Robledo pagó por su procura-

---

50 La resistencia a esta ampliación comprometió a los cuatro procuradores de la ciudad: Pedro de Montalvo, Francisco Bello de Arduxo, Juan Fernández de Portillo y Antonio de Miranda. Esta actitud iba en contra de la provision despachada por el virrey Luis de Velasco en Lima (24 de octubre de 1601) que urgía al remate de una procuraduría más. Los detalles en AGI, Charcas 65, N° 13, fs. 2r-2vta. Robledo señalaba que había pagado 9,000 pesos de 450 maravedíes por esta plaza.

51 Eran 6 procuradores hacia 1544. 17 años más tarde, al momento de realizarse la visita a la Real Audiencia por el licenciado Briviesca, la cifra se había incrementado levemente. En esa fecha los procuradores eran: Francisco de la Torre, Antonio de Hervallejo, Alonso Moreno, Joan de Arrandolaça, Joan Sánchez de Aguirre y Francisco López, AGI, Justicia 475, "Visita del licenciado Briviesca de Muñatones". También ejercían como procuradores, pero no fueron tomados en cuenta en la inspección de Briviesca, García de Paredes y Joan de Mesa, BNP, A-337, Esteban Pérez, 1561, f. 74r (Lima ¿10 o 12? de enero de 1561) y f. 323r (Lima, 21 de febrero de 1561). ¿Por qué no fueron considerados? Una posibilidad es que ellos, aunque eran "procuradores" no tenían la calidad de "procuradores de causas de la Audiencia". De hecho, García de Paredes y Mesa se llaman a sí mismos "procuradores de causas" si aludir a su aficliación con el tribunal limeño. Empero, en 1562 Joan de Mesa aparece mencionado como 'procurador en la Real Audiencia', BNP, A-546, f. 608r (Lima, 9 de agosto de 1562). En 1597, en número de procuradores que ejercía su oficio era de 12; en 1639, Cobo registraba la misma cifra (Levillier 1926: XIV, 63 y Cobo [1639] 1964: II, 341-342). Para algunos el número de doce procuradores era excesivo. En 1583, el virrey Enríquez pensaba que el número ideal era de 8 y que su precio debía ser de "1,500 pesos de plata ensayada". En ese año ya la Audiencia contaba con 11 procuradores (Maúrtua 1906: I, 230-235).

52 AGN Superior Gobierno, Leg. 12, Cuad. 252, f. 4vta. En 1762, de los 12 procuradores de causas de Lima, 7 gozaban de este oficio como 'propietarios' en tanto que 5 como 'arrendatarios',véase f. 3r.

53 En 1561, Miguel Ruiz compró el oficio por 800 pesos, AGI, Lima 178, N° 34, f. 4r (Lima, 17 de mayo de 1561). El título le fue otorgado por los comisarios de la perpetuidad. Andrés de Mena sufragó 366 pesos, el tercio del precio normal dado que había habido más de una 'renunciación', AGI, Lima 179 A, N° 75, f. 2r. En 1606, Juan Bautista de Uribe pagó 2,200 pesos por el oficio de procurador, AGI, Lima 180, N° 1, f. 1r. Fernando de Sotomayor compró en remate una procuraduría por 1,500 pesos, la mitad del precio ya que había habido una "renuncia", AGI, Lima, 187, N° 1, f. 2r. Cobo, en 1639, decía que el precio de cada procuraduría era de 1,600 pesos (1964[1639]: II, 351).

duría 9,000 (AGI, Charcas 65, N° 13, f 1r y AGI, Charcas 68, N° 24, f 1r) pesos y Joan Fernández de Miranda, 4,000. Estas peticiones buscaban, por un lado, la revalidación de la venta y la entrega de un título legítimo visado por el rey[54]. La práctica de la "confirmación" generó una literatura legal. Este aspecto es revelador de la complejidad y burocratización de la administración de los Habsburgos en un momento de crisis fiscal. El licenciado Antonio de León Pinelo, autor del *Tratado de las confirmaciones reales*, enumeró los requisitos para estas peticiones, los documentos que debían adjuntarse y los distintos pasos a seguirse (León Pinelo (1630: 146 y 159r-159vta).

Los procuradores fueron activos agentes en la litigación y aunque en teoría se encontraban subordinados a los abogados, fueron ellos en realidad el nexo crucial entre los litigantes y el complejo mundo del Derecho colonial. Los procuradores contribuyeron a forjar una cultura procedimental en la litigación que se iría sedimentando en los Andes durante el periodo colonial.

Conclusiones

Las *Partidas* alfonsinas marcaron un hito al legislar sobre los abogados y procuradores de causas en la segunda mitad del siglo XIII. Estas dos ramas de la profesión legal estuvieron dedicadas a litigación en Castilla siguiendo una práctica compartida en la Europa continental. Las obligaciones profesionales de abogados y procuradores fueron refrendadas en las ordenanzas de los Reyes Católicos de 1495. La conquista del Nuevo Mundo en el siglo XVI trajo consigo la exportación del sistema castellano de resolución de disputas en que estos facilitadores tenían una participación fundamental. A pesar de las prohibiciones que impedían su paso, éstos se establecieron rápidamente en búsqueda de oportunidades laborales. El mundo moderno legal hispánico estaba construido sobre el uso de argumentos, una compleja retórica formularia y procesos jurídicos reglados. Dado que los españoles fundaron y establecieron ciudades, los profesionales jurídicos se asentaron en ellas y algunas de éstas, como Lima y Potosí, emergieron como importantes centros para la práctica del Derecho.

El carácter político de Lima, convertida en capital del naciente virreinato en 1544, jugó un rol central en su preeminencia. La ciudad contaba con importan-

[54] Según una doctrina de Derecho Común tres eran los requisitos para el ejercicio de un oficio: título, aceptación y ejercicio (Bravo Lira 1981: 78).

tes tribunales civiles y eclesiásticos siendo la Audiencia de Lima y la Audiencia Arzobispal los más importantes. Potosí en cambio dependía de la industria de la plata. El reordenamiento de la producción argentífera por el virrey Toledo entre 1572 y 1573 y su rápida recuperación posibilitaron el surgimiento de una población de facilitadores que se hizo muy visible desde la década de 1580. En Lima la constitución de la Facultad de Leyes y Cánones de la Universidad de San Marcos permitió la formación de una generación criolla que estuvo interesada en servir como magistrados antes que como abogados-litigantes. Los abogados de la Villa Imperial no solamente estuvieron adscritos profesionalmente al cabildo sino a la Audiencia de La Plata. Por otro lado, los procuradores fueron los grandes expertos procesales. Como los abogados su presencia fue temprana. Los primeros procuradores de Lima estuvieron asociados al cabildo y luego a la Audiencia. Los potosinos, también vinculados al cabildo de la ciudad, compraron el oficio pagando altos precios. El sistema de resolución de disputas de los siglos XVI y XVII confirió una gran importancia al proceso y a su lenguaje técnico y por ello los procuradores se convirtieron en agentes cruciales para sus clientes.

Por razones jurisdiccionales y económicas, Lima y Potosí crearon sus propios mercados para la prestación de servicios jurídicos siendo activos foros para la circulación de prácticas legales. La historia de la profesión legal en ambas ciudades ilustra cómo en ellas abogados y procuradores fueron personajes centrales, labraron largas carreras y contribuyeron a enraizar una antigua tradición jurídica en los Andes coloniales.

Fuentes primarias

AAL Archivo Arzobispal de Lima:
- Cofradías, Leg. 3, Exp. 4
- Monasterio de Nuestra Señora de la Pura y Limpia Concepción, Leg. II, Exp. 9, 1620

ABNB Archivo y Biblioteca Nacionales de Bolivia:
- Escrituras Públicas 1
- Expedientes coloniales N° 3

ARC Archivo Regional del Cuzco:
- Corregimiento, causas ordinarias, Leg. 1, Cuad. 5

AGI Archivo General de Indias:
- Charcas 65

- Charcas 68
- Charcas 83
- Justicia 475
- Justicia 480
- Lima 178
- Lima 179 A
- Lima 180
- Lima 186
- Lima 187
- Lima 208
- Lima 210
- Lima 230
- Patronato 188

AGN Archivo General de la Nación del Perú:

- Derecho Indígena, Leg. 1
- Derecho Indígena, Leg. 31
- Protocolos Notariales
- Real Audiencia (Causas civiles), Leg. 1
- Real Audiencia (Causas Civiles) Leg. 2
- Real Audiencia (Causas civiles), Leg. 3
- Real Audiencia (Causas Civiles), Leg. 60

AHCM Archivo Histórico de la Casa Nacional de Moneda, Potosí:

- Cabildo, Gobierno e Intendencia, CGI 029
- Cabildo, Gobierno e Intendencia, CGI 032
- Cabildo, Gobierno e Intendencia, CGI 731
- Escrituras Notariales 4
- Escrituras Notariales 7
- Escrituras Notariales 9
- Escrituras Notariales 20
- Escrituras Notariales 24
- Escrituras Notariales 40
- Escrituras Notariales 47
- Escrituras Notariales 118
- Escrituras Notariales 119 A

AHML Archivo Histórico Municipal de Lima:

- Libro tercero de cédulas y provisiones

Archivo Histórico de la Universidad Nacional Mayor de San Marcos

- Libro 705

ARLL Archivo Regional de La Libertad:

- Corregimiento, causa ordinaria. Leg 151

BNP Biblioteca Nacional del Perú:

- A-7C
- A-33
- A-152
- A-157
- A-337
- A-360
- A-396
- A-517
- A-546
- B-208
- B-239
- Z-175

Referencias citadas

Alonso Romero, M. y Garriga Acosta, C. 2014 *El régimen jurídico de la abogacía en Castilla (siglos XIII-XVIII)*. Madrid: Universidad Carlos III.

Amelang, J. 1984. "Barristers and Judges in Early Modern Barcelona: The Rise of a Legal Elite". *The American Historical Review,* Vol. 89, N°. 5: 1264-1284.

Anónimo. 1965 [1603]. "Descripción de la Villa y minas de Potosí". En: *Relaciones Geográficas de Indias-Perú (Biblioteca de Autores Españoles desde la formación del lenguaje hasta nuestros días)*. Madrid: Ediciones Atlas, I, pp. 372-385.

Aram, B. 2012. "From the Courts to the Court: History, Literature, and Litigation in the Spanish Atlantic World". *Colonial Latin American Review,* Vol. 21, N° 3: 343-364.

Arzáns de Orsúa y Vela, B.1965 [1700-1736]. *Historia de la Villa Imperial de Potosí.* Edición de Lewis Hanke y Gunnar Mendoza. Providence, Rhode Island: Brown University Press, 3 volúmenes.

Baade, H. 2001. "The Education and Qualification of Civil Lawyers in Historical Perspective: From Jurists and Orator to Advocates, Procurators and Notaries". En: Cairns, J. y Robinson, O. (Org.), *Critical Studies in Ancient Law, Comparative Law and Legal History*. Oxford, Portland: Hart Publishing, pp. 213-234.

Ballesteros, T. 1752. *Tomo primero de las Ordenanzas del Perú.* Lima: Imprenta de Francisco Sobrino y Bados.

Berlanstein, L. 1975. *The Barristers of Toulouse in the Eighteenth-Century*. Baltimore: The Johns Hopkins University Press.

Berman, H. 1983. *Law and Revolution. The Formation of the Western Legal Tradition.* Cambridge, MA: Harvard University Press.

Berman, H. 1998. "The Western Legal Tradition: The Interaction of Revolutionary Innovation and Evolutionary Growth". En: Bernholz, P., Vaubel, R. y Streit, M. (Org.), *Political Competition, Innovation and Growth: A Historical Analysis*. Nueva York y Berlín: Springer-Verlag, 35-52.

Berman, H. 2003. *Law and the Revolution II: The Impact of the Protestant Reform on the Western Legal Tradition*. Cambridge, MA: Harvard Universrity Press.

Berman, H. y Reid, C. 1994. "Roman Law in Europe and the Jus Commune: A Historical Overview with Emphasis on the New Legal Science of the Sixteenth Century", *Syracuse Journal of International Law and Commerce* Vol. 20: 1-31.

Bilder, M. 1999. "The Lost Lawyers: Early American Legal Literates and Transatlantic Legal Culture". *Yale Journal of Law and the Humanities,* Vol. 11, N. 1: 47-118.

Borah, W. 1983. *Justice by Insurance. The General Indian Court of Colonial Mexico and the Legal Aides of the Half-Real.* Berkeley: University of California Press.

Bouwsma, W. 1973. "Lawyers and Early Modern Culture". *The American Historical Review,* Vol. 78, N. 3: 303-327.

Bravo Lira, B. 1981. "Oficio y oficina, dos etapas en la historia del Derecho Indiano". *Revista Chilena de Historia del Derecho,* Vol. 8: 73-92.

Bronner, F. 1979. "The Population of Lima, 1593-1637: In Quest of a Statistical Bench Mark". *Ibero-Amerikanisches Archiv,* Vol. 5, N. 2: 107-119.

Brundage, J. 2008. *The Medieval Origins of the Legal Profession. Canonists, Civilians, and Courts.* Chicago: The University of Chicago Press.

Burns, K. 2004. "Parentesco, escritura y poder: Los Gamarra y la escritura pública en el Cuzco". *Revista del Archivo Regional del Cusco,* Vol. 16: 113-135.

Burns, K. 2005. "Notaries, Truth, and Consequences". *The American Historical Review,* Vol. 110, N. 2: 350-379.

Burns, K. 2010. *Into the Archive. Writing and Power in Colonial Peru.* Durham: Duke University Press.

Cieza de León, P. 1984 [1553]. *Crónica del Perú. Primera parte.* Lima: Pontificia Universidad Católica del Perú-Fondo Editorial, Academia Nacional de la Historia.

Cobo, B. 1964 [1639]. "Fundación de Lima". En: *Obras del Padre Bernabé Cobo de la Compañía de Jesús (Biblioteca de Autores Españoles desde la formación del lenguaje hasta nuestros días)*, tomo II. Madrid: Ediciones Atlas.

Cosamalon Aguilar, J. 1999. *Indios detrás de la muralla. Matrimonios indígenas y convivencia interracial en Santa Ana.* Lima: Pontificia Universidad Católica del Perú, Fondo Editorial.

Crawford, M. 2014. *The Fight for Status and Privilege in Late Medieval and Early Modern Castile.* University Park: The Pennsylvania State University Press.

Del Río Barretto, M. 2000. *Madrid Urbs Regia. La capital ceremonial de la Monarquía Católica.* Madrid: Marcial Pons, Ediciones de Historia, S.A.

Dueñas, A. 2015. "Introduction: Andeans Articulating Colonial Worlds". *The Americas*, Vol. 72, N. 1: 3-17.

Eguiguren, L. 1951. *La Universidad en el siglo XVI. Volumen I: Narración*. Lima: Universidad Nacional Mayor de San Marcos.

Escobari de Querejazu, L. 1993. "Poblados de indios dentro de poblados de españoles. El caso de La Paz y Potosí". En: Gutiérrez, R. (Org.) *Pueblos de indios. Otro urbanismo en la región andina*. Quito: Ediciones Abya-Yala, pp. 317-380.

España, Leyes y Estatutos. 1985 [1555]. *Las Siete Partidas. Glosadas por el licenciado Gregorio López*. Edición facsimilar. Madrid: Boletín Oficial del Estado, 3 vols.

Espinoza Soriano, W. 1997. "Trabajadores forzados en el Cuzco y La Paz. Potosí en 1550: Una información inédita de Juan Polo de Ondegardo". *Revista del Archivo General de la Nación*, 16: 79-137.

Gayol, V. 2002. "Los procuradores de número de la Real Audiencia de México, 1776-1824. Propuesta para una historia de la administración de justicia del Antiguo Régimen a través de sus operarios". *Chronica Nova*, 29: 109-139.

Gómez González, I. 2000. *La justicia en almoneda. La venta de oficios en la Chancillería de Granada (1505-1834)*. Albolote: Editorial Comares.

Guevara Gil, J. 1993. *Propiedad agraria y Derecho colonial. Los documentos de la hacienda Santotis (1543-1822)*. Lima: Pontificia Universidad Católica del Perú-Fondo Editorial.

Guzmán Brito, A. 1997. *Derecho Privado romano*. Santiago de Chile: Editorial Jurídica de Chile, 2 vols.

Guibovich, P. 1999. "Cultura y élites: las historias sobre Lima en el siglo XVII", En: Schröter, B. y Büschges, C. (Org.), *Beneméritos, aristócratas y empresarios. Identidades y estructuras sociales de las capas altas urbanas en América hispánica*. Madrid y Frankfurt: Vervuert e Iberoamericana, pp. 53-65.

Hampe, T. 2004. "La Universidad de San Marcos y el apogeo de la cultura virreinal (Lima, siglo XVII)". En: AA.VV *Saberes y disciplinas en las universidades hispánica*. Salamanca: Universidad de Salamanca, pp. 159-179.

Hardoy, J. y Abranovich, C. 1969. "Urbanización en América hispánica entre 1580 y 1630". *Boletín del Centro de Investigaciones Históricas y Estéticas*, 11: 9-89.

Herzog, T. 1995. "Sobre la cultura jurídica en la América colonial (siglos XVI-XVIII)". *Anuario de Historia del Derecho Español*, Vol. LXV: 903-911.

Herzog, T. 1996. *Mediación, archivos y ejercicio. Los escribanos de Quito (siglo XVII)*. Frankfurt am Main: Vittorio Klostermann.

Herzog, T. 2004. *Upholding Justice. Society, State, and the Penal System in Quito (1650-1750)*. Ann Arbor: University of Michigan Press.

Herrera, R. 2003. *Natives, Europeans, and Africans in Sixteenth-Century Santiago de Guatemala*. Austin: University of Texas Press.

Holguin Callo, O. 2002. *Poder, corrupción y tortura en el Perú de Felipe II. El doctor Diego de*

Salinas (1558-1595). Lima: Fondo Editorial del Congreso del Perú.

Kagan, R. 1974. *Students and Society in Early Modern Spain*. Baltimore y Londres: The Johns Hopkins University Press.

Kagan, R. 1978. "Pleitos y poder real: La Chancillería de Valladolid (1500-1700)". *Cuadernos de investigación histórica*, Vol. 2: 291-316.

Kagan, R. 1981. *Lawsuits and Litigants in Castile 1500-1700*. Chapel Hill: University of North Carolina Press.

Kagan, R. 1981a. "Lawyers and Litigation in Castile, 1500-1750". En: Prest, W. (Org.) *Lawyers in Early Modern Europe and America*. New York: Holmes & Meier Publishers, Inc., pp. 181-204.

Kagan, R. 1995. "Clio and the Crown: Writing History in Habsburg Spain". En: Kagan, R. y Parker, G. (Org.) *Spain, Europe, and the Atlantic World. Essays in Honour of John H. Elliot*. Cambridge: Cambridge University Press, pp. 73-99.

Lavalle, B. 1993. *Las promesas ambiguas. Criollismo colonial en los Andes*. Lima: Pontificia Universidad Católica del Perú, Instituto Riva-Agüero.

León Pinelo, A. 1630. *Tratado de las confirmaciones reales de encomiendas, oficios y casos que se requieren para las Indias occidentales*. Madrid: Juan González.

Levillier, R. 1921-1926. *Gobernantes del Perú. Cartas y papeles del siglo XVI. Documentos del Archivo de Indias*. Publicación dirigida por don Roberto Levillier. Madrid: Sucesores de Rivadeneyra, 14 vols.

Levillier, R. 1922. *Audiencia de Charcas. Correspondencia de presidentes y oidores. Documentos del Archivo de Indias*. Madrid: Imprenta de Juan Pueyo, tomo II.

Lockhart, J. 1994 [1968]. *Spanish Peru, 1532-1560. A Social History*. Madison: University of Wisconsin Press.

Lohmann Villena, G. 1941. "Indice del 'Libro Becerro de Escrituras". *Revista del Archivo Nacional del Perú*, Tomo XIV, Entrega 1: 209-240.

Lohmann Villena, G. 1948. "El señorío de los marqueses de Santiago de Oropesa en el Perú". *Anuario de Historia del Derecho Español*, Vol. XIX: 347-458.

Lohmann Villena, G. 1963. "Indice del cartulario de Pedro de Castañeda (1537-1538)". *Revista del Archivo Nacional del Perú*, Tomos XXVII, Entregas I-11: 27-87.

Lohmann Villena, G. 1983. "Exponentes del movimiento criticista en el Perú en la época de la conquista". *Revista Española de Antropología Americana*, XII: 143-153.

Lohmann Villena, G. 1983ª. *Los regidores perpetuos del cabildo de Lima (1535-1821). Crónica de un grupo de gestión*. Sevilla: Excelentísima Diputación Provincial de Sevilla, 2 tomos.

Lohmann Villena, G. 2000. "El jurista Francisco Carrasco del Saz". *Anuario Mexicano de Historia del Derecho*, XI: 339-359.

Lohmann Villena, G. 1986. *Francisco Pizarro. Testimonio. Documentos oficiales, cartas y escritos varios*. Madrid: Consejo Superior de Investigaciones Científicas, Centro de Estudios Históricos, Departamento de Historia de América "Fernández de Oviedo".

López de Caravantes, F. 1985-1988 [1630-1632]. *Noticia General del Perú (Biblioteca de Autores Españoles desde la formación del lenguaje hasta nuestros días)*. Estudio preliminar de Guillermo Lohmann Villena y edición de Marie Helmer. Madrid: Ediciones Atlas, 5 vols.

Malagón Barcelo, J. 1961. "The Role of the Letrado in the Colonization of America". *The Americas*, Vol. XVIII N. 1: 1-17.

Malagón Barcelo, J. 1976. *Historia menor*. Ciudad de México: Sep/Setenas.

Mangan, J. 1999. Enterprise in the Shadow of Silver: Colonial Andeans and the Culture of Trade in Potosí, 1570-1700. Tesis de doctorado, Departamento de Historia, Duke University.

Mangan, J. 2005. *Trading Roles: Gender, Ethnicity, and the Urban Economy in Colonial Potosí*. Durham: Duke University Press.

Martines, L. 1968. *Lawyers and Statecraft in Renaissance Florence*. Princeton: Princeton University Press.

Matienzo, J. 1558. *Dialogus Relatoris et Advocati Pinciani Senatus*. Valladolid: Sebastianus Martinez.

Matienzo, J. 1967 [1567]. *Gobieno del Perú (1567)*. París, Lima: Institut Français d'Etudes Andines.

Maurtua, V. 1906. *Juicio de límites entre el Perú y Bolivia: Prueba peruana presentada al gobierno de la República Argentina*. Barcelona: Imprenta de Heinrich y Comp, tomo 1.

Mazet, C. 1976. "Population et Societé a Lima aux XVIe et XVIIe siécles: La Paroisse San Sebastián (1562-1689)". *Cahiers des Amériques Latines,* 13-14: 53-100.

Monsalve, M. 1998. "Del Estudio del Rosario a la Real y Pontificia Universidad Mayor de San Marcos". *Histórica*, Vol. XXII, N. 1 : 53-79.

Mumford, J. 2008. "Litigation as Ethnography in Sixteenth-Century Peru: Polo Ondegardo and the Mitimaes". *Hispanic American Historical Review*, Vol. 88, N. 1: 5-40.

Navas, J. 1996. *La abogacía en el Siglo de Oro*. Madrid: Colegio de Abogados de Madrid.

Numhauser, P. 2005. *Mujeres indias y señores de la coca. Potosí y Cuzco en el siglo XVI*. Madrid: Ediciones Cátedra.

Ortiz de la Tabla, J., Mejías, M. y Rivera, A. 1999. *Cartas de cabildos hispanoamericanos: Audiencia de Lima I*. Sevilla: CSIC, Escuela de Estudios Hispano-Americanos y Pontificia Universidad Católica del Perú, Instituto Riva-Agüero.

Osorio, A. 2001. Inventing Lima: The Making of an Early Modern Capital, ca. 1540-1640. Tesis de doctorado, Departamento de Historia, State University of New York, Stony Brook, 2001.

Osorio, A. 2004 "The King in Lima: Simulacra, Ritual, and Rule in Seventeenth-Century Peru". *Hispanic American Historical Review,* Vol. 84, N. 3: 447-474.

Osorio, A. 2008. *Inventing Lima: Baroque Modernity in Peru's South Sea Metropolis*. Palgrave MacMillan.

Pennington, K. 1993. *The Prince and the Law. 1200-1600. Sovereignty and Rights in the Western Legal Tradition.* Berkeley: University of California Press.

Pérez Perdomo, R. 2006. *Latin American Lawyers: A Historical Introduction.* Stanford: Stanford University Press.

Prest, W. 1986. *The Rise of Barristers. A Social History of the English Bar, 1590-1640.* Oxford: Oxford University Press.

Presta, A. 2013. "Redes de tinta y poder. Escribanos, clero, e indígenas en la ciudad de La Plata, siglos XVI-XVII". *Anuario de Estudios Bolivianos, Archivísticos y Bibliográficos*, N. 19: 351-372.

Puente Luna de la, J. 2007. *Los curacas hechiceros de Jauja. Batallas mágicas y legales en el Perú colonial.* Lima: Pontificia Universidad Católica del Perú-Fondo Editorial.

Puente Luna de la, J. 2015. "That Which Belongs to All: Khipus, Community, and Indigenous Legal Activism in the Early Colonial Andes". *The Americas*, Vol. 72, N. 1: 19-54.

Salinas y Cordova, B. 1957 [1630]. *Memorial de las historias del Nvevo Mvndo, Pirv.* Lima: Universidad Nacional Mayor de San Marcos.

Serrano, C. 2002. "¿Verdades sobre Potosí?". *Anuario del Archivo y Biblioteca Nacionales de Bolivia,* 2: 289-312.

Smail, D. 2013. *The Consumption of Justice: Emotions, Publicity, and Legal Culture in Marseille, 1264-1423.* Ithaca: Cornell University Press.

Sordo, E. 2000. *Civilizational Designs: The Architecture of Colonialism in the Native Parishes of Potosi.* Disertación doctoral, Departamento de Historia, Universidad de Miami.

Strauss, G. 1986. *Law, Resistance, and the State. The Opposition to Roman Law in Reformation Germany.* Princeton: Princeton University Press.

Suardo, J. 1935 [1629-1634]. *Diario de Lima.* Publicado con introducción y notas de Rubén Vargas Ugarte S.J. Lima: Imprenta C. Vásquez L, tomo 1.

Tau Anzoategui, V. 2016. *El jurista en el Nuevo Mundo. Pensamiento. Doctrina. Mentalidad.* Fráncfort del Meno: Max Planck Institute for European Legal History.

Uribe-Uran V. 2000. *Honorable Lives. Lawyers, Family and Politics in Colombia, 1780-1850.* Pittsburgh: University of Pittsburgh Press.

Van Deusen, N. 2010. "Diasporas, Bondage, and Intimacy in Lima, 1535-1555". *Colonial Latin American Review,* Vol. 19, Núm. 2: 247-277.

Vargas Ugarte R. 1951. *Pareceres jurídicos en asuntos de Indias (1601-1718).* Lima: CIP, 1951.

Vargas Ugarte R. 1981. *Historia general del Perú.* Valencia: Grafival, S.L. 6 volúmenes.

Vega, J. 1966. "Juristas sin ley en la conquista del Perú". *Revista de Derecho y Ciencias Políticas,* Vol. XXX, Núm. I-III: 149-154.

Watson, A. 2000. *Law out of the Context.* Atlanta: The University of Georgia Press.

Poder local, jurisdicción territorial y redes sociales: Los corregidores de indios en Charcas (1565-1650)*

Ariel J. Morrone
Universidad de Buenos Aires/Conicet, Argentina

Qué importaba que su clima fuera frigidísimo, cuando salían ricos los corregidores y se iban a vegetar en Lima, donde existía una calle llamada de los Caballeros de Pacajes (Aranzaes 1915: 290).

Consideraciones iniciales

Este capítulo explora el proceso de implementación de la figura del corregidor de indios en la jurisdicción de la Audiencia de Charcas a finales del siglo XVI y sus derroteros durante la primera mitad del siglo XVII. Entendemos que el ingreso de estos flamantes oficiales de justicia en primera instancia a sus respectivos escenarios políticos reconfiguró las relaciones de poder y su expresión territorial, hasta entonces controladas por las elites encomenderas, los curas doctrineros, los caciques y, términos más amplios, el tribunal audiencial (Lohmann Villena, 2001: 68-77; Tord Nicolini, 1974; Stern, 1986: 121-128; Andrien, 1986; Assadourian, 1987; Cook, 2003; Barriera, 2014; Sica, 2014; Robles Bocanegra, 2015, 2019). Para ello, rastreamos las primeras evidencias documentales de la presencia de los corregidores de indios en el espacio charqueño y la construcción histórica de esas jurisdicciones territoriales rurales dependientes, en términos administrativos, de las ciudades de La Plata y La Paz (Barnadas, 1973; López Beltrán, 1998; Presta, 2000; Morrone, 2012).

Nuestra pesquisa se sustenta en las consideraciones de António Manuel Hespanha al respecto de la construcción histórica de unidades administrativas como

* Agradezco las sugerencias que Arrigo Amadori y Sergio Angeli realizaron a una versión preliminar, como así también las orientaciones analíticas de Ana María Presta. Este trabajo fue realizado en el marco de los Proyectos PICT 2016-0481 y UBACyT F291, dirigidos por Ana María Presta, y FiloCyT 19-039, dirigido por el autor.

expresión territorial de determinadas relaciones de poder: "*Hacer la historia de la división administrativa es hacer la historia de las relaciones entre el poder y el espacio*" (Hespanha, 1993: 85). La conceptualización de los corregimientos de indios como territorios políticamente equipados que respondían a una voluntad de reordenamiento administrativo (Barriera, 2006) permite ponderar tanto los mecanismos por los cuales la Monarquía Hispánica buscó redefinir las reglas del juego a escala local como el conjunto de prácticas desplegadas por los propios actores en función de sus diferenciales dotaciones de capital político, económico y relacional. Más que cotejar la distancia entre las prescripciones de los *corpus* normativos y su efectiva ejecución, nuestra indagación busca echar luz sobre las formas específicas en que se tramaron las relaciones de poder cotidianas a escala local (Diez Hurtado, 2006); de este modo, conceptualizamos a los corregidores de indios como oficiales de justicia situados o agentes "localizados" (Barriera, 2018: 11) en sus respectivos territorios.[1]

En el marco de una "economía de la gracia virreinal", articulada en torno a redes personales de lealtad, patronazgo y clientelismo, la concesión del oficio de corregidor constituyó una herramienta de la cual los virreyes echaron mano en no pocas oportunidades para reconocer y recompensar los méritos de algunos miembros de las élites hispanocriollas y para conceder favores a los miembros de los propios séquitos, en su calidad de familiares, criados o allegados. De este modo, la designación de los corregidores respondió a la necesidad de instrumentar mecanismos de equilibrio entre el poder del vicesoberano y el de los grupos de poder incardinados en sus respectivas salas capitulares (Cañeque, 2001, 2005; Latasa, 2012; Costa, 2016).

Los derroteros de esta autoridad jurisdiccional resultan de dificultosa dilucidación debido a su alta velocidad de rotación en el oficio (una frecuencia bienal), lo cual se tradujo en la inexistencia de listados cronológicos para cada distrito, recurso básico para la investigación histórica; en consecuencia, la reconstrucción de su actuación y sus inserciones en los entramados locales es por demás enrevesada.[2] A partir de nuestro trabajo en el Archivo General de la Nación (Buenos Aires) y en archivos bolivianos, y del material del Archivo General de Indias (AGI) digitalizado en el Portal de Archivos Españoles, confeccionamos un banco de datos (en constante actualización) para sistematizar las huellas docu-

[1] "*Territorio, el espacio de tierra que toma algun pago, o jurisdicion*" (Covarrubias Orozco, 1611: II, 186r).

[2] Quizás las únicas excepciones sean las listas de corregidores de Chucuito para el período 1575-1688 (Shäfer, 1947: II, 532) y de Collaguas para el período 1566-1600 (Cook, 2003: 437).

mentales de la labor de los corregidores de indios de las jurisdicciones de La Plata y La Paz.[3]

Entre los voluminosos protocolos notariales, las escrituras de fianza constituyen un insumo clave para el estudio de estas figuras y sus vinculaciones con los entramados políticos en los que se insertaban. Generalmente, entre dos y cuatro personalidades notables de la elite local se obligaban a responder con sus patrimonios por el recto desempeño del corregidor en el ejercicio de su oficio. Estas lealtades personalizadas conformaban uno de los cimientos del poder de los corregidores, toda vez que la corta permanencia del oficio atentaba contra la construcción de vínculos estables en el territorio.[4] Por otro lado, la protocolización de la fianza solía incluir un traslado del respectivo título virreinal. Este instrumento aporta información biográfica del corregidor y, en no pocos casos, una reconstrucción de los méritos y servicios previos que justificaban la nueva designación. Los títulos también consignaban el nombre del corregidor saliente, lo cual constituye una referencia clave para el establecimiento de la sucesión de los corregidores de la misma jurisdicción. Evidentemente debió funcionar en la Secretaría Mayor del Gobierno un registro detallado de la sucesión de corregidores de cada jurisdicción, al cual se recurría a la hora de confeccionar cada nuevo título.

Los expedientes judiciales, por su parte, constituyen una ventana de acceso a los distintos campos de acción de los corregidores, toda vez que permiten entrever de manera situacional sus modalidades de intervención. En este sentido, proponemos a modo de hipótesis que la exploración de las formas específicas en que los corregidores atendían sus asuntos de gobierno y se desenvolvían en la práctica política cotidiana habilitará trazar líneas de continuidad o de ruptura, pudiendo incluso sistematizar las modalidades de intervención a pesar del obstáculo ya mencionado de la breve duración en el oficio.

Finalmente, las informaciones de méritos y servicios presentadas ante el Consejo de Indias, a más de constituir un instrumento autorreferencial y reivin-

---

3 En Bolivia, desplegamos campañas de relevamiento documental en el Archivo y Biblioteca Nacionales de Bolivia (ABNB, Sucre), Archivo de La Paz (ALP), Archivo Histórico Municipal (AHM, La Paz) y en la Biblioteca Central de la Universidad Mayor de San Andrés (BCUMSA, La Paz).

4 En esta línea, analizamos el juicio de residencia incoado entre 1616 y 1624 contra el capitán Martín Navarro de Hinojosa, corregidor de Paucarcolla (1612-1614). Su huida una vez cumplido su oficio desató una serie de conflictos dentro de la elite local, cuando los jueces oficiales de la Real Hacienda de La Paz ejecutaron las fianzas y embargaron los bienes de los fiadores, dos notables vecinos y prósperos empresarios agropecuarios paceños (Morrone, 2019a).

dicativo (MacLeod, 1998) en tanto sustentaban solicitudes de nuevas mercedes y prominentes oficios, incluyen reconstrucciones biográficas, verdaderas "hojas de vida" cuya veracidad estaba avalada por testigos que formaban parte del entramado reticular construido por el peticionante. En no pocas oportunidades, estas informaciones incluyen traslados de títulos de nombramiento, cuentas y sentencias de juicios de residencia y pareceres de diversas autoridades que, en conjunto, otorgaban mayor firmeza a la información provista por el causante y sus testigos.

En las páginas que siguen analizamos, en primer lugar, el contexto de gestación de los corregidores de indios en el virreinato del Perú a partir de las ordenanzas del Licenciado Lope García de Castro (1565) y su recepción por parte de la Audiencia de Charcas, para luego ponderar su efectiva aplicación en el espacio surandino durante el gobierno del virrey don Francisco de Toledo (1569-1581). Posteriormente, ofrecemos una serie de listados cronológicos originales, herramientas imprescindibles para el abordaje de estas temáticas a escala local. El corregimiento de Pacajes, situado en la ribera meridional del lago Titicaca (actual departamento de La Paz, Bolivia) será el escenario elegido para examinar el modo en el que los corregidores de indios desplegaron sus labores de gobierno. Entendemos que esta pesquisa contribuirá a un mayor discernimiento de la configuración de la colonialidad del poder (Quijano, 2000; Mignolo, 2007: 30-36) en esta región del virreinato del Perú y, más específicamente, en el altiplano lacustre.

Entre las ordenanzas de García de Castro y las reformas toledanas (1565-1581)

Instituidos por el Licenciado Lope García de Castro, presidente de la Audiencia de Lima y gobernador del Perú (1564-1569), los corregimientos de indios conformaron las unidades administrativas básicas del gobierno colonial sobre las poblaciones nativas. Entre las motivaciones que dieron origen a la implementación de estas figuras, cabe recordar que la década de 1560 había redundado en un escenario crítico para el dominio hispánico. A las presiones de los encomenderos por obtener la perpetuidad de sus mercedes, debemos sumar los efectos del Taqui Ongoy y de la resistencia neoinca de Vilcabamba (Stern, 1986: 121-128) y la creciente necesidad de incrementar el real erario en el marco de las guerras en Europa. García de Castro retomó la experiencia desplegada años atrás por el oidor Gregorio González de Cuenca con el objetivo de sistematizar el dominio sobre la población indígena, buscando socavar el poder efectivo de los caciques, los curas doctrineros y los encomenderos. En efecto, los corregidores de indios se incrustaron en ese nivel intermedio de gobierno como efímeros articuladores polivalentes en tanto ejercían la potestad jurisdiccional en primera instancia sobre los grupos indígenas del territorio a su cargo, recaudaban los tributos para su posterior entero en las Cajas Reales y, en el sur andino, coordinaban el abastecimiento de la mano de obra mitaya con destino al Cerro Rico de Potosí, verdadero polo dinamizador de la economía virreinal (Assadourian, 1982; Saignes, 1987).

García de Castro dictó sus ordenanzas para corregidores de indios en abril de 1565 (Lohmann Villena, 2001: 85-86).[5] En dos cartas remitidas al Consejo de Indias y al rey Felipe II el 26 y el 30 de abril, respectivamente, el gobernador informaba sobre las ventajas de contar con estos oficiales de justicia en primera instancia: evitar las revueltas nativas y los abusos de curas doctrineros, caciques y trajinantes, favorecer la reducción de la población a pueblos y la evangelización, y garantizar la tributación a partir de las visitas ordinarias (Levillier, 1921: III, 70-85). Para fundamentar su decisión, García de Castro homologó los corregidores de indios a los antiguos *tucuyrikoq* o "visitadores" incaicos (Morong Reyes y Brangier Peñailillo 2019; Morong Reyes 2021). Asimismo, sugería imperiosamente la realización de una visita a la Audiencia de Charcas, manifestando sus reservas al respecto de la reciente incorporación de la ciudad del Cuzco y su término a la jurisdicción del tribunal charqueño. En una tercera carta al Consejo de Indias, fechada el 15 de junio, García de Castro puntualizaba que el pago de los salarios de los corregidores sería menos oneroso que los robos y abusos atribuidos a caciques y curas doctrineros; asimismo, denunciaba que varios oidores casaron a sus hijos con encomenderos de sus respectivas jurisdicciones (Presta, 2008; Angeli, 2017) y que la Audiencia de Charcas actuaba de manera inconsulta (Levillier, 1921: III, 83-96; Presta, 2000: 76). Finalmente, el 23 de septiembre remitió una cuarta misiva en la que esbozó un primer balance sobre la implementación de los corregidores, subrayando su rol en la disminución de la cantidad de pleitos entre indios presentados ante las audiencias e insistiendo, una vez más, en la necesidad de acometer una visita a la Audiencia de Charcas (Levillier, 1921: III, 102-105).

[5] "Prevenciones hechas por el Licenciado Castro para el buen gobierno del reino del Perú y especialmente la conservación e instrucción de los indios" (Levillier, 1921: III, 116-130). Assadourian (1994: 247) indica que las ordenanzas fueron promulgadas el 27 de junio de 1565, aunque sin consignar la referencia documental. Cf. un listado de algunos corregidores designados por García de Castro para la jurisdicción de la Audiencia de Lima en Robles Bocanegra, 2015: 155-157.

En la pluma de García de Castro, la defensa de la figura de los corregidores de indios y de su implementación corrió en paralelo a su abierta embestida contra las prerrogativas del tribunal charqueño. No sería de extrañar, en efecto, que sus ordenanzas para corregidores despertaran el férreo rechazo por parte de la Audiencia. Casi de inmediato, sus magistrados se opusieron firmemente a la provisión de estos nuevos oficiales de justicia en tanto consideraban que la introducción de una figura de gobierno a escala local alteraría el *status quo* y el pleno poder que el tribunal ejercía en el sur andino desde su reciente establecimiento en septiembre de 1561 y, más aún, tras la muerte de virrey don Diego López de Zúñiga y Velasco, conde de Nieva, en febrero de 1564. Así, el 24 de septiembre de 1565, a solo cinco meses de emitidas las ordenanzas, el presidente Licenciado Pedro Ramírez de Quiñones y los oidores Licenciados Juan de Matienzo y Martín Pérez de Recalde acordaron desconocer a los corregidores proveídos por García de Castro y suspender las provisiones de aquellos que ya se encontraban en funciones "*hasta que otra cosa se provea por Su Magestad o por esta Audiençia en su nonbre y sobre esto se escriva al señor liçençiado Castro*".[6]

Dos meses después, el Licenciado Polo Ondegardo caracterizó la implementación de los corregidores de indios como "*cierto entretenimiento de administración de indios de poca importancia*" (Assadourian, 1994: 253). Por su parte, en otra carta al Rey del 12 de enero de 1566, García de Castro puntualizó sus argumentos en torno a la supresión de la Audiencia de Charcas: al escaso número de causas allí tramitadas, se sumaba el caos administrativo generado por la multiplicidad de instancias de gobierno, para cuyo remedio sugería reubicar en Lima a los tres oidores de Charcas. Al tiempo que felicitaba la obra de gobierno de los corregidores de indios contra los abusos de los caciques, encomenderos y curas doctrineros, desestimaba los tres argumentos esgrimidos por la Audiencia en su contra (la sobrecarga de los tributos nativos, el entorpecimiento de la doctrina y los robos cometidos por los corregidores). Finalmente, volvió a criticar que la ciudad del Cuzco haya quedado bajo la jurisdicción de Charcas (Levillier, 1921: III, 132-139). Cinco meses más tarde, remitió otra carta al Rey recomendando explícitamente la total supresión del tribunal charqueño para ahorrarse el salario de sus oidores.[7] Su diagnóstico sobre el panorama surandino era tajante: a diferencia de

---

[6] Acuerdo 57 del 24 de septiembre de 1565. *Acuerdos de la Real Audiencia de La Plata de los Charcas*, vol. 1, f. 35v.

[7] "*con lo que se da a tres oydores en los charcas puede vuestra magestad poner aqui quatro que no ay neçesidad del audiençia de los charcas y las rrazones porque escritolo e a vuestra magestad y lo e ynbiado firmado del presidente de aquella audiençia*" (Levillier, 1921: III, 171).

la prolija sociedad limeña bajo su control, el gobernador informaba que gran cantidad de vagabundos "*se suben todos al distrito de la audiençia de los charcas donde no ay corregidores de yndios*" (Levillier, 1921: III, 179; Lohmann Villena, 2001: 87).

Entre tanto, y para justificar la suspensión de las ordenanzas, el 10 de junio de 1566 la Audiencia de Charcas despachó una carta a García de Castro en la cual exponía sus objeciones a la implementación de los corregidores. La misiva explicaba que los nuevos oficiales de justicia perjudicarían a los indígenas porque el pago de sus salarios sobrecargaría las tasas y porque ejercerían sobre ellos un poder despótico. Asimismo, se alegaba que el "perfil indómito" de las poblaciones serranas dificultaría el ejercicio de las funciones de los corregidores, ya que a poco de conocidas las ordenanzas, los magistrados ya habían recibido quejas de indios y de encomenderos.[8] Como era de esperar, los corregidores eran vistos como una potencial amenaza para los intereses económicos de las flamantes elites encomenderas del sur andino, las cuales, nucleadas en torno a los cabildos, monopolizaban el control de los recursos agroganaderos, mineros y demográficos de la región (Noack, 2005: 219-221). Quizás en respuesta a esta disputa jurisdiccional, el Rey emitió el 15 de febrero de 1567 una cédula por la cual reconocía explícitamente la jurisdicción de García de Castro sobre las audiencias de Quito y Charcas (Levillier, 1922: II, 558-559; Robles Bocanegra, 2015: 147).

Los avatares de la implementación de los corregidores de indios en Charcas revelan la contienda jurisdiccional entre las autoridades centrales, residentes en Lima, y el tribunal apostado en el sur andino, con jurisdicción efectiva sobre un "territorio autónomo en este orden" (Lohmann Villena, 2001: 87). Esta ambivalencia o "gobierno paralelo" se sostenía en el solapado desconocimiento por parte de la Audiencia de Charcas de la jurisdicción del gobernador García de Castro quien, por su parte, buscó implantar oficiales de justicia con mayor proximidad a los sujetos justiciables (Barriera, 2013).[9] Sin embargo, pasarían al me-

---

[8] Levillier, 1922: II, 451-456; Lohman Villena, 2001: 107-110; Robles Bocanegra, 2018: 76. A pesar de que, como veremos, la implementación de los corregidores de indios se consolidó en Charcas durante el gobierno del virrey Toledo, la oposición de la Audiencia volvería a emerger en 1576. El 2 de agosto de ese año, el tribunal acordó "*que se informe y escriba a Su Magestad que conbiene a su serviçio y descarguo de su rreal consçiençia y perpetuydad de estas tierras y conservaçión de sus rrentas rreales y señorío de estos rreynos que las tassas se rreformen y moderen y los corregidores se quiten y con esta rrelaçión y paresçer se le inbíen las petiçiones y cartas de los indios*". *Acuerdos de la Real Audiencia de la Plata de los Charcas*, vol. III, f. 272v. En su extensa carta del 28 de septiembre, el presidente Licenciado Lope Diez de Aux y Armendáriz también propondría la cancelación del oficio (Levillier, 1922: I, 379-383; Lohmann Villena, 2001: 459).

[9] Un conflicto similar se daría en 1583 con motivo de la muerte del virrey don Martin Enríquez de Almansa, cuando la Audiencia de Charcas se arrogó la autonomía jurisdiccional, en virtud de la Real Cédula del 19 de marzo de 1550 que habilitaba el gobierno de las audiencias en caso de enfermedad o deceso del

nos diez años entre la promulgación de las ordenanzas de García de Castro y su efectiva implementación en Charcas, "demora" que se explica, según entendemos, por la abierta oposición del tribunal charqueño.

El virrey Toledo sistematizó la organización administrativa del virreinato al dividir su territorio en 71 corregimientos de indios (Lohmann Villena, 2001: 119-127) y al reglamentar su labor en un *corpus* específico de ordenanzas promulgadas en Arequipa el 30 de octubre de 1575, bajo el influjo y recomendaciones del oidor Juan de Matienzo (Lohmann Villena, 2001: 249-253; Gil García, 2009: 295-300; Merluzzi, 2014: 129). Con el objetivo de cartografiar el equipamiento político del territorio surandino, y a modo de ejercicio analítico, emprendimos un trabajo sistematización de la evidencia documental relevada durante nuestro trabajo de archivo, tras los pasos de los primeros corregidores de indios en sus respectivas plazas (ver Mapa 1 y Cuadro 1). En efecto, estas nuevas unidades administrativas rurales se recortaron de las jurisdicciones que hasta entonces ejercían las ciudades de La Plata y La Paz.

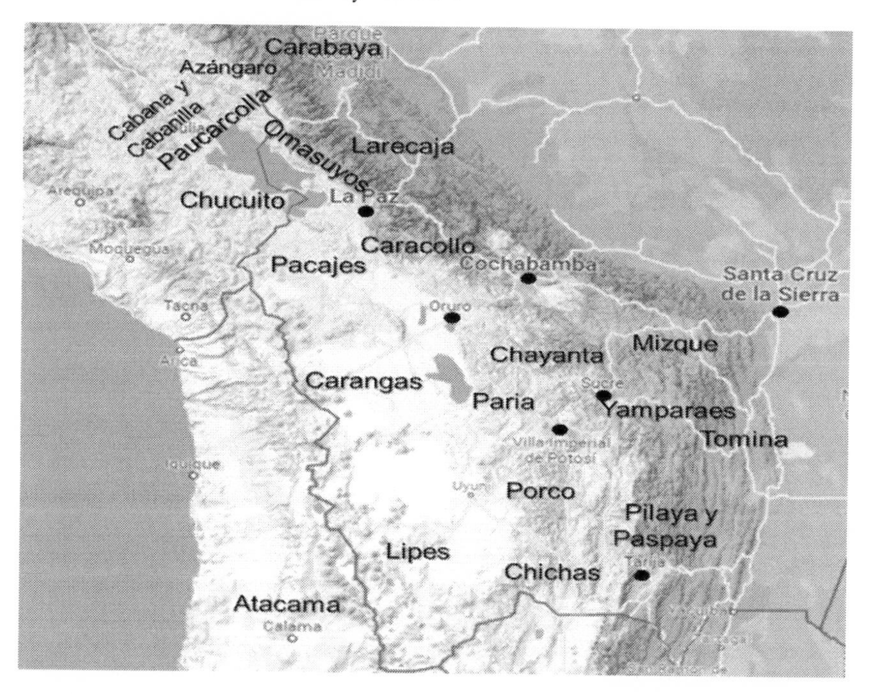

Mapa 1: Corregimientos de indios del sur andino. Elaboración del autor sobre Google Maps.

virrey. En esa oportunidad, el tribunal sostuvo que la Real Cédula de 1567 solo refería a la persona de García de Castro, por lo que entendía que la Audiencia de Lima no tenía jurisdicción sobre Charcas (Levillier, 1922: II, 550-570).

Cuadro 1. Primeros registros de corregidores de indios en Charcas				
Año	**Corregimiento**	**Corregidor**	**Referencia**	**Fuente**
1552	Chucuito	Pedro de Enciso	Nombramiento por el virrey don Antonio de Mendoza	Assadourian, 1994: 216-219
1565	Azángaro	Lic. Pedro Mejía	Título otorgado por el Lic. Lope García de Castro	Lohmann Villena, 2001: 87
1573	Atacama	Juan Velázquez Altamirano	Poder para cobranza de salario como corregidor	ABNB EP 16, ff. 699v-700v[10]
1575	Pacajes	Cristóbal de Cepeda	Cobranza de servicio gracioso ordenado por Felipe II	AGI Lima 29, f. 46r
1576	Omasuyos	Gerónimo Holguín Carrero	Pleito entre caciques de Laja y Guaqui por tierras de Cantapa	ABNB EC 1630-2, f. 35r
1576	Porco	Diego Velázquez de Acuña	Otorga su codicilo en La Plata	ABNB EP 21, ff. 530v-533r
1576	Cabana y Cabanilla	Cap. Gutierre Lazo de la Vega	Posesión de la encomienda de Cabanilla en favor de don Antonio Vaca de Castro	"Libro de provisiones reales", p. 166[11]
1576	Mizque	Sebastián Barba de Padilla	Otorga licencia al cacique de Mizque	ABNB EP 21, ff. 606v-

[10] Las referencias documentales del fondo Escrituras Públicas (EP) del ABNB corresponden a la nueva catalogación, disponible en http://34.122.142.167/index.php/escrituras-publicas-de-la-plata-1

[11] "Cédula Real por donde se manda acudan con los tributos de Cabanilla a la parte de don Antonio Vaca de Castro". Cuzco, 10-7-1577. "Libro de provisiones reales de los virreyes D. Francisco de Toledo y D. Martín Henriquez de Almanza, 1575-1585". *Revista de Archivos y Biblioteca Nacionales* 1, 1 (1899): 154-166.

			para convenio	608r
1577	Chayanta	Melchor del Castillo	Información sobre el impacto de la tasa toledana	AGN IX, 17-2-5, f. 344v
1577	Caracollo	Gonzalo de Leiva	Información sobre el impacto de la tasa toledana	AGN IX 17-2-5, f. 345v
1577	Larecaja	Cap. Pedro Suárez Coronel	Información sobre el impacto de la tasa toledana	AGN IX, 17-2-5, f. 346r
1578	Paucarcolla	Gabriel de Encinas y Herrera	Deslinde de tierras del asiento alfarero de Milliraya	ABNB EC 1611-2
1580	Carangas	Gerónimo de Soria	Pago de tributos del repartimiento de Totora	ABNB EP 28, ff. 89r-90v
1581	Lipes	Pedro de Zárate	Nombrado por la Audiencia de Charcas	ABNB CACh 27
1584	Paria	Cap. Rodrigo Martínez de Peralta	Cancelación del censo en favor de Jerónimo González de Alanís	ABNB EP 31, ff. 320v-328r
1585	Carabaya	Don Alonso de Vera Figueroa	Pleito por huida de Juan de Grijalba	*Acuerdos de la RALP* III: f. 148v
1591	Yamparaes	Don Andrés de Portocarrero	Obligación de pago en favor de don Francisco Aymoro	ABNB, EP 68, ff. 328v-329r

Los primeros registros documentales de los corregidores de indios en Charcas datan, en su mayoría, de la segunda mitad de la década de 1570, en el contexto de la visita general ordenada por el virrey Toledo, y de los años inmediatamente posteriores.[12] Sin embargo, los casos de Chucuito y Azángaro merecen una es-

[12] En la misma coyuntura, y para fortalecer la presencia hispánica en la frontera oriental, se fundaron las villas de Oropesa del valle de Cochabamba (Gerónimo de Osorio, 1571), San Bernardo de la Frontera de

pecificación. El temprano nombramiento de Pedro de Enciso como primer corregidor de Chucuito por el virrey don Antonio de Mendoza (1552) respondió a la necesidad de apartar esta encomienda real de la jurisdicción de la ciudad de La Paz, fundada en 1548 (Assadourian, 1994: 216). En 1580, el corregimiento sería elevado al rango de gobernación, con designaciones realizadas de manera directa por despacho real (Maurtua, 1906: I, 189; Lohmann Villena, 2001: 364). Por su parte, el Licenciado Pedro Mejía fue nombrado corregidor "del Collao" (jurisdicción denominada "Azángaro y Asillo" en la documentación posterior) por García de Castro en junio de 1565, cuyo título detalla los repartimientos bajo su autoridad (Lohmann Villena, 2001: 87).

El resto de los registros corresponde al período 1573-1591. A partir de una lectura general de las primeras referencias a sus intervenciones, observamos que los corregidores de indios desplegaron su acción de gobierno tanto en la puesta en marcha de las reformas toledanas tras la visita general (reducción a pueblos de indios, deslindes, amojonamientos, resolución de pleitos entre caciques) como en la articulación local de las directivas dimanadas del gobierno central (cobranza de "servicios graciosos", entero de tributos, posesión de encomiendas). Asimismo, las escrituras de otorgamiento de poderes, codicilos y obligaciones de pago dan cuenta de las redes sociales, personales y de negocios que los corregidores integraron, reprodujeron y consolidaron en sus respectivas jurisdicciones y a escala regional.

El seguimiento personalizado y pormenorizado de este primer "elenco" de corregidores de indios del sur andino requeriría de un estudio prosopográfico de largo aliento que excede los objetivos de este capítulo. De momento, plantearemos un análisis focalizado en el corregimiento altiplánico de Pacajes, enclavado en la ribera meridional del lago Titicaca.

Tarija (Luis de Fuentes y Vargas, 1574), Santiago de la Frontera de Tomina (Melchor de Rodas, 1575) y San Juan de la Frontera de Paspaya (Juan Ladrón de Leyva, 1584-85). Sus respectivos corregidores tuvieron bajo su jurisdicción, a más de los términos de las flamantes villas, los repartimientos de Sipesipe, Tapacarí, Tiquiyapa y El Paso en el caso de Cochabamba; Chichas en el caso de Tarija; Tarabuco y Presto en el caso de Tomina; y los valles de Cinti y el pueblo de San Lucas de Payacollo en el caso de Paspaya. Dado que esas autoridades no fueron corregidores de indios *stricto sensu*, no se incluyeron en el Cuadro 1. Un caso atípico lo constituyó el corregimiento de Mizque a partir la fundación de la villa de Salinas del Río Pisuerga (Francisco de Alfaro, 1603) sobre el pueblo de reducción de Mizque, con jurisdicción sobre Pocona, Totora y Aiquile (Maurtua 1906: I, 174-176, 180-181; Presta, 1990, 2000: 133; Gutiérrez Brockington, 2009: 57-58; Numhauser, 2013; Oliveto, 2020). Esta dinámica fundacional no se verificó en la frontera oriental de la jurisdicción de La Paz: los corregimientos de Carabaya, Larecaja y Caracollo se "derramaban" hacia los valles y el piedemonte amazónico, habilitando espacios de negociación interétnica con los habitantes de tierras bajas (Saignes, 1985).

El corregidor de Pacajes: perfilando una autoridad territorial (1575-1650)

Con la implementación de los corregimientos de indios, la jurisdicción de la ciudad de La Paz fue fragmentada en seis unidades administrativas: Paucarcolla, Chucuito, Pacajes, Omasuyos, Laracaja y Caracollo. Estos corregimientos englobaban los repartimientos compuestos por los grupos nativos lacustres (*lupaqa*, *pakaxa*, *kolla*, *uru*) y vallunos (*yunga*, *quirwa*), y fueron los escenarios de la reconfiguración de las relaciones de poder local entre los encomenderos, los caciques, los curas doctrineros y los flamantes corregidores, fundamentalmente en torno al acceso y control de los ingentes recursos ganaderos, textiles, agrícolas, mineros y demográficos de la región (Choque Canqui, 1993, 2003; Morrone, 2013). El gran potencial tributario de los repartimientos, emplazados en pleno "espacio del trajín", constituía una atractiva fuente de negocios para los corregidores, en un contexto de marcada diversificación de los mercados surandinos (Assadourian, 1982; Glave, 1989).

El establecimiento de los corregimientos de indios en la cuenca del lago Titicaca alteró, en gran medida, los patrones prehispánicos de vinculación interecológica entre punas y valles, toda vez que los corregimientos de Paucarcolla, Chucuito, Pacajes y Omasuyos englobaron exclusivamente repartimientos altiplánicos mientras que los de Carabaya y Larecaja se ubicaron en los valles orientales. Sólo el corregimiento de Caracollo incluía repartimientos de ambos pisos ecológicos. Esta fragmentación territorial no impidió que las prácticas de movilidad prehispánicas siguieran vigentes ni que, incluso, fueran redefinidas estratégicamente por los *ayllu* y sus autoridades (Saignes, 1987).

Tras la visita toledana, el corregidor de Pacajes ejercería su jurisdicción sobre la población de ocho repartimientos compuestos por 9442 tributarios y un total de alrededor de 49.000 personas, reducidas a doce pueblos de indios (ver Cuadro 2). Según la normativa, el corregidor debía residir en el pueblo que fungía como "cabecera" de su partido, en este caso el pueblo de Concepción de la Nueva Toledo de Caquiaviri, antiguo asentamiento de los *mallku* prehispánicos (Choque Canqui, 1998; Morrone, 2013). Desde Caquiaviri, los corregidores impartían justicia en primera instancia y centralizaban la extracción tributaria (tendiente a la monetización) para su posterior entero en la Caja Real de La Paz. Asimismo, supervisaban el reclutamiento de la mano de obra destinada a la mita minera en Potosí y auspiciaban, junto a los curas doctrineros, el avance de la evangelización. En efecto, las reducciones expresaron tanto el interés por parte del gobierno colonial de asentar a las poblaciones nativas en un espacio continuo y discreto, acotando su movilidad característica y reordenando su territorio, como la capacidad negociadora de ciertas autoridades étnicas en la ubicación, edificación y ocupación efectiva de los pueblos (Durston, 1999-2000; Jurado, 2004; Wernke, 2007; Zuloaga Rada, 2012; Zagalsky, 2013; Saito y Rosas Lauro, 2017).

Cuadro 2: Proceso reduccional en el corregimiento de Pacajes[13]

Asentamientos pretoledanos			Repartimiento	Visita toledana						Pueblo de reducción
	AGN	RGI		Trib	C	V	Much	Muj	Total	
Callapa	5	9	Callapa	1224	4	239	1836	3512	6815	Santiago de Callapa San Pedro de Julloma San Pedro de Curaguara
Caquingora	15	s/d [30]	Caquingora	1611	4	386	2484	4594	9079	Santa Bárbara de Caquingora Nuestra Señora de Buena Esperanza de Calacoto
Caquiaviri	10	23	Caquiaviri	1509	4	402	2140	4288	8343	Concepción de la Nueva Toledo de Caquiaviri
Machaca	s/d [7]	15	Machaca la Chica	797	5	186	922	2400	4310	Jesús de Machaca
			Machaca la Grande	1306	4	270	1751	3461	6792	San Andrés de Machaca Santiago de Machaca
Guaqui	3	6	Guaqui	1280	6	167	2697	1650	5800	Santiago de Guaqui
Viacha	7	10	Viacha	851	4	144	1705	870	3574	San Agustín de Viacha[14]

[13] Fuentes: Mercado de Peñalosa, 1965 [1586]; AGN IX, 17-2-5; Cook, 1975; Maurtua, 1906: I, 183-189; Levillier, 1921: IX, 114-230. Si bien las cifras de los asentamientos pretoledanos difieren, podemos suponer que los datos no consignados para Caquingora en la "Relación" de Mercado de Peñalosa y para Machaca en el libro de resúmenes del AGN podrían nivelar ambos conteos. En cualquier caso, dado que las cifras de Mercado de Peñalosa tienden a duplicar las del AGN, podríamos sugerir que Caquingora contaría con treinta asentamientos y Machaca con otros siete; en consecuencia, tendríamos un rango de entre 52 y 103 asentamientos pretoledanos.

[14] Según Mercado de Peñalosa (1965 [1586]: 337), la población del repartimiento de Viacha también fue reducida a un segundo pueblo, Cañoma, destruido por el terremoto de 1583 (1585 según Saignes, 1985: 299).

Tiwanaku	5	10	Tiwanaku	864	4	222	1780	1459	4329	San Pedro de Tiwanaku
Totales	**45 [52]**	**73 [103]**	**8 repartimien-tos**	**9442**	**35**	**2016**	**15315**	**22234**	**49042**	**12 pueblos de reducción**

A partir del cruce de documentación de origen diverso, fundamentalmente escrituras públicas, expedientes judiciales, padrones de indios y libranzas de cajas reales, elaboramos un listado provisorio de corregidores de Pacajes (Cuadro 3). La serie incluye 29 corregidores para el período 1575-1651, quienes ejercieron sus oficios durante 54 de los 75 años transcurridos entre ambos extremos del recorte temporal.

Cuadro 3: Corregidores de Pacajes (1575-1651)	
Años	**Corregidor**
1575-1577	Cristóbal de Cepeda
1581-1585	Cap. Gonzalo Mexia de Figueroa
1585-1589	Gral. don Pedro Mercado de Peñalosa
1589	Don Antonio de Vega y Alderete
1591-1592	Antonio de Torres de Fresnada
1593-1595	Cap. Diego García de Paredes
1596	Francisco de Arbizu
1601-1604	Don Nuño de la Cueva
1604-1606	Don Juan Calderón y Sotomayor
1606-1609	Don Estaban de Lartaún
1610-1611	Cap. Alonso López de Ayala
1612-1614	Cap. Diego Núñez de Ovando
1615	Don Miguel de Berrio Manrique
1616-1618	Don Diego de Ávila Herrera
1618-1620	Don Juan Cegarra de las Roelas
1620-1622	Don Diego Bravo de Saravia
1623-1625	Don Antonio de las Infantas y Herrera
1627	Cap. Gaspar de Villegas
1628	Diego Bustos
1628-1629	Cap. Antonio de Aguilar Vilicia

Debido a esto, es lógico que no haya mención alguna a este pueblo en las distintas versiones de la tasa toledana.

1629-1631	Cap. don José Márquez de Mansilla
1632-1635	Gral. don Rodrigo de Castro y Bovadilla
1637-1638	Don García de Híjar y Mendoza
1639	Don Pedro de Alarcón Arnao
1641-1643	MC don Gerónimo Vázquez de Herrera
1644-1646	MC Domingo Ruiz de Luzuriaga
1646-1647	Don Martín de Landa y Zavaleta
1649	Don Juan de Cuéllar y Liano
1649-1651	MC Domingo Ruiz de Luzuriaga

El primer corregidor de Pacajes registrado fue Cristóbal de Cepeda, quien ejerció su oficio entre 1575 y 1577. En noviembre de 1576 presentó ante Martín de Cárdenas, tesorero de la Real Hacienda de La Paz, veintisiete testigos (todos ellos caciques y curas de los pueblos del corregimiento) para desvincularse de una demanda al respecto de una presunta malversación en el cobro del "servicio gracioso" ordenado por Felipe II en para costear la guerra contra el Imperio otomano. Al mes siguiente, Cepeda intervino en un pleito entre don Juan Tacsi Tarqui, cacique del pueblo de Calacoto (uno de sus testigos), y los principales de tres *ayllu* que se negaban a reconocer su autoridad; finalmente, en 1577 brindó su parecer favorable acerca del impacto de la nueva tasa toledana sobre la población tributaria de su corregimiento.[15] En los tres registros, Cepeda actuó como autoridad competente en un espacio de intermediación política con otras autoridades de los recientemente fundados pueblos de reducción. Como veremos, el armado y reproducción de las redes del poder local resultaban de crucial importancia para el desempeño de las funciones de los corregidores, como así también para la puesta en marcha de lucrativos negocios.

Para avanzar en nuestra exploración en torno los orígenes, perfiles socioeconómicos, trayectorias y formas de inserción de los corregidores de indios en los entramados locales, proponemos explorar los derroteros de don Juan Calderón y Sotomayor, corregidor de Caracollo (1597-1603) y de Pacajes (1604-1606). La selección de este actor como protagonista del relato responde a la profusa información biográfica disponible en la documentación notarial y judicial, que permite echar luz tanto sobre sus vínculos familiares, sociales y económicos como

15 AGI Lima 29, f. 46r; Rivera Cusicanqui y Platt, 1978: 114-115; AGN IX, 17-2-5, ff. 345v-346r.

sobre su acción de gobierno en ambas jurisdicciones.[16]

Natural de la villa de Cigales en el obispado de Palencia, a 14 km al norte de la ciudad de Valladolid, don Juan Calderón y Sotomayor era hijo de Melchor Calderón y doña Catalina Páez de Sotomayor. El extremeño pasó a la Nueva España en 1589 en calidad de criado del virrey don Luis de Velasco, según consta en la Real Cédula remitida a la Casa de Contratación el 9 de agosto de ese año.[17] Al poco tiempo, el virrey le encomendó la tarea de acompañar a sus hijos de regreso a la península.[18] El 19 de febrero de 1592 obtuvo otra Real Cédula en la que el Rey ordenaba al virrey favorecer a Calderón con cargos y oficios; tres meses después, la Casa de Contratación registró su paso a la Nueva España junto a dos criados propios, aunque el viaje recién se efectivizó en enero de 1593.[19] Tras recibirlo en la ciudad de México, el virrey Velasco lo designó como juez repartidor de Tacuba, donde ejerció durante cuatro años y promulgó una serie de instrucciones sobre el servicio personal (Zavala, 1987: 221-222).

En 1596, Calderón escoltó al virrey al Perú, en cuya casa de Lima ofició como mayordomo mayor.[20] Su cercanía al virrey y la confianza que éste le propinaba lo llevó a designarlo como corregidor de Caracollo, al sudoeste de La Paz, el 3 de enero de 1597. Tras presentar su título ante el cabildo paceño el 31 de marzo, Calderón tomó la vara de manos de su antecesor, don Francisco de Bastida.[21] En octubre de ese año y en diciembre de 1598 registramos sus primeras acciones de gobierno, cuando intervino en dos pleitos por linderos de tierras, uno entre los pobladores del valle de Cavari y otro entre el clérigo presbítero Gabriel de Silva y los caciques del pueblo de Palca, fallando en favor de los últimos.[22]

El 5 de agosto de 1599, Calderón obtuvo una formidable dote de 30.000

[16] El grueso de la información proviene de AGI Charcas 85, N. 12, la cual se contrastó y complementó con documentos resguardados en distintos repositorios bolivianos.

[17] AGI México 1092, L. 13, f. 5v. La información filiatoria en ABNB EP 91, ff. 142r-144v: Gaspar Núñez de Chávez (donde su padre es llamado "Cristóbal"); y en su testamento, otorgado en Valladolid el 27 de agosto de 1615, disponible de manera fragmentaria en https://investigadoresrb.patrimonionacional.es/node/6345 (consultado 20-9-2021).

[18] AGI Charcas 85, N. 12, f. 34r.

[19] AGI México 1092, L. 14, f. 41r; AGI Contratación 5538, L. III, ff. 118v y 149v. Los criados fueron Joaquín Castrejón y Pedro de la Verdeja, a los que luego se sumó Juan Ronquillo. AGI Contratación 5243, N. 1, R. 55.

[20] Allí otorgaría, el 13 de octubre, un poder a su hermano, el Dr. Melchor Calderón, vecino de la villa de Olmedo, y a Juan Páez de Cepeda, vecino de Valladolid, para realizar arrendamientos y cobranzas. Archivo General de la Nación del Perú, Protocolos Notariales, siglo XVI. Protocolo 8 (339), Notario Francisco de Avendaño, ff. 59r-60v.

[21] AGI Charcas 85, N. 12, ff. 5v-12v y 17r.

[22] ALP Expedientes Coloniales (EC), Caja 1 Expediente 29; ALP EC C2 E5, f. 10r.

pesos ensayados de parte de doña Isabel de la Cuba y Vivero, vecina de La Plata y viuda de Juan Ortiz Picón, dueño de minas en Potosí, al concertar su matrimonio con su hija, doña Marina Ortiz de la Cuba. Por su parte, Calderón se comprometió a otorgar arras por otros 10.000 pesos. A partir de este enlace, el corregidor se incorporó en la elite local, reforzó su posición y obtuvo una plataforma que, como veremos, propulsó sus negocios a escala regional.

En efecto, en esos años don Juan Calderón y Sotomayor también operó en los mercados surandinos. En septiembre de 1600 fue apoderado de Antonio de Salas, vecino de La Plata, para la compra y transporte de hasta 1000 botijas de vino y de ganado de la tierra.[23] Salas operaba como apoderado y administrador de bienes de la ilustre familia Alvarado y Velasco, titulares de la encomienda de Songo (corregimiento de Larecaja), Quiruas de Oyune y Suri (corregimiento de Caracollo), de una situación en el repartimiento de Sacaca (corregimiento de Chayanta) y del condado de Villamor en Castilla (Percovich, 2010). Como refuerzo de esta red de negocios, cabe recordar que los Alvarado y Velasco también estaban emparentados con el virrey Luis de Velasco, patrono de don Juan Calderón y Sotomayor.

Durante su gobierno se descubrieron las minas de plata de Sicasica, cuya puesta en marcha y posterior beneficio Calderón sustentó, al tiempo que garantizaba el entero de los tributos en la Caja Real de La Paz.[24] Particularmente, el 11 de marzo de 1600 extrajo 4250 pesos ensayados de las cajas de comunidad de los pueblos de su corregimiento en concepto de "servicio gracioso" solicitado el año anterior, los cuales depositó en la Caja Real de Potosí.[25]

En reconocimiento a su labor, el 15 de noviembre de 1603 obtuvo del virrey Velasco el nombramiento como corregidor de Pacajes, jurisdicción contigua a la anterior y de mayor valía; tres días después entregó la vara de justicia a su sucesor, don Luis de Peralta Cabeza de Vaca, quien el 16 de diciembre emitió sentencia favorable en su juicio de residencia.[26] El 5 de enero de 1604 presentó su nuevo

---

23 ABNB EP 87, ff. 597r-597v: Juan Fernández de Castro.

24 AGI Charcas 85, N. 12, f. 1r. El título de corregidor de Caracollo en ff. 5v-12v.

25 Archivo Histórico de Potosí, Cajas Reales 79, f. 345r.

26 AGI Charcas 85, N. 12, ff. 12r-15r y 25v-28v. Don Luis era hijo de don Diego de Peralta Cabeza de Vaca, encomendero de Capachica (corregimiento de Paucarcolla) y corregidor de Arequipa, y de doña María de Robles Pacheco Solier. Heredero en segunda vida de la encomienda de su padre desde 1581, fue asimismo corregidor de Omasuyos (1600) y de Carangas (1603). Era hermano del Licenciado don Alonso de Peralta, primer arzobispo de Charcas (1609-1614), del Dr. don Matías de Peralta, oidor de Quito (1610-1624), y estaba casado con doña Luisa Regodón Calderón, hija de don Alonso Regodón Calderón, vecino e importante minero potosino (Angeli, 2017; Morrone, 2019b).

título ante el cabildo paceño, contando en esta oportunidad con el aval y fianza de don Sancho Díaz Zurbano, encomendero de Achacachi y primo de don Luis de Peralta.[27] A través de esta fianza podemos apreciar la extensión de las redes relacionales de Calderón hacia la elite de La Paz, cabecera de los corregimientos a su cargo. Pocos días después tuvo lugar la toma de posesión del oficio en el pueblo de Viacha.

Ya instalado en Caquiaviri, el 27 de mayo de 1605 otorgó una provisión de reconocimiento de la renuncia de don Fernando Cayo Guarachi al oficio de cacique de Jesús de Machaca; al mes siguiente intervino en la sucesión cacical del vecino pueblo de Caquingora, y el 11 de marzo de 1606 emitió un auto de amparo en favor de los caciques de San Andrés y Santiago de Machaca en su pleito contra los beneficiarios del remate de las especies (ropa y hechuras de tasa), auto confirmado por la Audiencia de Charcas.[28] Además de intervenir directamente en causas vinculadas al cacicazgo, Calderón ordenó la reparación de las iglesias de algunos pueblos y la edificación de otras nuevas en Caquiaviri, Viacha y Tiwanaku, costeadas con los recursos de las respectivas cajas de comunidad (de seguro para beneplácito de los respectivos curas doctrineros). En abril de 1605 envió soldados armados y bien avituallados al puerto de San Marcos de Arica por orden del virrey don Gaspar de Zúñiga y Acevedo, conde de Monterrey, para defender esa plaza de una eventual invasión inglesa. Finalmente, logró cumplir la difícil tarea de reclutar y despachar la totalidad de los mitayos del corregimiento a Potosí en 1605 y 1606.

Sus días como corregidor de Pacajes terminaron el 7 de junio de 1606, cuando entregó la vara su sucesor, don Esteban de Lartaún, quien a la sazón se desempeñaba como tesorero de la Real Hacienda de Potosí. Designado por la Audiencia de Charcas (por fallecimiento del virrey conde de Monterrey), Lartaún ofició como juez de residencia de Calderón, emitiendo su sentencia favorable en Caquiaviri el 19 de septiembre de 1606.[29]

Don Juan Calderón y Sotomayor regresó a La Plata. Su esposa doña Marina Ortiz de la Cuba ya había fallecido, por lo que su suegra doña Isabel de la Cuba y Vivero solicitó el 26 de septiembre la devolución de la cuantiosa dote y de la mitad de los bienes gananciales. La oposición de Calderón llevó a que doña Isa-

---

[27] AGI Charcas 85, N. 12, ff. 12v-16v.

[28] AGI Charcas 85, N. 12, ff. 16v-17r; ABNB Minas 123-11, f. 18r; BCUMSA 48, f. 6r y 7r-8r; ALP EC C42 E33, f. 3v; ABNB EC 1606-2, f. 1v.

[29] AGI Charcas 85, N. 12, f. 17r y 28v-30v; ABNB, Cabildo de Potosí 11, ff. 137r-138v.

bel elevara la denuncia ante la Audiencia. Finalmente, el 12 de julio de 1607 concertaron una escritura de finiquito y Calderón se obligó a saldar sus cuentas, lo que efectivamente ocurrió dos meses después.[30]

En marzo de 1607 don Juan Calderón y Sotomayor elevó a la Audiencia de Charcas una probanza de sus méritos y servicios a través de la cual solicitaba al Consejo de Indias y al rey Felipe III una renta de 4000 pesos ensayados en tributos vacos, cifra que superaba en más de tres veces su salario anual como corregidor de Pacajes. La probanza incluía sus títulos, las sentencias de sus residencias y la información de seis testigos clave: Antonio de Salas (apoderado de los Alvarado, corregidor de Larecaja y "colega" de Calderón durante su gobierno en Pacajes), el Dr. don Polo Ondegardo (hijo del reputadísimo Licenciado Polo Ondegardo y de doña Jerónima de Peñalosa, hacendado en el valle de Mojotoro y corregidor de Paria, 1600-1604), el capitán Pablo Alonso de Villagra (vecino de Potosí y hermano del Dr. Francisco Alonso de Villagra, oidor de México y primer juez de residencia de Calderón); Hernán Suárez de los Ríos (vecino de La Plata y compañero de viaje de Calderón desde España como criado del virrey Velasco), el capitán Luis Pérez de Silva (vecino de La Plata) y don Francisco Verdugo (corregidor de Paria, 1599-1600).[31] Sus testimonios coincidieron en señalar los méritos de Calderón; sus escuetas biografías dan cuenta de la densidad de vínculos que el corregidor había desplegado durante su estadía en Charcas. Amparado en ellos, Calderón buscó capitalizar sus servicios para acceder a la calidad de situado de la Corona.

Mientras esperaba la respuesta de su petición, siguió activo entre La Plata y La Paz hasta, por lo menos, marzo de 1609, cuando recibió un poder de Antonio de Salas a nombre del conde de Villamor para representarlo en pleitos y cobranzas.[32] Volveremos a encontrarnos con Calderón de regreso en Valladolid el 23 de septiembre de 1611, fecha de su matrimonio con doña Isabel de Cepeda y Castilla, con quien tuvo a su única hija y heredera, doña Petronila Antonia Calderón y Sotomayor, bautizada el 18 de julio de 1613.[33] Dos años después, el 27

[30] ABNB EP 97, ff. 298r-323v: Gaspar Núñez de Chaves.

[31] AGI Charcas 85, N. 12, ff. 30v-46r; Presta, 2000: 232-236.

[32] ABNB EP 99, ff. 41r-45v: Gaspar Núñez de Chaves.

[33] Iglesia de Jesús de los Santos de los Últimos Días, Sociedad Genealógica de Utah, Microfilm 1039260. Libro de matrimonios de la parroquia de San Miguel, Valladolid. "España, matrimonios, 1565-1950", database, FamilySearch (https://familysearch.org/ark:/61903/1:1:FF5N-M8W: 16 February 2020), Juan Calderon y Sotomaior, 1611. Microfilm 1039196. Libro de bautismos de la parroquia de San Miguel, Valladolid. "España, bautismos, 1502-1940", database, FamilySearch (https://familysearch.org/ark:/61903/1:1:FRD4-P86: 16 February 2020), Juan Calderon Sotomayor in entry for Petronilla Antonia Calderon Castilla, 1613.

de septiembre de 1615 protocolizó su testamento.

Las huellas documentales dejadas por don Juan Calderón de Sotomayor permiten reconstruir la historia de un criado extremeño cuya proximidad al virrey don Luis de Velasco le granjeó la oportunidad de desempeñarse como corregidor de indios en dos ricas jurisdicciones del sur andino. Si la gracia vicerregia incrementó el capital político de Calderón, su enlace con una doncella charqueña muy bien dotada le aportó los recursos tanto económicos como relacionales para emprender actividades mercantiles a escala regional, al tiempo que ejercía sus funciones de gobierno en interacción constante con caciques y curas doctrineros, con quienes también tramó redes para fortalecer su posición. Entendemos, pues, que el corregimiento de Pacajes constituyó un escenario en el cual don Juan Calderón y Sotomayor, como muchos otros corregidores cuyos derroteros aún están por escribirse, forjó su carrera política, un importante caudal de bienes y un prestigio digno de ser exhibido ante el Consejo de Indias y el propio rey Felipe III con miras a obtener una merced que recompensara una vida de servicios a la Corona.

Consideraciones finales y posibles derivaciones

En este trabajo nos propusimos interpretar la implementación de los corregidores de indios como una práctica de administración de las relaciones de poder, que consistió en el despliegue de un conjunto de agentes con autoridad jurisdiccional sobre el espacio surandino y sus poblaciones nativas. Para ello, exploramos la coyuntura histórica en que estos oficiales se establecieron en las distintas regiones del virreinato, haciendo foco en la Audiencia de Charcas y, más específicamente, en el altiplano lacustre. La temprana oposición que el alto tribunal charqueño manifestó frente a las provisiones del Licenciado Lope García de Castro y a la consecuente la implementación de los corregidores de indios da cuenta, entre otros factores, de una disputa territorial por el acceso y control de los recursos nativos y del escenario político local. Tras la visita toledana, verificamos un incremento sustancial en la visibilidad documental de estos oficiales de justicia en primera instancia. Finalmente, la reconstrucción de los avatares de don Juan Calderón y Sotomayor, corregidor de Caracollo y de Pacajes, constituyó un ejercicio analítico para avizorar el desempeño y el conjunto de prácticas desplegadas por otros "agentes gubernativos intermedios" (Assadourian, 1982: 306) del poder colonial en el sur andino.

En líneas generales, salvado el caso de quienes llegaban desde la península provistos de un nombramiento real, la mayoría de los corregidores de indios eran miembros tanto de las comitivas vicerregias, en calidad de criados del virrey, como de las elites locales. En ambos casos, la designación respondía a una forma específica de vinculación entre las autoridades superiores y los oficiales de justicia de anclaje territorial, en virtud de una serie de acuerdos, favores, dares y tomares cifrados en la "economía de la gracia", que no estaba exenta de instancias de competición entre candidatos pertenecientes a distintas (y a veces opuestas) facciones. Si bien el ejercicio del oficio de corregidor podía implicar una significativa recompensa para un peninsular recién llegado al Perú (como don Juan Calderón y Sotomayor), también constituía un mecanismo de refuerzo para la reproducción material y familiar de las elites criollas (como los mineros potosinos o los encomenderos paceños), corporaciones "permeables" a la incorporación de candidatos "oportunos", generalmente a través de vínculos matrimoniales. En ambos casos, los corregidores buscaron garantizar la continuidad de sus carreras políticas a través designaciones sucesivas en distintas jurisdicciones (muchas veces cercanas entre sí, como los corregimientos de Caracollo y Pacajes) dada la breve duración de sus oficios, con miras a "*transformar la eminencia política en ganancias rápidas*" (Stern, 1986: 159). Así como Calderón aspiró a convertirse en rentista, otros corregidores de Pacajes vivieron plácidamente en sus solares del centro de la capital virreinal, tal como describe Nicanor Aranzaes en el epígrafe que inaugura este capítulo.

En este sentido, el curso futuro de nuestra investigación atenderá al engrosamiento de los listados cronológicos de los corregidores de indios y su cotejo con las escrituras de fianza, y al análisis de las vinculaciones previas y posteriores entre corregidores y fiadores, sus redes personales y clientelares y su impacto en la dinámica político interna de las elites capitulares del sur andino (Presta, 2000; Morrone, 2012, 2019a). De momento, nuestro trabajo con las escrituras de fianza comienza a revelar que algunos corregidores, una vez insertos en la trama política local bajo el auspicio de vecinos notables (y/o incorporados a ella por vía matrimonial), se constituían a su tiempo en fiadores de nuevos corregidores recién arribados. El estudio de estos "encadenamientos de fianzas" informará sobre el proceso de progresiva patrimonialización del poder político local: lejos de desplazar a los encomenderos, los corregidores de indios se acoplaron a sus redes para reforzarlas, reproducirlas e impulsarlas en generaciones posteriores, aún incluso a través del faccionalismo intraelite. Del mismo modo, el análisis de la malla territorial tramada por los corregidores se complejizará al incorporar el rol de los miembros de sus respectivos séquitos (tenientes, alguaciles, escribanos) y de las otras autoridades "de proximidad" (curas doctrineros, caciques) a cargo del gobierno cotidiano de las poblaciones nativas. En gran medida, la corta estadía de los corregidores frente a sus jurisdicciones, y más aún en el caso de corregidores noveles, dificultaba la apreciación cabal del panorama sociodemográfico, productivo y político local, para lo cual precisaban contar con los favores (concedidos, negociados o forzados) de caciques, curas doctrineros y vecinos notables. De allí la relevancia de la experiencia previa en el ejercicio del oficio en jurisdicciones cercanas y de su participación en las redes sociales y de negocios ya establecidas.

Si, como sostuvo António Manuel Hespanha (1993: 90), "*la repartición del espacio es correlativa a la práctica política; es decir, se corresponde con el modo en virtud del cual se produce en la sociedad el efecto de poder*", este proceso de territorialización consistió en instalar terminales localizadas del dispositivo de dominación colonial, al tiempo que fungió como mecanismo para la reproducción y consolidación de los poderes corporativos locales y los intereses personales de los flamantes oficiales de justicia. Como efectos territoriales de esa delicada pendulación, los corregimientos de indios constituyeron entidades político-administrativas de tipo jurisdiccional, en tanto su extensión respondía a la potestad de un agente sobre distintos conglomerados demográfico-tributarios más que el control efectivo sobre circunscripciones ortogonalmente delimitadas.[34] Esta "jerarquización político-axiológica del espacio" (Hespanha, 1993: 103), organizada en torno a agentes, redes y alianzas en constante negociación, reclama ser historizada como contingencia del proceso de consolidación de una matriz colonial del poder en el sur andino durante los dos primeros siglos del dominio castellano.

Fuentes primarias

Archivos y Bibliotecas Nacionales de Bolivia, ABNB:
- CACh 27
- EP 16

[34] Esta concepción jurisdiccional del poder, típica de los sistemas políticos europeos veterorregimentales (Sahlins 1989; Hespanha 1993), resultó ser altamente compatible con los regímenes de territorialidad andinos prehispánicos (Ramírez, 2005: 23-32; Gil García, 2009: 277-280; Astuhuamán Gonzáles, 2011). En efecto, esta compatibilidad cuadra con la asimilación que tanto García de Castro como Matienzo establecían entre el corregidor de indios y el *tucuyrikoq* incaico (Morong Reyes, 2021).

- EP 21
- EP 28
- EP 31
- EP 68
- EP 87
- EP 91
- EP 97
- EP 99
- EC 1606-2
- EC 1611-2
- EC 1630-2
- Minas 123-11
- Cabildo de Potosí 11

Archivo General de Indias, AGI:

- Charcas 85, N. 12
- Contratación 5243, N. 1, R. 55
- Contratación 5538, L. III.
- Lima 29
- México 1092, L. 13

Archivo General de la Nación, AGN:

- Sala IX, Legajo 17-2-5.

Archivo General de la Nación del Perú

- Protocolos Notariales, siglo XVI. Protocolo 8, escritura 339.

Archivo Histórico de Potosí, AHP

- Cajas Reales 79

Archivo de La Paz, ALP

- EC Caja 1 Expediente 29
- EC Caja 2 Expediente 5
- EC Caja 42 Expediente 33

Biblioteca Central de la Universidad Mayor de San Andrés, BCUMSA

- BCUMSA 48

Iglesia de Jesús de los Santos de los Últimos Días, Sociedad Genealógica de Utah

- Microfilm 1039196
- Microfilm 1039260

Referencias citadas

Andrien, K. J. 1986. El corregidor de indios, la corrupción y el Estado virreinal en Perú (1580-1630). *Revista de Historia Económica* IV (3): 493-520.

Angeli, S. H. 2017. "ni era necesario auer escrito tan largo en derecho". Argumentación jurídica del oidor Sebastián Zambrana de Villalobos para casar a su hijo en la jurisdicción de la Audiencia de Charcas, siglo XVII. *Prohistoria* 27: 23-35.

Aranzaes, N. 1915. *Diccionario histórico del departamento de La Paz*. La Paz: La Prensa.

Assadourian, C. S. 1982. *El sistema de la economía colonial*. Lima: IEP.

Assadourian, C. S. 1987. Los señores étnicos y los corregidores de indios en la conformación del Estado colonial. *Anuario de Estudios Americanos* 44: 325-426.

Assadourian, C. S. 1994. *Transiciones hacia el sistema colonial andino*. Lima: Colegio de México-IEP.

Astuhuamán Gonzáles, C. W. 2011. The concept of Inca province at *Tawantinsuyu*. *Indiana* 28: 79-107.

Barnadas, J. M. 1973. *Charcas 1535-1565. Orígenes históricos de una sociedad colonial*. La Paz: CIPCA.

Barriera, D. G. 2006. Un rostro local de la Monarquía Hispánica: justicia y equipamiento político del territorio al sureste de Charcas, siglos XVI y XVII. *Colonial Latin American Historical Review* 15 (4): 377-418.

Barriera, D. G. 2013. Entre el retrato jurídico y la experiencia en el territorio. Una reflexión sobre la *función distancia* a partir de las normas de los Habsburgo sobre las sociabilidades locales de los oidores americanos. *Caravelle* 101: 133-154.

Barriera, D. G. 2014. Corregidores sin corregimientos: un caso de mestizaje institucional en Santa Fe del Río de la Plata durante los siglos XVII y XVIII. *Revista de Estudios Histórico-Jurídicos* XXXVI: 245-269.

Barriera, D. G. 2018. *Justicias situadas. Entre el Virreinato Rioplatense y la República Argentina (1776-1864)*. La Plata: FaHCE-UNLP.

Cañeque, A. 2001. Cultura vicerregia y estado colonial. Una aproximación crítica al estudio de la historia política de la Nueva España. *Historia Mexicana* 51 (1): 5-57.

Cañeque, A. 2005. De parientes, criados y gracias. Cultura del don y poder en el México colonial (siglos XVI-XVI). *Histórica* 29 (1): 7-42.

Choque Canqui, R. 1993. *Sociedad y Economía Colonial en el Sur Andino*. La Paz: Hisbol.

Choque Canqui, R. 1998. Ayllus de la marka de Qaqayawiri. *Estudios Bolivianos* 6: 7-73.

Choque Canqui, R. 2003. *Jesús de Machaqa: La marka rebelde. 1. Cinco siglos de historia*. La Paz: Plural-CIPCA.

Covarrubias Orozco, S. de. 1611. *Tesoro de la lengua castellana o española*. Madrid: Luis Sánchez.

Cook, N. D. 1975. *Tasa de la visita general de Francisco de Toledo*. Lima: UNMSM.

Cook, N. D. 2003. The corregidores of the Colca valley, Perú: imperial administration in an Andean region. *Anuario de Estudios Americanos* 60 (2): 413-439.

Costa, L. M. 2016. "¿Prácticas corruptas o relaciones de patronazgo? Orden patrimonial y la naturaleza del sistema político en el Perú colonial durante el gobierno del virrey conde del Villar (1585-1590)". En Rosenmüller, C.; Ruderer, S. (eds.), *Dádivas, dones y dinero: aportes a una nueva historia de la corrupción en América Latina desde el imperio español a la modernidad.* Madrid-Frankfurt am Main: Iberoamericana-Vervuert, pp. 27-59.

Diez Hurtado, A. 2006. Los problemas del poder: política local y gobierno en las reducciones de la costa de Piura, siglo XVII. *Anthropologica* 24: 107-127.

Durston, A. 1999-2000. El proceso reduccional en el sur andino: confrontación y síntesis de sistemas espaciales. *Revista de Historia Indígena* 4: 75-101.

Gil García, F. M. 2009. *Lipes en los siglos XIV-XVII: construcción de una región geohistórica identitaria en el altiplano surandino y clasificaciones coloniales.* Tesis de Doctorado, Facultad de Geografía e Historia, Universidad Complutense de Madrid.

Glave, L. M. 1989. *Trajinantes. Caminos indígenas en la sociedad colonial. Siglos XVI / XVII.* Lima: IAA.

Gutiérrez Brockington, L. 2009. *Negros, indios y españoles en los Andes orientales: reivindicando el olvido de Mizque colonial 1550-1782.* La Paz: Plural.

Hespanha, A. M. 1993. *La gracia del derecho. Economía de la cultura en la Edad Moderna.* Madrid: CEC.

Jurado, M. C. 2004. Las reducciones toledanas a pueblos de indios: aproximación a un conflicto. El repartimiento de Macha (Charcas), siglo XVI. *Cahiers des Amériques Latines* 47 (3): 123-137.

Latasa, P. 2012. Poder y favor en la corte virreinal del Perú: los criados del marqués de Montesclaros (1607-1615). *Histórica* 36 (2): 49-84.

Levillier, R. 1921. *Gobernantes del Perú. Cartas y papeles.* Madrid: Sucesores de Rivadeneyra.

Levillier, R. 1922. *Audiencia de Charcas. Correspondencia de presidentes y oidores.* Madrid: Juan Pueyo.

Lohmann Villena, G. 2001. *El corregidor de indios en el Perú de los Austrias.* Lima: PCUP.

López Beltrán, C. 1998. *Alianzas familiares. Elite, género y negocios en La Paz, S. XVII.* Lima: IEP.

MacLeod, M. 1998. Self-promotion: the Relaciones de Méritos y Servicios and their historical and political interpretation. *Colonial Latin American Historical Review* 7: 25-42.

Maurtua, V. M. 1906. *Juicio de límites entre Perú y Bolivia.* Madrid: Imprenta Hernández.

Mercado de Peñalosa, P. 1965 [1586]. "Relación de la provincia de los Pacajes". En: Jiménez de la Espada, M. (comp.), *Relaciones geográficas de Indias.* Madrid: Atlas, t. 1, pp. 334-341.

Merluzzi, M. 2014. *Gobernando los Andes. Francisco de Toledo virrey del Perú (1569-1581).* Lima: PCUP.

Mignolo, W. 2007. *La idea de América Latina. La herida colonial y la opción decolonial.* Barcelona: Gedisa.

Morong Reyes, G. y Brangier Peñailillo, V. 2019. Los Incas como ejemplo de sujeción.

El Gobierno del Perú y la escritura etnográfica del oidor de Charcas, Juan de Matienzo (1567). *Estudios Atacameños* 61: 5-26.

Morong Reyes, G. 2021. "Haciendo relación de las cosas tocantes a su gobierno". El orden del Inca en la documentación colonial temprana (Perú, 1540-1570). *Diálogo Andino* 65: 133-149.

Morrone, A. J. 2012. De "señores de indios" a nobles rentistas: los encomenderos de La Paz (1548-1621). *Surandino Monográfico* II (2): 1-33.

Morrone, A. J. 2013. "Estrategias estatales y liderazgo étnico en el corregimiento de Pacajes (1538-1620)". En: Presta, A. M. (ed.), *Aportes multidisciplinarios al estudio de los colectivos étnicos Surandinos. Reflexiones sobre Qaraqara-Charka tres años después*. La Paz-Lima: Plural-IFEA, pp. 343-372.

Morrone, A. J. 2019a. Corregidor evanescente, residencia frustrada, fiadores ejecutados. Redes de poder y tensiones intraelite en el lago Titicaca a inicios del siglo XVII". *Prohistoria* 32: 5-34.

Morrone, A. J. 2019b. Entre altares y escritorios. Liderazgo étnico y poder local en la pluma de tres curas-cronistas del Lago Titicaca (1570-1650). *Memoria Americana. Cuadernos de Etnohistoria* 27 (1): 51-86.

Noack, K. 2005. "Negociando la política colonial en el Perú: la perspectiva desde la región norte de los Andes centrales (1532-1569)". En: Böttcher, N.; Galaor, I.; Hausberger, B. (eds.), *Los buenos, los malos y los feos. Poder y resistencia en América Latina*. Madrid-Frankfurt am Main: Iberoamericana-Vervuert, pp. 199-226.

Numhauser, P. 2013. "San Juan de la Frontera de Paspaya: la Compañía de Jesús, la Inquisición y el pobre mercedario Escobar". En: Forniés Casals, J. F.; Numhauser, P. (eds.) *Escrituras silenciadas: el paisaje como historiografía*. Madrid: Universidad de Alcalá, pp. 203-224.

Oliveto, L. G. "Las mejores y más fértiles tierras del Perú". Apuntes sobre la historiografía de la frontera suroriental de Charcas (siglo XVI). *Autoctonía. Revista de Ciencias Sociales e Historia* IV (2): 220-242.

Percovich, M. F. 2010. Tasa y tributo en la temprana colonia: la encomienda de Songo, Suri y Oyuni en las yungas de La Paz (1545-1573). *Memoria Americana. Cuadernos de Etnohistoria* 18 (2): 149-183.

Presta, A. M. 1990. Hacienda y comunidad. Un estudio en la provincia de Pilaya y Paspaya. Siglos XVI-XVIII. *Andes* 1: 31-45.

Presta, A. M. 2000. *Encomienda, familia y negocios en Charcas colonial. Los encomenderos de La Plata, 1550-1600*. Lima: IEP-BCRP.

Presta, A. M. 2008. Entre la vara y los indios. La sociedad de Charcas frente a parejas imposibles, 1560-1580. *Allpanchis Puthurinqa* 71: 113-139.

Quijano, A. 2000. "Colonialidad del poder, eurocentrismo y América Latina". En: Lander, E. (ed.), *La colonialidad del saber: eurocentrismo y ciencias sociales. Perspectivas latinoamer-*

icanas. Buenos Aires: CLACSO, pp. 201-246.

Ramírez, S. E. 2005. *To Feed and Be Fed. The Cosmological Bases of Authority and Identity in the Andes*. Sandford: Stanford University Press.

Rivera Cusicanqui, S. y T. Platt 1978. El impacto colonial sobre un pueblo pakaxa: la crisis del cacicazgo de Caquingora (urinsaya), durante el siglo XVI. *Avances* 1: 101-120.

Robles Bocanegra, J. E. 2015. *La efigie del rey en el corregidor de indios: cultura política y poder real de un magistrado en el proceso de consolidación del Estado virreinal durante el régimen del gobernador Lope García de Castro, Perú 1564-1569*. Tesis de Licenciatura en Historia, Facultad de Ciencias Sociales, Universidad Nacional Mayor de San Marcos, Lima.

Robles Bocanegra, J. E. 2019. Las repercusiones del sistema de corte en los corregimientos de indios del Perú virreinal (1565-1600). *Libros de la Corte* 19: 297-329.

Sahlins, P. 1989. *Boundaries: The Making of France and Spain in the Pyrinees*. Berkeley: University of California Press.

Saignes, T. 1985. *Los Andes orientales: historia de un olvido*. Cochabamba: IFEA-CERES.

Saignes, T. 1987. "Ayllus, mercados y coacción colonial: el reto de las migraciones internas en Charcas (siglo XVII)". En: Harris, O.; Larson, B.; Tandeter, E. (comps.), *La participación indígena en los mercados surandinos. Estrategias y reproducción social. Siglos XVI a XX*. La Paz: CERES, pp. 111-158.

Saito, A. y C. Rosas Lauro (eds.). 2017. *Reducciones. La concentración forzada de las poblaciones indígenas en el Virreinato del Perú*. Lima: PCUP.

Schäfer, E. 1947. *El Consejo Real y Supremo de las Indias. Su historia, organización y labor administrativa hasta la terminación de la casa de Austria*. Sevilla: EEHA.

Sica, G. 2014. "En torno al corregidor de Omaguaca. Atribuciones, competencias y disputas jurisdiccionales en el Tucumán colonial. Siglo XVI". En: Sierra, M.; Pro, J.; Mauro, D. (eds.), *Desde la Historia. Homenaje a Marta Bonaudo*. Buenos Aires: Imago Mundi, pp. 198-208.

Stern, S. J. 1986. *Los pueblos indígenas del Perú y el desafío de la conquista española. Huamanga hasta 1640*. Madrid: Alianza.

Tord Nicolini, J. 1974. El corregidor de indios del Perú: comercio y tributos. *Historia y Cultura* 8: 173-214.

Wachtel, N. 2001. *El regreso de los antepasados. Los indios urus de Bolivia, del siglo XX al XVI. Ensayo de historia regresiva*. México: FCE.

Wernke, S. A. 2007. Negotiating community and landscape in the Peruvian Andes: a transconquest view. *American Anthropologist* 109 (1): 130-152.

Zagalsky, P. C. 2013. "Tensiones, disputas y negociaciones en torno a la posesión de la tierra. Un mapeo histórico del espacio de los visisa. Andes meridionales, 1570-161". En: Presta, *Aportes multidisciplinarios*, pp. 191-227.

Zavala, S. 1987. *El servicio personal de los indios en la Nueva España. III. 1576-1599*. México:

El Colegio de México.
Zuloaga Rada, M. 2012. *La conquista negociada: guarangas, autoridades locales e imperio en Huaylas, Perú (1532-1610)*. Lima: IEP-IFEA.

Los orígenes del corregidor del Cusco y el establecimiento de la soberanía del rey
Una perspectiva atlántica

Adolfo Polo y La Borda
Universidad de los Andes, Colombia

En 1571, el ya por entonces célebre licenciado Polo Ondegardo ocupó por segunda ocasión el cargo de corregidor del Cusco (Archivo General de Indias, en adelante AGI, Patronato, en adelante P, 1583: 127, N.1, R.13; Romero, 1913: 458). En esta oportunidad, fue nombrado por el virrey Francisco de Toledo con la comisión de asegurar la victoria de las fuerzas realistas sobre los insurgentes incas de Vilcabamba, quienes desde hacía unos años habían consolidado un territorio rebelde al dominio de las autoridades hispanas. Toledo, como parte de un proceso mayor de reorganización y reordenamiento administrativo y judicial del virreinato peruano, buscaba también zanjar militarmente cualquier intento de desobediencia contra la monarquía. Fue así que con la captura y posterior ejecución en la Plaza de Armas del Cusco de Túpac Amaru I, el último líder de los incas insurgentes, culminó de manera bastante simbólica el largo y complejo proceso de establecimiento y consolidación del dominio de la Corona hispana en el Perú. Este había comenzado alrededor de tres décadas atrás, cuando el rey se enfrentó y derrotó a la principal fuerza opositora a su autoridad: los encomenderos.

A partir del estudio del establecimiento del corregidor en Cusco, en este capítulo se mostrarán algunos de los mecanismos por los que los lejanos soberanos castellanos pudieron, finalmente, imponer su autoridad y sobrellevar la multiplicidad de voces e intereses que aparecieron. Más aún, se muestra que esta historia no fue unidireccional ni uniforme; sino que hubo avances y retrocesos, y sucedió de manera paralela y traslapada en diversos escenarios tanto en Europa como en América.

Es importante resaltar el carácter atlántico de este proceso y recordar que las estructuras, instituciones, ideologías, intereses e incluso actores, tanto en las Indias como en la península ibérica, correspondían, en el fondo, a un solo y único sistema político. Además, son dos escenarios que se influyeron de manera mutua y que estaban en constante interacción; la experiencia colonial no va en una sola dirección, sino que altera tanto a colonizados como a colonizadores (Polo y la Borda, 2019).

Hasta hace algunos años, había una visión muy extendida de la conquista y la colonización de América y del Perú como un proceso, aunque doloroso y traumático, sencillo y mecánico. Así, por más que resultase asombroso y generase múltiples discusiones, era una idea bastante generalizada que el extenso Imperio inca fue derrotado fácilmente a manos de un reducido grupo de conquistadores castellanos. Consecuentemente, también se daba como un hecho, que no merecía mayor cuestionamiento, el establecimiento rápido y fluido del gobierno colonial que reemplazó con prontitud y naturalidad las existentes estructuras andinas de poder. De esta suerte, se entendía que tras el arribo de Francisco Pizarro a Cajamarca en 1532 se instaló un sistema político de dominación español, que en poco tiempo y hasta el siglo XIX controló todo el territorio y sojuzgó a la población nativa.

Esta perspectiva de la conquista y del establecimiento de la autoridad hispana entiende estos eventos como un proceso mecánico, natural e incontestado y los resume en un mero enfrentamiento maniqueo entre indios conquistados y españoles conquistadores. Este reduccionismo oculta historias mucho más complejas, llena de matices y contradicciones. Como ya varios autores han señalado, la conquista distó de ser un enfrentamiento entre dos estructuras opuestas, homogéneas, cerradas y coherentes. Steve Stern (1986) ya ha distinguido entre la caída del Imperio inca y del resto del mundo indígena, mostrando lo complejo de las relaciones andinas previas a la conquista y lo complicado que resultaría homogenizarlas. Del mismo modo, la relación entre los conquistadores y la Corona castellana distaba mucho de ser coherente, uniforme y armoniosa. Muy al contrario, dentro del bloque hispano hubo constantes disputas tanto entre los conquistadores, como entre estos y el rey. La conquista de los Andes fue larga y compleja y requirió del concierto de múltiples actores e intereses a lo largo de un amplio y variado marco temporal y espacial. Más aún, la consolidación del poder imperial español supuso no solo la derrota y asimilación de las sociedades indígenas, sino también la sujeción de las propias elites castellanas conquistadoras.

Esta es una cara del proceso de conquista del Perú a la que se le ha prestado poca atención: cómo la Corona hispana impuso su autoridad sobre los mismos españoles, sobre aquellos que conquistaron y colonizaron este territorio. Normalmente, la historiografía ha puesto mayor énfasis en el control y dominación de la población indígena a la hora de explicar el surgimiento del sistema colonial peruano; en cómo se conquistó a estos hombres y mujeres, cómo se distribuyeron sus tierras y gente, cómo colapsó su población, cómo se la evangelizó y alteró su percepción del mundo, y cómo esta se adaptó y resistió a tan intensos cambios (Cañeque, 2013). Evidentemente, estos hechos, que claramente destacan por su violencia y por el profundo impacto desestructurador que tuvieron en las sociedades andinas son fundamentales a la hora de entender la nueva sociedad y sistema político y económico que se estaba construyendo; mas ellos no deberían ocultar eventos un poco menos llamativos pero igual de trascendentales y que ponen en evidencia el manifiesto interés y esfuerzo de la Corona por, antes que nada, conquistar a los conquistadores y, sobre esta base, asentar el gobierno colonial.

Esta imposición de la autoridad regia se hizo, principalmente, a partir del despliegue de una impresionante estructura de administradores e intermediarios; una red de oficiales al servicio del rey que garantizó el monopolio de su autoridad y el cumplimiento de su ley. Dentro de este cuerpo de servidores reales destacan los corregidores: los oficiales designados por el soberano para representarlo en las ciudades y frente a las diversas autoridades locales.[1]

El corregidor en Castilla

Siguiendo el exhaustivo estudio de Marvin Lunenfeld sobre el corregidor en Castilla, esta institución existió en la península ibérica por lo menos desde el siglo XIV, bajo el gobierno de Alfonso XI de Castilla, quien en su esfuerzo por controlar a las ciudades estableció que los regidores de las distintas ciudades deberían compartir el poder local con un funcionario enviado por él (Lunenfeld, 1987: 15). En aquellos tiempos el corregidor aún no era un agente estable y permanente, sino que era nombrado en casos excepcionales con la finalidad de que

[1] Para el caso peruano, Guillermo Lohmann (2001), así como otros investigadores (Spalding, 1970; Tord Nicolini, 1974; Bakewell, 1989), ya han destacado el papel que cumplió el corregidor de indios como una pieza clave en la administración del virreinato peruano y sobre todo de la población indígena.

impartiese justicia. El corregidor podía actuar de oficio, pero esto era la excepción; normalmente, aparecía a petición de los querellantes o de los cabildos de las ciudades quienes recurrían a él buscando un árbitro, una tercera parte que dirimiese y solucionase de forma pacífica los conflictos (Bovadilla, 1775: 17). Conviene remarcar que actuaba en ocasiones extraordinarias y delicadas y que, de este modo, legitimaba la posición del rey, quien, a través de su representante, era la suprema justicia que regulaba y mantenía en armonía el reino.

Lunenfeld explica que fue Isabel la Católica quien durante su gobierno a fines del siglo XV cambió la situación y vigorizó a los corregidores. Ella los utilizó de una manera bastante astuta para afianzar su poder sobre los poderosos nobles locales así como sobre las ciudades que se oponían a sus ambiciones centralizadoras. Isabel envió corregidores a lo largo de todo el reino, muchas veces con el total y abierto rechazo de los diferentes poderes locales, para así colocar un representante suyo que vigilase y controlase cada región. De esta manera, Isabel pudo hacer las reformas que ansiaba ya que contaba con un agente cuyas funciones permanentes consistían en presionar a los cabildos para que regularizaran sus procedimientos de acuerdo con el deseo real, manteniendo a raya a nobles y al clero (Lunenfeld, 1987: 28-55). Por lo tanto, los corregidores se convirtieron en un vínculo esencial entre el gobierno central y las localidades, con la característica muy particular de que estos no estaban conectados con la localidad a la que eran asignados, sino que eran más bien agentes externos (Elliot, 1990: 95-96).

Claramente, el establecimiento de estos oficiales no fue una tarea sencilla. En aquellos lugares donde los aristócratas o los regidores ponían de lado sus diferencias para enfrentarse al corregidor, este último solía ser poco exitoso (Lunenfeld, 1987: 25, 43, 111). Pero, poco a poco, debido a su tenacidad, probada utilidad e incluso usando la fuerza, los corregidores lograron instalarse y volverse indispensables. Rápidamente, los poderes locales advirtieron que era preferible perder parte de su independencia y autonomía a cambio del orden que traía el corregidor; en este sentido, fue muy importante su actuación reprimiendo movimientos rebeldes que ponían en riesgo toda la estructura social (Lunenfeld, 1987: 192).

Fue la calidad de juez de los corregidores, la posibilidad de impartir justicia, la principal vía por la que estos agentes lograron establecerse. Para muchos, el corregidor era ante todo juez. Así lo entendía en el siglo XVI el jurista Jerónimo Castillo de Bobadilla, quien en su célebre *Política para corregidores* explicaba que el corregidor "es el que tiene por el rey en el lugar de su cargo la suprema jurisdicción, respecto de los otros Jueces Ordinarios, ó delegados de aquel Lugar, y Partido, subordinada á las leyes y titulo Real de su Oficio, y es Juez Ordinario en todo el distrito" (Bovadilla, 1775: 16). Esto llevó a Bobadilla a afirmar pomposamente, en la línea de otros autores contemporáneos, que al ser la justicia una cualidad divina, el primer corregidor, en tanto primer juez y gobernante, fue Dios mismo (Bovadilla, 1775: 14-15).

Esto se correspondía con uno de los objetivos claves de Isabel que consistía en minar una de las principales fuentes de legitimidad de la nobleza al mismo tiempo que afianzar la suya: la justicia. Richard Kagan explica que se dio un proceso por el que estos representantes reales ocuparon varias de las más destacadas funciones judiciales previamente ejercidas por los alcaldes (Kagan, 1991: 163, 202). Debido, entonces, a su calidad de juez se tomó al corregidor como una suerte de "mal necesario" pues sabiendo aliarse con él (y con la Corona) los poderosos podían obtener importantes ventajas. Por esta razón, los corregidores, paradójicamente muchas veces, terminaron convirtiéndose en guardianes del poder de estas elites locales. Sin embargo, hay que hacer hincapié en que el corregimiento no fue una institución restrictivamente judicial. De hecho, la gran mayoría de corregidores no era experta en leyes y debía recurrir a asistentes que sí lo eran. Los corregidores disponían de un abanico amplio de mecanismos (desde la violencia física, el perdón regio, imposiciones económicas, hasta la tradición y obligaciones morales) para lograr que el rey tuviese el monopolio de la justicia y que los poderosos locales no gozasen esta atribución y, por tanto, la posibilidad de atribuirse algún tipo de legitimidad que pusiese en entredicho la hegemonía regia.

Conviene señalar también que no menos importante era su faceta de guerrero. Así se tiene que no solo era un funcionario de capa y espada, sino que podría llamarse "de casco y coraza" (Albi, 1943: 20). Estos oficiales funcionaron, pues, como notables representantes del poder real no solamente en el aspecto legal, sino también en el militar; ya fuese en el mismo campo de batalla, como organizando los ejércitos y su aprovisionamiento. De hecho, los primeros corregidores tuvieron sobre todo como primera labor "someter a las revoltosas autonomías locales" (Albi, 1943: 19).

Un punto que suele llevar a la confusión sobre las funciones de este oficial es el significado mismo de la palabra *corregidor*. Por una parte, están quienes piensan que proviene de la palabra corregir; es decir, enmendar, reprimir (Decoster y Bauer, 1997: 9). Esto tendría lógica puesto que, desde un punto de vista etimológico, corregidor deriva de "corrector"; y durante el Imperio romano existió una serie de funcionarios a lo largo de toda Europa con el título de reformador, reformateur, corregedor, o corregidor. Por otra parte, se piensa que deriva de co-regir: gobernar junto a los regidores; ello implicaría que el poder sea compartido entre el corregidor y las autoridades locales (Lunenfeld, 1987: 15). El hecho es que las funciones del corregidor eran diversas y en cierto sentido incluían ambas acepciones, era tanto un administrador de la ciudad, así como la entidad juzgante. Tan es así que el título que presentaban estos funcionarios era el de "Corregidor y Justicia mayor". En definitiva, el corregidor no se limitaba a ser juez, ni a ser el jefe político y administrativo de un distrito; ni siquiera todo ello al mismo tiempo. Era, ante todo, un agente al servicio de la consolidación del poder de la monarquía.

Todas estas amplias y variopintas atribuciones y cualidades del corregidor no solamente lo convertían en la principal autoridad de la ciudad, sino que permitieron que actuara como un punto de conexión entre los poderes locales y la autoridad regia. Servía como una bisagra entre estos dos polos y hacía posible una comunicación más fluida entre gobernantes y gobernados, y posibilitaba, asimismo, una canalización y resolución de los conflictos y las tensiones. De esta manera, el corregidor cobró un protagonismo mayor, ya no simplemente en un plano local, sino en un nivel imperial mucho más amplio, pues propició la sujeción de los poderosos locales a la Corona y la centralización de la administración y la justicia en manos de los reyes hispanos. Los corregidores estaban, entonces, estrechamente ligados al establecimiento de la autoridad regia tanto así que "todas las expediciones de represión emprendidas por los soberanos remataban con el establecimiento de Corregidores, que son los que consolidan lo actuado" (Albi, 1943: 19). Tan exitoso probó ser este agente que durante la reconquista de Granada el control de esta provincia se entregó a un gobernador y el de la ciudad a un corregidor para así limitar el poder de los grandes nobles. Tal modelo se repitió en cada distrito, donde el corregidor mandaba apoyado por un subordinado (Lunenfeld, 1987: 36).

De todos modos, y como ya se mencionó, el establecimiento de los corregidores no estuvo exento de dificultades y retrocesos. Tan es así que, a principios del siglo XVI, esta investidura, principalmente a causa de los problemas de la sucesión dinástica, se vio bastante debilitada; tenían muchos enemigos, no eran muy bien vistos ni considerados y los aristócratas no dudaron en recobrar su protagonismo aprovechando la mínima oportunidad que tuvieron para hacerlo. Sin embargo, hubo un evento notable que permitió afianzar finalmente a los corregidores: la Guerra de las Comunidades de Castilla de 1520. Se trató de un movimiento que expresó fuertes sentimientos nacionalistas de rechazo e indignación contra lo que consideraban una monarquía extranjera y su política que avasallaba a las orgullosas ciudades castellanas. Fue un levantamiento que buscó recuperar los fueros y prerrogativas tradicionales de las cortes; no necesariamente proponer novedosas formas de gobierno alternativas al régimen monárquico, sino volver a un estado previo de las cosas (Elliot, 1990: 130-211; Espinosa, 2009; MacKay, 2009). En este sentido, es muy sugerente que una de las demandas enviadas al emperador Carlos V por Juan de Tordesillas fue que en el futuro no se debía nombrar a ningún otro corregidor, excepto que así lo pidiese alguna población (Elliot, 1990: 151-152).

Este movimiento no se hallaba muy bien articulado ni cohesionado. Empezó de manera espontánea con levantamientos populares contra los oficiales reales que obligaron a los corregidores a abandonar las ciudades para salvar sus vidas y, en un primer momento, incluso contó con el apoyo de un sector de la nobleza. Sin embargo, paulatinamente, el liderazgo recayó en manos de los más extremistas, quienes vieron la oportunidad propicia para alzar sus voces ahora sí contra el poder de los nobles y ricos. Con esto la revuelta adquirió mayores tintes radicales y un reclamo social más concreto; ello terminó por asustar a los nobles, quienes no dudaron en plegarse al emperador y a los corregidores, puesto que veían en ellos la mejor defensa y protección contra las poblaciones rebeldes. Para ellos era preferible ceder cierta autonomía y libertades a cambio de asegurar el orden establecido y su posición hegemónica (Elliot, 1990: 154-155).

La derrota de los comuneros (así como de la rebelión de las Germanías en Valencia en esos mismos años) significó un punto de quiebre. Desde entonces, no hubo en Castilla ninguna otra revuelta o levantamiento de tal magnitud en contra de la Corona. Significó el establecimiento y aceptación definitivos de la dinastía de los Austria, así como de los corregidores (Elliot, 1990: 159). Supuso, pues, la consolidación de la autoridad regia, de su monopolización del poder y de la administración de justicia, en detrimento de los nobles, quienes, aunque conservaron su posición social tuvieron que aceptar su nuevo papel de subordinados frente a los monarcas.

La conquista del Perú y el vacío de poder

Fue en este contexto que ocurrió el descubrimiento y la conquista del Perú. Estos acontecimientos pusieron a prueba el sistema político hispano, así como la capacidad regia para consolidar su poder y administración. La llegada de Francisco Pizarro a Perú en 1532 y la posterior conquista y ocupación de estas tierras, si bien supusieron el establecimiento de una nueva autoridad de origen hispano en los Andes, no significaron un dominio inmediato y total de este Nuevo Mundo por parte de la Corona hispana. Pese a que Pizarro y sus huestes llegaron con permisos y mercedes de Carlos V y los participantes aceptaron desde un inicio que los territorios descubiertos y conquistados pasarían a formar parte del reino de Castilla, el control y gobierno del soberano tardaron en establecerse. Fue una tarea sumamente difícil de realizar, que requirió un concierto de funcionarios y militares para imponer una coerción sobre la población indígena; pero especialmente, sobre la misma población hispana que acababa de conquistar estas tierras. Los reyes españoles -que tanto habían batallado para afirmar su autoridad en la península- no estaban dispuestos a permitir que sus súbditos tuviesen demasiado poder y autonomía en los nuevos territorios (Elliot, 2006: 22).

La Corona se preocupó por seguir de cerca el devenir en las Indias, asegurándose que oficiales reales acompañasen las distintas expediciones de conquistas para así resguardar los intereses regios, imponer su autoridad y prevenir el surgimiento de conquistadores demasiado poderosos. Aún estaban frescos en la memoria los sucesos de 1520 que mantenían alerta a la Corona ante cualquier tipo de insubordinación. Por ello, su preocupación consistió tanto en subyugar y asimilar a las poblaciones nativas americanas, así como en asegurarse que aquellos que estaban a cargo de dicha tarea se mantuviesen fieles al monarca y no adquiriesen poderes desmedidos e incontrolables. Se trataba de crear los mecanismos apropiados para administrar las nuevas posesiones, sin que se viese en peligro la soberanía regia.

Los primeros años de presencia española en el Perú fueron un período de extrema violencia e inestabilidad en el que primaron los intereses particulares de los conquistadores sobre los de la Corona. Ana María Lorandi explica que estas fueron décadas donde las enemistades internas afloraron y cada quien velaba por sus propios intereses, dando pie a lo que ella denomina un *corporativismo faccioso*. Es decir, un constante enfrentamiento por el poder entre grupos particulares, así como contra el rey, donde las fidelidades y lealtades eran pasajeras y dependían del momento. Cada quién velaba por su propio interés, y el que en un momento se enfrentaba a la Corona fácilmente podía desistir, jurar lealtad al monarca, combatir a sus antiguos compañeros y, a cambio, recibir importantes recompensas (Lorandi, 2002: 48-49).

Una vez capturado y muerto el inca Atahualpa en 1533, Pizarro junto a Almagro -y también con la importante ayuda de etnias locales- lograron hacerse de forma muy rápida con el control de lo que era el Imperio inca y en menos de un año tomaron Cusco. Pizarro, quien pronto obtuvo de la Corona el título de marqués como premio a sus conquistas, aparecía como la máxima autoridad y desde la recién fundada ciudad de Los Reyes dirigía las campañas conquistadoras y colonizadoras. Así, mientras se iban descubriendo y conquistando nuevas tierras, se fundaron muchas ciudades españolas. En estas nacientes ciudades y villas se asentaron los conquistadores, y lo primero que hacían era designarse a sí mismos como regidores y alcaldes para constituir el cabildo (Preston Moore, 1954; Bromley, 1954; 1955-1956; 1957-1958; 1959; Lohmann, 1983; Polo y La Borda, 2007). Esta autoridad política les servía de base para apoderarse de grandes extensiones de tierra y, lo más importante, de indios encomendados. Entonces, los conquistadores se aseguraron, desde los primeros momentos de su presencia, el control tanto de la tierra como de la mano de obra; fundamentos ambos de las importantes fortunas que empezaron a amasarse en las Indias.[2]

Fue así como se iba repartiendo el botín de la conquista entre las tropas hispanas. No obstante, y como podría sospecharse, este reparto no estuvo exento de fricciones. Deseos de poder, codicia, avaricia, desconfianza y resentimiento dieron lugar a que rápidamente surgiesen enfrentamientos dentro del propio grupo español (Lorandi, 2002: 56-57). De esta suerte, Almagristas y Pizarristas se enfrascaron en cruentas guerras (cuyo principal móvil fue determinar cuál de los dos bandos controlaría la rica ciudad del Cusco) que desembocaron en el asesinato de ambos conquistadores. Para 1541 los dos líderes ya habían muerto y su gobierno del Perú había sido sumamente efímero. Ante esta situación de vacío de poder, Diego de Almagro "el mozo" fue nombrado gobernador y capitán general del Perú.

La Corona española no estaba dispuesta a que continuase la anarquía, ni a dejar pasar la oportunidad de controlar directamente estas tierras; por ello, rápidamente mandó a Cristóbal Vaca de Castro para que asumiese el poder. Mejor

2 Sobre la encomienda véase Puente Brunke, 1992. Para ejemplos de alianzas entre encomenderos y curacas véanse Varón Gabai, 1980; Stern; 1986; Glave, 1989: 279-304.

dicho, para arrebatarlo de las manos de los conquistadores, misión que en gran medida cumplió cuando, en setiembre de 1542, derrotó a Almagro "el mozo" en la batalla de Chupas, lo aprisionó y ejecutó. El rey estaba decidido a controlar y administrar el Perú sin contar con los conquistadores. Desde un primer momento, designó a sus propios oficiales como intermediarios para gobernar a través de ellos; así como tampoco dudó en reprimir violentamente a quien no aceptase tales condiciones.

En este contexto, en 1542, se aprobaron las Leyes Nuevas que -bastante influidas por las ideas lascasianas- suprimían las encomiendas. Carlos V no cedió ante la presión de los encomenderos, ya para entonces sumamente ricos y poderosos, quienes esperaban disfrutar de manera perpetua de las encomiendas; más bien, con esta legislación limitaba considerablemente el poder de los conquistadores. Al tratar a los indígenas como súbditos del rey, se anulaba toda posibilidad de explotación de estos sin el consentimiento ni la supervisión regia. El soberano se empeñaba en ser él quien administrase de forma exclusiva a dicha población, en decidir quién podía gozar de los beneficios de la encomienda y en qué condiciones (Góngora, 1951: 57). Además, emulando lo hecho por Isabel la Católica en Castilla, se creó la Audiencia de Lima con el objetivo de tener un tribunal de justicia, para así poder imponer la ley y la autoridad reales y evitar el establecimiento de cualquier otro tipo de jurisdicción (sobre la pluralidad legal y jurisdiccional en los imperios, véase Benton & Ross, 2013). Más aún, conjuntamente con la Audiencia, se creó el Virreinato del Perú; una inteligente jugada de la Corona con la que de un plumazo se olvidaba y reemplazaba las gobernaciones de Nueva Castilla y Nueva Toledo, concedidas a Pizarro y Almagro respectivamente.

Indudablemente, había un afán por quitarles poder a los conquistadores e impedir que surgiese en ellos la posibilidad de autonomía. Se trataba, pues, de conquistar a los conquistadores. La preocupación de los reyes no consistía, entonces, únicamente en cómo controlar y gobernar a la población indígena, sino también a la española. Se quería imponer leyes y límites a las huestes castellanas para, de este modo, proteger a la población indígena, evitar que esta desapareciese y asimismo resguardar las nuevas riquezas y bienes que fácilmente se había hecho la Corona y que corrían el riesgo de ser apropiados o depredados por los conquistadores. El rey español intentaba, tanto en Europa como América, centralizar el poder; arrebatárselo a las elites locales para consolidarse como la única y más poderosa autoridad, con un carácter ya no local, sino universal.

Fue así que en 1544 llegó el primer virrey del Perú, Blasco Núñez Vela, con la misión de implantar las Leyes Nuevas en el recientemente creado virreinato. Como es fácil de imaginar, esto no fue del agrado de los conquistadores quienes al notar que eran excluidos del gobierno y al ver cómo la Corona se empeñaba en imponer límites a su poder y a su riqueza (lo que era directamente proporcional a su capacidad de controlar la mano de obra indígena), sentían que se estaba faltando a sus derechos. Había una profunda desazón entre muchos de los encomenderos que consideraban injusta y poco agradecida la postura del monarca, ya que no recompensaba adecuadamente a quienes con tanta dificultad y sacrificio lucharon por conquistar el Perú, poniendo incluso en riesgo sus bienes y su propia vida. Los conquistadores se movilizaron rápidamente para evitar la implementación y aplicación de las Leyes Nuevas. Gonzalo Pizarro -hermano menor de Francisco y encomendero en Cusco- fue designado como procurador general de todas las ciudades del virreinato para que hablase con el virrey y lo convenciese de lo perjudiciales que eran dichas leyes (Lohmann, 1977; Drigo, 2006).

El núcleo de la resistencia a las Leyes Nuevas fueron los cabildos de las ciudades. Ya se ha mencionado cómo estas instituciones fueron copadas por los encomenderos y que servían como plataformas desde las que defendían sus privilegios. No sorprende, entonces, el fuerte apoyo que los municipios brindaron al movimiento pizarrista. Más aún, de entre todas las ciudades, Cusco se mostraba como la más vigorosa y rebelde y, tal como afirma el historiador Peter Bakewell, aparecía como "el centro de la oposición tradicionalista al poder real en el Perú" (Bakewell, 1989: 44). Esto no debería llamar la atención puesto que en esta región -debido a la alta concentración de población indígena, así como el peso político y simbólico de la ciudad[3]- siempre hubo mayor número de encomiendas que en las otras ciudades del virreinato (De la Puente Brunke, 1992: 143, 151-155).

Las posturas de ambos bandos rápidamente se radicalizaron. El virrey se mostraba cada vez más intransigente, no estaba dispuesto a cambiar en lo más mínimo su postura ni a modificar las leyes, sino, más bien, que estaba decidido a imponerlas a cualquier costo. Esto no hizo más que favorecer a Pizarro, quien veía cómo su causa ganaba cada vez mayores adeptos. Su tono era cada vez más arrogante y pronto sus reclamos en contra de las Leyes Nuevas se transformaron

[3] La ciudad del Cusco siempre pretendió ser la cabeza del virreinato, motivo por el que sostuvo un intenso debate con Lima para definir cuál de las dos debía ser la cabeza de reino (Polo y La Borda, 2007; Osorio, 2008).

en una abierta rebeldía. En 1544, Pizarro derrotó militarmente a Núñez Vela (quien además encontró la muerte en el campo de batalla) y se hizo con todo el poder y gobierno del Perú. Era un momento de gran anarquía y parecía que la Corona estaba perdiendo su dominio, pues los conjurados aspiraban abierta y decididamente a su autonomía (Lohmann, 1977: 76-84).

En respuesta a la insurgencia, en 1546 el rey envió al visitador Pedro de La Gasca para que restaurase la autoridad real.[4] El trabajo de La Gasca, quien iba como presidente de la Audiencia de Lima, fue, ante todo, una compleja y sutil negociación. Sabiendo que en un primer momento le era imposible derrotar militarmente a Pizarro, dedicó un par de años a conseguir aliados y a armar un buen ejército. Las únicas, aunque poderosas, armas con las que contaba eran el perdón regio y la promesa de futuras recompensas en forma de encomiendas a quienes abandonasen la causa pizarrista y luchasen bajo el estandarte real. Pese al descontento general de los encomenderos, La Gasca rápidamente encontró aliados que no estaban muy convencidos de un gobierno fuera de la justicia del rey y que preferían la estabilidad y los beneficios del sistema conocido. Fue así que pudo formar un respetable ejército con el que el 9 de abril de 1548 derrotó a las mermadas fuerzas de Gonzalo Pizarro en la batalla de Jaquijahuana, en las cercanías del Cusco.

Muerto Pizarro y controlados los principales focos insurgentes, La Gasca logró imponer militarmente la autoridad regia; a través del uso de la violencia física, salvaguardó el orden establecido y el estado que se estaba construyendo. Pero para preservar dicha situación era imprescindible reinstaurar las instituciones virreinales. Tras la batalla, el presidente se dirigió al Cusco y desde allí empezó la reconstrucción del virreinato y la reorganización de las encomiendas. Así, una de sus primeras acciones fue reorganizar el sistema tributario, llevar a cabo tasaciones de la población indígena y hacer repartos entre quienes fueron leales al rey o supieron alejarse oportunamente del partido perdedor. Añadido a ello, uno de sus principales actos fue restaurar el neurálgico sistema de justicia, el cual (como el resto del gobierno) había estado en manos de los pizarristas.[5]

Al cabo de unos cuantos meses de permanencia en Cusco, La Gasca tuvo

---

[4] Para una biografía de La Gasca ver Teodoro Hampe Martínez, https://dbe.rah.es/biografias/10591/pedro-de-la-gasca

[5] Habían muerto tres de los oidores, por lo que la Audiencia no podía funcionar; entonces, La Gasca nombró a Andrés de Cianca como oidor y poco a poco llegaron desde Europa nuevos oidores para completar el quórum (Lorandi, 2002: 99-100).

que regresar a la ciudad de Lima. Antes de hacerlo, era consciente de que era menester afirmar la sujeción y control de la ciudad; sabía que:

> conviene que en ella quede persona que en mi lugar entienda en todas aquellas cosas que yo podría entender así en la administración de la justicia como en cosas de buena governación y especialmente proceder contra los que se hallaren culpados en la rebelión de Gonzalo Pizarro (Cornejo Bouroncle, 1958: 206-208).

Fue así que el 10 de julio de 1548 nombró como su representante al oidor Andrés de Cianca, a quien dio amplios poderes para que impartiera justicia, se asegurara de dominar plenamente esta ciudad y velara por el respeto a la autoridad real.

Si bien el nombramiento de Cianca supuso una importante traba para los intereses de los encomenderos y un primer paso en el proceso de centralizar la administración del Cusco, la Corona decidió enviar un representante suyo de manera institucional. Cianca tenía poder en tanto este había sido cedido por La Gasca; pero era un contrato personal y no aseguraba una continuidad de la autoridad regia. Por tal motivo, Carlos V recurrió a una figura de amplia trayectoria en la península ibérica y que ya había dado probadas muestras de su efectividad como agente al servicio del fortalecimiento de la autoridad de los reyes y del control de las elites locales: el corregidor.

El corregidor en Cusco

De esta suerte, el 28 de octubre de 1548 arribó al Cusco su primer corregidor. El rey nombró al licenciado Benito Xuárez de Carbajal como corregidor y justicia mayor de la ciudad, porque para "la buena administración de la nuestra justicia conviene proveer de persona que con toda diligencia y fidelidad la exercite y administre en la ciudad del Cuzco" (Cornejo Bouroncle, 1958: 282). Fue de esta manera que se instituyó el corregidor en el cabildo cusqueño y, así, Carlos V traspasó a América a un agente clave que ya le había servido como un importante contrapeso a las elites locales y eficaz herramienta de gobierno.[6]

Desde su fundación en 1534, el Cusco había sido gobernado directamente por sus autoridades locales, es decir, por el cabildo de la ciudad. Este, se sabe,

[6] Vale la pena señalar que en 1545 fue nombrado el primer corregidor de Castilla del Oro (Díaz Ceballos, 2020: 157).

cobijaba a los conquistadores, a encomenderos y demás miembros de la elite regional; por ello, desde la perspectiva de la Corona, se hacía necesario implementar algún tipo de mecanismo para controlar tal institución (sobre todo tras las acciones rebeldes previas). Es por ello que ni siquiera la temprana muerte de Xuárez de Carbajal impidió que se instituyese cabalmente el corregimiento en Cusco. A este le sucedió (ahora nombrado por La Gasca) Juan de Saavedra, quien fue recibido en la ciudad en 1549; a él se le encargó que procediera contra todos los que hicieron vejaciones a los indios y contra los culpados en la rebelión de Gonzalo Pizarro que no hubiesen acudido a recibir el perdón al tiempo que se pregonó en Cusco (Esquivel y Navia, 1980: 152).

Vale la pena detenerse por un momento y enfatizar la fecha de nombramiento de Xuárez de Carbajal: 1548. Contra lo que muchos podrían pensar, el corregidor de españoles apareció bastante antes que el de indios, que fue instituido por García de Castro en 1565, casi 20 años después.[7] Este dato es interesante, pues pone de manifiesto que la principal preocupación de la Corona en aquellos años era dominar y contener a los españoles; a ellos se debía controlar, mientras que a los indios, administrar. El corregidor, quien cumplía ambas funciones, era ante todo un agente de dominio sobre las elites locales, sobre los cabildos, más que sobre los indígenas; no fue pensado para asegurar la explotación de estos últimos, sino para evitar su sobreexplotación por parte de los españoles. Con él la Corona buscaba arrebatar a los conquistadores el monopolio sobre la mano de obra y consolidar la jurisdicción regia.

De aquí en adelante, el corregidor cusqueño se convirtió en un elemento permanente y estable dentro de la actividad política de la ciudad y cumplió un rol importantísimo en la instauración definitiva del virreinato peruano y el afianzamiento de la hegemonía de la Corona sobre las elites locales. Estos primeros agentes participaron activamente combatiendo a punta de espada las rebeliones de Francisco Hernández Girón, Sebastián Castilla y otros; al mismo tiempo, se convirtieron en la autoridad (tanto administrativa como judicial) que puso coto a los encomenderos, ambiciosos de tierras y mano de obra, quienes, como describe Mogrovejo de la Cerda en sus *Memorias*, "hallaban en el Cusco, mucha vigilancia en los alcaldes, muchísima en el Corregidor" (Mogrovejo de la Cerda, 1983: 114).

---

[7] Por ejemplo, Jean-Jacques Decoster asume, erróneamente, que el corregidor cusqueño apareció en 1565 y por ello no encuentra explicación a que en el fondo "Corregimiento" del Archivo Histórico del Cusco haya documentos ya desde 1551 (Decoster y Bauer, 1997: 10-11).

Las funciones del corregidor eran, pues, diversas. De entre ellas, destacan sus roles tanto como administrador de la ciudad, así como de entidad juzgante. De esta suerte, como cabeza del cabildo, debía velar por el desarrollo de la comunidad, que hubiera policía, que la ciudad estuviera adecuadamente abastecida y saludable, asegurarse las comunicaciones, la agricultura y la industria; así como labores hacendísticas y la protección de la población (Lohmann, 2004: 74-75). Por ejemplo, los corregidores cusqueños estuvieron constantemente preocupados por la preservación de los caminos y, de manera muy especial, por la construcción y cuidado del puente sobre el río Apurímac, pues resultaba vital para el comercio, aprovisionamiento y la comunicación del Cusco (Camala y Huaylla, 2007).

Asimismo, como ya se ha advertido, una cualidad muy importante de los corregidores era la de impartir justicia. Ya se ha visto que al primer corregidor cusqueño se le ordenó que viese "la buena administración de la nuestra justicia" (Cornejo Bouroncle, 1958: 282). Por ello, entre las funciones básicas de este oficial estuvo la de resolver casos judiciales, tanto en primera como en segunda instancia. Tan importante era esta función que se hizo necesaria la existencia de un asistente que fuese entendido en leyes, ya que el corregidor no necesariamente lo era, para llevar adelante los diversos juicios que se le presentaban (Urteaga & Romero, 1926: 48). Paulatinamente, el corregidor fue consolidando su autoridad y legitimidad al ser quien sancionaba la tenencia de bienes, principalmente tierras y encomiendas, de los conquistadores. Al recurrir al corregidor y aceptar sus sentencias, las elites cusqueñas cedían su autonomía a cambio del ordenamiento y estabilidad que ofrecía la Corona, que a la larga resultaba más provechoso (Decoster & Bauer, 1997: 15).[8]

Como también había ocurrido en la península ibérica, el corregidor, en estos violentos y belicosos primeros años del establecimiento del dominio español en Indias, era antes que todo un guerrero. Era imposible que cumpliese sus funciones administrativas y judiciales si es que la población estaba levantada en armas. En una situación de tanta inestabilidad era preciso asegurar la coacción física; controlar y reprimir por la fuerza a quienes recurrían al mismo tipo de violencia para subvertir el orden.

[8] Son numerosos este tipo de juicios. Se pueden ver en el ya mencionado *Catálogo del fondo del Corregimiento,* así como en Archivo Histórico Regional del Cusco (en adelante ARC), Corregimiento. Administrativo, Leg. 92, donde están, entre otros, la intervención en 1573 de Gabriel de Loarte en un juicio por tierras o en el que, en 1578, participó Juan Gutiérrez Flores.

De hecho, la mayoría de los primeros corregidores cusqueños distó mucho de la imagen de un funcionario conocedor de leyes y administración. Más bien, obtuvieron el cargo principalmente por una probada fidelidad a la Corona, la cual se materializaba en una constante represión de los movimientos revoltosos que con cierta frecuencia surgían en la región. En 1552, cuando Sebastián de Castilla comenzó a fraguar una nueva sedición y salió de la ciudad para dirigirse a la villa de La Plata, fue el corregidor del Cusco, el mariscal Alonso de Alvarado, quien mandó mensajeros y cartas por el camino del Collao, para prenderle. En este mismo momento, se sospechó de Martín de Robles, quien parecía que tenía intenciones de unirse a los rebeldes; contra él, el mariscal envió a su teniente, Juan de Mori, y algunos vecinos del Cusco con cuarenta hombres, los cuales llegaron hasta Ayaviri para contener el levantamiento. Cuando finalmente, Castilla se sublevó el 6 de marzo de 1553, el propio cabildo cusqueño organizó a gente armada para derrotar la insurgencia (Esquivel y Navia, 1980: 162-164).

En ese mismo año, 1553, ocurrió la famosa rebelión de Francisco Hernández Girón, quien inició sus acciones prendiendo al corregidor de la ciudad, Gil Ramírez Dávalos, y ordenando su posterior destierro (Esquivel y Navia, 1980: 167). Este último argüiría después que el motivo del levantamiento fue por ser aquel "tan servidor de vuestra magestad" (AGI P, 1558: 101, R.19, 4); en otras palabras, por representar y defender a la autoridad real. La magnitud de tales hechos sediciosos obligó a que se mandase un ejército desde Lima, liderado por los oidores Santillán y Mercado de Peñalosa. Cuando llegaron al Cusco y lograron derrotar la insurrección, nombraron por corregidor de la ciudad al capitán Garcilaso de la Vega (padre del famoso mestizo), quien, por ese entonces, ya había dejado en el olvido su pasado pizarrista y era un fiel servidor de la Corona (Esquivel y Navia, 1980: 175).

Gradualmente, el rey asentó su poder y consolidó su autoridad sobre los encomenderos ya fuera forzándolos violentamente a aceptar la hegemonía de la Corona, o asimilándolos dentro del sistema. Resultó, entonces, que, ya que veían mayores beneficios (sociales, económicos, políticos e incluso éticos) en su alianza con los reyes, fueron los propios miembros de la elite local quienes finalmente hicieron suya la causa regia, defendieron el orden y controlaron a sus rebeldes compañeros.

Polo Ondegardo y Gerónimo Costilla

El corregimiento cusqueño durante la segunda mitad del XVI bien puede expresarse en las figuras de Polo Ondegardo y Gerónimo Costilla. El renombrado licenciado Ondegardo resume las características del corregidor cusqueño ideal durante estos primeros años. Aparte de ser un importante jurista, en más de una ocasión, defendió a punta de espada la autoridad regia como un bravo soldado. Al mismo tiempo, Ondegardo fue un rico encomendero de La Plata, región donde inició un importante linaje. Por su parte, Gerónimo Costilla es un claro ejemplo de cómo la elite local se adecuó rápidamente a las nuevas condiciones planteadas por la Corona y supo sacar ventajas de ellas; demostrando cómo la Monarquía se construyó a partir de una negociación con la elite local. Costilla fue uno de los primeros conquistadores en llegar al Perú. Durante la rebelión de Pizarro se alió a Núñez de Vela y, desde entonces, se volvió un férreo defensor del poder regio. No sorprende que ejerciese como corregidor del Cusco, con lo que pudo acceder a beneficios antes vedados y así, fundó una de las descendencias políticas y económicas más importantes del sur andino.

La obra de Ondegardo en el Perú es ampliamente conocida. Llegó al Nuevo Mundo en la década de 1540 acompañando a su tío, el contador Agustín de Zárate, y, al poco tiempo, en 1544, se lo designó como abogado de la Hacienda Real (Hampe Martínez, 1985-1986: 85-86). Durante los primeros momentos de la rebelión de Gonzalo Pizarro se mostró favorable a la misma, pero cuando el rebelde le ordenó que firmara una sentencia que declaraba justa la guerra y condenaba a muerte a La Gasca, se negó. Ante esta extrema tesitura, prefirió mantenerse al servicio del rey, arguyendo que matar al presidente significaría su excomunión. De este modo, rápidamente se pasó al bando del presidente, a quien dio alcance en Jauja "y se metió debajo del estandarte real y asistió a vuestro real servicio" acompañándolo hasta la batalla de Jaquijahuana (AGI P, 1583: 127, N.1, R.13, f. 1v.). Como premio, Ondegardo recibió un rico repartimiento de indios en Cochabamba y se lo nombró Gobernador y corregidor de Charcas con la misión de perseguir y castigar a los pizarristas, a quienes impuso contribuciones que alcanzaron 1'200,000 pesos. Cumplió este oficio entre abril de 1548 y febrero de 1550, período en el que tuvo tiempo para organizar el trabajo indígena para la explotación de Potosí, supervisar la organización de tres expediciones de conquista al sureste del virreinato y restituir las haciendas usurpadas por los pizarristas (AGI P, 1583: 127, N.1, R.13, f. 2-2v.; Romero, 1913: 454-455; Hampe Marínez, 1985-1986: 86-87; Mendiburu, 1931-1934: vol. VIII, 238).

Luego de sofocar completamente la rebelión de Gonzalo Pizarro, Ondegardo intentó prevenir y advertir a Pedro de Hinojosa, corregidor de La Plata, de la revuelta que tramaba Sebastián de Castilla en 1553. No se le hizo caso y tuvo que escapar de dicha ciudad para poner a salvo su vida. Al poco tiempo, recibió el encargo de la Audiencia de conseguir soldados y combatir al insurrecto Hernández Girón, contra cuyo ejército se enfrentó en Chuquinga, Huamanga y Pucará, de donde se llevó de recuerdo dos arcabuzazos y un hachazo en la cabeza, por lo que estuvo convaleciente más de un año y quedó rengo para toda la vida (AGI P, 1583: 127, N.1, R.13; Romero, 1913: 456-457).

Su siguiente servicio a la Corona fue como corregidor del Cusco. Se lo nombró como tal por una provisión del virrey marqués de Cañete del 8 de agosto de 1558, y ocupó este oficio hasta el 24 de mayo de 1561, cuando fue reemplazado por don Pedro Ramírez de Quiñones (Cáceres y Carita, 2004: 172). Su labor fue destacada y evidenció sus grandes dotes de administrador y líder político; así, por ejemplo, delineó los planos de la catedral, construyó el edificio del cabildo y dio diversas ordenanzas para un buen gobierno. También organizó de mejor manera a la población indígena a la cual dividió en cuatro parroquias con sus cofradías y alcaldes ordinarios; al mismo tiempo, construyó el hospital y convento de huérfanas. Pero sobre todo se le recuerda por el interés que tuvo en conocer y escribir acerca de las costumbres y religión de los incas. Mandó encontrar los cuerpos momificados de los gobernadores incas y luego los envió a Lima; con todo ello esperaba que se "entendiese lo que convenía a su conversión" (AGI P, 1583: 127, N.1, R.13.; Romero, 1913: 457-458; González Pujana, 1977-1981: 119-123).

Al parecer, Ondegardo mostró también un sincero interés y preocupación por los indígenas, a quienes intentó proteger y defender. Muestra de ello es el ya mencionado afán por conocer sus costumbres para, sobre la base de estas, construir la reglamentación indiana. Además, siendo corregidor, en varias oportunidades falló a favor de los indígenas. Un caso ilustrativo se dio cuando en un pleito por tierras entre el curaca Francisco Mayontopa y el poderoso conquistador, general Gerónimo Costilla, dictaminó a favor del primero, para que este conservase sus tierras y no pasasen a ser parte del convento de Santa Clara, al que Costilla representaba (Burns, 1999: 53)[9]. Estos hechos podrían entenderse también -tal como lo sugiere Steve Stern- como una forma para insertar a los indios dentro del sistema español utilizando, una vez más, la justicia. El que los

[9] Esta autora, guiándose por Glave y Remy, señala que el pleito fue en 1557 pero en esta fecha, según Romero, Ondegardo aún no era corregidor cusqueño.

indígenas pudiesen ganar juicios y recibir justicia "acabó por debilitar su capacidad para montar un enfrentamiento radical contra la estructura colonial" (Stern, 1986: 185-218). De esta manera, la Corona resultaba doblemente victoriosa: se aseguraba el dominio y la explotación de los indios, al mismo tiempo que limitaba el poder de los encomenderos, haciéndoles notar (como Ondegardo hacía con Costilla) que, finalmente, era ella quien mandaba y tenía la última palabra.

Después de 1561 se pierde un poco el rastro de Ondegardo; lo más probable es que el licenciado regresara a La Plata, su ciudad de residencia. Allí se convirtió en uno de los hombres más ricos de la región, importante encomendero, dueño de haciendas y obrajes, e inició uno de los más importantes linajes de dicha región.[10] De cualquier forma, poco tiempo después, Ondegardo volvió a sus labores como oficial imperial. En 1571 fue nombrado por el virrey Toledo como corregidor del Cusco por segunda vez. Sobre este punto se volverá más adelante.

Se ve, entonces, que las virtudes de Ondegardo hacían de él un gran estadista y se reflejan claramente no solo en sus acciones, sino en sus escritos, que se guían por un conocimiento del mundo indígena y por la política colonial (González Pujana, 1977-1981: 109). Ondegardo sentó las bases administrativas sobre las que descansó el gobierno colonial; puso énfasis en controlar tanto la distribución de tierras y propiedades, como en el cuidado que se le debía dar a la población indígena (a la que era indispensable conocer lo máximo posible) para lograr su explotación más eficiente, evitando así cualquier tipo de excesos y desórdenes por parte de los españoles. Se aprecia cómo Ondegardo alcanzó el éxito -tanto en el plano económico como social- aliándose con la Corona. Renunció a las ventajas (aunque dudosas) que le brindaba la autonomía e independencia ofrecidas por Gonzalo Pizarro en un gobierno solo en manos de los conquistadores. Prefirió el orden, la estabilidad y la legitimidad que le ofrecían la Corona. Con ella hizo un pacto tácito: como funcionario al servicio del rey fue juez, soldado y administrador; y, gracias a su trabajo, la monarquía se fue estableciendo en el Perú. De esta manera, amparado en este ordenamiento, pudo obtener las herramientas, los favores y el espacio apropiados para convertirse en un encomendero exitoso.

Por su parte, el mismo Gerónimo Costilla, a quien años atrás Ondegardo

[10] No fue el único oficial que siguió este camino: Gabriel Paniagua Loayza, quien fue corregidor cusqueño también en dos ocasiones, se convirtió asimismo en uno de los patriarcas de una poderosa y acaudalada descendencia platense; incluso un sobrino suyo del mismo nombre fue también corregidor cusqueño (Presta, 2000).

había contenido, ejerció también como corregidor del Cusco en 1567. Aparentemente, Costilla no dudó en sacar provecho del cargo que detentaba explotando a los indios y favoreciendo a sus parientes (Konetzke, 1953, vol. I: 443-444). No es difícil imaginar a este viejo conquistador utilizando los beneficios de ser corregidor para acrecentar su fortuna, obteniendo tierras y mano de obra que anteriormente le habían sido esquivos.

Costilla fue uno de los primeros conquistadores del Perú. Pertenecía al bando almagrista, motivo por el que, dentro de la lógica del *corporativismo faccioso*, no se unió a Gonzalo Pizarro en su rebelión y, más bien, fue en busca del Virrey Núñez de Vela para ponerse a su disposición y combatir a los insurgentes. Consecuentemente, se sabe que estuvo acompañando al presidente La Gasca y a Diego Centeno cuando estos hicieron frente a los sediciosos. Del mismo modo, tiempo después, siendo residente en el Cusco, combatió a Sebastián Castilla y a Hernández Girón. Todas estas acciones le brindaron el suficiente crédito para que fuese nombrado corregidor de la ciudad: una y otra vez, había dado muestras de su fidelidad a la Corona y no había dudado en combatir a sus pares cuando estos se rebelaron. Tan es así que, como corregidor de la ciudad, en 1567 desbarató un motín que estaban organizando los hijos de notables y poderosos encomenderos. Posteriormente, su labor como guerrero debe haber sido tan satisfactoria que un par de años más tarde fue enviado a la muy difícil provincia de Chile, para pacificar y socorrer dicha tierra donde los indios estaban en abierta guerra (AGI, Lima, en adelante L, 1629: 221, N.7; López Martínez, 1964).[11]

Costilla, a diferencia de Ondegardo, hizo del Cusco su lugar de residencia y ahí inició una de las familias más importantes y poderosas de la ciudad. Era regidor perpetuo y miembro prominente del cabildo y en 1562 ejerció como alcalde de primer voto (Mendiburu, 1902: 199). Además, fue encomendero de Asillo, así como propietario de notorias haciendas en Ollantaytambo y en Cotabambas. De hecho, fue gracias a su posición dentro del cabildo que logró que esta institución, en 1574, le otorgase tierras en Ollantaytambo, pese a que ello estaba expresamente prohibido y así pudo conseguir lo que antes Ondegardo no le había permitido (Burns, 1999: 59). Por otra parte, los Costilla (tanto Gerónimo, como más adelante su hijo Pedro) inteligentemente forjaron alianzas con curacas

[11] Nuevamente hay un problema con las fechas. En la relación de méritos de Gerónimo Costilla de Nocedo se señala que fue hecho corregidor por el virrey Toledo; sin embargo, eso resulta poco factible porque el motín de mestizos fue en 1567, cuando Toledo aún no había llegado a tierras peruanas y quien gobernaba era el licenciado Castro.

locales, tales como Bartolomé Tupa Hallicalla, que resultaron mutuamente beneficiosas (Glave, 1989: 291-292). Así, mediante una adecuada utilización y redistribución de sus recursos entre la población indígena, los Costilla pudieron generar mayores beneficios económicos y consolidar una mayor autoridad dentro de su encomienda.

En resumidas cuentas, es fácil notar cómo Costilla supo aprovechar las concesiones y privilegios que le otorgaba la Corona. Desde un primer momento aprendió a adaptarse a las cambiantes circunstancias de aquella época y no se detuvo ante las dificultades y trabas que le salieron al paso, pero siempre reconociendo la autoridad de la Corona. Aceptó las reglas de juego impuestas por esta y les sacó ventaja para su beneficio personal. Todo ello permitió que rápidamente se erigiese como uno de los hombres más ricos, poderosos y notables de la región. Fue tal su crecimiento que en 1578 se le concedió el hábito de la orden de Santiago. Sus descendientes continuaron por esta senda y afianzaron el poderío de este linaje. Tanto su hijo como sus nietos fueron, a su vez, regidores del cabildo de la ciudad y participantes activos de la política local. Su nieto, Pablo Costilla, llevó a la familia a su máximo esplendor cuando le fue concedido el título nobiliario de marques de San Juan de la Buena Vista.

Consolidación de la autoridad

Como parte del establecimiento a nivel mundial del Imperio español, liderado por Felipe II, y de manera parecida a lo que ocurría en la península ibérica, donde el monarca aseguró y centralizó su dominio sobre los diversos reinos hispanos y estableció en Castilla y Madrid el núcleo de su gobierno; poco a poco, se fue implantando el predominio de la Corona hispana en el territorio peruano. Fue un proceso lento, que llegó a su clímax hacia fines del siglo XVI bajo los gobiernos, primero, del presidente de la audiencia García de Castro y, posteriormente, durante el mandato de su sucesor, el virrey Francisco de Toledo. Si bien La Gasca había sofocado la rebelión de Gonzalo Pizarro, aún se vivían tiempos de inestabilidad y había poca autoridad efectiva en el Perú; donde durante los treinta primeros años de presencia ibérica, primó ante todo la anarquía y la violencia. La mayoría de las leyes y normas eran letra muerta, pues para su cumplimiento era necesario de una coerción física y violenta. Era un sistema político bastante rudimentario en el que, ante todo, la legitimidad venía de la mano de la espada y del arcabuz. Como se ha mencionado, la violencia que se practicaba en este período no era, como podría pensarse, dirigida únicamente contra la población indígena; sino que ocurrió principalmente entre el grupo español conquistador.

Durante la segunda mitad del XVI, tanto la guerra, cuya finalidad era conquistar y dominar, como la justicia y la administración del territorio fueron creando instituciones que sirvieron de base para la consolidación del gobierno virreinal. Clara muestra de ello es el oficio del corregidor; el cual aparece como un guerrero para controlar y sofocar el territorio, pero el control de este va a suponer un fortalecimiento de la autoridad regia. Como describió el estudioso Jorge Cornejo Bouroncle, en aquellas décadas "hay algunos datos de la vida civil de una ciudad que renace bajo otro sistema y otro dios, pero, son los preparativos de guerras los que dominan todo" (Cornejo Bouroncle, 1958: 6). La guerra y toda la movilización de gente y recursos que esta supone (que van desde la comida hasta la ropa, las armas, los medios de transporte y de comunicación, entre muchos otros) supuso la construcción de un aparato logístico centralizado a gran escala. El corregidor fue una pieza clave dentro de este naciente aparato de gobierno. Como miembro y cabeza del cabildo debía asegurarse de esta logística: debía alimentar a las ciudades y a los ejércitos. Cada ciudad organizaba sus milicias, las que muchas veces eran costeadas por los propios corregidores. Iba, pues, a la guerra a conquistar y sojuzgar. Pero al mismo tiempo que se desempeñaba en ello, era juez que daba a cada quien lo que le correspondía, castigando a los culpables y premiando a los que se lo merecían.

Como señaló Peter Bakewell, fue durante la década de 1560 cuando maduró el gobierno del Perú. Para esos años, los encomenderos habían perdido bastante del inmenso poder que alguna vez habían gozado y sus pretensiones a la perpetuidad de las encomiendas parecían ser cada vez más utópicas. Sumado a ello, el rey fortaleció su autoridad nombrando nuevos funcionarios reales; uno de los principales fue el corregidor de indios introducido por el licenciado García de Castro. La idea persistente era la de cuidar y proteger a la población indígena, administrarla de manera justa, adecuada y cristiana; pero, sobre todo, protegerla del abuso de los encomenderos y hacendados. Como se sabe, esas eran funciones del corregidor español; más se hizo evidente la dificultad de que este funcionario lograra su cometido en territorios tan amplios y densos. Se buscaba reducir el poder de los encomenderos, así como de los religiosos y de los curacas que rápidamente se aliaron a encomenderos para explotar para su beneficio particular a sus indios (Bakewell, 1989: 48, 65). De la mano de esta medida, se crearon las primeras reducciones, que buscaban permitir un mayor control sobre la población indígena y mantenerla alejada de los encomenderos y otros españoles.

Paso a paso, las instituciones gubernamentales fueron creciendo y llegaron a casi todo el territorio. Nunca más hubo una rebelión como las de Gonzalo Pizarro o Hernández Girón. Este proceso se consolidó enteramente gracias a la labor del virrey Francisco de Toledo, quien organizó las reducciones, hizo visitas y tasas de la población indígena, derrotó a los últimos remanentes incas en Vilcabamba y doblegó a las elites locales. Con todo esto, anuló cualquier posibilidad de cuestionamiento serio (ya sea hispano o indígena) a la dominación de los reyes castellanos. Entre las principales preocupaciones del virrey estuvo organizar de manera racional y efectiva a la población indígena en las famosas reducciones (Wightman, 1990; Mumford, 2012); y dominar a las elites locales españolas. Toledo tenía como prioridad "dar asiento a la tierra"; por un lado, lograr la evangelización indígena y que "se mantengan pacíficos y vivan felices y satisfechos con la conquista y colonización". Pero, sobre todo, era asentar a los españoles; que disfrutasen tranquila y pacíficamente sus posesiones legítimas "sin pretender apoderarse de lo que no es suyo, sin alegar derechos perpetuos a las tierras conquistadas, que son del Rey, ni aprovecharse de los servicios de los indios, que son hombres libres, hijos de Dios y súbditos de Su Magestad" (Urteaga y Romero, 1926: XL-XLI).

Con este fin, Toledo decidió quebrar el dominio de los encomenderos sobre el cabildo cusqueño y en 1571 ordenó que uno de los dos alcaldes fuese elegido entre los moradores y no solo entre los vecinos como era usual hasta ese momento; como era de esperar, los regidores se opusieron, pero fue mayor la decisión del virrey y logró su cometido (De la Puente Brunke, 1992: 257-258). Ciertamente, el Cusco fue una zona de especial interés para Toledo. Allí se dirigió para llevar a cabo sus metas y para ello decidió contar con el apoyo del hombre que con bastante probabilidad era quien mejor conocía los Andes: Polo Ondegardo. De esta manera, el licenciado ocupó el cargo de corregidor del Cusco por segunda vez en 1571. En todas estas empresas impulsadas por el virrey, Ondegardo fue un actor vital: gozaba de la total confianza de Toledo y de la suficiente capacidad para apoyarlo, ser su mano derecha en la lucha contra los incas que se encontraban en la remota región de Vilcabamba y llevar a buen término las reformas que venía realizando como, por ejemplo, las reducciones de indios y las visitas (AGI P, 1583: N.1, R.13; Romero, 1913: 458). Tan buena fue la labor del licenciado que luego el virrey se lo llevó en su recorrido por el Alto Perú.

Indudablemente, hay una asociación directa entre la consolidación de la autoridad hispana en el Perú y el corregidor. Elegido por la monarquía para defender sus intereses, sometió a las elites locales y estas no volvieron a levantarse abiertamente en armas, ni a buscar su autonomía; asimismo, controló los recursos locales del modo más eficiente posible, favoreciendo la centralización de la administración. Si bien estos logros no fueron perfectos ni constantes (muchas veces el corregidor se coludía con las elites o él mismo explotaba arbitrariamente a la población indígena para su beneficio personal), sí permitieron el asentamiento de la hegemonía, legitimidad y autoridad del gobierno virreinal que se mantuvo relativamente estable durante la siguiente centuria.

Fuentes primarias:

AGI Archivo General de Indias:
- Lima 184
- Patronato 101

ARC Archivo Histórico Regional del Cusco:
- Corregimiento – Administrativo 92
- Corregimiento – Pedimentos 87

Referencias citadas

Albi, F. 1943. *El corregidor en el municipio español bajo la monarquía absoluta. (Ensayo histórico-crítico).* Madrid: Ediciones y publicaciones Capitolio.

Bakewell, P. 1989. "La maduración del gobierno del Perú en la década de 1560". *Historia mexicana* num. 153, N° 39: 41-70.

Benton, L., & Ross, R. F. (2013). *Legal Pluralism and Empires, 1500-1850.* Nueva York: New York University Press.

Bovadilla, C. 1775. *Política para corregidores y señores de vasallos, en tiempo de paz, y de guerra, y para prelados en lo espiritual, y temporal entre legos, jueces de comisión, regidores, abogados, y otros oficiales públicos: y de las jurisdicciones, preeminencias, residencias, y salarios de ellos: y de lo tocante a las órdenes y caballeros de ellas.* 2 tomos. Madrid: Imprenta Real de la Gazeta.

Bromley, J. 1954. "El Procurador de Lima en España (años 1533 a 1620)". *Revista Histórica* N° 21: 75-101.

Bromley, J. 1955-1956. La ciudad de Lima durante el gobierno del virrey Conde de la Monclova. *Revista Histórica* N° 22: 142-162.

Bromley, J. 1958. "Alcaldes de la ciudad de Lima en el siglo XVII". *Revista Histórica* N° 23: 5-63.

Bromley, J. 1959. La ciudad de Lima en el año 1630. *Revista Histórica* N° 24: 268-317.

Burns, K. J. 1999. *Colonial Habits. Convents and the Spiritual Economy of Cuzco, Peru.* Durham: Duke University Press.

Cáceres Olivera, R. y Carita Carita, F. 2004. "Sucinta relación de corregidores del Cusco (1548-1784)". *Revista del Archivo Regional de Cusco*, N° 16: 169-177.

Camala, R. y Huaylla, E. 2007. *De crisnejas a puente de cal y canto. El puente del río Apurimac y el circuito comercial del Cusco. 1560-1650.* Cusco: Tesis de licenciatura en Historia por la Universidad Nacional San Antonio Abad del Cusco.

Cañeque, A. 2013. "The Political and Institutional History of Colonial Spanish America". *History Compass, 11*(4), 280–291.

Cornejo Bouroncle, J. 1958. *Actas de los libros de cabildos del Cuzco. 1545 -1548. Rebelión de Gonzalo Pizarro.* Cusco: s.e.

Decoster, J.-J., & Bauer, B. (1997). *Justicia y Poder: Catálogo del fondo Corregimiento del archivo departamental del Cuzco.* Cusco: CBC.

De la Puente Brunke, J. 1992. *Encomienda y encomenderos en el Perú. Estudio social y político de una institución colonial.* Sevilla: Excma. Diputación Provincial de Sevilla.

Díaz Ceballos, J. 2020. *Poder compartido: Repúblicas urbanas, monarquía y conversación en Castilla del Oro, 1508-1573.* Madrid: Marcial Pons Historia.

Drigo, A. L. 2006. *La gran rebelión de Gonzalo Pizarro. Liderazgo y legitimidad (Perú - siglo XVI).* Buenos Aires: Drunken.

Elliot, J. H. 1990. *Imperial Spain. 1469-1716.* Londres: Penguin.

Elliot, J. H. 2006. *Empires of the Atlantic world: Britain and Spain in America, 1492-1830.* Yale: Yale University press.

Espinosa, A. 2009. *The empire of the cities: emperor Charles V, the comunero revolt, and the transformation of the Spanish system.* Leiden; Boston: Brill.

Esquivel y Navia, D. 1980. *Noticias cronológicas de la gran ciudad del Cuzco.* Lima: Fundación Augusto N. Wiesse, Banco Wiesse.

Flores Olea. 1970. "Los regidores de la ciudad de México en la primera mitad del siglo XVII". *Estudios de Historia Novohispana* N° 3: 149-172.

García Bernal, M. C. 2000. "Las élites capitulares indianas y sus mecanismos de poder en el siglo XVII". *Anuario de Estudios Americanos* N° 57, Vol. 1: 89-110.

Glave, L. M. 1989. *Trajinantes. Caminos indígenas en la sociedad colonial. Siglos XVI / XVII.* Lima: Instituto de Apoyo Agrario.

Góngora, M. 1951. *El Estado en el Derecho Indiano. Época de fundación (1492-1570).* Santiago de Chile: Instituto de Investigaciones Histórico-Culturales. Facultad de Filosofía y Educación de la Universidad de Chile.

González Muñóz, V y Martinez Ortega, A. I. 1989. *Cabildos y elites capitulares en Yucatán (dos estudios).* Sevilla: Escuela de Estudios Hispano-Americanos de Sevilla, Consejo superior de Investigaciones Científicas.

González Pujana, L. 1977-1981. "El indigenismo de Polo de Ondegardo". *Boletín del Instituto Riva-Agüero*, N° 9: 109-123.

Hampe Martínez, T. (s/f). *Pedro de la Gasca | Real Academia de la Historia.* Recuperado el 19 de septiembre de 2021, de https://dbe.rah.es/biografias/10591/pedro-de-la-gasca

Hampe Martínez, T. 1985-1986. "Apuntes para una biografía del licenciado Polo de Ondegardo". *Revista Histórica*, N° 35: 81-115.

Kagan, Richard L. 1991. *Pleitos y pleiteantes en Castilla, 1500-1700.* Salamanca: Junta de Castilla y León.

Konetzke, R. (ed.). 1953. *Colección de documentos para la historia de la formación social de Hispanoamérica (1493-1810).* Vols. I-III. Madrid: Consejo Superior de Investigaciones Científicas.

Lohmann Villena, G. et al. 2004. *Historia general del Perú: el virreinato.* Vol. 5. Lima: Informática Brasa Ediciones.

Lohmann Villena, G. 1977. *Las ideas jurídico-políticas en la rebelión de Gonzalo Pizarro.* Valladolid: Casa-Museo Colon y Seminario Americanista de la Universidad.

Lohmann Villena, G. 1983. *Los regidores perpetuos del Cabildo de Lima (1535-1821).* Sevilla: Excma. Diputación provincial.

Lohmann Villena, G. 2001. *El corregidor de indios en el Perú bajo los Austrias.* Lima: PUCP.

López Martínez, H. 1964. "Un motín de mestizos en el Perú (1567)". *Revista de Indias*, N° 24, Vol. 98: 367-381.

Lorandi, A. M. 2002. *Ni ley, ni rey, ni hombre virtuoso. Guerra y sociedad en el virreinato del Perú. Siglos XVI y XVII.* Barcelona: Gedisa.

Lunenfeld, M. 1987. *Keepers of the city. The Corregidores of Isabella I of Castile (1474-1504).* Cambridge: Cambridge University Press.

MacKay, R. 2009. "Governance and Empire during the Reign of Charles V". *Sixteenth Century Journal* N° 3, Vol. 40: 769–779.

Mendiburu, M. 1931-1934. *Diccionario histórico-biográfico del Perú.* Vol. VIII. Lima: Enrique Palacios.

Mogrovejo de la Cerda, J. 1983. *Memorias de la gran ciudad del Cusco, 1690.* Cusco: Rotary Club Cusco distrito 445; Cía. Cervecera del Sur del Perú S.A.

Mumford, J. R. 2012. *Vertical empire the general resettlement of Indians in the colonial Andes.* Durham: Duke University Press.

Osorio, A. 2008. *Inventing Lima: Baroque Modernity in Peru's South Sea Metropolis.* Nueva York: Palgrave Macmillan.

Pazos Pazos, M. 1999. *El ayuntamiento de la ciudad de México en el siglo XVII: continuidad institucional y cambio social.* Sevilla: Diputación de Sevilla.

Polo y La Borda Ramos, A. 2019. "La experiencia del imperio. Méritos y saber de los oficiales imperiales españoles". *Historia Crítica*, N° 73, Vol. 73: 65-93.

Polo y La Borda Ramos, A. 2007. "Identidad y poder en los conflictos por las preeminencias en el siglo XVII". *Histórica*, N° 31, Vol. 2: 7–42.

Presta, A. 2000. *Encomienda, familia y negocios en Charcas colonial (Bolivia): los encomenderos de La Plata, 1550-1600*. Lima: IEP/BCRP.

Preston Moore, J. 1954. *The Cabildo in Peru Under the Hapsburgs: A Study in the Origins and Powers of the Town Council in the Viceroyalty of Peru 1530-1700*. Durham: Duke University Press.

Romero, C. 1913. "El licenciado Juan Polo de Ondegardo". *Revista Histórica*, N° 5: 452-465.

Spalding, K. 1970. "Tratos mercantiles del corregidor de indios y la formación de la hacienda serrana del Perú". *América indígena* N° 30, Vol. 3: 595-608.

Stern, S. 1986. *Los pueblos indígenas del Perú y el desafío de la conquista española. Huamanga hasta 1640*. Madrid: Alianza Editorial.

Tord Nicolini, J. 1974. *El corregidor de indios del Perú: comercio y tributos*. Lima: Biblioteca Peruana de Historia, Economía y Sociedad.

Tord Nicolini, J. 1974. *Repartimientos de corregidores y comercio colonial en el Perú (siglo XVIII)*. Lima: Biblioteca Peruana de Historia Economía y Sociedad.

Varón Gabai, R. 1980. *Curacas y encomenderos. Acomodamiento nativo en Huaraz. Siglo XVI y XVII*. Lima: P.L. Villanueva.

Urteaga, H. y Romero, C.. 1926. *Fundación española del Cusco y ordenanzas para su gobierno. Restauraciones mandadas ejecutar del primer libro de cabildos de la ciudad por el virrey del Perú don Francisco de Toledo*. Lima: Talleres gráficos Sanmarti y Cía.

Wightman, A. 1990. *Indigenous Migration and Social Change. The Forasteros of Cuzco, 1570-1720*. Durham y Londres: Duke University Press.

Parte III

Poder y gobierno en el Perú del siglo XVII

Un obraje del Conde de Lemos en el Perú
Una historia conectada de política cortesana entre España y los Andes (1607-1627)

Luis Miguel Glave
Universidad Pablo de Olavide, España
lmglave@hotmail.com

El séptimo conde de Lemos, don Pedro Fernández de Castro Andrade y Portugal, era un joven aficionado a la literatura, protector de Cervantes y Lope de Vega, cuando obtuvo su primera gran posición en la corte de la monarquía que fue nada menos que la de presidente del Consejo de Indias. A sus 26 años, por esos servicios y los de la familia de la madre, por merced del rey Felipe III, recibió en 1607 una renta de 13,000 ducados situados en indios de varias jurisdicciones del Perú. Luego fue designado virrey de Nápoles en 1610, la misma fecha en la que el rey le concedió una muy extralimitada merced, como fue fundar cuatro obrajes en el Perú. Esas fundaciones tenían todas las características para ser prohibidas; por el uso de servicios personales, por las protestas que habían despertado, por la competencia que otros empresarios experimentarían, tanto los hacendados que recibían mita de los pueblos como otros obrajeros que pedían trabajadores o que no querían otros productores paralelos. Esta es la historia de la manera cómo se procuró imponer y qué resistencias tuvieron que vencer esas fundaciones, en una operación política cortesana que conectaba Madrid con Lima y ambas metrópolis con unos apartados pueblos de indios en la sierra central andina.

La encomienda del Conde de Lemos en el Perú

Podría pensarse que, dada la alcurnia del personaje, el gran poder que llegó a tener y haber sido uno de los funcionarios más importantes de una nueva forma de gobernar el imperio español, unas rentas basadas en tributos de indios en los Andes no debían ser de gran importancia para la economía de aquella casa condal[1]. Pero lo fueron. El monto de la renta que su majestad otorgó a uno de sus más representativos funcionarios no era poca cosa. El asunto era conseguir que las mermadas rentas de los tributos andinos pudieran dar de sí para completar el monto de la situación. La tarea le correspondió al virrey marqués de Montesclaros. Forzando un poco las tornas, se ubicó un conjunto disperso y muy nutrido de repartimientos cuyas rentas estaban en la corona real y se formó una compleja encomienda. Por entonces las encomiendas parecían no ser ya una empresa particular. Desde hacía décadas que la administración virreinal había convertido el tributo de las encomiendas en una renta fija, en cuya generación y recaudación no intervenía el beneficiario. Corregidores, caciques y oficiales reales constituían un engranaje muy complejo con el que se concretaba la renta. Pero en los intersticios de ese sistema, una realidad opaca se mantuvo y algunos encomenderos conservaron su presencia activa en el negocio del tributo. Ese negocio implicaba recursos de los naturales que eran realizados de distintas maneras en el mercado. No fueron, sin embargo, muchos los encomenderos que lograron mantenerse presentes en el sistema, dominado por los corregidores que eran el pilar fundamental del poder local y por los oficiales reales que administraban la mayor cantidad de repartimientos que tributaban a la corona o que tenían sus rentas comprometidas a situaciones impuestas sobre ellos a favor de una multitud de beneficiarios, a quienes solo interesaba el pago semestral o anual de sus pensiones.

Como parte de la merced de 13,000 ducados, al conde se le dieron en encomienda los indios vacos de Huaraz, Marca y Huaylas, en términos de Huánuco y Cupirpongo (Chincheros) y Azángaro en Cuzco y Cayo Aymara en la jurisdicción de Huamanga. Era una verdadera colección de lugares que se dieron en función de encontrarse vacantes por finalización de encomiendas anteriores. Conforme se entabló la encomienda del conde, este se procuró una red de representantes que le administrasen sus rentas, que le llevaran el negocio. Tanto importó al entonces presidente del Consejo de Indias y luego virrey en Nápoles y a la condesa, su madre, doña Catalina de Zúñiga y Sandoval, que mantuvieron una amplia y prolongada correspondencia con sus agentes que fue, además, cuidadosamente archivada[2]. Allí conservaba, por ejemplo, el traslado de la posesión del 19 de agosto de 1608 que el corregidor del Cuzco Pedro de Córdoba Messía

[1] Se trata de la época del valimiento al lado del rey y del ascenso de una nobleza oligárquica al control del imperio.

[2] *Papeles de América en el Archivo Ducal de Alba*. Catalogados por Leoncio López-Ocón y Paloma Calle, bajo la dirección de Francisco de Solano (1991). Citaremos como ADA, por el número de las papeletas de este catálogo.

le dio a Bartolomé Pérez del Campo en nombre de Pedro Fernández de Andrade y Castro, y Catalina de la Cerda y Sandoval, condes de Lemos, de los repartimientos de indios de Cayo Aymara, Cupirpongo y Azángaro, que les dio en encomienda el marqués de Montesclaros por provisión del 16 de julio de 1608 (ADA, N°668). Así mismo, se archivó la declaración de Pedro de Espíndola Marmolejo –de quien hablaremos extensamente luego– por la que en 1609 tomaba a su riesgo y se declaraba como auténtico deudor de los corridos de la renta que al conde de Lemos se le debían en los repartimientos de las provincias de Huaylas, Marca y Huaraz desde 1607 al sucesor de Francisco de la Cueva, quien tenía poder del conde para dicho cometido (ADA, N°701). Muy rápidamente se dieron los repartimientos de indios que iban a completar la renta de encomienda del conde, en menos de un año (ADA, N°736)[3]. Para entonces aparecían sus primeros representantes en el Perú. Comenzaron los negocios del conde en los Andes.

Poco después, en virtud de que esas mercedes dependían de muchos factores para que se hicieran efectivas y muchas veces quedaban en letra muerta, quienes asesoraban al conde pidieron "para bien de los indios" fundar cuatro obrajes en sus encomiendas. Acudían a una trajinada excusa de que era menester darles trabajo a los naturales para "ayudarlos" a pagar sus tasas. Al tener trabajo en obrajes obtendrían recursos para ello. Pero cuatro obrajes, cuando ya era moneda corriente la necesidad de prohibirlos por los abusos que se cometían, eso solo podía pasar por medio de un poder e influencia muy grande en la corte. Fundaron dos, pero los de Cuzco no los pusieron por "ciertos inconvenientes". La cédula de merced de fundación de los cuatro obrajes en sus encomiendas a favor del conde, se dio el 6 de marzo de 1610 y en ella se dejaba expresa orden de que los indios no vayan a servir de más allá de media legua y que se funden "pese a lo expresado en la cédula de los servicios personales". En la primera cédula de 1601 sobre los servicios personales, se prohibió el trabajo de los indios en obrajes de españoles, aunque fuese por voluntad propia, mientras la de 1609 sí les permitió trabajar en ellos, sin distinguir entre los propios de los indios y los

[3] Traslado de cédula de Montesclaros de 16 de julio de 1608, en la que se concede a los condes Pedro de Castro y Catalina de la Cerda de por vida 13,000 ducados de renta en tributos de los indios de Huaylas, Marca, Huaraz, Azángaro y Cayo Aymara en virtud de real Cédula de 7 de septiembre de 1607. José de la Puente Brunke da el dato de 13,500 ducados. También en sus listas figuran unos repartimientos que no se refieren en las descripciones generales de los indios del conde, como fueron Parija en Huamanga y Chuquitanta y Sevillay en Lima, Ver De la Puente (1992).

de españoles. Juan de Solórzano, que como veremos estuvo muy al tanto de estos sucesos, anotó en su obra que, por los inconvenientes de la prohibición, este fue el único trabajo privado para el que se autorizó a repartir indios forzados. Sin embargo, el mismo Solórzano advirtió la contradicción entre la autorización de estos repartos con la prohibición de estos centros de trabajo con lo cual deduce, advierte Pilar Latasa, que la cédula de 1609 fue promulgada con "voluntad forzada". Una limitación era que los indios de dichos repartos debían ser vecinos del lugar o a menos distancia de dos leguas de contorno y, a la vez, con la excusa de que así aprendían algo útil, permitía el trabajo de los indios muchachos (Solórzano y Pereira,1648; Latasa ,1997: 288).

Para administrar las encomiendas, esto es, recabar y realizar el tributo, y para fundar los obrajes con los que se esperaba obtener una mayor renta, a pesar de las leyes en contrario, el conde formó un equipo en el Perú. Una red de tejido muy tupido como veremos. Su principal corresponsal y apoderado fue un religioso, el inquisidor Francisco Verdugo. Fue probablemente Verdugo el que captó a los primeros dos administradores de las rentas; Francisco de la Cueva y Rodrigo de Esquivel (ADA, 725)[4].

Nacido en Carmona, Verdugo empezó su carrera en Sevilla llegando a ser rector del colegio Maese Rodrigo. Luego fue fiscal de la Inquisición en Murcia hasta empezado el siglo XVII de donde pasó a Lima como inquisidor en 1601, cargo que desempeñó hasta 1623. Tuvo el encargo de practicar como juez la residencia del virrey Luis de Velasco en 1608, lo que agradeció al conde en carta reconociendo que fue por su patrocinio (Hernández Aparicio, 1977).

Los parentescos del inquisidor eran muy útiles para el ejercicio de mediación y representación del conde y sus negocios. En una carta el fiscal del crimen, licenciado Blas de Torres Altamirano, se refiere al oidor, don Alberto de Acuña, que en segundas nupcias casó con Ana Verdugo, parienta de las mujeres de otros dos oidores; Francisco de Alfaro y Juan de Solórzano y "muy deuda del inquisidor don Francisco Verdugo". El parentesco de las mujeres de Alfaro y Solórzano era directo; Francisca y Clara eran hijas de Gabriel Paniagua de Loayza y en su linaje llevaban también el apellido Álvarez-Verdugo (Archivo General de Indias,

[4] Verdugo al conde a 30 de marzo de 1609, le agradece que por su intercesión se le nombrase juez de residencia del virrey Luis de Velasco, que ya le ha mandado la cédula de encomienda y que quienes están a cargo de cobrar los tributos son Francisco de la Cueva y Rodrigo de Esquivel, personas de confianza.

en adelante AGI, Indiferente 1260).

En los años que estuvo al frente de las cosas de los condes, con Pedro de Castro y su madre, Verdugo se escribió con ellos sobre los más variados temas. Enviando información, señalando problemas, acusando recibo de instrucciones y, también, pidiendo que intercedan por él para obtener mejores posiciones en el escalafón eclesiástico, hasta llegar a ser nombrado obispo de Huamanga.

Sobre uno de los dos administradores, Francisco de la Cueva, no tenemos mayor información. Era capitán de infantería y caballero de la orden de Alcántara. Nacido en Jerez de la Frontera, estuvo en Nápoles con el duque de Osuna y pasó al Perú donde fue corregidor en varias partes y alcalde ordinario de Lima, donde casó con Mariana Balaguer de Salcedo, hija de Pedro Balaguer de Salcedo. Según alguna información, gozaba de una encomienda también en Hananica (Eguiguren, 1940: 487; Lohmann Villena, 1947: 119). Al parecer, hubo conflictos entre Cueva y Esquivel en algún momento y su papel de mediador incluso estuvo en cuestión, pero la correspondencia con los condes se mantuvo hasta finales de la segunda década del siglo y fue quien envió muchas veces las remesas de plata para España provenientes de las encomiendas.

Respecto a Rodrigo de Esquivel sí tenemos mucha huella documental. Fue uno de los principales vecinos del Cuzco, de un linaje que fundó el sevillano Rodrigo de Esquivel y Cueva que fue corregidor de Arequipa en tiempos del gobernador Pedro de la Gasca y encomendero del Cuzco que tuvo una controvertida trayectoria, siempre aspirante a más, pero que dejó asentada una fortuna basada en la ganadería en el altiplano y un obraje en Quispicanchis, ambas empresas cerca de lo que fueron sus encomiendas efímeras como la de Lampa y Quispicanchis. El siguiente fue Rodrigo de Esquivel y Zúñiga que nació en Cuzco en fecha indeterminada y falleció en 1628. Este fue el agente del conde que se encargó de los tributos cuzqueños de la encomienda. Se casó dos veces; la primera, con la arequipeña Petronila de Cáceres, hija de un connotado conquistador y viuda de Sebastián de Cazalla y, la segunda, con Constanza de la Cueva, hija de un jerezano también santiaguista que fue corregidor de La Paz, don Nuño de la Cueva y Zurita. Del matrimonio con Petronila nació en Cuzco en 1586 el tercer Rodrigo de Esquivel y Cáceres que testó en 23 de abril de 1652. Eran poseedores de una buena fortuna, aunque tuvieron que enfrentar duras contradicciones por ella. En 1604 se embargaron los bienes de Rodrigo por querella que le interpusieron los gentiles hombres lanzas y arcabuces, y perdió sus encomiendas que pasaron a tributar a favor de ese cuerpo. Así pasaron las rentas de las encomiendas a poder de la administración fiscal. Pero no así las estancias de ganado del altiplano ni un obraje. Las estancias del altiplano se llamaban Guaita y Capacona, en los términos de Lampa. A principios de siglo tenían 4,000 cabezas de ganado vacuno y 13,000 de vientre sin padres ni crías. Rentaba anualmente unos 4,000 pesos. La primera mujer, Petronila, fue una gran negociante y envió a su marido a Lima donde se ausentó muchas veces hasta por ocho años para seguir el pleito con los gentileshombres lanzas de hasta 100,000 pesos. La empresa estaba constituida por el obraje, las chácaras, estancias, molino en Sangarará, dos chácaras de coca en los Andes y la gran estancia del altiplano (AGI, Escribanía 508 A; Lohmann Villena, 1947: 148-151). Un hombre de esa experiencia era exactamente lo que necesitaba el conde (ADA, 706)[5].

Hubo otro corresponsal llamado Tomás de Paredes. Fue un contertulio del conde con el que comentaba la situación política del virreinato, del que también recibía información sobre sus representantes y en algún momento estuvo a cargo del envío de las remesas de plata y reales (ADA, 703)[6]. Todo parece indicar que empezó su relación en el momento que llegó el príncipe de Esquilache como virrey en 1615. Entonces aparecieron en la correspondencia condal con el Perú otros empleados y operadores que se encargaban de las tareas más rudas del recojo de tributos y puesta en operación de los obrajes. Uno de ellos era Pedro Espíndola Marmolejo –mencionado anteriormente–, que operaba en Huaylas y se encargaría de plantar el nuevo obraje de Cajatambo. Otros fueron los hermanos Diego y Francisco de Cantoral Cornejo (ADA, 697)[7]. Francisco, que cobraba

---

[5] En la correspondencia con los condes Esquivel se lamentó de haber perdido el corregimiento de Azángaro y Asillo en 1616, donde movería los recursos a favor de los negocios condales, pero también los suyos. También comentaba las dificultades para realizar los tributos, por una peste reciente y por la competencia que sufría el repartimiento de los mineros y otros empresarios (ADA, Nº670.)

[6] Paredes era procurador mayor de Lima y ocupó el puesto de regidor interinamente por una vara que había comprado para su hijo en 1617. En 1621 que asumió el hijo, él obtuvo, también con protección del virrey, otra vara que también había comprado. Ver Lohmann Villena (1983: 187). En la correspondencia de Lemos y Esquilache (Paz y Meliá, 1903b: 354) el conde le dice a su primo el virrey que Paredes lo ha asistido muy bien y lo recomienda ante él. No extraña pues que cuando se hizo una visita de tierras cercanas a Lima, el agente del conde apareciera beneficiado con valiosas tierras en desavenencia con el visitador Domingo de Luna que lo denunció como "el más culpado de todos los poseedores de las tierras del valle y el que más tenía de ellas" (AGI, Lima 151).

[7] Carta de Diego de Cantoral Cornejo al conde informando que en 1616 encargó a su hermano Francisco de Cantoral que cobrase los tributos, los cuales no han sumado una gran cantidad al haber abandonado los indios sus pueblos y señala cuál es el estado de los negocios del conde en

los tributos de Huaylas, tomó en arrendamiento el obraje que se implantó en Huaraz (ADA, 679)[8]. Por entonces, Espíndola estuvo enfrentado con Cantoral y solo después vino a hacerse cargo del obraje de Cajatambo, sobre el que trataremos en la segunda parte de este estudio. Como se ve, la correspondencia condal conservaba informaciones minuciosas de los intrincados manejos locales necesarios para sacar adelante una empresa agraria, manufacturera y mercantil como esta. La llegada del nuevo virrey, primo del conde, era esperada por su casa como agua de mayo. La condesa madre escribía a sus representantes que los tropiezos que tenían para el manejo de las encomiendas y la implantación de los obrajes se acabarían con el nuevo mandatario (ADA, 676; ADA, 677)[9].

Por suerte, se han salvado unas cartas que se cruzaron; el de Lemos con su primo el príncipe, ambos poetas y parte de esa nobleza oligárquica que gozaba de los privilegios otorgados por el valido del rey, el duque de Lerma (Paz y Meliá, 1903a; Paz y Meliá, 1903b)[10]. Son estas una prueba de lo mucho que interesaba al conde la buena marcha de sus negocios andinos y cómo estaba muy al tanto de ellos y de su administración. A la vez, dan testimonio de cómo el príncipe era a la vez que virrey, el nuevo y principal valedor y representante de su primo. Que al conde le interesaba –y mucho– que sus negocios prosperaran, lo manifiesta la

la provincia de Huaylas después de haber hecho un viaje por ella. Lima 14 de abril de 1617 (ADA, N°695).

[8] Carta dirigida al conde informando que Francisco de Cantoral Cornejo ha arrendado el obraje de Huaraz y pidiendo que interceda ante el rey para pedir el perdón de este. Arriendo por tres años en 4,000 pesos anuales, pero Cantoral está condenado por la audiencia de Charcas a cuatro años de galeras y seis de destierro. Pide que el conde logre el perdón del rey por ser esta persona importante para la administración de los obrajes. Efectivamente por carta de los oidores Páez de Laguna, Merlo de la Fuente y Armenteros y Henao de 19 de abril de 1618. Sabemos que el virrey alzaba destierros y conmutaba penas, aunque fueran puestas por sentencias de revista y da el caso de Cantoral, condenado a destierro por haber asesinado al marido de una mujer con la que estaba amancebado. Ahora se dice que este Cantoral está en Huaylas (AGI, Lima 96).

[9] La condesa a Francisco de la Cueva diciendo que Antonio Lugones ha entregado en Sevilla 21,610 pesos de los repartimientos del conde, 8,251 de Lima y 11,470 de Cuzco y dice que sobre el negocio de los obrajes aceptará la voluntad del virrey príncipe de Esquilache, su primo. Madrid 24 de marzo de 1616 (ADA, N°677). La condesa a Rodrigo de Esquivel le comunica que ha recibido el dinero que le envió junto con Cueva del cobro de los repartimientos y que, con la llegada del virrey, su primo, mejorarán las haciendas de Azángaro. Mismo lugar y fecha.

[10] Antonio Paz y Meliá fue el archivero que tuvo a su cargo la reorganización del archivo de la casa de Alba a fines del siglo XIX. El incendio del archivo en 1936 diezmó la colección. Los documentos que en estos artículos se utilizan están entre los papeles definitivamente perdidos. Un catálogo completo de lo que quedó de América en el archivo de Alba se publicó en 1991 (*Papeles de América*...), con correspondencia y papelería del conde de Lemos en donde ya estas cartas no figuran.

pícara introducción de su primo, el príncipe de Esquilache, en una de las cartas rescatadas por Meliá de fecha 15 de marzo de 1618. Le dice el virrey que el buen orador busca capturar de inicio la atención de sus oyentes y así, para que la carta no le sea larga, la empieza con algo goloso como la noticia de que sus obrajes ya se están entablando; el de Huaylas operativo, vencida la resistencia de los indios que ahora trabajan gustosos en él y el de Cajatambo, que es como decir Getafe de Madrid, va en camino. El virrey está al tanto de todo y ya se ha comunicado con el conde, pondera el trabajo de Cantoral y aborrece las dificultades que la trama de intereses locales le ponen para satisfacer los de su primo prontamente. Está tan a disgusto en aquel reino que no esconde su desprecio por sus gentes. Le escribe acerca de su cargo, en juego de palabras zumbón que usaban ambos corresponsales: "es mucho mayor la carga y no de la ocupación, sino de tolerar la más pesada y soez gente que hay en lo restante del mundo y en cuyo beneficio se pierden todas las buenas obras, y es refrán común desta tierra: Haz mal y no cates á qual. Haz bien y guárdate".

Estos hombres, mientras maniobraban para obtener pingües ganancias del trabajo de los indios, se llenaban la boca con la protección de los naturales y el virrey se adornaba con frecuencia respecto de ello, lo que era de dificultad decía, pues era asunto contra el que se erigían muchos poderes locales:

> "porque no hay español que naturalmente no sea su verdugo, y esto con pretexto de piedad y buen gobierno, porque es axioma común entre todos que los indios no han de estar ociosos y que así los ocupaba el Inga sin cesar, y con este presupuesto, como la codicia pone el coto en la justificación del trabajo, viene a no tener medida, comenzando en justicia y acabando en tiranía".

Es lo mismo que la alusión que hace el conde en su carta de respuesta al príncipe de Esquilache, de 14 de marzo de 1619, en que recuerda la cédula de servicios personales durante su presidencia de Indias "contra la tiranía y avaricia de los encomenderos y en defensa de los indios". Pero qué feliz está por las noticias de los obrajes y de las decididas gestiones de su primo a quien tiene por su "Atabaliva", su "redentor", "principaço", con quien está en deuda de por vida. Reconoce que es "mucho lo que se come" y que viene de sus negocios por allí, pero lo que más lo conmueve

> "es que me tenéis rendido y obligado a serviros toda la vida, y aunque es mucho lo que se come, lo que yo estimo sobre todo es la ordene, hoc est, el gusto y buen despejo con que me hacéis merced en el avío de todas esas haciendas que

ahí tengo. ¡Viva mil años tan buen pariente y amigo, y vívalos yo también para serviros…!".

Le pide que sirva y recompense a quienes lo han ayudado. A Martín de Azedo "primo capite", "porque le debo casi tanto como a vos". Luego, menciona a todos los que formaron el engranaje de sus negocios: Verdugo, Cueva, Paredes, Esquivel y el tesorero López Hernani, que veremos actuando luego. Pero, claro, también que atienda a los caciques de Huaraz, que se han comunicado con él como se ve, quejándose de que los tratan muy mal.

La etapa intensa de la implantación del negocio condal responde al nombramiento del nuevo virrey. Pero junto con Esquilache, llegaría a Lima un personaje fundamental –ya mencionado en la correspondencia entre aquellos dos primos–, Martín de Acedo (Azedo, Ahedo). Figuró como camarero del virrey y acumuló un poder inusual, al punto que Amorina Villarreal (2018) no duda en equipararlo con el valido metropolitano, pero en la corte virreinal[11]. Entonces, el diligente representante del conde, Francisco Verdugo, ya le escribía que las cosas estaban caminando muy bien por la acción del virrey y el buen hacer de los que entonces estaban a la cabeza de sus cosas, Paredes y Acedo (ADA, 733). La correspondencia condal muestra que Acedo no solo era factor de la Real Hacienda y brazo derecho del virrey, también era factor directo del conde (ADA, 669)[12].

Otra trama de la red se manifiesta en relación a Acedo. En la misma carta en que Domingo de Luna denunció el favoritismo del que disfrutaba Paredes, señaló que quien quedó encargado de componer y vender tierras valiosas a precios ínfimos fue el provisor del arzobispado Feliciano de Vega. Luna entra en la conflagración política que se había manifestado por parte de mucha gente de la sociedad limeña con el príncipe de Esquilache, que estaba presente en una sorda queja por indolencia e intereses encontrados. Quien fue comisionado para la composición, el doctor Feliciano de Vega, era cuñado de Martín de Acedo, ca-

11 Sugiere que, por varias razones, Acedo fue una réplica del valido real en el virreinato. Pero también, que las características del servicio de Acedo con el de Esquilache no calzaban con la elevada figura de un duque de Lerma con Felipe III. La misma autora, Villarreal Brasca (2013b), nos da una visión bastante benévola de la administración de este virrey, a contracorriente y en polémica con una amplia bibliografía anterior sobre ese periodo.

12 Carta de Martín de Acedo al Conde de Lemos sobre los negocios de este en Lima, 18 de mayo de 1616. Al llegar a Lima ha encontrado que los negocios del conde no marchan bien y que hay mal entendimiento entre sus administradores Francisco Verdugo y Francisco de la Cueva. Ha escrito a Rodrigo de Esquivel para que ajustase las cuentas y él pudiese ver cómo está la cobranza de los tributos de Azángaro. Las cuentas suman 25 barras que son 25,557 patacones de 8 rr.

marero del virrey. Ambos personajes eran íntimos y el provisor compadre de Tomás de Paredes (AGI, Lima 151). El provisor tendría mucho que ver luego con los desempeños de eclesiásticos que estarán muy presentes en la trama local de poder. Vega era muy influyente, por eso el oidor Juan Páez de Laguna, ya enfrentado con el proceder del príncipe, denuncia el favoritismo que en la disputa por el cargo de provincial de los dominicos tuvo por fray Agustín de Vega, hermano de Feliciano y también cuñado de Martín de Acedo "camarero y antiguo criado y toda la privanza de vuestro virrey y su capitán de la guarda" (AGI, Lima 96;)[13].

Ese era el contexto del año 1617, cuando empezaron las diligencias del diligente virrey príncipe de Esquilache para que se funde un obraje en la Collana de Lampas, de la jurisdicción de Cajatambo, con 53 indios de mita y 97 muchachos, luego que el rey le autorizara a fundar los obrajes donde lo viera por conveniente, ya que no se habían establecido en los lugares señalados originalmente. Las cédulas expresaban claramente que no podían servir en los obrajes los indios que vivieran más allá de la media legua. Tan perverso era el sistema que se podía conminar a trabajar a muchachos menores de los indios que estaban obligados a mitar. La "gran" protección de las cédulas acerca del servicio personal era que no podía obligarse a los indios a ir a lugares muy alejados. El corregidor, al parecer, lo mandó cumplir, pero muy luego el procurador de los naturales presentó una protesta diciendo que a pesar de eso el príncipe de Esquilache los mandó compeler. Fue cuando dio la orden de que se hiciese en la Collana de Lampas, con la condición de que fuesen los indios de repartimiento de media legua de contorno. En 1620 se mandó fundar otro obraje además en Huaylas, en diferente pueblo al que ya estaba fundado, mientras que, para Cajatambo, se arguyó que era porque había "muchos indios y descansados" con "pocas" mitas y podía fundarse allí un obraje en su "ayuda".

Contra viento y marea, dada su privilegiada posición, el conde obtuvo la merced de fundarlos. No le fue fácil, hubo muchos conflictos como ya señalamos. Luego de varios fracasos, se pretendió hacerlo en Cajatambo, tratando de captar el trabajo de sus pobladores y sacar la ropa muy cerca de Lima. Para ello debía quitarse la mita a los chacareros de los valles costeños a los que servían los indios, competir con otros obrajes en la zona y con los intereses del propio encomen-

[13] Carta de Páez de Laguna al rey, Lima 19 de noviembre de 1617 (Torres Arancivia, 2006: 137). La esposa de Acedo era María Vega. El libro de Torres Arancivia es la visión contraria a la de Amorina Villarreal en el estudio ya citado sobre el gobierno del príncipe.

dero. Con todas las prevenciones, el príncipe de Esquilache decidió implementar la disposición emanada en la metrópoli.

Fue un momento en que algunas de las casas señoriales más encumbradas de España buscaron obtener dividendos en la Indias y se fijaron en el negocio peruano. Mientras escribía tajante contra la concesión de rentas y encomiendas a personas no residentes en el Perú, que marginaba, perjudicaba y agraviaba a los beneméritos sin rentas del reino –como bien ha señalado José de la Puente–, el príncipe de Esquilache se ocupaba denodadamente por asentar los negocios del conde que eran ferozmente contradichos por distintos actores sociales y, particularmente, los indios. Los avisos que las autoridades reales recibían al respecto no eran contrarios a sus propias normas que, una y otra vez, decían que se prohibía que funcionarios españoles tuvieran esas mercedes en Indias. Sin embargo, una y otra vez también, esos propios funcionarios iban contra sus leyes y daban a sus congéneres mercedes de renta y encomienda (De la Puente Brunke, 1991: 1-13).

Hubo muchos casos, pero ninguno como el del conde. Juan de Ibarra, por ejemplo, recibió también a inicios del siglo XVII una encomienda y se ve que la administró como lo haría el conde. No se entiende de otra manera que una vez recibiera su renta en Cotahuasi, trocara el repartimiento por el de Túcume, tal vez esperando obtener más, seguramente su renta en este. Otra encomienda que fue un factor presente en la vida cotidiana de la región implicada fue la que se dio a los condes de Altamira en Cajamarca. La administraron más de un siglo. Más pequeña situación se dio en Collique al conde de Puñonrrostro. Hay que distinguir entre una situación o renta que se pagaba desde una caja real, a una encomienda en la que los agentes o "podatarios" de los encomenderos tenían que ver con la obtención y administración de las rentas. En esos casos, la renta no era fija, sino que oscilaba en relación al manejo del mercado y las habilidades para ubicarse en él por parte de los administradores locales de los encomenderos españoles.

Otro caso paradigmático fue el de los marqueses de Santiago de Oropesa, don Juan Enríquez de Borja y doña Ana María Lorenza Coya Inca de Loyola. Se les dieron las rentas de los repartimientos que vacaron por muerte de doña Francisca de Briviesca y Arellano en el valle de Yucay. Luego de varios años de apelaciones ante el Consejo de Indias, la marquesa obtuvo una situación de diez mil ducados sobre los cuatro pueblos que conformaban el flamante marquesado

(AGI, Indiferente 635: ff. 440-491)[14]. El marqués ordenó visitar su jurisdicción, que resultó en un monto menor al total de la situación, por lo que su primo hermano, el virrey príncipe de Esquilache, también le asignó otros repartimientos vacos. Así juntaron las rentas de los repartimientos de Caquiaviri hanansaya, Yaye y Quinaquitara, Larecaja, Chuquiabo, Calamarca y Machaca la Chica pasaron a ser percibidas, desde 1615, por los marqueses, quienes ordenaron revisitar los repartimientos en cuestión y apoderaron a sus administradores para efectivizar las cobranzas en las Cajas Reales (Morrone, 2012: 20-21). Para completar la renta o situación, el virrey asignó a los marqueses las rentas de los repartimientos de Quichuas y Aymaraes (Huamanga), vacante por muerte de Antonio Mañueco, y el de Parinacocha (Cuzco), por muerte de don Vasco de Escobar; finalmente, en 1618, asignaría las rentas de Lucanas Laramate (Huamanga) (De la Puente Brunke, 1992: 370, 389 y 391). Otra renta de la región otorgada a un noble español fue la de abril de 1618, por dos vidas, la del repartimiento de Viacha hanansaya en don Francisco Fernández de la Cueva, séptimo duque de Alburquerque. Se trataba, pues, de una política muy bien concertada, que involucró a los nobles hispanos que no solo fueron observadores, sino actores directos en la formación colonial andina. Por eso es muy certera una carta de Pedro de Vergara del 1 de mayo de 1619; denunció al príncipe de Esquilache y los negocios enormes de su asistente Martín de Acedo y cómo todos los obrajes plantados en el Perú eran de las casas de Lerma, Lemos y Uceda, y que el marqués de Oropesa estuvo en el Perú entablando sus negocios por 60,000 pesos de renta (AGI, Lima 149)[15]. Una de las manifestaciones de estas denuncias fue el largo y complicado proceso de fundación del obraje de Cajatambo.

El obraje de la Collana de Lampas en Cajatambo

En una parcialidad de la provincia de Cajatambo, poblada todavía por cuantioso número de familias y ayllus indígenas, agrupados en repartimientos que recordaban una vieja tripartición de lo que fue un grupo social segmentado, a inicios del siglo XVII se produjo una intensa lucha por controlar uno de los recursos más importantes de las zonas serranas cercanas a la capital del virrei-

[14] En 1614 se les hizo marqueses y se les otorgó renta de 10,000 ducados. En 1617 se dio licencia para derribar el obraje de Urcos y juntarlo con el de Quispihuanca que estaba en Urubamba y era muy grande y se estaba ampliando, siendo los indios del derruido pasados al otro que era realmente nuevo.

[15] Carta de Pedro de Vergara, 1 de mayo de 1619.

nato; el trabajo de los naturales.

La región de Lampas es una amplia planicie que los incas organizaron en tres parcialidades constitutivas de una unidad social: Collana Guaranga, Chaupi Guaranga y Guaranga de Ocros. Formó el norte del corregimiento de Cajatambo que tenía tres partes, Lampas (Chiquián), Cajatambo propiamente y Andajes. Las doctrinas de la jurisdicción, que tenían varios pueblos bajo su administración, fueron: Santo Domingo de Ocros, San Agustín de Cajacay, San Pedro de Hacas, San Pedro de Ticllos, San Francisco de Chiquián y San Juan de Cochas. Hacas, Ticllos y Chiquián eran las de la Collana. Cajatambo ocupa la parte alta del valle de Huaura, al lado del valle del Chancay, uno de los más productivos de los valles costeños del norte de Lima. A principios del siglo XVII, la Collana seguía siendo una guaranga que tenía probablemente tres piscapachacas dependientes de este pueblo: Aquia, Guasta y Chiquián, que es el nombre más común con el que se conoció a la Collana[16]

En el verano limeño de 1620, un numeroso grupo de indios procedentes de la provincia de Cajatambo, del repartimiento llamado Collana de Lampas, bajaron a la ciudad encabezados y dirigidos por un joven indio ladino, conocedor de los procedimientos judiciales ante la Audiencia, llamado Juan Chaupis Condor. Iban a presentarse ante el máximo tribunal y el propio virrey para contradecir la fundación de un obraje en su pueblo. Fueron a buscar al abogado de los indios, el prestigioso doctor y profesor don Leandro de Larrinaga Salazar a explicar su demanda. Don Leandro, con la información de las autoridades indias de Lampas elaboró la instancia necesaria para presentar su demanda. Con el documento, la delegación india fue a buscar al protector de los naturales, cuya intermediación era necesaria para facilitar la presentación. El funcionario los trató con cierto desdén. Les dijo que existía una provisión oficial para fundar ese obraje y que, sin embargo, presentaría su documento. En su cabalgadura, salió rápido con dirección al centro de la ciudad sin quedar en nada con los que debían ser sus representados. Los indios pretendieron seguirlo hasta que le perdieron la pista. Con algo de desabrimiento, se fueron a las puertas del palacio virreinal a esperar encontrar a su protector. No salió el esperado sino un alguacil que los llamó a la voz de ¡Lampas! Sin mediar explicación, detuvo al joven Chaupis y lo llevó a la cárcel de corte. Una semana lo tuvo encerrado sin que sus compañeros supieran

[16] Hay unas buenas referencias a la provincia y los problemas culturales, muy vinculados con los que ahora estudiamos (Burga,1988). Ver también Pereyra (1989).

qué hacer. Al liberarlo, el alguacil le dijo al procurador de los Lampas que se regresara con su gente a su pueblo, si es que no quería ser llevado a galeras. Chaupis tenía amigos en la ciudad. Era un artesano bordador en Lima y debió haber sido educado en un colegio y con algún abogado. Le dijeron que era peligroso desafiar la orden. Decidieron regresar, pero también elaborar un memorial para remitirlo ante el rey y su Consejo, denunciando su indefensión y presentando su causa. El documento, firmado en duplicado por los líderes del pueblo; Don Alonso Limay Condor, cacique y gobernador; Don Juan de Castilla, cacique principal; Don Alonso Curi Paucar, segunda persona y don Juan Chaupis Condor, procurador general por el gobierno, quien llegó a Madrid y fue atendido. El Consejo envió una cédula a la Audiencia para que se averiguara la veracidad de la denuncia indígena. No se podía pasar por alto esa orden y en 1622 el tribunal mandó al oidor semanero don Juan de Solórzano y Pereira, que hiciera la diligencia. Ese es el origen del expediente que nos sirve de guía para esta parte de nuestro estudio (AGI Lima, 157)[17].

El documento que Larrinaga elaborara para los Lampas efectivamente nunca fue aportado en los actuados y la versión del escamoteo cómplice del protector es muy aceptable. Pero el memorial enviado al rey sí consta en el inicio del expediente de averiguación que llevara adelante el oidor Solórzano (AGI, Lima 157)[18]. Este era el relato de los demandantes. Se presentan como los indios, curacas, caciques y camachicos de la Collana de Lampas, de la encomienda de don Juan Velásquez en la provincia de Cajatambo, en nombre de los demás indios de la provincia y su procurador general en su nombre. Recapitulan que, por el año

[17] Expediente sobre la averiguación de la contradicción del obraje de Lampas. Documento sin cabecera ni resumen, empieza con un memorial señalado arriba con 1626 y foliado desde el folio 4 hasta el 213.

[18] Memorial, ff.4-6v. En duplicado figura también en AGI, Lima 150. Carta que acompaña al memorial, que viene duplicado aquí, lo dirigen a alguien en la corte que no se identifica para que lo haga llegar al rey y, al final, piden que no se deje salir del reino al príncipe de Esquilache hasta que no dé su residencia. Están en su pueblo el 1 de abril de 1620. Lo firman los cuatro: Alonso Limay Condor, cacique gobernador; Juan del Castillo, cacique principal; Alonso Curi Paucar, segunda persona y cacique: Juan Chaupis Condor, procurador general de la Collana (en la copia "por el gobierno"). Viene también minuta la cédula de 1621 al respecto, emanada luego de la opinión del fiscal del Consejo, favorable a los indios en su pedido. El título es "Los indios, curas (sic por curacas) y caciques de la Collana 1 de abril de 1620" (fecha que figura en el memorial). Suplican que no se deje salir de aquella tierra al virrey Príncipe de Esquilache hasta que dé su residencia y satisfaga las demandas que le han de poner. Así mismo, suplican se vea y provea lo que piden en el memorial que está con esta carta. El memorial fue visto en Madrid a 2 de febrero de 1621.

de 1610, por dos cédulas, se dio licencia al Conde de Lemos para que fundase cuatro obrajes de paños y cordellates, los cuales se hiciesen en los pueblos de indios de su encomienda; dos en el distrito de Lima y dos en el del Cuzco. Pero, mandado esto, en tiempo del marqués de Montesclaros, este retuvo la implantación por los inconvenientes que podían resultar a los indios. Viendo que con ese virrey no lograrían su cometido, esperaron la llegada del príncipe de Esquilache, primo del conde, para que acabase lo que el marqués justificadamente contradijo. Hizo para ello "relación siniestra", diciendo que en la provincia de Lampas había cantidad de indios donde podía fundar el cuarto obraje que le faltaba y pidió se le despachase cédula para ello. Al no haber contradicción en el Consejo, se le dio la tal cédula en abril de 1617 con las limitaciones formales referidas al cumplimiento de las cédulas sobre el servicio personal. Así lo implementó el virrey por mano de su camarero Martín de Acedo y, aunque ellos lo contradijeron una y más veces ante la real Audiencia de los Reyes, no se les recibió su demanda por vía de agravio, diciendo que debía ir firmada del Protector, pero como este era criado del príncipe y no tenía otra cosa de dónde comer, por no perder el puesto, le llevó al príncipe las contradicciones y el pedido de que se cumpliesen las cédulas de servicio personal. Irritado con esto, el virrey los mandó llamar y los persuadió de que lo dejasen ejecutar, dando para ello ciertas dádivas a algunos, pretendiendo engañarlos. Como vio que por esa vía no lo lograría, los mandó poner en la cárcel de la ciudad a la mayor parte de ellos y dio aviso verbal al procurador general de un auto en que mandaba que saliesen de la ciudad en el plazo de un día, bajo pena de galeras, de manera que su reclamo y causa quedaron sin posibilidad, ya que la Audiencia no aceptaba sus escritos.

Sin embargo –siempre según el largo memorial de los Lampas–, otros curacas volvieron a la contradicción y a poner capítulos de malos tratamientos que recibían de Pedro de Espíndola, persona nombrada para la fundación, "hombre temerario y de mala vida". Tanto que, por sentencia de la sala del crimen, estaba privado de oficio entre los indios; cuatro años de destierro y tres mil pesos ensayados de multa. Los crímenes de Espíndola eran: incestos, adulterios y muertes de indios, semejantes a los que ahora está cometiendo y de los que lo acusaban en los capítulos[19]. A ese sujeto lo nombró el virrey para que los maltratase y les

[19] Como muestra de que las acusaciones de los indios eran mayoritariamente ciertas, en el propio archivo condal se guardaba un traslado de la sentencia de vista pronunciada por los alcaldes del crimen de la Real Audiencia de Lima en el pleito habido entre los caciques de indios de los pueblos de San Sebastián de Huaraz contra Pedro de Espíndola Marmolejo, Los reyes 30 de agosto de 1613 (ADA, Nº708).

quitase sus tierras y sus mujeres. Los letrados de los indios habían formado y firmado la petición para darla al protector para que la solicitase. Advertido del camarero, el Protector tomó los papeles y los dio nuevamente al virrey, quien los devolvió a Acedo. Este último los envió a la provincia al mismo Espíndola, mientras a los reclamantes los puso nuevamente en la cárcel. Liberados por ruego del fiscal, al regresar, los esperaba nuevamente la prisión por mano de Espíndola, quien los tuvo muchos días en ella e incluso los azotó. Desesperados, volvieron al intento en Lima donde ocurrió lo mismo dejándolos en absoluta indefensión, pues el virrey es "hombre arrojadizo y temerario".

Si se cumplieran las cédulas –decían– no se dejaría fundar el obraje en la provincia ni resultara daño para otros interesados, pues se quitan los indios de sementeras, particularmente a la Villa de Arnedo que se queda sin labrar sus tierras, mientras los condes tienen además de este obraje, en rentas de indios y obrajes en el Perú, 30,000 pesos "que es una exorbitancia" y ahora quiere sujetarlos más que esclavos, no siendo de su encomienda. Los hacen trabajar a todos; hombres, mujeres y niños. No acuden a la doctrina. Les pagan por jornal tres cuartillos, cuando en cualquier otro trabajo reciben cuatro reales diarios y ellos que se deben desplazar varias leguas, lo hacen con sus familias, y los pocos que quedan en el pueblo, son obligados a ir a las mitas de diversas provincias, de manera que no hay turnos ni huelga y han pedido clemencia, rogando que les reciban su queja pues si ellos no la hacen, sus defensores poco cuidado tienen de pedir lo que les conviene por atender al interés de sus oficios y al gusto del gobierno, de tal manera que sus papeles se los queda el virrey. El mandatario no cumplía con lo que se le mandaba, como lo prueba que en marzo de 1618, cuando se le mandó que quitase los oficios de la armada a sus criados, solo hizo una maniobra engañosa que este memorial describe inesperadamente como parte de las estrategias del virrey para estar bien con los oidores y satisfacer a sus allegados, esperando la residencia. Pero lo que sí les toca es la denuncia de que lo procedido de los censos de los indios, que por cédula debiera estar guardado en una caja para que ni administradores ni virrey tuviesen mano para tratar con ello, lo tiene su camarero Martín de Acedo en su poder, por aprovecharse de más de 140,000 pesos ensayados de los réditos. Y como no hay protector que pida por ellos pues los que lo son, son sus criados o están pendientes por si les quita los oficios si lo pidiesen. Sugieren que el protector sea persona de suficiencia y no proveído por el virrey. Por todo esto, piden que se cumplan las leyes, que los ministros de estos reinos no atienden y que no se funde ese cuarto obraje, pues ellos no son de su encomienda y tienen que desplazarse de muy largas distancias.

Muchos de los datos que proporciona el memorial los tenemos constatados, aunque algunos son exageraciones propias de una escritura que buscaba excitar la compasión y subrayar los puntos de agravio y violación de las leyes. El punto ajeno es el que se refiere al tema de la armada y se junta con otros elementos que eran propios de una literatura contraria al virrey, que en ese momento estaba de capa caída y pronto a abandonar el reino. Fue encomendada la averiguación al oidor Juan de Solórzano, entonces "juez semanero" de la Audiencia, el 22 de octubre de 1622. Estaban en la capital presentes y fueron preguntados por la orden Real. Castilla, que era un jovencito de 17 años que no había gobernado a pesar de tener el cacicazgo, Curi Paucar que tenía 40 años y era quien entonces ejercía el mando y Chaupis Condor, que tenía 28 años y era procurador general "con título del gobierno". Sobre el otro firmante, Alonso Limay Condor, dijeron que era cacique principal de la Collana guaranga y que estaba en el pueblo.

En la entrevista, el oidor dirigió sus preguntas para saber si realmente firmaron el memorial y si era de ellos (AGI, Lima 157). Dijeron que efectivamente lo firmaron pero que lo escribió y ordenó un español, cuyo nombre no sabían, a quien pagaron 60 patacones y se encargó de enviarlo a España y hacer que llegue a las Reales manos. Incluso recuerdan el lugar del hecho; el tambo de las Damas en Lima. Tan pronto hicieron esto, se regresaron a su tierra pues así se los había mandado, con penas y apercibimiento, el virrey príncipe de Esquilache. Esto ocurrió en 1620. Por lo que toca al contenido del memorial, declararon que todo era cierto y verdadero, y que si fuera necesario lo volverían a firmar, salvo lo que se dice contra el virrey y allegados, que eso lo puso "de su cabeza y por su gusto el dicho español". Solo le pidieron asentara sus agravios, que su Protector no les defendía como era su obligación y que el virrey no había querido cumplir las cédulas en su favor que le presentaron "antes las detuvo de suerte que no parecieron más", con una alegación que para el efecto les había hecho Leandro de Larrinaga, como abogado que era de los naturales[20]. El virrey prendió por dos o tres veces al procurador Chaupis y a otros indios porque vinieron a pedir el cumplimiento de las cédulas y que se quitase el obraje. Apercibidos para que digan

---

[20] De Leandro de la Rinaga, Larrinaga o Larreinaga se puede decir mucho, pero era sin duda una de las figuras más prestigiosas de la intelectualidad y abogacía limeña, respetado por todos y a quien acudieron las principales autoridades del reino por su asesoría, abogado de los naturales desde 1601.

quién les escribió el memorial, volvieron a decir que no lo supieron, solo que era un hombre de buena disposición, vestido de negro, que pintaba en cano. Les dijo que no tenían remedio a lo que pedían en ese gobierno y que lo mejor era encaminar su pedido al Consejo. Confiaron en él para ello y se lo pagaron como les pidió. Una noche les llevó el memorial al tambo y les leyó a pedazos su contenido. Cerraron el acuerdo. No acudieron al Protector porque no confiaban en él y creyeron que los letrados no les ordenarían el memorial por ser para España.

Esa primera sesión de interrogatorio la hizo Solórzano por el turno que le tocaba en la Audiencia y se encaminó –como hemos visto– a verificar la autoría de una pieza que era una más de las que entonces circulaban en contra del recientemente retirado virrey Esquilache. Confirmó la presencia de alguien que sería parte de los enemigos del virrey dentro de la lucha política capitalina, pero no consiguió que los indios lo identificaran. Lo que sí era contundente era que las denuncias eran el conjunto de un relato indígena de los abusos e ilegalidades que acompañaron a la implantación del obraje y la tenaz lucha por impedir su fundación. Otro que resultó implicado en posible delito por defecto de función fue el Protector[21].

La Audiencia enseguida encargó de oficio para que siga la causa al mismo Solórzano. Entonces, el oidor les mandó que den cuenta más precisa de sus acusaciones y que digan cuál era el protector al que denunciaban. El procurador general de los naturales, Alonso de Torres Romero –pero también va firmado el escrito por Juan del Campo Godoy que era el abogado de los naturales–, se presentó por los tres Lampas y dijo que el protector al que se referían era Mateo de Vivanco, que fue quien recibió la contradicción que presentaron al cuarto obraje que hizo Leandro de Larrinaga Salazar, que entonces era abogado de los naturales y escribió Gonzalo Ortiz de Mena, su procurador (AGI, Lima 157). Luego, detalla los agravios que recibieron de Pedro de Espíndola Marmolejo, la persona que por comisión del gobierno señaló el sitio donde se fundó el obraje. Lo hizo en la "mitad" donde tenían sembradas sus sementeras que perdieron, apresaba a los caciques para que le llevaran indios que se huían. A los que tenía, los aporreaba y maltrataba y los hacía cargar grandes piedras, les hurtó alijos para cubrir sus casas que así mismo hacía cargar, de lo cual murieron cuatro indios que fueron Martín Caxalibia, Felipe Caxahanampa, Juan Guamanrupay y Cristóbal Jul-

[21] Los indios no se contentaban con recurrir a los tribunales virreinales. Si es que no conseguían sus objetivos, aprendieron a seguir los caminos que les podían hacer llegar sus pedidos a la propia corte metropolitana. Ver Glave (2018).

capocha. También les quitó 60 carneros, pagando por ellos cuatro reales cuando valían ocho. Y así sucesivamente otros vejámenes en los que se extienden.

El 4 de noviembre, ya nombrado Solórzano como juez de comisión, se presentaron los testigos que podían declarar sobre la materia presentada por el procurador y que estaban todos en Lima: doctor don Leandro de Larrinaga Salazar, Gonzalo Ortiz de Mena, Juan Llacallo, Pedro Guaranga, Martín Yauri Lloclla, Diego Condor Chagua, Santiago Guaman Condor, Pedro Lloclla, Juan Pomaguara y Alonso Pampayana. Pero en los actuados aparecieron, además, otros testigos declarando. Empezó don Juan Llacallo, natural del pueblo de San Francisco de Chequeye(c) de la provincia de Cajatambo de la encomienda de Juan Velásquez, que por lengua de Tomás López, intérprete de la Audiencia, dio su juramento y declaró. Confirma que hacia 1620 los indios fueron a Lima a contradecir la fundación del obraje. Él estuvo con ellos, pero había ido a cobrar el tributo de los ausentes y de la contradicción se encargó Chaupis. Confirma que el letrado y el procurador ayudaron y que Marco de Vivanco, el Protector, se quedó con el escrito y no lo presentó y fue con el alguacil a decir a qué indios debía detener, lo que se hizo hasta tres veces; dos en la cárcel de la ciudad y una en la de corte. Luego, los mandaron regresar. Lo que hicieron, pero antes se contentaron con la redacción del memorial que es materia de investigación. Luego, denuncia también a Pedro de Espíndola Marmolejo por vejar a los indios cuando fue a fundar el obraje por orden del virrey en la provincia. Estuvo en el negocio un año y ocho meses, y hace dos años que ya se asentó en la provincia. Denuncia que azotaba a los indios para atemorizarlos y los ponía en el cepo de veinte en veinte y los dejaba allí por diez días. Les quitó sus tierras y taló sus chacras para hacer una pampa para la fundación del obraje. Les daba golpes, de lo que murieron dos de Santo Domingo Guasta y uno de San Francisco Chequeyec (también Chequeya). Además, era vicioso y abusador con las indias, las llevaba por fuerza a su casa y a dos se las llevó a Huaraz en la provincia de Huaylas[22]. El trabajo de cargar piedras, hacer adobes y demás para el obraje no lo pagó y, además, llevó maderos que estaban preparados para las iglesias y puentes. En el obraje ya operativo trabajan 40 tributarios (otros testigos dijeron que 50) y 90 muchachos. Van de San Cristóbal Roca y San Luis Matara a tres leguas y de San Miguel Aquia

[22] Donde residía como se confirma en "Diario de la segunda visita pastoral del arzobispo de los Reyes don Toribio Alfonso de Mogrovejo", por fray Domingo Angulo 1920: 63 y en Zuloaga (2012:188). Había sido teniente del corregidor y llevaba un obraje, de manera que la elección del personaje no fue casual.

a legua y cuarto. El primer obrajero por arrendamiento era Pedro Lomelín, nuevo personaje en la escena y su mayordomo Felipe Sánchez (otro testigo dice López). El testimonio describe muchas otras atrocidades que se cometían con los indios. Hace un año no les pagan cosa alguna. Los azotan y maltratan. No trabajan por voluntad sino por apremio. El testigo tiene 29 años (AGI, Lima 157).

Entre los testigos hubo otros indios, como Pedro Guaranga, natural de San Miguel Apia (sic), que declara que los indios que van al obraje a trabajar son de San Miguel Acya –a legua y media–, Santo Domingo Asto –un cuarto de legua–, San Francisco de Checya –un cuarto– y del pueblo de Matará –a tres leguas– (AGI, Lima 157). Otro declarante fue Santiago Guaman Condor también de San Miguel Alquia (sic). Los testimonios de estos naturales, y los otros que declararon, fueron ampliamente descriptivos en los abusos que se cometían con ellos en el obraje, confirmando el escrito del procurador que respondió al juez de comisión.

También declaró un escribiente llamado Gregorio Muñoz, del oficio del escribano Diego Sánchez Badillo, el cual estuvo en la Collana con el encomendero y vio los abusos (AGI, Lima 157). También unos clérigos; Gonzalo Cano, que dice que lo que les pagan en el obraje por ordenanza es menos de lo que ganan en otras mitas y Juan Osorio, que fue cura interino seis meses en la Collana, que confirma. También el ex corregidor don Juan de Zárate, que durante su periodo se fundó el obraje y dice que los indios lo contradijeron y se quejaron de Espíndola, pero en sus declaraciones es cuidadoso y no se compromete.

El testimonio más interesante para nuestro estudio fue el del licenciado Francisco Fernández de Córdoba, abogado de la Audiencia y "continuo" en palacio[23]. Declaró que supo de la contradicción porque entendía la lengua de los indios a los que la oyó proclamar y que el Protector efectivamente era "tibio", porque Martín de Acedo hacía las cosas del Conde por la "privanza en que estaba del señor príncipe". Esto lo oyó decir públicamente:

> "en corrillos de pretendientes de palacio a los que tratando del grande agravio e injusticia que se hacía a los dichos indios se lastimaban de verlos tan desfavorecidos y que en particular oyó decir al doctor don Francisco de Avila cura del pueblo de Guaraz que habiendo entrado el cacique principal de los dichos in-

[23] Fernández de Córdoba era criollo, había nacido en Huánuco, abogado, profesor y escritor.

dios a hablar al dicho señor virrey para que no consintiese que se fundase el dicho obraje en presencia del doctor Avendaño cura desta catedral por no entender la lengua el dicho señor virrey dijo al dicho doctor Avendaño que qué decía o pretendía el dicho cacique acerca de contradecir la fundación y como el dicho cacique era ladino, respondió en la lengua de indios habiéndolo entendido al dicho señor virrey: señor primero me corte la cabeza VXa que fundarse el obraje y el dicho señor virrey se volvió al dicho doctor Avendaño muy enojado y le dijo qué dice este cacique que señala la cabeza y viendo el dicho doctor Avendaño al dicho señor virrey en lo que mostró colérico y enojado por excusar al indio le dijo señor lo que dice este cacique es que se funde el obraje norabuena aunque le cueste la cabeza y con esto se sosegó el dicho señor virrey y después entendió y supo porque se dijo públicamente en la plaza que a un cacique llamado don Juan que ahora le presenta por testigo porque vino a contradecir la dicha fundación le tuvo muchos días preso en la cárcel y visto esto se entibiaban los letrados procuradores y protectores y se quedó así" (AGI, Lima 157).

El abogado declaró que en la fecha de la contradicción, 1620, estuvo en la ciudad, pero esto no es correcto. Después de ser corregidor en Huaylas, en 1612, cuando ya era encomendero el conde y se plantaban los primeros obrajes, nuestro personaje pasó a Charcas donde ejerció de Protector de los naturales hasta su regreso a Lima, en 1616. Ese año debió pasar por Huánuco, su tierra natal, y recibió el encargo de ser procurador de la ciudad en Lima. En 1617 estaba ejerciendo su profesión en la capital. Allí es donde estuvo en la corte –como dice en su testimonio– de "continuo", hasta su nombramiento en Huamanga en 1619 donde permaneció hasta 1621 (Lohmann Villena, 1988: 299; Latasa, 1997: 426)[24]. Esto es, su testimonio, una construcción de recuerdos; proviene de una escena ocurrida cuando comenzó la contradicción, como dicen los indios que la hicieron una y más veces, desde 1617. Fernández de Córdoba, vinculado con el cura Ávila y seguramente con el encomendero Velázquez, todos en relación con Huánuco, dio –como lo hacían todos– un testimonio parcializado que recogía unos

[24] En abril de 1619 está de partida a Huamanga y entonces era procurador general de Huánuco en Lima. Confirió poder general para ocuparse de sus negocios y pleitos al huanuqueño Francisco de Alvarado Tovar y "al célebre quechuista y extirpador de idolatrías P. Francisco de Ávila, que fue cura de Huánuco desde 1610. De tal forma que la escena que narra corresponde a un tiempo previo, cuando él estaba "continuo" en palacio y cuando Ávila estaba todavía en Lima antes de partir para Charcas (Taylor, 1987: 608). El extirpador deja Lima para asumir su canonjía en La Plata en 1618.

intereses muy particulares. De este salió bastante mal parado otro religioso, también extirpador de idolatrías, Fernando de Avendaño[25].

El religioso era muy cercano al virrey. Pero no solo eso, también estuvo cercano al proceso de fundación del obraje, como se demuestra con el poder que el encomendero Velásquez otorgó a Avendaño, entonces cura de Santa Ana y visitador general contra la idolatría, en Recuay, provincia de Huaylas en 5 de abril de 1619. El poder era para Fernando y para Francisco de Avendaño, hermanos, pero lo presentó el extirpador. Empieza refiriendo que en su repartimiento, el conde de Lemos quiere fundar un obraje y que para ello ha dado poder a una persona para que lo haga a su costa y se cobre con el procedido de tenerlo por un tiempo. Era Lomelín el que asentó la obra, pero él da poder a Avendaño para que haga concierto para encargarse él de la obra y del beneficio en adelante. Velázquez, por intermedio de Avendaño, logró escritura de acuerdo para ello en Lima el 8 de mayo de 1619. Representaba al conde el camarero del príncipe Martín de Acedo (AGI, Lima 157). Un par de años luego, firmó otra escritura el 9 de febrero de 1621, entre al camarero Acedo en nombre del conde y Pedro de Lomelín, quien a renglón seguido del concierto que firmó el encomendero Velásquez para la fundación y aprovechamiento del obraje, mientras se hacía pago de lo que gastara para ponerlo en pie, hizo una compañía con el mismo. Es decir, que Lomelín, a quien antes se había dado la contrata para la fundación, se concertaba con el que se la quitó, para continuar. Acedo aceptó y en agradecimiento del "mucho amor" que Lomelín entregó para la fundación, le prorrogó por ocho meses la escritura que él tenía para poder gozar del obraje y le hizo un nuevo contrato, de aprovechamiento o arriendo por dos años. Primero, poniendo por si no cumpliera Velásquez, pero luego, sin explicar cómo, comprometiéndose a pagar 4,000 pesos anuales por adelantado cada uno, dejando el obraje con las características de la escritura firmada por el encomendero. Deja constancia que si por alguna revisita se rebajaran los indios de servicio que estaban proveídos para el obraje, se rebajarían en prorrata de la renta establecida.

Así como el testimonio de Fernández de Córdoba abunda en evidencias a favor de la contradicción, otros deponentes que se incluyeron más allá de la lista original dieron versiones más contemplativas con la fundación y en contra de la versión de los indios. El cura de la Collana, Alonso Mesía (Mexía), aunque de-

[25] El testimonio de Fernández de Córdoba dice que Ávila era cura en Huaraz, pero tampoco es correcto, lo era en Huánuco, aunque estaba en sus correrías de extirpación de idolatrías en otra región.

claró que había malos tratos, dijo que el obraje en sí no era malo, que era mejor que trabajaran allí para ganar sus tasas a que bajaran a Chancay, como lo hacían antes donde se morían (AGI, Lima 157). Opinión contrapuesta a la que expresó el presbítero Osorio, que pensaba que les convenía más ir justamente a servir en Chancay donde tenían más libertad y no estaban oprimidos como en el obraje. Un testigo, del que no tenemos mucha noticia, Diego Martín Garrido, declaró que los indios se quejaban de que no les pagaban y en una oportunidad el cura Mejía los redujo a que trabajaran esperando que Lomelín llegara con plata desde Lima para la paga.

De entre estos declarantes que inclinaban la balanza a favor de la parte del conde, el cura de San Francisco de Margos, Francisco de Estrada Beltrán, fue el más contundente (AGI, Lima 157). Fue él quien nos da más datos de Chaupis. Por el dicho del cura, sabemos que era bordador y hacía oficio de procurador de la Collana. También completa la historia con un cambio de sitio para la fundación, que se hacía en Cusi, a la doctrina de Chiquian por gestión que hizo el ya difunto gobernador Francisco Yacupuma, porque era un lugar muy aparente para sus indios. También informa que la fábrica del obraje se hizo con indios de Cajatambo y Margos, y no con los de la Collana, de tal forma que no hubo posibilidad de que maltratara a los de ese pueblo. Él mismo fue comisionado por el gobierno para ir a la paga de los indios y vio que se les pagaba muy bien, al punto que sus indios, del pueblo de Margos, iban a trabajar allí por su voluntad cuando les faltaban recursos para sus tasas[26]. Es cierto –dice– que se los forzaba a trabajar, pero eso era por la condición de los indios que no quieren trabajar para los españoles si no es forzados, incluso en sus propias sementeras no trabajaban si no era por compulsión de sus caciques. Como su colega Mejía, Estrada también afirma que el cambiar la mita de Chancay, donde morían por el cambio de temple por el servicio en el obraje, había sido de mucho beneficio para los indios[27].

---

[26] Efectivamente, cuando Solórzano mandó unos comisionados para que revisen los libros de pagas a los operarios, en el de 1621 figura que Estrada estuvo presente (AGI, Lima 157).

[27] Sobre este cura dice Acosta (2014: 229), que era otro visitador de idolatrías en la primera campaña. Estrada fue acusado de causar agravios a los indios "so color de visitar las idolatrías", por el pueblo de San Luis de Matará. El provisor sugirió que la averiguación de los capítulos contra este cura fuese su colega de Lampas. Los primeros encargados por el provisor Feliciano de Vega para la averiguación del caso fueron Rodrigo Hernández Príncipe, cura de Ocros, y Francisco de Ávila, a quienes recusó Estrada, por ser personas íntimas de Juan Velázquez y de su patria y, como consecuencia, enemigos capitales suyos.

Contra estos testimonios se erigieron los autorizados de los funcionarios coloniales para la defensa de los indios. La declaración de Larrinaga –don Leandro dice al margen– fue la última que se recibió y en ella confirmó que les escribió dos peticiones largas que debían llevar al protector Marco de Vivanco y que de una de ellas y de la justicia del reclamo, trató personalmente con el príncipe de Esquilache. El doctor sabía que estuvo preso Cahupis por este asunto y que lo soltaron por ser tiempo de calores, y debían irse los indios en esa época, que él preguntó por el procurador indio y supo se había regresado saliendo de la cárcel. También declaró Gonzalo Ortiz de Mena, procurador de los naturales del reino, que confirmó haber sido el que escribió la contradicción que redactó Larrinaga y que Espíndola les hacía malos tratos por ello y que el trabajo en el obraje era perjudicial para los indios (AGI, Lima 157).

Es curioso que en los actuados aparecieron unos testigos supuestamente presentados por los indios, pero que no figuran en la lista original y que hacen declaraciones muy parcializadas hacia la buena marcha del obraje, algunos muy abiertamente. En el expediente se subrayan con anotaciones al margen esas declaraciones, entre ellas la del cura de Margos. Uno, por ejemplo, es muy claro: Se trató de un tratante en la región de Cajamarca que en la época de la fundación del obraje estuvo en la Collana, llamado Luis García Samanez (AGI, Lima 157). Este deslizó que el encomendero Velázquez de Valverde quiso tomar en arrendamiento el obraje cuando se fabricaba en las condiciones de Espíndola, pero lo hacía por dilatar la fundación. También dice que, efectivamente, Espíndola forzaba a trabajar a los indios, pero eso era normal pues estos naturales "nunca acuden a trabajar a haciendas de españoles si no es forzados", pero que luego les pagaban sus jornales. También afirmaba que el obraje se fundó en tierras de los indios, como ellos denunciaron, pero que eran pedregales y alguna chacarilla de indios y se les pagó por ellas. Algo similar declaró Juan de la Peña (AGI, Lima 157), que si no los forzaban no iban nunca y que el obraje estaba muy bien fundado en lugar aparente, con tres pueblos a poca distancia. Otros declarantes, como un tal Pedro Izquierdo y otro llamado Pedro Moreno, un tratante que vivía en el barrio de San Lázaro en Lima, solo declararon aquello de que los indios siempre tienen que ser forzados en este reino porque de lo contrario no trabajaban. ¿Los dejó filtrar Solórzano? ¿Fue él quien anotó en los márgenes los argumentos que perjudicaban la causa de los indios?[28]

En medio de las diligencias que practicaba Solórzano, los indios protestaron porque Lomelín había llevado nueva comisión para que sirvan y los maltrataba al punto que para obligar al cumplimiento de la mita había embargado los bienes y apresado al cacique principal de la collana guaranga, Alonso Rimay Condor. En Lima, se siguieron mostrando activos en la litigación el procurador Chaupis, que era el líder, esta vez acompañado de otro principal que no había aparecido antes, don Simón Curi Paucar. Los indios aducían la cédula que se emitió por el memorial que se estaba investigando, por ella y por un capítulo de la carta del rey, se mandaba que no sirviesen más allá de la media legua en el obraje y que se les aliviara, pero mientras se averiguaba en Lima con lentitud, ya Lomelín llevó orden para que un comisionado pagado fuera por la mita a los pueblos y fue el que apresó a Limay Condor, el cual con gran respeto protesta por esta desgracia, el 4 de enero de 1623.

En febrero de 1623 mandaron comparecer a Marco de Vivanco, que entonces era corregidor en Vilcashuamán, para que hiciese su defensa. En Cangallo, notificado de que se presentara, dijo estar en las ocupaciones de su cargo y esperando dar cuentas al sucesor por lo que no podía y explicó por escrito que solo sirvió por seis meses el oficio, que cuando se fundó el obraje no era Protector y luego, cuando lo fue y le pidieron ayuda los indios, hizo memoriales y tuvo un cruce de palabras con el corregidor del cercado que detuvo a Chaupis, y que lo que presentaba tenía poco éxito por la determinación del virrey de que se fundara el obraje. Era cierto que Vivanco ocupó el cargo temporalmente por un asunto judicial que alejó al titular, Gerónimo Pamones, que tuvo que salir de Lima (AGI, Indiferente 1376). Eso calza con la afirmación de los indios de que se trataba de un allegado del virrey, beneficiado con un puesto delicado. Vivanco solo era uno de tantos que buscaba ubicación, como la que obtuvo en el corre-

28 Como él mismo lo señala en su *Política Indiana*, fue el conde quien lo patrocinó en su nombramiento. No es lo mismo que con los otros agentes del conde, pero algo le servía como consta en AGI, Lima 150: carta de 20 de marzo de 1620 escribe a Melchor de Castro diciendo que ha escrito ya dando razón de todas las encomiendas que le hizo y que ya aseguró "aquel negocio de don Francisco de la Cueva y me ha hecho cédula de pagar para la armada". Había muerto un canónigo y le pide si es posible le concedan la plaza a un sobrino suyo, hijo del presidente de Panamá don Francisco de Valverde y una hermana del jurista. Juan de Solórzano al fiscal del Consejo, 1 de mayo de 1620, dice que lo consultó y sacó proveído en su plaza de oidor el conde de Lemos "sin que yo tratase de pretenderla". Se siente desterrado a abandonado por no recibir reconocimiento a su labor (AGI, Lima 96).

gimiento de Vilcas de manera que su desempeño como defensor fue efímero, pero suficiente para que el virrey y el verdadero gestor de sus políticas y vínculos con el conde de Lemos, el camarero Acedo, pudiesen hacer pasar un proyecto a todas luces contrario a la legislación vigente. Sin embargo, ya retirado el virrey y muy atacado por sus enemigos, el antiguo cliente de Esquilache no dudó en decir con todas sus letras que fue el propio virrey el que pasó por alto todo, con determinación, por entablar el negocio del conde. De todas formas, Vivanco no dejó de señalar que tuvo un enfado con los indios cuando presentaron papeles sin su firma en el acuerdo –donde hubo una escena de enfado–. Acepta, incluso, haber amenazado a los indios, particularmente a Chaupis, por pasar por encima de él (AGI, Lima 157).

Durante la instrucción de la causa se insertó un papel de 8 de febrero de 1623, presentado por don Juan Pilco Sauri y don Pedro Guaranga, caciques y principales de los pueblos de Andas(x), Roca y Matara, y Aquia, y los demás indios del repartimiento de Lampas del corregimiento de Cajatambo de la encomienda de Juan Velásquez de Valverde, vecino de Huánuco. Dicen allí que, habiéndoseles dado provisión para no servir en el obraje conforme a las cédulas reales insertas en la misma, ahora, con parecer favorable del oidor Acuña, se les manda dar provecho al obraje y, al mismo tiempo, Lomelín ha ganado con siniestra relación otra provisión para volver a forzar a los indios de sus pueblos que están a cinco y media y tres leguas del obraje. También se presentó una instancia a nombre de los indios de la parcialidad de los Chaupiguarangas en Lampas, reclamando por la distancia y que no debían ir a servir allí.

La parte de los indios se robusteció, entonces, mientras la marcha del obraje se mantenía. Presentaron una cédula ganada a pedimento de los referidos indios de Andax, Picos, Rocas, Matara y demás del repartimiento de Lampas, aduciendo en la defensa de su causa la distancia de sus pueblos al obraje. Por el lado del conde, se inserta la cédula de merced de fundación de los cuatro obrajes en sus encomiendas, de 6 de marzo de 1610, en que expresa no vayan a servir de más allá de media legua y que se funden "pese a lo expresado en la cédula de los servicios personales". Luego se aportan las diligencias para que se funde en la Collana con los 53 indios y 97 muchachos por parte del virrey príncipe de Esquilache, en virtud de cédula que lo autoriza para ello dada el 20 de abril de 1617, luego que el rey le autorizara a fundar los obrajes donde lo viera por conveniente, ya que no se habían fundado en los lugares señalados originalmente. Las cédulas expresaban lo de la media legua y se mandan observar al corregidor de Cajatambo el 30 de septiembre de 1622. El corregidor, al parecer, lo mandó cumplir. Luego, el procurador de los naturales, Mena, presentó protesta por los indígenas diciendo que a pesar de eso el príncipe de Esquilache los mandó compeler (AGI, Lima 157).

Cuando Lomelín ya tuvo nuevamente saneada su posición, los indios volvieron a protestar por la demora de su causa. Pidieron que el virrey actúe "por amor de Dios" y les haga justicia, que los indios que estaban en Lima se estaban muriendo por los calores (AGI Lima 157). Como vimos, la persona que por comisión del gobierno señaló el sitio donde se fundó el obraje, fue Pedro de Espíndola Marmolejo, quien recibió las peores denuncias por parte de los indios. Pero quien apareció luego como obrajero por arrendamiento fue Pedro Lomelín (Lomellín). Sobre estos, las denuncias de los indios fueron abundantes y detalladas. En medio de las diligencias que practicaba Solórzano, los indios protestaron porque Lomelín había llevado nueva comisión para que los indios sirvan la mita contradicha y los maltrataba al punto que, para obligarlos a su cumplimiento, había embargado los bienes y apresado al cacique principal de la Collana Guaranga, Alonso Limay Condor. Los escritos de los indios se presentaron en Lima, donde se mostraron activos para contrarrestar esta nueva maniobra, el procurador Chaupis acompañado de don Simón Curi Paucar. Los indios aducían la cédula que se emitió por el memorial que se estaba investigando. Por ella y por un capítulo de la carta del rey, se mandaba que no sirviesen más allá de la media legua en el obraje y que se les aliviara, pero mientras se averiguaba en Lima con lentitud, ya Lomelín llevó orden para que un comisionado pagado fuera por la mita a los pueblos y fue el que apresó a Limay Condor, el cual con gran respeto protesta por esta desgracia, el 4 de enero de 1623 (AGI, Lima 157).

Mientras, la justicia actuaba lentamente. Ya no estaba Esquilache al mando del virreinato, pero la parte del conde se renovó. Representada por Juan Lorenzo de Cela, presentó un escrito diciendo que la demanda de Chaupis Condor fue presentada al tesorero Juan López de Hernani, que era el apoderado del conde, para que se quite el obraje, pero su parte no tiene que responder, porque el pedido no viene firmado por su Protector ni de su abogado o procurador, como está mandado por cédulas reales[29]. Esto se debe observar con más rigor por

[29] Luego de la partida del príncipe de Esquilache, López de Hernani, que era parte del elenco de personajes que el conde recomendó a su primo por la ayuda que prestaba, apareció como el cabeza de cartel. Sobre Juan López Hernani sabemos que recibió su nombramiento como tesorero de real hacienda, con facultad de integrar el cabildo el 8 de octubre de 1616 y que entregó

cuanto dicho indio "es muy inquieto y por sí propio sin poder ni orden de los dichos indios está en esta ciudad consumiéndoles su caudal y haciéndoles muchos daños y menoscabos". Además, aduce que había pleito pendiente por el caso en el gobierno. Dice no está obligado a responder (AGI, Lima 157). Era marzo de 1623. Como el acuerdo de gobierno mandó que sin embargo responda, dijo que la fundación no era en perjuicio de los indios, que era en su provecho, que no se les vejaba, todo lo contrario, se les cuidaba y pagaba puntualmente. Ya no tenían que bajar a los llanos para hacer mita, donde se morían. Ahora están cómodos y "ricos". Todo –dice– consta en los papeles que tiene la sala del pleito pendiente. Pero los caciques, por sus propios fines, para que los sustenten en esta ciudad, echando derramas, quieren entorpecer el negocio, instigados por el encomendero Blázquez (Velásquez), haciendo siniestras relaciones.

Notificado Lomelín en el obraje de Picos, del auto que el oidor Solórzano había proveído para que vaya a Lima con el libro de jornales y el quipocamayo, fue a Lima y presentó sus libros de tareas. El primero, correspondiente hasta el tercio de navidad de 1621, y los otros dos, del de San Juan de 1622 y navidad. Anota que el corregidor no asistió a la paga por estar falto de salud y ocupado en la paga de los indios que trabajan en el obraje de Cajatambo, ¡otro obraje! en la misma zona[30]. Llevó certificaciones de que eso fue así de parte del corregidor

el despacho de este el 27 de octubre del año siguiente de 1617 (Lohmann Villena, 1973: 187). Obtuvo una buena posición allí, pues el cabildo lo recomendó para que le diesen el hábito de alguna orden militar, el 12 mayo de 1622 (Ortiz de la Tabla, 1999: 79) Curiosamente, el mismo día los cabildantes de la capital propusieron a Melchor Verdugo, ya electo obispo de Huamanga, para reemplazar al arzobispo Lobo Guerrero recién fallecido. Cuando Hernani llegó a Lima, le impresionó que la ciudad tuviera más de 30,000 habitantes contando españoles, negros, indios y otras castas, que iban en aumento y que requerían una mejor administración (AGI, Lima 150). Tenía afanes literarios también y estuvo vinculado con otros cultores de la literatura, como Bernardino de Montoya. De tal forma que es otro de esos funcionarios que retrata bien el estudio de Pilar Latasa, "Transformaciones de una élite: el nuevo modelo de "nobleza de letras" en el Perú (1590-1621), en García Bernal et.al. (2005: 413-434).

[30] También se denunció ese obraje poco tiempo después (AGI, Lima 42, N°20 A, ff.16): Memorial de capítulos que dieron don Martín Caurac, Juan Llaxacchagua, don Santiago Xulca Rupay y Juan Rupay, por los indios de la provincia de Cajatambo contra su corregidor, el tesorero Pedro de Vergara, y un teniente, Juan Ruiz de Ortega, 29 de octubre de 1629. Este corregidor tenía un obraje en Cajatambo con 15 tornos y seis telares, sin otros que le dan en el "obraje grande", en que ocupa los indios que hace que le den de mita y los que se traen para el servicio de los tambos, forzándolos a trabajar y viniendo de seis y ocho leguas por diferentes temples a que le sirvan de cardadores, lavadores, percheros, bataneros, en que ocupa 30 indios pagándoles a menos precio de lo que ganan en el obraje del dicho pueblo y hacen cada año 18,000 varas de ropa que valen más de 2,000 pesos. El obraje lo fundó en el galpón y casa de comunidad, donde ellos guardaban sus comidas.

Marcos Muñoz y del cura interino, llamado Esteban de Serpa, que lo era del titular Alonso Mesía. El obraje se denominaba Nuestra Señora de la Concepción de Picos y la cabecera donde estaba el corregidor, era la Magdalena de Cajatambo. Pero el obrajero no se presentó desprevenido en la corte, llevó certificación de los propios caciques de que Lomelín llamaba a los indios y les pagaba sin apremiarlos ni engañarlos. Aparecen firmando el documento nada menos que Alonso Curi Paucar, gobernador de Lampas y Juan Chaupis Condor, que aquí aparece como principal. También lo hicieron Fernando Quispi Ricapa, gobernador y cacique principal de la Chaupiguaranga de Lampas y Juan de Mendoza, su segunda persona, y Andrés Pilco Yaure, Juan Ocros, Pedro Machacuay, Alonso Lloclla Chaupis y Alonso Ricari, caciques y principales del pueblo (AGI Lima 157). Es poco probable que lo hicieran espontáneamente dado el tenor de toda la causa, pero también puede haber obtenido algo, si como vemos logró la mediación de los sacerdotes y del corregidor. En todo caso, fue más cuidadoso que los agentes directos del conde. Anteriormente, cuando la Audiencia obligó que se pagara a los indios que habían trabajado mientras se desarrollaba el pleito, estos dijeron:

> "no hay remedio de que se les pague por la parte del señor conde de Lemos lo que se les debe del obraje porque el que tiene el poder es el tesorero Juan López de Hernani y este no ha de ir a Lampas a pagarles y que quien tiene obligación como arrendatario y mayordomo es Pedro Lomelín..." (AGI Lima, 157)[31].

Como hemos visto, el pleito se prolongó mucho. Ya en junio de 1623 se alegaba si se quitaba la mita y a los que trabajaron se les pagara como a los voluntarios, o si seguía funcionando en virtud de la cédula que lo amparó cuando lo fundó el príncipe, de las leguas dichas, quitando la mita de Chancay. El que escribe y alega por los indios es Alonso de Torres Romero, su procurador general, y por la parte del conde, Juan Lorenzo de Cela. Las largas alegaciones siguieron con una probanza de la parte de la condesa viuda, que buscaba probar que la Collana estaba más cerca de Huánuco y que se les debía pagar como allí y no como en Chancay, que se pagaba más y como lo pretendía el procurador de los

[31] Se trata de un pequeño pliego de papel escrito como muchos de los que se insertan en el expediente, de puño y letra de uno de los indios. Hemos presentado, desde el inicio, la importancia del liderazgo letrado de Chaupis Condor. Estos documentos sustentan esta característica. No es extraño que Rivarola 2000, incluya en su elenco de textos bilingües unos capítulos de los Lampas contra su cura Mejía, que también fue capitulado. Expediente del Archivo Arzobispal de Lima de los Lampas contra su cura Alonso Mejía. Muestra que escribían, posiblemente fue Chaupis, aunque aquí no figura en el elenco de denunciantes.

indios, aduciendo que era allí donde mitaban.

El pleito fue asumido por el propio fiscal Luis Henríquez, que enfrentó la aceitada defensa judicial de los intereses de la casa condal. Fue la condesa de Lemos, Catalina de la Cerda, viuda del conde Pedro Fernández de Castro, quien luego siguió con el litigio por la disminución de los mitayos que tenía señalados para sus obrajes (AGI Lima, 169)[32]. El de Picos en los Lampas no logró mantenerse y sufrió un decaimiento por falta del servicio, pues las contradicciones con la cédula de servicios personales y las acciones de los corregidores y virreyes, así como la resistencia de los indios, siempre lo tuvieron en aprietos[33]. Por autos de vista y revista de 1628, se mandó que se diesen los indios que repartió el virrey príncipe de Esquilache, estando dentro del término de las dos leguas y que los que faltasen se le entregasen y repartiesen dentro del dicho término, como consta de la cédula primigenia de licencia.

Habiéndose vuelto a reparar y repartido los indios como lo manda la cédula, en lo que la condesa afirma gastó mucha hacienda como en su fundación, y a pesar de obtener órdenes favorables, se suscitó un enfrentamiento con el siguiente virrey conde de Chinchón, quien por diferentes provisiones quitó la mayor parte de los indios, yendo contra el mandamiento real, mandándolos "setimar" y sacar para diversos ministerios. Aduce que la séptima no se entiende con los obrajes sino con los indios que salen fuera de sus provincias a mitas de sementeras. Además, con candor propio de quien mira las cosas de lejos, la parte de la condesa reclamante pensaba que las revisitas no se entendían en los indios repartidos en este obraje sino con los encomenderos, para no pagar más o menos los indios la tasa conforme al número que hubiere de ellos. Pero eso no era todo. Como a los indios que acuden al obraje está mandado se les pague como a voluntarios, suplica se entienda como se acostumbra en la tierra, en donde está el obraje y por cada día, porque diferente gana un indio en Lima o en la sierra, como en España "diferente le gana el que trabaja en esta corte que en la montaña". No es extraño, pues, que después que se reparó el obraje en virtud de la carta ejecutoria y cédula, y se le enteraron los indios que le estaban repartidos,

[32] Expedientillo del pleito que la Condesa de Lemos, Catalina de la Cerda, viuda del conde Pedro Fernández de Castro, seguía por la disminución de los mitayos que tenía señalados para sus obrajes, uno en Huaylas y otro en la Collana de Lampas en Cajatambo, 1659.

[33] En 1624 reclamó la condesa al virrey marqués de Guadalcázar el cumplimiento de la cédula que le otorgaba el servicio de mitayos, denunciando que era el encomendero Velázquez quien agitaba a los indios para que no fuesen al servicio (AGI, Lima 155).

los indios tomaron el camino de la violencia y quemaron el obraje hasta en dos oportunidades, entre 1629 y 1631 (Pereyra, 1989). La parte de la condesa clamó: "los dichos indios por no obedecer a lo que se les manda le han puesto fuego y quemado por dos veces y aunque se acudió al vuestro virrey conde de Chinchón para que mandase despachar juez que castigase los culpados no lo quiso hacer con que los indios cobran aliento para hacer otros mayores daños y ser poco sujetos y obedientes a lo que se les ordena y manda y en particular el acudir al dicho obraje que con tantos conocimientos de causa y por tan justos motivos les está mandado que vayan". Así, se querella criminalmente de todas las personas, así indios como de otra nación, que se hallaren y parecieren ser culpados en los dichos dos incendios. Pide que obligue al virrey que mande recibir información y a costa de los que parecieren y se hallaren culpados, nombre juez que los castigue y condene a que paguen a su parte los gastos e intereses que se le han seguido por causa de los dos incendios (AGI, Lima 169).

Algunos de los grandes nombres de la historia de la administración imperial española del siglo XVII han aparecido en esta pequeña historia local, donde se gestaban las riquezas que pretendían ávidas las casas señoriales de los grandes de España. Las gestiones transatlánticas se hicieron tanto por los interesados en el negocio como por quienes se vieron perjudicados por el mismo. Se trata de una historia conectada entre cortes y entre estas y las realidades de los pueblos de los Andes que se vieron implicados. Los condes de Lemos veían las cosas en frío y desde lejos, como la propia administración colonial. Los indios y los empresarios locales, las vivían de manera a veces violenta y siempre tensa en el día a día. Unos y otros buscaron agentes en el otro lado. Ni unos ni otros podían dejarse de tener en cuenta. Los indios no estuvieron aislados ni pasivos. El emporio fabril que se imaginaron en España a favor de un grande, no pasó adelante con facilidad. En los Andes había otros intereses además de los suyos o los de sus aliados, entre ellos, los de los propios naturales. Cuando la vía legal no funcionó, los trabajadores indios pasaron a la acción directa. Todavía años después, la condesa viuda siguió reclamando por sus rentas y las dejó en herencia a un monasterio, que recibió ya solo algunos patacones provenientes del trabajo de los indios de los Andes que el conde Lemos recibió en encomienda durante la administración imperial española a la que él sirvió.

Fuentes primarias

ADA Archivo Ducal de Alba
- ADA 668
- ADA 669
- ADA 676
- ADA 677
- ADA 679
- ADA 695
- ADA 697
- ADA 701
- ADA 703
- ADA 706
- ADA 708
- ADA 725
- ADA 733
- ADA 736

AGI Archivo General de Indias
- Escribanía 508 A
- Indiferente 635
- Indiferente 1260
- Indiferente 1376
- Lima 42
- Lima 96
- Lima 149
- Lima 150
- Lima 151
- Lima 155
- Lima 157
- Lima 169

Referencias citadas

Acosta, A. 2014. *Prácticas coloniales de la iglesia en el Perú. Siglos XVI-XVII.* Sevilla: Aconcagua libros.

Burga, M. 1988. *Nacimiento de una utopía. Muerte y resurrección de los incas.* Lima, Instituto de Apoyo Agrario.

Diario de la segunda visita pastoral del arzobispo de los Reyes don Toribio Alfonso de Mogrovejo, por fray Domingo Angulo. 1920. Libro de visitas. *Revista del Archivo*

Nacional del Perú, num. I: 49-81.

Eguiguren, L. 1940. *Diccionario histórico cronológico de la universidad real y pontifica de San Marcos y sus colegios. Crónica e investigación*. Tomo I. Lima: Imprenta Torres Aguirre.

García Berna, M. et. al. 2005. *Elites urbanas en Hispanoamérica: de la conquista a la independencia,* Sevilla: Universidad de Sevilla.

Glave, L. 2018. La gestación de un programa político para la nación indiana (1645-1697). *Revista Andina*, num. 56: 9-99.

Hernández Aparicio, P. 1977. El obispo D. Francisco Verdugo. Apuntes para una historia de Huamanga. 1623-1636. *Missionalia Hispánica*, num. 100-102: 5-20.

Latasa, P. 1997. *Administración virreinal en el Perú: gobierno del marqués de Montesclaros (1607-1615)* Madrid: Editorial entro de Estudios Ramón Areces.

Lohmann Villena, G. 1947. *Los americanos en las órdenes nobiliarias*, T.I, Madrid: Instituto Gonzalo Fernández de Oviedo.

Lohmann Villena, G. 1983. "Los regidores del cabildo de Lima desde 1535 hasta 1635. Estudio de un grupo de dominio". En Solano, F. (ed.), *Estudios sobre la ciudad iberoamericana*. Madrid: CSIC, pp. 161-216.

Lohmann Villena, G. 1988. El licenciado Francisco Fernández de Córdoba (1580-1639). Un poeta, historiador y apologista de los criollos en el Perú virreinal. *Revista de Indias*, num. 182-183: 285-326.

Morrone, A. 2012. De "señores de indios" a nobles rentistas: los encomenderos de La Paz (1548-1621). *Surandino Monográfico, segunda sección del Prohal Monográfico,* Vol. II, Nro. 2: 2-33.

Ortiz de la Tabla, J. 1999. *Cartas de cabildos hispanoamericanos, Audiencia de Lima*. Sevilla: Escuela de estudios Hispanoamericanos.

Paz y Meliá, A. 1930a. Correspondencia del Conde de Lemos con D. Francisco de Lemos, su hermano, y con el príncipe de Esquilache (1613-1620). *Bulletin Hispanique*, num. 5, vol. 3: 249-258.

Paz y Meliá, A. 1930b. Correspondencia del conde de Lemos con Don Francisco de Castro y con el príncipe de Esquilache (1613-1620). Conclusión. *Bulletin Hispanique*, num. Vol. 4, 1903b: 349-358.

Pereyra, H. 1989. Chiquian y la región de Lampas entre los siglos XVI y XVII. Una hipótesis sobre el origen de las campañas de extirpación de idolatrías en el Arzobispado de Lima. *Boletín del Instituto Riva Agüero*, num. 16: 21-54.

Puente Brunke, J. 1992. *Encomienda y encomenderos en el Perú*, Sevilla: Diputación Provincial de Sevilla.

Puente Brunke, J. 1991. La corona y los encomenderos no residentes en el Perú (siglos XVI-XVII). *Temas Americanistas,* num. 9: 1-13.

Rivarola, J. 2000. *Español Andino. Textos de bilingües de los siglos XVI y XVII*. Madrid: Vervuert, Iberoamericana.

Solórzano y Pereira, J. 1648. *Política Indiana. Sacada en lengua castellana de los dos tomos del Derecho y Govierno municipal de las Indias Occidentales*, Madrid: Diego Díaz de la Carrera.

Taylor, G. (ed.). 1987. *Ritos y tradiciones de Huarochirí del siglo XVII*. Lima: IEP, pp. 551-616.

Torres Arancivia, E. 2006. *Corte de Virreyes. El entorno del poder en el Perú del siglo XVII*. Lima: Pontificia Universidad Católica del Perú.

Villarreal Brasca, A. 2013a. Gestión Política indiana en tiempos de Felipe III: a propósito del patronazgo del duque de Lerma (1598-1618). *Naveg@mérica. Revista electrónica editada por la Asociación Española de Americanistas*, num. 11.

Villarreal Brasca, A. 2013b. "Gracia y desgracia para el virrey del Perú Francisco de Borja y Aragón, príncipe de Esquilache (1615-1621). En Cava Mesa, B. (ed.), *América en la memoria: conmemoraciones y reencuentros*. Bilbao, Asociación Española de Americanistas, Universidad de Deusto, vol. II, pp. 559-571.

Villarreal Brasca, A. 2016. "La provisión de la presidencia del Consejo de Indias en el VII conde de Lemos: vínculos y méritos durante el valimiento del duque de Lerma". En Ponce, P. y Andújar, F. (eds.), *Mérito, venalidad y corrupción en España y América. Siglos XVII y XVIII*. Valencia: Albatros, pp. 57-74.

Villareal Brasca, A. 2018. El privado del virrey del Perú: vínculos, prácticas y percepciones del favor en la gestión del príncipe de Esquilache. *Memoria y civilización. Anuario de historia*, num. 21 : 141-165.

Zuloaga, M. 2012. *La conquista negociada: guarangas, autoridades locales e imperio en Huaylas, Perú (1532-1610)*. Lima: Institut Français d'Andines.

EL FINAL DEL VIRREINATO ABSOLUTO: LOS VIRREYES DEL PERÚ EN EL SISTEMA VIRREINAL DE LA CASA DE AUSTRIA[1]

MANUEL RIVERO RODRÍGUEZ
Universidad Autónoma de Madrid/IULCE, España

Reformar el gobierno y los individuos en 1621

> "La virtud no es otra cosa, que huyr del vicio, y aborrezerle. No es tan caval esta difinicion, porque, como adelante se mostrará, no solo consiste la virtud en huyr del vicio, que es su contrario, sino también en emplear las acciones en cosas virtuosas y executarla con obras y palabras"
>
> (Lanario y Aragón, 1628).

Este discurso de Francesco Lanario nos sirve como introducción para comprender las reformas emprendidas en 1621 en el conjunto de la gobernación de la Monarquía Hispánica sustentada en la erradicación de las malas prácticas preexistentes y en la imposición de un modelo de buen gobierno fundado sobre la virtud, con un carácter tan radical que muy bien podemos aplicar el concepto de revolución cultural para comprender tanto su alcance como las resistencias que hubo a su implantación.

Francesco Lanario publicó su *Tratado de la Constancia* como un "espejo de virreyes", una guía de comportamiento que debían seguir quienes ostentasen esta dignidad en la nueva ordenación de la Monarquía impulsada por el conde duque de Olivares. Lo interesante de este tratado es que originalmente había sido concebido como un "espejo de validos" por encargo personal del conde duque de Olivares. Finalmente, la obra se publicó bajo el amparo del virrey de Nápoles, el duque de Alcalá, precisando el autor que el texto había ido conformándose bajo la mirada del privado viendo que el texto final se adecuaba mejor para definir el

---

1 Proyecto *Madrid sociedad y patrimonio: pasado y turismo cultural* (MASOPA) Fondo Social Europeo/Comunidad de Madrid. Código de referencia: H2019/HUM-5898.

perfil del virrey perfecto. Así, resultaba que el valido y el vicario del rey eran figuras intercambiables como depositarios de la representación de la soberanía real (Marletta, 1931; Tierno Galván, 1952).

Esta obra, se imprimió en 1628, aunque debería haber salido a la luz cuatro años antes, su difusión era pertinente porque en los cambios operados desde 1621 la figura virreinal había sido objeto de un reajuste severo, como apreciamos en el juicio de residencia del virrey del Perú, Francisco de Borja y Aragón, príncipe de Esquilache (Archivo General de Indias, en adelante AGI: Escribanía 1187)[2], que debe interpretarse en consonancia con los juicios que jalonaron el cambio de régimen, al marqués de Siete Iglesias, al duque de Uceda y los propios al duque de Lerma (Galván Desvaux, 2016; Martínez Hernández, 2009; Mrozek, 2015). Estos juicios significaban también no solo causas particulares sino una suerte de causa general al régimen de valimiento existente, fray Juan de Santa María, mentor intelectual del nuevo régimen había marcado las líneas rojas de lo que suponía básicamente una auténtica revolución cultural.

Fray Juan de Santa María fue confesor de la infanta Margarita durante los últimos años del reinado de Felipe III y se hallaba muy vinculado a la familia real, teniendo gran ascendiente sobre el príncipe Filiberto de Saboya sobrino del rey. Consideraba que el valimiento en sí, más allá de la persona del duque de Lerma, era una escandalosa injerencia en la potestad real, que desvirtuaba el buen gobierno. Fue el mentor intelectual o ideológico de la oposición al valido, estando convencido de que su proyecto reformador conduciría a la restauración del sistema fundado por Felipe II, devolviendo así a la Monarquía a sus principios fundacionales. Fernando de Acevedo, presidente de Castilla, temía a este individuo, no solo porque podía dar un golpe de palacio, dado que aconsejaba a dos importantes miembros de la familia real, sino por su radicalismo. Lo consideraba un hombre exaltado, intransigente y lleno de ira que quería pasar por la vara de la justicia a todos los ministros de Felipe III por su comportamiento mundano y pecaminoso, asociado al vicio en los términos que también señalaría Lanario en el texto citado más arriba. Su libro *República y policía cristiana* (Madrid 1615), había tenido un gran éxito. Coincidiendo con la renuncia del duque de Lerma, a instancias de la nunciatura, la infanta Margarita y el príncipe Filiberto, el rey lo había leído con tanto interés que había pedido a fray Juan que le explicase personalmente los pasajes más oscuros y le diese clases para orientarle en

[2] Reproducido por Hanke y Rodríguez, 1980 (II): 211-244.

sus obligaciones de príncipe cristiano:

> "Su Magestad se ha entretenido este verano en San Lorenzo en leer dos libros que compuso fray Juan de Santa María, descalço franciscano intitulado Pulicia y República Christiana que trata de materia de Estado y gobierno, hallándose presente el dicho religioso, muy gran siervo de Dios" (Archivio Segreto Vaticano, en adelante ASV: Spagna 440) [3].

Esta doctrina inspiró pragmáticas, decretos y reglamentos que obligaban a una mayor exigencia moral a los ministros y un cuidado exquisito en la concesión de mercedes, cargos y pensiones en relación con los méritos de los candidatos(ASV: Borghese II 258, 51).[4] En el mismo día en que falleció Felipe III, el 31 de marzo de 1621, Baltasar de Zúñiga se erigió como valido de Felipe IV y transmitió al presidente del Consejo de Castilla las órdenes de detención del confesor Aliaga, del duque de Uceda y del duque de Osuna (Fernando de Acevedo, Biblioteca Nacional de España, en adelante BNE: Ms. 18000, 126v°-131v°; Novoa, 1875). Comenzaba así una inédita persecución del vicio y una exaltación de la virtud que consignó Quevedo no sin sorpresa al ver: "estar notados de los odios comunes y cantados en alguna especialidad en las coplas que se van introduciendo en sentencias anticipadas" (Novoa, 1875: 282-283)[5]. Fue fray Juan de Santa María quien convenció a Felipe IV siendo príncipe para que diese su confianza a Baltasar de Zúñiga (Céspedes y Meneses, 1631: 113v°).

El 18 de abril se reorganizó la *Junta de Reformación*, puesta en marcha en 1618 bajo la influyente presión de los sectores rigoristas de la Corte, que estaba compuesta por el padre Florencia, fray Juan de Santa María, el prior del Escorial, el confesor real, el conde de Medellín y fray Luis de Aliaga, el cambio consistió en la expulsión de Aliaga y su reemplazo por el nuevo presidente de Castilla Don Diego Corral. Fray Juan no dejó pasar la ocasión para exigir contundencia, escribiendo un memorial que establecía el calendario de las medidas disciplinarías que debía aplicar el nuevo gobierno para corregir el rumbo, titulado *Lo que su Magestad debe ejecutar en brevedad y causas principales de la destrucción de esta Monarquía* (Archivo Histórico Nacional de España, en adelante AHN: Estado, libro 832)[6]. Su primera consecuencia fue la comisión dada al presidente del Consejo de In-

[3] Aviso dado en Madrid a postrero de octubre de 1618..

[4] Carta del nuncio al cardenal Borghese, Madrid 22 de noviembre de 1618.

[5] Hay un relato muy pormenorizado en las memorias de Fernando de Acevedo, doc.cit. BNE Ms. 18000, 108-132. "Advertencias y recuerdo que se hizo al Rey Phelipe 4° contra las personas de fray Luis de Aliaga confesor de Phelipe 3° y del arzobispo de Valencia", BNE Ms. 2352, 404.

[6] Entregado el 6 de abril de 1621.

dias para averiguar los males de la Monarquía (BNE, Ms. 2352, 411-415 y 450-452).

El programa de rigorismo moral inflexible, auspiciado por Santa María, pretendía purificar la sociedad en sus formas externas e internas, con una rigidez extrema. Un observador atento, como fue Góngora señaló que detrás de los castigos y penas se manifestaba una tendencia preocupante que iba más allá de restituir la virtud y el orden, porque se apuntaba hacia un nuevo orden que desterraba la diversión y la alegría de la vida pública. La doctrina moral expresada en los tratados de fray Juan de Santa María y en el estoicismo de Lipsio, nos hacen pensar que se perseguía una Monarquía perfecta mediante la combinación de *virtus* y *honestas*. La cupiditas, el deseo de los bienes y placeres del mundo debía ser reemplazado por el deseo de "lo celestial", el gobierno tenía esa obligación porque el sentido de las reglas morales tenía como fin último procurar el favor de Dios (BNE, Ms. 2352, 411-415)[7].

Así se puso en marcha un programa de depuración, que Quevedo (1946: 196) comentó con agudeza: "prometen los que hoy sirven (tanto es menester rodear por no decir privados, que ha quedado esta voz aciaga y achacosa y formidable) prometen digo que han de volver al estilo del gobierno al tiempo de Felipe II nivelándose por su providencia: que los consejos propondrán con libertad, su magestad determinará sin violencia". Fray Juan de Santa María respaldó a Don Baltasar de Zúñiga como primer ministro, porque – como advirtió Quevedo- ambos abogaban por que no hubiera valido sino un reparto especializado de tareas entre ministros (Céspedes y Meneses, 1631).[8] El reparto de funciones en la dirección de la Monarquía evitaría una excesiva concentración de poder, fuente de todos los abusos, por lo que se defendió un consejo de privados antes que concentrar autoridad en uno solo (Quevedo, 1946b: 200-201).

El precepto por el que se regía el buen gobierno partía de la idea de que gobernar sin los consejos era incurrir en tiranía (Santa María, 1619: 51-54)[9]. Cada consejo, en calidad de senado, tenía autoridad concedida por el rey, pero también de la república. Eso mismo pensaba Felipe III después de licenciar al duque de

[7] *Papel dado al Rey Phelipe IV año de 1621 sobre todo lo que se debe hacer antes de entablar estilo nuevo en el Gobierno presente y las causas de la destruición desta Monarchia, diose a Su Magestad aviendo solo seis días que reinaba.*

[8] *Que el rey no ha de tener valido*, BNE. Ms. 7377, fol. 294; *Ayuntamientos políticos, ó instruciones suscritas, que debe observar un privado ó ministro del Rey para acertar á governar bien el Reyno. Papel dirigido á D. Baltasar de Zúñiga, ayo que fué del Rey*, BNE Ms. 5873.

[9] "No puede haver cosa más perjudicial ni medio más eficaz para destruir Reyes y Reynos que trocar y pervertir los consejos".

Lerma, si creemos a Andrés de Céspedes y Meneses cuando da noticia sus últimas palabras: "Pidiósele á Dios de las omisiones que habla tenido en el reinar, y de no haber gobernado por su persona; de haber entregado su voluntad á otro que á Dios del cielo" (Almansa, 1886: 3.4).

El cambio de reinado fue un cambio en la forma de gobernar, supuso el fin del valimiento. El restablecimiento del rigor en las costumbres y en los comportamientos marcó las primeras disposiciones de Felipe IV. Así mismo estos preceptos morales condujeron a una especie de secularización de la vida política cortesana, toda persona había de vivir de acuerdo con su estado y por eso mismo se ordenó a todos los eclesiásticos que estaban en la Corte que residieran en sus diócesis, órdenes o parroquias (Céspedes y Meneses, 1634). La influencia de la Iglesia quedó desmantelada, imponiéndose un gobierno político al tiempo que una administración judicializada dado que los consejos eran tribunales supremos (Quevedo, 1946: 212-214). Paradójicamente la doctrina de Santa María dejaba en manos de los gobernantes, es decir de los consejos, el disciplinamiento social y confiaba en el monopolio de la violencia ejercido por las autoridades seculares para alcanzar la deseada reforma de la sociedad. Por eso no hay contradicción entre estas ideas de rigorismo exaltado y la afirmación en el nuevo equipo de una filosofía política estoica, arraigada en el tacitismo político, que era pura razón de Estado cristianizada (Antón Martínez, 1992; Barrientos Rastrojo, 2010; Ramírez, 1966). A juicio de Quevedo (1946b: 119-120) el gobernante tenía la obligación de conservar y aumentar la república, así servía a Dios, pero no servía a Dios sirviendo a la Iglesia y abandonando la razón de Estado. En este ambiente, se rechazaba la idea de Monarquía Católica impulsada por el duque de Lerma, porque ponía en peligro la supervivencia de la Monarquía al subordinar su conservación a los intereses del Papado, no siempre conciliables con los propios intereses (González Cuerva, 2012; Peralta, 1997). Esto no es pura especulación, el duque de Sessa escribió a Lope de Vega pidiéndole ayuda para instruirse en filosofía política pues en las sesiones del Consejo de Estado se debatía en términos que no alcanzaba a comprender, necesitaba leer a Maquiavelo y obtener un ejemplar de *El Príncipe*, en este sentido también pidió asesoramiento al padre Mariana, no teniendo éxito en ambos casos (Vega y Carpio, 1985: 21-23).

Así, el nuevo equipo de gobierno, liderado por Zúñiga, en el que el conde de Olivares se ocupaba de controlar al personal de palacio y los asuntos domésticos de las casas reales, tenía una identidad política, una ideología de perfiles nítidos dibujada por fray Juan de Santa María y a la que contribuyen otros textos como es la Política de Dios y gobierno de Cristo escrita por Quevedo con dedicatoria al conde de Olivares firmada el 5 de abril de 1621, cuando todas las miradas estaban puestas en la Junta de Reformación:

> "Tres géneros de repúblicas ha administrado Dios. La primera Dios consigo y sus ángeles. Este gobierno no es apropiado para el hombre, que tiene alma eterna detenida en barro, y gobierna hombres de naturaleza que enfermó la culpa, por ser Dios en sí la idea con espíritus puros, no porfiados de otra ley facinerosa. El segundo gobierno fue el que Dios como Dios ejercitó desde Adán todo el tiempo de la ley escrita, donde daba la ley, castigaba los delitos, pedía cuenta de las traiciones e inobediencias, degollaba los primogénitos, elegía los reyes, hablaba por los profetas, confundía las lenguas, vencía las batallas, nombraba los capitanes y conducía sus gentes. Éste, aunque fue gobierno de hombres, le hallan desigual, porque el gobernador era Dios solo, grande en sí, y veía los rodeos de la malicia con que en traje de humildad y respeto descamina la razón de los ejemplares divinos. En el tercer gobierno vino Dios y encarnó, y hecho hombre gobernó los hombres, y para instrumento de la conquista de todo el mundo, a *Solis ortu usque ad occasum*, escogió idiotas y pescadores, y fue rey pobre, para que con esta ventaja ricos los reyes, y asistidos de sabios y doctos, no sean capaces de respuesta en sus errores. Vino a enseñar a los reyes" (Quevedo, 1946a).

El nuevo estilo de gobierno hacía bandera de la virtud, la ejemplaridad y la transformación de la sociedad comenzando por erradicar el vicio y las costumbres licenciosas. Desde marzo de 1621 el Consejo de Castilla no dio licencias a comedias y libros de entretenimiento por orden verbal del conde de Olivares, lo cual, sin necesidad de dictar leyes, impedía la difusión de obras de entretenimiento, dentro de una campaña que contemplaba el ocio como causante de la degradación moral de la sociedad (Moll, 1974). El 18 de abril se reorganizó la *Junta de Reformación* y el 1 de mayo de 1621, se reorganizaba de nuevo para abordar una reforma definitiva de las costumbres, iniciando la proscripción de cuellos alechugados, guedejas, guardainfantes, lenguaje malsonante o demasiado desenvuelto, moños, trajes, lujo y exceso en el uso de adornos (González Cañal, 1991). Esto tuvo efectos inmediatos en la Corte, los ministros hicieron ostentación del rigor incluso en el gobierno de sus casas (Almansa y Mendoza, 1886: 77-78)[10] y

[10] "Al sol de la justicia distributiva no le vencen exalaciones ni nieblas, pues el señor conde de Olivares hizo prender y proceder contra su Mastresala, por haber recibido mil ducados por la negociación de una canongía de Málaga; llevóle á la cárcel D. Luis de Paredes, alcalde de la Casa y Corte de su Majestad. Estuvo muchos dias encerrado en la cámara del tormento, con pena de la vida á quien le hablase sin orden particular; dióle el Conde una libranza de cien ducados para sustentarse: dicen que le sentenciaran rigurosamente" Madrid

muy pronto Madrid se veía sacudido por el furor contra la concupiscencia y la erradicación del vicio en fecha tan temprana como octubre de 1621 (Almansa y Mendoza, 1886: 83)[11].

Estas demostraciones de firmeza se desplegaron a la vez que otros cambios de más hondo calado, porque la parte central de la reforma descansaba en la distribución de la gracia real y la valoración del merecimiento. El 28 de julio de 1621 el rey exigió al vicecanciller de Aragón que ejecutara la que fuera probablemente una de las últimas órdenes de Felipe III: "una relación de las mercedes que desde que empezó a reinar hasta fin del año pasado de 1620 se avían hecho a diferentes personas por el Consejo de Aragón (…) daréis orden para que luego sin perder punto se me envíe estendiéndola hasta que murió mi padre" (Archivo de la Corona de Aragón, en adelante ACA: 95, n°228)[12].

La lista de las mercedes comprometidas fue rápidamente satisfecha, indicando las "adjunciones" y sucesiones establecidas sobre un alto número de oficios y rentas. No sólo se listaban los compromisos, sino que se comentaba en cada caso el acierto o desacierto de la concesión (ACA: 95, 233 y 234)[13]. Se trataba de una política mucho más amplia que, además de la Corona de Aragón, afectaba igualmente a los reinos de Indias, Italia, Portugal y todo el conjunto de la actividad graciosa administrada por los consejos. Su fundamento intelectual lo hayamos enunciado el 28 de noviembre de 1621 en el memorial que Olivares presentó al rey sobre las honras y mercedes cuyo autor era un buen amigo, miem-

14 de octubre de 1621.

11 "Dióse rebato en las tiendas de los joyeros de la calle Mayor y Puerta de Guadalajara, y sácaseles por justicia todas las valonas y zapatillas bordadas, almillas, ligas, bandas, puntas, randas, abanicos, puños aderezados, y otras galas de mujeres á éste modo, y otras cosas de que se les habia avisado muchas veces por el Consejo que no surtiesen sus tiendas, y en rebeldía hicieron los Alcaldes ésta diligencia por orden del señor Presidente; y aquella misma noche quemaron parte en la calle Mayor. Evalúanlo en valor de muchos ducados; y dícese que será principio para grandes reformaciones en trajes, cuellos y vestidos, por ser cosa supérflua lo que en ésto se gasta", Madrid 14 de octubre de 1621.

12 Al Vicecanciller de Aragón, en Madrid a 28 de julio de 1621.

13 "Relación de las adjunciones *futuras pensiones* de officios que el Rey nuestro señor que goza de Dios ~~hizo~~ *concedió* desde 13 de setiembre 1598 que sucedió en estos reynos hasta 31 de março 1621 que murió sacada de las consultas y decretos del officio de contaduría que están en poder del secretario Juan Lorenzo de Villanueva en la conformidad que fue servido mandar V.Magda. por un decreto de 28 de julio deste año", (las tachaduras y correcciones aportan información sobre el cambio de sentido del documento). También se entregó la "Relación de las mercedes que el Rey Nuestro Señor que goza de Dios hizo de su hazienda y patrimonio real particular desde 13 de setiembre 1598 que succedio en estos reinos hasta 31 de marzo de 1621 que murió sacada de las consultas y decretos del officio de Cataluña que están en poder del secretario Juan Lorenzo de Villanueva en la conformidad que fue servido mandar por un decreto de veynte y uno de enero del año pasado y estendida hasta el día que murió como V. Magd. Ha sido servido mandarlo por otro decreto de 28 de julio deste año pidiendo la dicha certificación", (Aca: 95. nº 234).

bro de la Junta de Reformación, el jesuita Francisco de Rioja, haciéndolo llegar como memoria que reflejaba exactamente lo que se debía hacer en esta materia (Castro, 1846: 85-86). La administración de las mercedes era la parte nuclear de la reforma, en su contenido se aprecia el argumento ignaciano sobre la justa distribución de premios remite a la doctrina jesuita de las dos normas que rigen el mundo, la del bien que es Jesucristo y la del mal que es Lucifer de donde se deducen "la justa y cabal distribución de tantos bienes". El mal se halla en la avidez por lo material, las riquezas, los honores, el lujo, el placer, y todo lo bueno que promete la satisfacción del egoísmo, de la acumulación de cosas. El bien, por el contrario, es renuncia y el acrecentamiento individual está ligado a la caridad, un motivo que eleva al hombre de la miseria (Conde-duque de Olivares, en Elliott, de la Peña y Negredo, 2013: 51-56). Ahí se sitúa la principal obligación del monarca y el resultado fue, como no podía ser de otra manera, el "Decreto de S.M. del Pardo, 14 enero 1622, obligando a todos sus servidores, desde presidentes de los consejos, virreyes, etc. Despacharen los tales títulos inventario auténtico, hecho ante las justicias, de todos los bienes y hazienda que tuvieren al tiempo que han de servir" (BNE: Ms. 2353, 239-244v°).

Relevo en los virreinatos y reforma de los reinos

Sin estas premisas es muy difícil comprender el cambio que se proyectó sobre los reinos entre 1621 y 1622. Creo que este hecho ha pasado inadvertido porque los historiadores solo han fijado su atención en los cambios de palacio como un ajuste de cuentas entre facciones cortesanas sin comprender el alcance ideológico del cambio, obcecándose en proponer como programa político un documento espurio como es el mal llamado Gran Memorial o instrucción secreta a Felipe IV (Rivero Rodríguez 2012).

En 1621 se produjo el cambio de todos los titulares de los virreinatos, el marqués de Salinas fue cesado como virrey de Portugal y se nombró una junta para gobernar el reino mientras que Don Fernando de Borja y Aragón III conde de Mayalde era nombrado virrey de Aragón y Joan Sentís en Cataluña. El 21 de septiembre Don Diego Carrillo de Mendoza y Pimentel, marqués de Gelves y conde de Priego, fue nombrado virrey de Nueva España, tomando posesión el 8 de abril de 1622, también se nombró virrey del Perú a Diego Fernández de Córdoba, marqués de Guadalcázar, que tomó posesión el 25 de julio de 1622. Filiberto de Saboya nombrado para para Sicilia tomó posesión el 19 de noviembre de 1622, el V duque de Alba, Antonio Álvarez de Toledo y Beaumont, tomó posesión como virrey de Nápoles en diciembre de 1622, y también en 1622 tomó posesión como virrey de Valencia Enrique Dávila y Guzmán, marqués de Povar. Al año siguiente tomaron posesión Don Jerónimo Agustí en Mallorca y D. Bernardino González de Avellaneda y Delgadillo, conde de Castrillo, en Navarra el 26 de julio. El único virrey que se mantuvo, y no por mucho tiempo, fue el conde de Eril, virrey de Cerdeña desde 1617 y confirmado en su cargo el 3 de abril de 1621 (Rivero Rodríguez, 2018: 169-173).

En el reinado de Felipe III los virreyes recibieron instrucciones oficiales u oficiosas que los devolvían al modelo de virreinato puro, que convertía a la Monarquía en una constelación de estados donde el poder estaba desconcentrado, haciendo de las cortes virreinales verdaderos centros de poder (Rivero Rodríguez, 2006). Hay rasgos comunes tanto en los nombramientos como en las instrucciones que recibieron, siendo el modelo la que recibió el duque de Osuna para Nápoles o del conde de Monterrey en Perú. En el caso de Filiberto de Saboya nombrado virrey de Sicilia, los residentes toscanos en Madrid observaron que antes de la muerte de Felipe III Baltasar de Zúñiga logró que fuera nombrado y así sacar de la Corte a un personaje incómodo en la sucesión, si bien advertían que en la decisión se dejaba ver un nuevo diseño de mando (Archivio di Stato di Firenze, en adelante ASF: Mediceo del Principato, filza 4949, 601).[14] Lo cierto es que se proveyó al príncipe de una copia del memorial que Don Pedro Téllez Girón, duque de Osuna, había escrito sobre el reino de Sicilia el 12 de julio de 1619, un memorial que, junto a las instrucciones dadas por el rey proponían, a su modo de ver, un nuevo arte del virreinato (ASF: Mediceo del Principato, filza 4949, 479)[15]. Probablemente Osuna quiso marcar las líneas maestras de un modelo virreinal absoluto que quedó en tentativa, pero el cambio de reinado dio un giro inesperado a los acontecimientos (La Lumia, 1889).

El príncipe Filiberto iba camino de embarcar para Sicilia cuando supo la muerte del rey y regresó a Madrid donde se le retuvo para darle nuevas instrucciones (ASF: Mediceo del Principato, filza 4949, 856)[16]. Esta retención y con este motivo da fe de un cambio de planteamiento, también que en vez de elaborarse

---

[14] Carta sin firma, 14 de octubre de 1620.

[15] *Copia de un memorial que por parte del Duque de Osuna [Pedro Téllez Girón y Velasco] se dió a su Magestad [Felipe III de Austria] en Lisboa, a 12 de Julio de 1619 sobre el tiempo que governò el Reyno de Sicilia.*

[16] "Arrivò improvisamente ad Alcalà il signor principe Filiberto che havendolo fatto sapere, si fece subito consiglio di Stato", El residente florentino Giuliano di Raffaele de' Medici di Castellina al secretario granducal Curzio di Lorenzo da Picena, 14 de mayo de 1621.

las instrucciones a partir de la relación del virrey saliente se encargase hacerla al Consejo de Italia, como correspondía al nuevo papel dirigente conferido a los consejos. Fue el jurista y regente por Sicilia en el Consejo de Italia quien las redactó. A diferencia de las que se le proveyeron en 1620, las nuevas contenían importantes novedades, situaban a Sicilia en el orden interno de la monarquía española como un reino "confederado" que unía la defensa de sus intereses al interés general, articulando desde la corte de Palermo una política propia, pero al mismo tiempo se introducía la novedad de que el Consejo de Italia marcara los objetivos y las pautas de su acción gubernativa (Sciuti Russi, 1984)[17]. Según parece esto fue común a todos los virreyes de la Monarquía según informó el Consejo de Indias a una consulta del conde de Chinchón hecha en 1633 (Lohmann Villena, 1959: 19).

La experiencia del príncipe Filiberto nos muestra una secuencia interesante y un sutil cambio de percepción del virreinato en el grupo de ministros y consejeros que asesoraban a Felipe IV. Las instrucciones de 1620 planteaban un modelo de virreinato absoluto que en los reinos no se aceptaba de buen grado, como es bien conocido en los casos del duque de Osuna en Nápoles y del príncipe de Terranova en Sicilia (La Lumia, 1889; Tiran, 2020). Esto fue especialmente grave en Portugal con las enérgicas protestas de los estamentos del reino contra el marqués de Salinas y Alenquer, noble castellano y portugués a un tiempo, un virrey que ignoraba órdenes e instrucciones del Consejo de Portugal (que no era un consejo territorial sino "de Estado"), monopolizando toda la negociación del reino como si fuera un soberano con su Corte propia en Lisboa, pero actuando con la parcialidad de un noble portugués con clientelas y vínculos (Dadson, 1991). Las denuncias hechas contra Salinas y Alenquer, tienen el tono de las efectuadas contra el virrey Sentís en Cataluña o los sicilianos contra Don Carlo d'Aragona al sentir que un virrey natural del reino hacía sentir con fuerza la ausencia del rey en los reinos por actuar con parcialidad y no como un verdadero soberano que premia a los súbditos en atención a sus méritos (Sciuti Russi, 1984: xlv).

No sabemos a ciencia cierta cómo se hubiera desarrollado y concluido el virreinato del príncipe Filiberto, pero hay un punto de su instrucción que coincide programáticamente con las otorgadas a los virreyes nombrados en 1621 y

[17] Además de la edición crítica de la instrucción contenida en el libro de Sciuti Russi hemos utilizado dos copias manuscritas de Pietro Corseto, Instrucción para el príncipe Filiberto, en AHN Frias y en BNE Mss/10722.

1622 que dota de sentido de misión al ejercicio de sus responsabilidades de gobierno, puesto que se les encomienda la erradicación de los pecados públicos y la imposición de la de reforma de las costumbres. Es evidente que todos ellos tenían la misión de llevar a cabo la regeneración de los reinos en los mismos términos en los que actuaba la junta de reformación en la Corte.

Aun cuando carecemos del texto de algunas de estas instrucciones, pues se proveyeron por un conducto nuevo y a veces oficioso, sabemos que contenían este mandato a través de sus despachos y correspondencia, el marqués de los Gelves en Nueva España, caracterizado como un hombre severo cuando no como un puritano fanático, arribó a México para aplicar los nuevos principios de virtud pública (Hanke y Rodríguez, 1980 (III): 111-248; Israel, 1980: 139-163). Cuando persiguió la especulación con bienes de primera necesidad no siguió un procedimiento de regulación de mercados sino de moralidad, de persecución de la usura, del egoísmo, de la acumulación de cosas en perjuicio de la caridad y del bienestar de la comunidad (Casado Arboniés, 1986; Feijoo, 1964). Así lo manifiesta en sus misivas a la Corte, considerando la avaricia el peor de los vicios porque privaba a la sociedad de los bienes esenciales (AGI: México 29, 67)[18].

Esto concuerda con sus demostraciones devocionales y sus actos de caridad. Protagonizó campañas contra el lujo en el vestir, el gasto superfluo, las comedias, el ocio o la disolución de la juventud y, siguiendo lo establecido por las juntas de reformación en España, Gelves procedió a inventariar los bienes de ministros y altos oficiales, para revisar si quienes poseían oficios, rentas, ayudas y mercedes de la corona merecían disfrutarlas. Solo era lícito premiar a los buenos y a los malos había que desposeerlos y castigarlos (AGI: México 256-263; Hanke y Rodríguez, 1980 (III): 112-113).

Como es natural esto provocó la inquietud de las élites novohispanas pues una revisión de estas características serviría para despojar a unos en beneficio de otros. Para aplacar las críticas, el virrey aclaró a las distintas autoridades que su forma de actuar no era algo particular para México, sino que formaba parte del plan de la corona para reformar el conjunto de los reinos de la monarquía (Büschges, 2010). Seguro de la legitimidad de su forma de proceder, cursó una real orden de 28 de junio de 1621 para "juntar tan grande suma que remediase las necesidades presentes o gran parte de ellas ayudando en esto los prelados y

18 Carta del marqués de Gelves a Felipe IV, Tambaya a 14 de noviembre de 1621.

estado eclesiástico y religiones con las razones que en dicha cédula se contienen" (AGI: México 30, 4).[19]

Disciplinar al clero y poner la mano en sus rentas provocó un hondo malestar. Desde el arzobispado se orquestó una campaña que le acusaba de ir contra la Iglesia y contra Dios (AGI, México 30, 4)[20]. Pronto se proyectó sobre él la sombra de "luteranismo", que se hizo con toda intención, pues era creencia popular que Lutero al rechazar la gracia rechazaba las mercedes y que en un gobierno protestante no se atendía al merecimiento ni respetaba las gracias concedidas por los reyes pretéritos. La violenta contestación le hizo ver que la reforma era imposible (AGI, México 30, 4)[21]. El arzobispado, la Audiencia, la inquisición y "el pueblo" se unieron para derribarle. El marqués no fue capaz de reconducir esta situación y se vio desbordado por la revuelta del 11 de enero de 1624 cuando la muchedumbre asaltó el palacio real al grito "Viva el rey y viva Cristo y muera el hereje luterano". Gelves pudo escapar, esconderse y salvar la vida huyendo del reino[22].

El motín no solo hizo caer al virrey, destruyó todo un programa reformista que, como bien apuntó Jonathan Israel (1980: 163) "originalmente había sido iniciado en Madrid". La reformación de costumbres por fuerza tenía que entrar en conflicto con la Iglesia, le arrebataba su magisterio, invadía su jurisdicción e interfería en su función social. Cuando Gelves afirmaba que las reformas que estaba llevando a cabo se estaban efectuando en toda la Monarquía remitía a un ambiente intelectual y a una ideología política que proponía toda una revolución cultural:

> "Y el arrojamiento del Arzobispo que habiéndole de resistir, como convenía mayor demostración, se debiera haber hecho conforme a lo que en semejantes casos han acostumbrado los Reyes nuestros señores y con sus cédulas y exemplares nos tienen advertidos; véase lo que la Magestad Catholica del Rey Don Fernando el Quinto escribió al conde de Ribagorza su Virrey en Nápoles en

[19] El marqués de los Gelves al rey, México 7 de junio de 1623.

[20] Ibidem.

[21] Testimonio de informaciones sobre impedir el donativo y empréstito de 1623.

[22] Sobre la rebelión de México véase Martín López Gauna, *Relación de lo sucedido en la ciudad de México en el alboroto y tumulto que se levantó nacido de estas competencias entre el Marqués de Gelves, [Diego Carrillo de Mendoza], Virrey, y el Arzobispo de ella [Juan Pérez de la Serna]*, el 11 de enero de 1624, BNE Ms. 20066, 13. Entre los papeles de Gil González Dávila interesa la *Relación de Bernardino de Urrutia sobre el tumulto acaecido en México el 14 de enero de 1624 durente el gobierno de Don Diego Pimentel, Conde de Gelves*, BNE Ms. 18170, 18-95v. Por último, *Carta de Jerónimo Gómez de Sandoval a Fabrique de Toledo, comunicándole el feliz viaje de la flota y el envío de una relación sobre el tumulto de México, contra el Virrey*. México, 20 de febrero de 1624 BNE Ms. 18196, 246-252vº.

> carta de 22 de Mayo de 1508 años que se hallaba cuan alterado y resentido y mal contento de su Virrey se muestra Su Magestad por no haber procedido de hecho con una gran demostración contra un cursor de Su Santidad que a dicho virrey notificó un auto (no visto fazer dize Su Magestad en nuestra memoria a ningún Rey ni Virrey de un Reyno). Véase lo que así mismo escribió Su Magestad el Rey Don Felipe Segundo al cardenal Granvela siendo presidente de Italia desde Lisboa sobre haber excomulgado el nuncio y puesto en cedulones al corregidor de Calahorra y quan resentido se mostró llamando al nuncio de cabezudo y temoso (sic) y como le mandó salir luego de la Corte y sacarle a medio día en una carroza de su caballería con solo Don Diego de Córdoba y nunca más Su Santidad lo volvió y imbió nuncio a beneplácito de Su Magd. Y véase lo del Condestable de Castilla siendo Gobernador de Milán sobre los azotes en carta de 12 de noviembre de 1596 sobre haber tratado el cardenal de excomulgar al gran canciller y presidente del Senado y pensado hazer lo mismo con el Condestable , bien me pudieran obligar estos exemplares y advertencias a proceder de hecho y con mayor severidad contra quien así mismo procedía de hecho y con tan grande insolencia y desacato y solo por no haberlo hecho así merecía la reprensión y demostración que conmigo se ha hecho pero las razones que obligaron a templarme son tan eficaces y tan de Servicio de Su Magestad y beneficio de Su Reyno que a cualquiera de los más expertos ministros de la corona obligaran a esta reportación teniendo el caso presente con las adherencias y circunstancias que ocurrieron, pero es el daño que no se da por título del despojo la reportación sino el rigor y severidad. No está muy lejos destos tiempos lo que sucedió al duque de Osuna siendo virrey de Nápoles por el año 1585 por la muerte del Estarache a quien en su presencia despedazaron por haberles ocasionado tan apretada necesidad y hambre. Causa bien bástanse para tan grande sentimiento pero no para perder el respeto a un virrey" (AGI, Patronato 221, R11, n°1).[23]

Las citas de la carta de Fernando el Católico al duque de Ribagorza, la expulsión del nuncio bajo Felipe II, los conflictos jurisdiccionales en Milán o el episodio de Osuna y Starace nos informan de la existencia de todo un argumentario conocido por los ministros de Estado de la Monarquía cuyo mejor ejemplo lo tenemos en la forma en que Quevedo (1946b: 170-174) reclamaba a Don Baltasar de Zúñiga una acción decidida en esta materia: "la conservación de la jurisdicción y reputación ni ha de consentir dudas ni temer respetos ni detenerse en elegir medios".

---

[23] Puntos que se han de advertir en la causa del gobierno del marqués de Gelves en la Nueva España.

Perú: El reformismo tibio del marqués de Guadalcázar

Al mismo tiempo que el marqués de Gelves fue enviado a México el de Guadalcázar era destinado a Perú. El 4 noviembre de 1621 el virrey novohispano informaba al Consejo de Indias que Guadalcázar salía de Acapulco en una fragata, un navío poco seguro y en el que no podía embarcar todo su séquito y enseres, su casa, pero estaba resuelto a zarpar para ponerse a trabajar lo más pronto posible (AGI, México 29, 56). Era el virrey saliente de Nueva España donde había estado al mando desde 1612, su gobierno constituyó un ejemplo del tipo de males que el nuevo gobierno quería reformar, de hecho, su envío a Sudamérica podría interpretarse más como castigo que como premio pues, para Lewis Hanke (1980 (III): 39) es inexplicable que "tan negligente e ineficaz virrey haya sido enviado al Perú para gobernarlo" lo cual es contradictorio con la imagen popularizada de este virrey en España, Manuel Ortuño (S/F) que señala que por su buen hacer fue motejado en México como "el Buen Virrey" o celebrado en su cuarto centenario por José Valverde (1978) "como uno de los mejores virreyes que España ha tenido en América". Hanke atiende a las denuncias por cohechos y la multa que le impuso el Consejo de Indias por sus despilfarros con motivo de las exequias de su esposa, pero bajo esa apariencia, sus problemas discurrían sobre un agudo conflicto de fondo con las autoridades eclesiásticas mexicanas, con el arzobispado, inquieto por la interferencia disciplinaria de la autoridad viceregia vigilando el comportamiento del clero o reclamando tributos (AGI, México 29, n°55ª)[24].

Que el virrey viajara de Nueva España a Perú sin su casa y sin instrucciones puede ser signo de que quisiera poner en marcha un plan que requería cierta urgencia, reemplazaba a un virrey que era hechura de Lerma, que estaba fuertemente vinculado al grupo desalojado del gobierno de la Monarquía, lo cual explica que recibiera un tratamiento duro en su residencia, en consonancia con el que recibían sus protectores en la Corte (Villareal Brasca, 2018). Así mismo, pese a carecer de instrucciones, el marqués de Guadalcázar hizo acopio de información y procuró asesorarse antes de partir (Hanke y Rodríguez, 1980 (II): 248). Así mismo, su correspondencia con Gelves indica no sólo buena sintonía entre ambos virreyes, sino que se contaba con él para resolver problemas novohispanos que habían comenzado bajo su mandato como era el bloqueo del goberna-

[24] Minuta de las reales cédulas tocantes a la conducta del arzobispo de México, San Lorenzo 18 de octubre de 1620.

dor de Campeche a su residencia (AGI, México 29, 96)[25].

Su entrada en Lima dio un toque de atención al nuevo signo de los tiempos pues fue el primer virrey que no hizo su entrada en Lima bajo palio (Osorio, 2006). En la carta que el virrey escribe desde Lima el 7 de noviembre de 1622, respondiendo a una carta del soberano en la que se le detalló su misión, parece confirmar nuestra hipótesis de que el objeto principal de su mandato era la "reformación":

> "Señor: la misma naturaleza (su poder sobre todos poderes) cuyo ejemplo debe seguir el arte política no hace las formas de una vez y comienza desde la nada que no resiste a cual quier impresión V. Mag[d] que para fundar lo que desea en muchas cosas le esfuerzas a hacerlo luego vienes que no te tienta su mayor dificultad en un vuelco tan grande dándole de una vez el y las excepciones se han de embarrancar unas con otras y la congoja de todas hacer intolerables las que parecieron fáciles y bien recibidas" (Biblioteca de la Universidad de Sevilla, en adelante BUS, Ms. A330/122, 238r°)[26]

En su escrito, manifiesta sus dudas, las reformas de costumbres podían tener efectos contrarios a los que se persiguían, eliminar gastos en trajes y otras cosas "quita VMs el comer a muchos cuya edad o genero les imposibilita diferente modo de vivir", esto incluso afecta a las rentas del propio soberano y pérdidas para la Hacienda de modo que "el consuelo de aquellos afligidos primero se le libra vuestra majestad en la conveniencia del bien público". Algo parecido pasa con la ociosidad y el vagabundaje, las normas que se dicten no se cumplirán o se hará en un tiempo muy limitado, por lo que era mejor obrar con cautela, poco a poco y aplicar la norma cuando fuera conveniente:

> "Y también que las reformaciones dichas que se sienten comúnmente como penales los que por no estimarle desmerecen el beneficio quedando las recibidas y aprobadas se vayan suspendiendo para que cuando el gobierno con el ejercicio de las demás se halle en mayor perfección y los comprendidos por él con más cierta seguridad al rendimiento de semejantes preceptos" (BUS, Ms. A330/122, 238v°)[27].

Esta mesura también se refería a los nuevos tributos y a la revisión de mercedes concedidas

---

[25] Carta del virrey Diego Carrillo de Mendoza, marqués de Gelves al marqués de Guadalcázar, México 29 de octubre de 1622.

[26] Papeles del marqués del Risco sobre asuntos del gobierno del Perú en los primeros años del siglo XVII.

[27] Ibidem.

"Y sobre todo señor importa que la prudencia y mucho saber de vuestra majestad contra la edad y natural ardimiento tenga siempre suyo lugar a la paciencia esperando el fruto de lo que se intentare al paso de la posibilidad y aunque es muy creyble que Dios sin milagro dispondrá las cosas en tal manera que muchos a° como lo avemos menester goçe V. Mag^d los bienes en que ahora se va dando principio" (BUS, Ms. A330/122, 239r°) [28].

A comienzos de 1623 informó que se había pregonado la cédula y los decretos para que los ministros y oficiales reales hicieran los inventarios de sus bienes, rentas y mercedes cumpliendo así lo dispuesto por la pragmática de enero de 1622 (AGI, Lima 39, 12)[29]. Como se aprecia, se condujo con calma en materia de reforma de costumbres y atención al merecimiento. La celeridad por tomar posesión de su cargo no se justifica, a nuestro juicio, por una situación de emergencia moral sino por el urgente remedio de los problemas de Potosí, por la disminución de las remesas de plata. Al darse tiempo en la reforma de costumbres, concentraba su atención en el asunto principal y más urgente como era la recuperación de la producción de plata afectada no sólo por los desórdenes de Potosí sino también por el abandono de los indios, que huían en gran número de las minas y por los fraudes en la acuñación de moneda al detectarse que le faltaba ley por lo que se procedió cesando y procesando a varios ensayadores (Andrien, 2011: 182-183).

La plata del Potosí era el primer punto de la gobernación del Perú. La relación que recibió del príncipe de Esquilache, redactada en 1621, comenzaba diciendo: "presupuesto que todas las materias que en el gobierno del Perú se tratan son tan graves como dificultosas y que piden continua atención y desvelo en el virrey juzgo que los dos polos en qué estriba esta máquina son Potosí y Huancavelica y así comenzaré por ellos el discurso de esta relación" (Hanke y Rodríguez, 1978 (II): 159)[30].

Apenas tomó posesión, Guadalcázar envió por corregidor de Potosí al general don Felipe Manrique con una fuerza militar de 300 hombres, la mitad de ellos vascongados. El marqués ordenó que las autoridades locales salieran a recibirlo, y el nuevo corregidor hizo ostentación de severidad y rechazo a las componendas, rehusó los regalos dispensados a su llegada señalando que no aceptaría los de su antecesor, don Francisco Sarmiento, por ser traidor y rebelde, llevando

---

[28] Ibidem.

[29] Lima 28 de junio de 1623.

[30] Relación del príncipe de Esquilache. Sin fecha 1621.

orden del virrey de hacerle residencia. El virreinato comenzaba con parcialidad, castigando a los vicuñas, haciéndolos únicos responsables del conflicto. Con esto se recrudeció la guerra civil y el virrey fue cambiando de actitud inicial intentando buscar una conciliación. Este giro hacia el arbitraje, culminado con el perdón general de diciembre de 1624 (que exceptuó a unos pocos cabecillas), le permitió resolver el conflicto, restableciendo el orden y desarmando a las facciones que pugnaban por el control de la ciudad (Arzans de Orsua y Vela, 1965: 355-398). En su relación, escrita en 1629 se vanaglorió de este éxito:

> "La villa de Potosí queda con mucha quietud y sin rastro de los bandos y se ediciones pasadas pero será bien que, para que esto se conserve, mande vuestra excelencia que se guarde la prohibición que hice de no traer armas de fuego y otras aventajadas en ella y 60 lenguas en su entorno en la cual acrecentar el rigor de las leyes y pragmáticas reales conforme a lo que pidió entonces el estado de las cosas" (Hanke y Rodríguez, 1978 (II): 254).

Reorganizar la mita, pacificar el reino y recuperar la moneda fueron sus máximas prioridades y su solución queda en el acervo de este virreinato, quedando en el recuerdo como su principal logro, así como la mejora de las defensas del reino y su éxito al rechazar ataques corsarios. Sin embargo, la reforma de costumbres, aplazada para hacer frente a los asuntos urgentes no queda registrada entre sus éxitos, como veremos a continuación la "pragmática de las tapadas" fue fruto de un segundo y decidido impulso reformador de la Monarquía auspiciado desde la Corte tras promulgarse las pragmáticas de reforma de costumbres de 1623.

El giro de 1624: la consolidación de una "revolución cultural"

A diferencia de Baltasar de Zúñiga, el conde duque de Olivares no era un tacitista entusiasta, conocía la ética estoica pero sus inclinaciones intelectuales tenían una profunda raíz ascética, un ideal providencialista en el que para alcanzar la salvación era preciso el sacrificio, la mesura y la contención de las pasiones. En un largo y plúmbeo poema épico escrito por su amigo el conde de la Roca, *El Fernando o Sevilla restaurada. Poema Heroico* (Sevilla 1623), se vinculaba la Casa de Guzmán a la restauración de la España Sagrada, estableciendo un compromiso moral que legitimaba los fines políticos más allá de la razón de Estado (González Sánchez, 2015; Ollero Pina, 2012). San Hermenegildo y San Fernando eran los modelos que debía seguir Felipe IV (Barrera y Leirado, 1935: 6-

7; Vera y Figueroa, 1632). El día que falleció Don Baltsar de Zúñiga, Olivares marcó rápidamente un cambio de rumbo entregando al rey una nueva hoja de ruta:

> "Un billete, todo lleno de amor, doctrina y elocuencia, en que daba á entender á Su Majestad las obligaciones de un buen rey. Con este y otros muchos billetes enriqueciera yo este libro y mostrara al mundo el gran valor del Conde-Duque; pero como le escribo sin su consentimiento, de que hago á Dios testigo, no me he atrevido á sacarlos a luz sin su licencia, teniendo firme esperanza de que algún día la dará para que otra pluma más delgada que la mia los manifieste á todos, por no quitarse la gloria de haber sido el que mejor ha enseñado cómo deben ser los privados con su Príncipe, y el Príncipe cómo debe regir sus Estados. El que escribiere imitando el modo con que escribió el Conde-Duque mostrará conocer en su señor gran talento y ser de un fiel privado" (Malvezzi, 1635: 83).

Este modelo estaba muy lejos del programa de fray Juan de Santa María, significaba restaurar el valimiento como principio fundamental de gobierno. Para concebir su alternativa Olivares buscó autores que refutaran con argumentos sólidos al mentor del primer gobierno de Felipe IV:

> "El haber yo dado a Su Magestad en su propia mano el verano passado este papel y haber leydo después que salí de la Corte, en la Policía Christiana del Padre Fray Juan de Santa Maria, que los reyes han de tener muchos privados me obliga a responder a sus motibos y estampar este discurso separado de los dos tractados del Príncipe y de la guerra que se están imprimiendo porque lo que se añadió no podía caver en ellos" (Lanario y Aragón, 1624: 3-5).

El cambio de rumbo era significativo. Olivares no quiso reemplazar al soberano ni restablecer el valimiento al estilo de Lerma sino más bien vincular gobierno y virtud, de modo que el valido virtuoso deposita su confianza en sus semejantes, eligiendo para virreyes personas de su misma calidad. El buen gobierno consiste en dar lo que es justo, pero solo "los buenos ministros y siervos de Dios, hacen portentos y obran milagros por su virtud" (Lanario y Aragón, 1630: 2-15).

El nuevo modelo de abogaba por instruir a los virreyes para que constituyesen verdaderas regencias, nombrándose príncipes de sangre real que eran miembros de la dinastía o de dinastías vinculadas a la casa de Austria, ya fuera el infante Don Carlos o incluso un príncipe polaco. Puede que esta idea recuperara la instrucción original dada al príncipe Filiberto en 1620 y parece que, como entonces, los reinos vieron con recelo su aplicación. Uno de los miembros de la junta de regencia de Portugal escribió el 20 de enero de 1624 que la noticia no era bien recibida en el reino: "(Causa el) desconsuelo de todo el reino, principalmente de la nobleza, viendo que cuando les falta la presencia del Rey nuestro señor, que es lo que únicamente desean, les venga a gobernar príncipe extranjero, aunque tenga parentesco con su majestad" (Estébanez Calderón, 1955: 78-80).

El valido hizo caso omiso, en la junta sobre los hermanos del rey propuso que el infante Don Carlos fuera nombrado virrey planteando para Portugal y sus posesiones un carácter de Imperio adyacente a la Monarquía. Por eso también barajó el nombramiento de un príncipe de sangre real para el puesto, incluso pensó en miembros de familias soberanas de Europa asociadas a la Casa de Austria, la candidatura del infante Carlos dio paso después a la del príncipe Casimiro de Polonia, cuando este fue detenido en Francia se volvió a pensar en Don Carlos y, cuando este falleció, se optó finalmente por la duquesa de Mantua (Ferrand de Almeida, 1963; Conde Pazos, 2011). Se trataba de que los virreyes fueran como la presencia viva del rey, con su misma gravedad y con una distinción mayestática frente a la sociedad que gobernaba y esto es perceptible también al seguir los cursus honorum del conjunto de los virreyes donde en lugares humildes como Cerdeña se apuesta incluso por la grandeza para ocupar el cargo (Gloël y Morong, 2019).

La idea del valido consistía en profundizar en el carácter dinástico de la monarquía como una corporación regida por el soberano, sus parientes y la alta nobleza, copartícipes del imperio. Pero al mismo tiempo, el desarrollo de la política de reformación debía permitir instrumentar vínculos más fuertes, cohesivos, que permitían articular la Monarquía en una misión sagrada.

Así sus obras legislativas más importantes, el decreto del 14 de enero 1622, obligando a todos los ministros a hacer inventario de sus bienes, mercedes y rentas (BNE, Ms. 2353, 239-244v°) y la pragmática de reformación de costumbres del 10 de febrero de 1623[31] regirían todos los cambios que iban a sucederse rápidamente. La nueva legislación establecía una reducción de oficios a la tercera parte, limitaba a 30 días la presencia de pretendientes en la Corte y no se darían licencias para escribanos en veinte años. Así mismo se establecía como había que vestirse, adornarse y comportarse, se perseguía la ociosidad, la prostitución y se

[31] *Capítulos de reformación, que su Magestad se sirve de mandar guardar por esta ley, para el gobierno del Reyno*. Madrid, Tomás Junti, 1623 (24 páginas).

fijaba el decoro en el comportamiento. En los meses sucesivos se aplicó la nueva legislación con denuedo. Se cambió totalmente la imagen pública de instituciones y ministros, empezando por el rey, cuyo nuevo retrato oficial fue terminado por Diego Velázquez el 30 de agosto de 1623 siendo la expresión gráfica de la reforma. El rey y sus ministros se presentaban tanto en retratos como en apariciones públicas, mostrando un atuendo sobrio y severo, al tiempo que hacían gala de moderación en el consumo y se ampliaba la austeridad a una limitación generalizada de las manifestaciones de gasto público (Gallego, 1983: 53-68).

Desde la publicación de los capítulos de reformación Olivares comenzó a prescindir de los consejos. Empezó por reducir drásticamente su presupuesto, en noviembre de 1623 se pidió al presidente del Consejo de Indias información detallada de los gastos que corrían en mercedes y salarios, lo mismo se pidió a los consejos de Italia, Aragón o Castilla que fueron seguidas de recortes y limitaciones para proveer oficios y mercedes (Amadori, 2013). A lo largo del año 1623, en cuanto obtuvo el título de Canciller de las Indias y cuando recibió público reconocimiento de su posición de primer ministro, los consejos cedieron protagonismo a las juntas, creándose una administración paralela, eventual y dispuesta a actuar conforme a los deseos del valido (Danvila y Collado, 1885: 148; Tomás y Valiente, 1982).

Pero el principal obstáculo que encontraría la política del valido fue la Iglesia, una institución externa, por una parte, gobernada por el Papa desde Roma, pero también interna por constituir uno de los tres estados que componían la sociedad con representación en las instituciones parlamentarias y con poder propio dentro de los reinos. Dirigir la reforma moral del clero, exigirles tributos y pretender someterlos a las autoridades seculares fue la empresa más difícil que hubo de afrontar Olivares.

La reformación pretendía sobre todo de dotar de autoridad moral a la corona, era un ataque directo a la política tradicional, probabilista, estableciendo disciplina y compromiso por un objetivo común, la construcción de una Monarquía de naturaleza universal. De hecho, la consideración del año 1625 como "annus mirabilis" y su celebración creo que guarda una relación directa con todo esto. Es decir, el nuevo impulso de regeneración moral es la vía que da curso a las victorias contra los enemigos de la Monarquía que son también enemigos de la fe. La percepción del éxito político se leía como manifestación de la voluntad divina de la que el rey y el valido eran instrumento (Rivero Rodríguez, 2020; Rodrigues Vianna Perez, 2003).

Siguiendo este cambio, el virrey del Perú, el marqués de Guaalcázar, imprimió nuevos bríos a la reforma de las costumbres en el reino. Su "pragmática de las tapadas" de diciembre de 1624 daba curso a un asunto ya decretado en los capítulos del tercer concilio limense imprimiendo una política que, sin embargo, fracasó de manera estrepitosa siendo incumplida e ignorada por la sociedad peruana (Blair St. George, 2000: 117). El virrey explicaba en el preámbulo que sus antecesores no habían aplicado las leyes con el rigor que era preciso y que había recibido órdenes del rey de hacerlas cumplir (Mendiburu, 1902: 77-79), da la sensación de que este revés confirmaba en buena parte su primera apreciación de 1622 respecto a que había que obrar despacio para cambiar la naturaleza de la sociedad. En cualquier caso, no se percibe una acción tan decidida como la desarrollada por el marqués de Gelves en México (Büschges, 2010).

En este sentido, se observa como las nuevas disposiciones de Olivares ponían a prueba todo el tejido virreinal en una larga sucesión de conflictos jurisdiccionales con la Iglesia en los que se ventila nada menos que la noción de soberanía y la naturaleza de la autoridad real. En Nueva España, Nápoles, Milán, Castilla, Sicilia o Cataluña los enfrentamientos jurisdiccionales entre autoridades reales y eclesiásticas se hicieron endémicos (Arrieta Alberdi, 1995; Martínez Vega, 1990; Signorotto, 1996: 236-247; Rurale, 1992). En Sicilia, pese a que la institución de la *Monarchia Sicula* convertía al rey en único patrono de la iglesia siciliana un incidente en Randazzo (Sicilia) provocó en 1626 una crisis institucional que enfrentó al estraticó de Messina con el arzobispo, dando lugar a tumultos y violencias entre las autoridades civiles y eclesiásticas durante algo más de tres años (D'Avenia, 2015: 129-142).

El problema de las jurisdicciones en la Monarquía Hispánica se agudizó debido a la política de Urbano VIII que creó en 1626 la Congregación de la Inmunidad para resolver estos conflictos a voluntad de la Iglesia (Covarrubias, 1786: 416-417). De modo que, el principal problema al que harán frente los virreyes será la desautorización, desobediencia o resistencia fomentada desde el ámbito eclesiástico, siendo frecuentes las excomuniones de autoridades civiles que verán muy dañado su prestigio (D'Avenia, 2012; Franzosini, 2013; Malekandathil, 2011; Signorotto, 1996: 244). Quevedo, ya señaló que este sería el principal problema al que habría de hacer frente Felipe IV, como así fue (Riandire la Roche, 2004).

Como ya señalamos más arriba, el caso del marqués de Gelves y la revuelta de México en 1624 es uno de los episodios más notables de esta situación. El cambio de virrey no resolvió el problema, se prolongó durante todo el virreinato de Cerralbo (el cual estuvo asesorado por Gelves, con el que mantuvo un intenso intercambio epistolar) y al menos hasta 1635, los prelados encabezaron una oposición radical a los sucesivos virreyes enviados desde España, Israel consideró que la política eclesiástica era un sustituto del enfrentamiento social y económico, amparando o enmascarando las demandas de los criollos (Israel, 1980: 191-192). Pero si se mira más lejos, se comprueba que entre 1622 y 1635 encontramos problemas análogos en todos los rincones de la Monarquía, informándonos más bien de un problema con la Iglesia. El conde de Monterrey, embajador en Roma, dedicaba gran parte de su tiempo a impedir que las autoridades pontificias diesen curso a los innumerables recursos del episcopado de los territorios de la Monarquía reclamando el respeto de la jurisdicción eclesiástica según se decretó en el Concilio de Trento (Scalisi, 2004; Signorotto, 1996: 238).

Es muy importante el decreto de Urbano VIII sobre la creación de la Congregación de Inmunidades para poder valorar lo que estaba ocurriendo. Desde Roma se animaban estos conflictos para que desde Roma se remediasen. El Papa quiso poner orden erosionando la jurisdicción secular. En consistorio celebrado los días 4 a 11 de agosto de 1626 se discutió sobre si podían, y por quien, concederse amonestaciones, o monitorios con absolución, aun con reincidencia, a los excomulgados por causa de violar la jurisdicción, inmunidad, o cualquier libertad eclesiástica. Se concluyó que los tribunales eclesiásticos ordinarios, no podían conceder absoluciones, debiéndose recurrir siempre a la congregación pontificia de las Inmunidades. Sus dictámenes, una vez firmados por el Papa, siempre debían observarse y ser inmediatamente ejecutados[32].

El arzobispo de México tardó muy poco tiempo en dar curso a la resolución de la Santa Sede informando a las autoridades seculares que las inmunidades eclesiásticas no podían ignorarse sin el permiso papal (Cuevas, 1924: 134-150). Por tanto, la Iglesia limitó la supremacía jurisdiccional de los virreyes. Olivares utilizaría todos los recursos disponibles para torcer esta situación, llamó a la Corte al jurista Mario Cutelli quien, ya en el Consejo de Italia, escribió *Codicis legum sicularum libros quattuor* (Messina 1636) que contenía una denuncia directa sobre lo que estos conflictos jurisdiccionales encubrían. La nobleza, los contratistas de impuestos, los comerciantes, jueces, oficiales reales y eclesiásticos habían construido un espacio libre de injerencias de la autoridad del rey que les

[32] Decreto sobre inmunidades, Roma 5 de septiembre de 1626 Covarrubias, *Máximas sobre recursos de fuerza y protección con el método de introducirlas en los tribunales*, 416-17.

permitía apropiarse de recursos de la corona de modo ilícito y con total impunidad. De modo que las menguantes contribuciones de los reinos a la Monarquía no se resolverían con una mayor fiscalidad, sino impidiendo esos tratos indebidos. El virrey, con los magistrados, debía defender las leyes y la jurisdicción real siendo los eclesiásticos sus principales adversarios (Sciuti Russi, 1985; Siuti Russi, 1994).

Como hemos apreciado con respecto a los dos impulsos reformistas de 1621 y 1624 el marqués de Guadalcázar esquivó cuidadosamente proceder con diligencia, orientado por su noción de naturaleza y bien público expresado en su carta al rey en 1622, este clima no se percibe en Perú salvo algunas notas dispersas sobre casos concretos relativos a la prohibición de fundar conventos sin licencia y a algunas "inquietudes religiosas"[33]. Aun cuando parece una materia que hay que investigar, no parece que en el ámbito andino hubiera conflictos como los conocidos de México o Milán (Hanke y Rodríguez, 1978 (II): 259-262). Esta materia ni siquiera es objeto de atención en la relación que el virrey escribió al final de su mandato, su final como virrey y su retorno a España me parecen indicativos de que su tibieza ante los proyectos reformistas de la Corte explica, además de su salud quebrantada, que una vez concluido su mandato se retirara a sus estados en Guadalcazar y que fuese ignorado en la Corte.

Fuentes primarias

ACA Archivo de la Corona de Aragón (Barcelona):

- 95

AHN Archivo Histórico Nacional de España:

- Estado
- Mss 10722

AGI Archivo General de Indias:

- Escribanía 1187
- Lima 33
- Lima 34
- Lima 39
- Lima 41
- México 29
- México 30

[33] Lima 18 de marzo de 1627, AGI Lima 41, 33 y 34.

- México 256
- México 257
- México 258
- México 259
- México 260
- México 261
- México 262
- México 263
- Patronato 221

ASF Archivio di Stato di Firenze:

- Mediceo del Principato

ASV Archivio Segreto Vaticano:

- Borghese II
- Spagna 440

BNE Biblioteca Nacional de España:

- Ms 2352
- Ms 5873
- Ms 7377
- Ms 10722
- Ms 18000
- Ms 18170
- Ms 18196
- Ms 20066

BUS Biblioteca de la Universidad de Sevilla:

- Ms. A 330/122

Referencias citadas

Almansa y Mendoza, A. 1886. *Cartas de Andres de Almansa y Mendoza: Novedades de esta corte y avisos recibidos de otras partes, 1621-1626.* Ramírez de Arellano, F. marqués de Fuensanta del Valle y Sancho Rayón, J. (eds.). Madrid: Impr. de M. Ginesta.

Amadori, A. 2013. *Negociando la obediencia: Gestión y reforma de los virreinatos americanos en tiempos del conde-duque de Olivares (1621-1643).* Sevilla: Universidad de Sevilla.

Andrien, K. 2011. *Crisis Y Decadencia. El Virreinato Del Perú En El Siglo XVII.* Lima: Banco del Perú.

Antón Martínez, B. 1992. *El tacitismo en el siglo XVII en España. El proceso de receptio.* Valladolid: Universidad de Valladolid, Caja Salamanca y Soria.

Arrieta Alberdi, J. 1995. "La disputa en torno a la jurisdicción real en Cataluña (1585-1640): de la acumulación de la tensión a la explosión bélica". *Pedralbes: revista d'història moderna,* N.º 15: 33-93.

Arzans de Orsua y Vela, B. 1965. *Historia de la villa imperial de Potosí.* Editado por Lewis Hanke y Gunnar Mendoza. Providence: Brown University.

Barrientos Rastrojo, J. 2010. "La Filosofía Política moralista de Quevedo frente a la pragmatista- belicista de Nicolás Maquiavelo". *Bajo Palabra. Revista de Filosofía* N° 5: 331-348.

Barrrera y Leirado, C. 1935. *El conde de la Roca, noticias bibliográficas.* Badajoz: Centro de Estudios Extremeños.

Büschges, C. 2010. "¿Absolutismo virreinal?La administración del marqués de Gelves revisada (Nueva España, 1621-1624)". En Ruiz Ibáñez, J. y Dubet, A. (eds.), *Las Monarquías española y francesa (siglos XVI y XVII).* Madrid: Casa de Velázquez, pp. 31-44.

Casado Arboniés, F. 1986. "Los retrasos en la imposición de la Unión de las Armas en México: (1629-1634)". *Estudios de historia social y económica de América,* N.º 2: 121-130.

Céspedes y Meneses, G. 1631. *Primera parte de la Historia de Don Felipe IV rey de las Españas.* Lisboa: Pedro Craesbeeck.

Céspedes y Meneses, G. 1634. *Historia de don Felipe IIII, rey de las Españas.* En Barcelona: Por S. de Cormellas.

Conde Pazos, M. 2011. "El Tratado de Nápoles: el encierro del príncipe Juan Casimiro y la leva de polacos de Medina de las Torres (1638-1642)". *Studia historica. Historia moderna,* N.º 33: 123-139.

Covarrubias, J. 1786. *Máximas sobre recursos de fuerza y protección con el método de introducirlas en los tribunales.* Madrid: Imprenta de la viuda de Ibarra.

Cuevas, M. 1924. *Historia de la Iglesia en México.* Tlalpalm (México): Imprenta del asilo Patricio Sanz.

D'Avenia, F. 2012. «La Chiesa di Sicilia sotto patronato regio nel XVII secolo». En *La Sicilia del '600 nuove linee di ricerca.* Palermo: Mediterranea, pp- 55-114.

D'Avenia, F. 2015. *La Chiesa del re. Monarchia e Papato nella Sicilia spagnola (secc. XVI-XVII).* Roma: Carocci.

Dadson, T. 1991. "Conflicting Views of the Last Spanish Viceroy of Portugal (1617-1621): Diego de Silva y Mendoza, Count of Salinas and Marquis of Alenquer". *Portuguese Studies* N° 7: 28-60.

Danvila y Collado, M. 1885. *El poder civil en España.* Madrid.

Estébanez Calderón, S. 1955. *Historia de la Infantería española. Campañas de D. Juan de Austria. Otros trabajos Históricos.* Madrid: Atlas.

Feijoo, R. 1965. "El tumulto de 1624". *Historia Mexicana* N° 14, Vol. 1: 42-70.

Ferrand de Almeida, L. 1963. "O príncipe Joâo Casimiro e os antecedentes da Restauraçâo de Portugal (1638-1640)". *O Instituto, Revista científica e literaria (Coimbra)* N° 124, Vol. 1962-1963: 141-182.

Franzosini, E. 2013. *Sotto il nome del cardinale.* Milano: Adelphi.

Galván Desvaux, D. 2016. *Felipe IV y la defensa del valimiento : el proceso contra el Duque de Uceda.* Valladolid: Ediciones Universidad de Valladolid.

George, R. 2000. *Possible pasts : becoming colonial in early America.* Cornell: Cornell University Press.

Gloël, M. y Morong, G.2019. "Los "cursus honorum" virreinales en la monarquía de los Austrias". *Hipogrifo* N° 7, Vol. 2: 769-97.

González Cañal, R. 1991. "El lujo y la ociosidad durante la privanza de Olivares: Bartolomé Jiménez Patón y la polémica sobre el guardainfante y las guedejas". *Criticón* N° 53: 71-96.

Gonzalez Cuerva, R. 2012. *Don Baltasar de Zúñiga. Una encrucijada de la Monarquía Hispánica (1561-1622).* Madrid: Polifemo.

González Sánchez, C. 2015. "Sevilla y la biblioteca del Conde-Duque de Olivares". *Bibliofilia: rivista di storia del libro e di bibliografia* N° 117, Vol. 3: 235-270.

Hanke, L. y Rodríguez, C. 1978. *Los Virreyes Españoles en America durante el Gobierno de la Casa de Austria. Perú, 5 vols.* Madrid: Ediciones Atlas.

Hanke, L. y Rodríguez, C.. 1980. *Los Virreyes Españoles en America durante el Gobierno de la Casa de Austria. México, 7 vols.* Madrid: Ediciones Atlas.

Israel, J. 1980. *Razas, clases sociales y vida política en el México colonial (1610-1670).* México: Fondo de Cultura Económica.

Lanario y Aragón, F. 1628. *Exemplar de la constante paciencia Christiana y política.* Nápoles: Lazaro Scoriglio.

Lanario y Aragón, F. 1630. *Espejo del duque de Alcalá.* Napoli: Lazaro Scoriglio.

Lohmann Villena, G. 1959. *Las relaciones de los virreyes del Perú.* Sevilla: Consejo Superior de Investigaciones Científicas.

Lumia, I.. 1889. "Don Carlo d'Aragona e il duca d'Osuna". En *Storie Siciliane, volume III,* 370-475. Palermo: Stabilimento Tipografico Virzi, pp. 370-475..

Malekandathil, P. 2011. "Cross, Sword and Conflicts: A Study of the Political Meanings of the Struggle between the Padroado Real and the Propaganda Fide". *Studies in History (Jawaharlal Nehru University)* N° 27, Vol. 2: 251-67.

Marletta, F. 1931. "Vita e cultura catanese ai tempi di Don Francesco Lanario". *Archivio Storico per la Sicilia Orientale, serie 2ª* XXVII, N.º 2: 337-341.

Martínez Hernández, S. 2009. *Rodrigo Calderón : la sombra del valido : privanza, favor y corrupción en la corte de Felipe III.* Madrid: Centro de Estudios Europa Hispánica y Marcial Pons Historia.

Martínez Vega, M. 1990. "La Crisis barroca en el Virreinato de la Nueva España : e l Marqués de Gelves, 1621-1625". Madrid: Universidad Complutense de Madrid. Servicio de Reprografía.

Mendiburu, M. 1902. *Apuntes históricos y notcias cronológicas del Cuzco.* Lima: Imprenta del Estado.

Moll, J. 1974. "Diez años sin licencias para imprimir comedias y novelas en los reinos de Castilla: 1625-1634". *Boletín de la Real Academia Española* N° 54: 97-103.

Mrozek Eliszezynski, G. 2015. *Bajo acusación : el valimiento en el reinado de Felipe III : procesos y discursos*. Madrid: Polifemo.

Novoa, M. 1875 *Memorias de Matías de Novoa conocidas hasta ahora bajo el título de «Historia de Felipe III, por Bernabé de Vibanco»*. Coleccion. Madrid: Impr. de M. Ginesta

Ollero Pina, J. 2012. "El ejercicio del poder. El patronazgo del conde-duque en la Universidad de Sevilla". *Andalucía en la historia* N° 36: 20-25.

Ortuño Martínez, M. 2021. "Diego Fernández de Córdoba y Melgarejo de la Roelas". En *Diccionario Biográfico Español.* Madrid: Real Academia de la Historia. Accedido 11 de octubre de 2021.

Osorio, A. 2006. "La entrada del virrey y el ejercicio de poder en la Lima del siglo XVII". *Historia mexicana,* N° 55, Vol. 3: 767-831.

Peraita, C. 1997. *Quevedo y el joven Felipe IV :el príncipe cristiano y el arte del consejo.* Kassel: Reichenberger.

Quevedo, F. 1946ª. *Política de Dios y gobierno de Cristo.* Buenos Aires: Espasa-Calpe Argentina.

Quevedo, F. 1946b. "Comentario a la carta del rey Don Fernando al primer virrey de Nápoles". En *Obras completas vol. 1*. Madrid: Ediciones Atlas, pp. 170-174..

Quevedo, F. 1946b. "Grandes anales de quince días". En *Obras completas vol. 1*.. Madrid: Biblioteca de Autores Españoles, pp. 194-220.

Ramírez, A. 1966. *Epistolario de Justo Lipsio y los españoles (1577-1606)*. Valencia: Castalia.

Riandire la Roche, J. 2004. "Quevedo y la Santa Sede: problemas de coherencia ideológica y de edición". *La Perinola. Revista de Investigación Quevediana*, N.º 8: 397-431.

Rivero Rodríguez, M. 2006. "The Court of Madrid and the Courts of the Viceroys". En Vermeir, R., Raeymaekers, D y Nortal Muñoz, J. (eds.), *A Constellation of Courts: The Courts and Households of Habsburg Europe, 1555-1665.* Leyden: Brill, pp. 1107-1122..

Rivero Rodríguez, M. 2012. «El;Gran Memorial de 1624, dudas, problemas textuales y contextuales de un documento atribuido al conde duque de Olivares". *Libros de la Corte.es,* Nº. 4:: 48-71.

Rivero Rodríguez, M. 2018. *El Conde Duque de Olivares. la Búsqueda de la Privanza Perfecta.* Madrid: Polifemo.

Rivero Rodríguez, M. 2020. "The Dutch enemy, Count Duke of Olivares and the service of the vassals in the recovery of Bahia of Brazil". *Eikón Imago,* N° 9, Vol. 1 (2020): 227-254..

Rodrigues Vianna Peres, L. 2003. "“El Brasil restituido” de Lope de Vega y “La pérdida y restauración de la Bahía de Todos los Santos”, de Juan Antonio Correa. Historia, emblemática". En González, A. (ed.), *Estudios del teatro áureo: texto, espacio y representación : actas selectas del X Congreso de la Asociación Internacional de Teatro Español y*

Novohispano de los Siglos de Oro. México: Universidad Autónoma Metropolitana, pp. 245-261.

Rurale, F. 1992. "Stato e Chiesa nell'Italia spagnola: un dibattito aperto". *Cheiron* N° 9: 357-80.

Santa María, J. 1619. *Tratado de República cristiana.* Valencia: Pedro Patricio.

Scalisi, L. 2004. *Il controllo del Sacro. Poteri e istituzioni concorrenti nella Palermo del Cinque e Seicento.* Roma: Viella.

Sciuti Russi, V. 1984. *Il governo della Sicilia in due relazioni del primo Seicento.* Napoli: Jovene.

Sciuti Russi, V. 1985. "CUTELLI, Mario". En *Dizionario Biografico degli Italiani, volume 31*, 1985. http://www.treccani.it/enciclopedia/mario-cutelli_(Dizionario-Biografico).

Sciuti Russi, V. 1994. *Mario Cutelli : una utopia di governo.* Acireale: Bonnano editore.

Signorotto, G. 1996. *Milano Spagnola. Guerra, istituzioni, uomini di governo (1635-1660).* Milano: Sansoni Editore.

Tierno Galván, E. 1952. "Acerca de dos cartas muy poco conocidas del Conde Duque de Olivares". *Anales de la Universidad de Murcia,* N° 38: 71-76.

Tiran, A. 2020 *Le Royaume de Naples (1580-1620). Économie, monnaie et finance à l'époque d'Antonio Serra.* Paris: Garnier.

Tomás y Valiente, F. 1982. "El gobierno de la Monarquía y la administración de los reinos en la España del siglo XVII". En Tomás y Valiente, T. (ed.), *La España de Felipe IV : el gobierno de la monarquía, la crisis de 1640 y el fracaso de la hegemonía europea.* Madrid: Espasa-Calpe, pp. 1-214.

Valverde Madrid, J. 1978. "IV centenario del Virrey Marqués de Guadalcázar. Córdoba ciudad de guerrera gente". *Boletín de la Real Academia de Córdoba* N° 98: 111-113.

Vega y Carpio, L. 1985. *Cartas.* Editado por Nicolás Marín. Madrid: Castalia.

Vera y Figueroa, J. 1632. *El Fernando o Sevilla restaurada: Poema heroico.* Sevilla: Estefano.

Villarreal Brasca, A. 2018. "El privado del virrey del Perú: vínculos, prácticas y percepciones del favor en la gestión del príncipe de Esquilache". *Memoria y Civilizacion,* N° 21: 141-65.

Hacia la invención de una provincia en la Monarquía de los Austrias: el Tucumán durante las gestiones de Alonso de Vera y Julián de Cortázar

Guillermo Nieva Ocampo
Universidad Nacional de Salta/Conicet, Argentina

Daniela Alejandra Carrasco
Universidad de los Andes, Chile

Organización y sociedad en el Tucumán

La Monarquía de los Austrias hacia el año 1621 poseía un carácter dinástico y agregativo que intentaba atenuar la ausencia de una integración uniforme de sus reinos, provincias y gobernaciones. La multiplicación de las cortes virreinales con las intenciones de "mejorar la administración" fue adquiriendo mayor importancia conforme avanzaba el siglo XVII (González Fasani, 2020: 57-58). Así, con la inauguración del reinado de Felipe IV y su sistema articulado de cortes, el ejercicio del gobierno de los oficiales reales en los distintos territorios americanos fue a través de prácticas de negociación con los patronos locales (Amadori, 2013).

El conjunto de ciudades que conformaba la gobernación del Tucumán dependía jurisdiccionalmente de la Audiencia de Charcas y del Virreinato del Perú desde 1563 por real cédula de Felipe II[1]. La capital de la gobernación fue Santiago del Estero (1551) durante el siglo XVII, no obstante, las autoridades (gobernador y obispo) solían residir mayormente en Córdoba (1573). Completaban la provincia tucumana de 700.000 km2 las ciudades de San Miguel de Tucumán (1565), Salta (1582), San Salvador de Jujuy (1593), La Rioja (1591) y Nuestra Señora de Talavera de Madrid de Esteco (1609-1692). Asimismo, el obispado

[1] Real Cédula de Felipe II del 29 de agosto de 1563, reproducida por Freyre (1915: 43).

homónimo (1570)[2] coincidía con los límites de la gobernación y dependían de la arquidiócesis de La Plata desde 1609 (Bruno, 1966).

El gobierno temporal de las ciudades estaba repartido entre el gobernador (máxima autoridad), los tenientes de gobernador (un lugarteniente por cada ciudad) y el cabildo secular. Cabe aclarar que el número de los oficios capitulares variaban según la riqueza del lugar, es decir, no todos los cabildos ocupaban todas sus plazas.

Por su parte, el gobierno espiritual estaba encabezado por el obispo y el cabildo catedralicio (se conformaba uno por sede episcopal). La actividad del episcopado fue de suma importancia desde los inicios del siglo XVII. Pues no solo cumplían obligaciones de residencia, visita y corrección – prescriptas por el Concilio de Trento –, sino que además desarrollaron tareas que excedían lo pastoral, garantizando en mayor o menor medida la adhesión de las elites locales a la política real (Nieva y Carrasco, 2020: 18). Además, el episcopado fue un contrapeso de poder para las decisiones del gobernador de turno, puesto que en ocasiones se enfrentaban en defensa de intereses propios –como se verá más adelante–.

La comunidad de la Iglesia estaba integrada por dos grandes grupos: los clérigos (seculares y regulares) y los laicos creyentes. El clero secular cumplía obediencia directa al obispo, no hacía votos de pobreza, mantenía el celibato, eran curas de parroquias y de vicarios, auxiliares del episcopado, capellanes, asistentes en las cofradías y podían formar parte del cabildo eclesiástico. Por otra parte, el clero regular estaba compuesto por los miembros de las instituciones de vida consagrada que seguían una regla o forma de vida impuesta por su fundador. Sus autoridades muchas veces se hallaban fuera de la diócesis y no obedecían directamente al obispo, sino al Superior de la casa o convento al cual pertenecían. Una de las órdenes más destacadas a nivel general en América, y en particular en el Tucumán, fue la Compañía de Jesús (Ibídem).

En la primera década del siglo XVII los jesuitas ya se habían ganado el respeto de la sociedad tucumana puesto que eran vistos como sujetos virtuosos. De hecho, gobernadores como Francisco de Barrasa y Cárdenas, Alonso de Ribera y Alonso de Herrera señalaban que los jesuitas "son los que más verdaderamente practican la doctrina con mayor fruto y ejemplo". Más todavía, planteaban que "todos los padres y religiosos acuden a sus obligaciones, según he visto y he

[2] Por la bula *Super specula* del 15 de mayo de 1570, Pio V había erigido como diócesis al Tucumán, con sede en la ciudad de Santiago del Estero (Dellaferrera, 1999: 397-398).

informado, y los de la Compañía de día y de noche, en poblados y despoblado, a todas las horas, a grandes y chicos, españoles y naturales, con grandísima afición y particular trabajo de los dichos religiosos. Por ello son de todos amados" (Bruno, 1966: 392-393). Por su parte, el padre Juan de Viana exponía que "el señor obispo [Hernando de Trejo], en presencia y ausencia, en palabras y obras, muestra la mucha estima y amor que tiene a la Compañía, de ver la puntualidad y cuidado que hay de nuestra parte ayudar a las almas. Ha dicho muchas veces que, si la Compañía le faltase, luego dejaría su obispado" (Carta Anua del padre Viana, Lima, 1-5-1607, Archivum romanorum societas iesu –en adelanteARSI–, Peruana Litterae Annuae, II, 13, f. 24).

De ahí que los padres de la Compañía resultasen elegidos por las autoridades locales y centrales como sus confesores. Por ejemplo, el Padre Torres Bollo, provincial de la Compañía del Paraguay[3], fue confesor de los gobernadores Alonso de Ribera y de Alonso de Vera y Zárate[4].

Finalmente, hay que sumar un "tercer elemento" en la triada del gobierno tucumano: el sector encomendero y las elites locales. El Tucumán no disfrutaba de la misma riqueza minera que los Andes Centrales, por ende, se desarrolló la explotación agrícola, ganadera y textil. Este género de economía favoreció el avance de la «encomienda de servicio», sistema basado en el servicio personal indígena para una elite local. Hay que destacar que los encomenderos del Tucumán gozaron de una mayor libertad y autonomía con respecto a sus pares peruanos, es decir, fue una consecuencia de la pobreza relativa de recursos y de la guerra contra los indígenas no sometidos hasta mediados del siglo XVII (Nieva, 2020: 174-176)[5].

La elite encomendera no solo era propietaria de encomiendas y tierras en forma de solares, quintas, chacras y estancias, sino que además gozaron de la condición de hidalgos y, a medida que reforzaban su condición de vecinos, pretendían adquirir mayores privilegios para participar en el gobierno comunal. En

[3] La provincia jesuítica del Paraguay estaba constituida con los territorios del Tucumán, Paraguay, el Río de la Plata y Chile. El padre Torres fue su primer provincial y hacia 1607 la jurisdicción contaba con un colegio en Santiago de Chile, dos residencias en el Tucumán (Santiago del Estero y Córdoba) y otra en la Asunción del Paraguay (Nieva, 2012: 1403).

[4] En la corte madrileña era una práctica común en esta época el poseer un confesor jesuita. Así lo hizo el duque de Lerma, la reina Margarita de Austria, Felipe III, el conde duque de Olivares y Felipe IV, por mencionar algunos ejemplos.

[5] La extendida guerra se desarrolló en la Quebrada de Humahuaca, la Puna de Jujuy y los Valles Calchaquíes.

este sentido, los vecinos encomenderos, a pesar de mostrar rasgos "señoriales", no conformaron una "aristocracia ociosa", más bien, formaron parte de una minoría dirigente y de comerciantes o "empresarios" dentro de un contexto económico de cambio activado por el centro minero potosino (Ferreiro, 1999).

Por ejemplo, en la ciudad de Córdoba los Tejeda representan el modelo de familia poderosa, tanto en el ámbito social, como político y económico de los siglos XVI y el XVII. El fundador del linaje fue el conquistador don Tristán de Tejeda, luego encomendero y propietario de tierras (con veintiún mercedes de tierra), dos veces alcalde ordinario, dos veces regidor, una vez alférez real, juez de bienes difuntos, mayordomo del Hospital y procurador general. Estos empleos que don Tristán desempeñó durante el siglo XVI demuestran que existía una fuerte vinculación de los encomenderos con el gobierno a través del cabildo (González Rodríguez, 1986: 36). Este fenómeno no era original del espacio tucumano, ni mucho menos del cabildo cordobés, puesto que también se repitió en otras áreas americanas, sobre todo en las denominadas marginales como ser la paraguaya o la yucateca (Ibídem).

Córdoba, al igual que el resto de la gobernación tucumana, contó desde el principio con características originales que incentivaron el desarrollo agrícola y ganadero. Por un lado, esto se debía a su situación geográfica estratégica ya que era el paso obligado entre el Alto Perú y el Río de la Plata. Por otro lado, limitaba con Chile, Paraguay y era cercana a Brasil, lo que le permitía establecer relaciones comerciales con todas estas regiones (Archivo General de Indias –en adelante AGI–, Charcas 26, Carta del gobernador Ramírez de Velasco a Su Majestad, Santiago del Estero, 19 de diciembre 1588).

Por consiguiente, la gobernación también ofrecía oportunidades para el comercio de esclavos, actividad que desarrolló ampliamente Tristán de Tejeda. Gracias a ello amasó una de las más grandes fortunas en Córdoba, extendiéndose su influencia hasta Buenos Aires, donde instaló un molino en el Río de las Conchas. Un ejemplo más claro que ilustra su fortuna fue la dote que otorgó a su hija Leonor de Tejeda, 12.000 pesos, catorce vestidos que alcanzaban unos 5.100 pesos, joyas valoradas en 5.070 pesos y diversos utensilios de plata labrada cuyo valor oscilaba alrededor de los 1.510 pesos (González Rodríguez, 1986: 42).

Doña Leonor fue la fundadora del primer monasterio de monjas en la ciudad de Córdoba y en 1613 ya contaba con una casa grande, con cuatro solares en el centro de la ciudad, viñas, huertas, acequias, un molino, entre otras propiedades

(Nieva, 2020: 1405). Por su parte, el hijo de don Tristán, Juan de Tejeda Mirabal, fue encomendero, procurador general en 1613 y 1622, alcalde ordinario de 1° voto desde 1614 a 1617 y en 1620; este último año también fue elegido alférez real, en 1621 reelegido alcalde ordinario de 1° voto (para ser reelecto alcalde de un año a otro, necesitaba el voto unánime de los cabildantes), también fue el fundador del Convento de Santa Teresa de Jesús y del Hospital de San José (Lazcano Colodrero, 1944: 192). La fundación de ambos conventos le otorgó a la familia un inigualable prestigio social en toda la región.

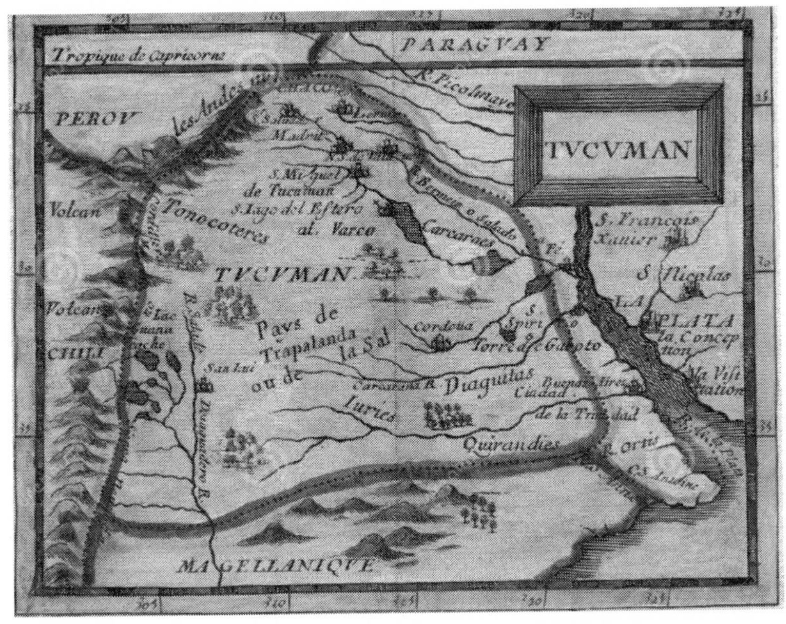

Fuente: Mapa 1685 por Duval: La provincia del Tucumán S. XVII[6]

En resumen, esta poderosa familia –con su participación en los espacios políticos y sociales durante el siglo XVI y primera mitad del siglo XVII– logró cimentarse como un linaje de elite con suficiente influencia sobre las autoridades civiles y eclesiásticas y, sobre todo, en la población local. Pues, no resulta un dato menor la ventaja que ganaron sus miembros para ocupar oficios en el cabildo cordobés. En este sentido, Crescente Errázuriz afirmaba que "los reyes no estaban en España sino en las Indias", es decir, los verdaderos soberanos eran los "señores coloniales": encomenderos y cabildantes. Continuaba, "en Castilla

[6] Mapa recuperado de: https://pt.dreamstime.com/fotos-de-stock-royalty-free-mapa-antigo-tucuman-argentina-de-1685-duval-image8744588

estaba el centro, la potestad oficial, la ordenación jurídica; pero la auténtica soberanía, que es la que surgía del dominio efectivo de las tierras y de la masa de los habitantes, estaba en manos de estos señores" (Errázuriz, 1940). En suma, los matrimonios, el comercio, la política y los puestos de gobierno era la capitalización del prestigio y honor acumulado durante los años de servicio y que les permitía a los grupos familiares y de parentesco controlar durante varias generaciones las ciudades.

El obispo Julián de Cortázar

Con la muerte del segundo obispo del Tucumán, Hernando de Trejo y Sanabria, en 1614 el Consejo de Indias le propuso a Felipe III que nombrase al doctor Julián de Cortázar como sucesor episcopal. Este candidato era natural de Vizcaya y estudió en la Universidad de Oñate, lugar donde también fue catedrático de Artes y Teología. Luego de su paso por el Colegio Mayor de Santa Cruz de Valladolid fue propuesto para desempeñarse como obispo rioplatense en 1612, pero, este nombramiento no se produjo debido a la oportunidad que se le presentaba en el Tucumán por su vacancia (Levillier, 1926: 148). Cortázar tenía en aquel entonces cuarenta años y gozaba de un gran prestigio, tal como consta en el proceso consistorial que lo llamó: *"vir gravis et prudens et in negotiis magni momento expertus, magnus concionator"* –hombre serio y sabio en los negocios importantes, gran predicador– (Bruno, 1966: 493).

La Real Cédula de presentación del obispo está fechada en Madrid el 5 de diciembre de 1616 y el 10 de abril de 1617 Paulo V le otorgó a Cortázar la investidura canónica en el Consistorio Secreto del Palacio del Quirinal. En 1618 el nuevo obispo arribó al puerto de Buenos Aires para recibir la consagración del obispo local y así dirigirse a su diócesis (Levillier, 1926).

Antes de emprender viaje, el episcopado envió su primera carta al consejo de Indias para dar cuenta del estado de la provincia que por entonces se llamaba Gobernación del Paraguay. En aquella misiva manifestó su agrado hacia el gobernador Hernando Arias de Saavedra, a quien consideraba "muy fiel ministro de su majestad y recto en gran manera que por serlo tanto, y executar con tanta rectitud las ordenanzas que su majestad tiene en este puerto no es tan bien recibido, ni tan acepto", y por ello pedía que "vuestra señoría le honre y proponga su persona a su Majestad para que le haga merced y le ocupe en maiores lugares" (Ibídem: 151). Luego pidió la promoción de religiosos como fray Luis de Vergara, del convento de San Francisco, fray Pedro Gutiérrez y del licenciado y padre Francisco Caballero Bazán, es decir, pretendía que se les otorgase la dignidad de obispo en alguna sede vacante (Ibídem: 152).

En aquella época era parte de la lógica de gobierno que las autoridades, tanto "civiles" como eclesiásticas, solicitasen mercedes al rey para ellos mismos o para sus allegados, esto se justificaba mediante la acumulación de méritos y servicios que cada agente poseía y que les otorgaba el "derecho" de ser favorecidos. En esas condiciones, fue una estrategia que Cortázar empleó apenas arribó a territorio americano, y, en el Tucumán, colocó en puestos claves de la "administración" eclesiástica a sus aliados, familiares y amigos.

La situación de la diócesis y el servicio del obispo

En abril de 1619 Cortázar envió una carta a Fernando Carrillo, presidente del Consejo de Indias, para comunicar el estado material y espiritual de la Gobernación del Tucumán. En ella señalaba que los clérigos se hallaban en total ignorancia, viéndose obligado a suspender a muchos de ellos en el ejercicio de sus órdenes. Además de describir la situación de Santiago del Estero –capital de la gobernación y lugar de residencia de las autoridades–, amplió su informe luego de realizar una visita pastoral por todas las ciudades de la jurisdicción. En ella el obispo llevó a cabo diversas actividades: proporcionó sacramentos a los españoles e indios, señaló que la enseñanza de la doctrina cristiana, de la fe católica y del culto divino se encontraban descuidados y que los anteriores visitadores no se encargaron de mejorarlos (Ibídem: 165).

Sobre la ciudad de Córdoba el obispo indicaba que la parroquia no conservaba un buen estado material y ello lo obligaba a celebrar el culto en el convento de San Francisco con gran incomodidad. Luego, halló en la misma ciudad el monasterio de Santa Catalina al cual pretendió reformar, pero, sin éxito. Asimismo, el obispo denunciaba que los curas naturales no lograban cumplir con sus funciones debido a la lejanía entre estos y los indios. Por lo tanto, muchos naturales morían sin acceder a los sacramentos y sin conocer la doctrina cristiana para su salvación. En este sentido, la propuesta de Cortázar era reducir a los indios al igual que sus pares peruanos (Ibídem).

Una vez más Cortázar enumeró los puestos vacantes y solicitó al monarca –recordando lo dispuesto por el real patronazgo– que se los otorgase a sus amigos y allegados, por ejemplo: para el deanato proponía al arcediano Fernando Franco de Ribadaneira y como provisor y vicario general recomendaba al licenciado Juan Ruiz de Longa. Luego, mencionó a varios hombres sin indicar el puesto esperado: licenciado Francisco de Lugones, licenciado Francisco Alcaraz de la Cerda, don Pedro de Sierra y Ron (tesorero de la catedral), padre Francisco Caballero de Bazán, licenciado Martín de Cortázar (su hermano), licenciado Antonio Rosillo (comisario del santo oficio, abogado de la real audiencia de Lima y vicario de Córdoba), padre Gaspar Medina (hijo y nieto de conquistadores) y padre Diego Rodríguez de Ruesgas (Ibídem: 166-167).

Estos individuos aludidos por el obispo formaron parte de su círculo cercano y pertenecían a diversos ámbitos de la sociedad, por ejemplo, fray Juan de Vergara era un comerciante y contrabandista del puerto de Buenos Aires. Otros eran miembros del cabildo eclesiástico y del secular de diversas ciudades de la gobernación. En consecuencia, estas prácticas de recomendación fueron importantes para crear vínculos que abarcasen trasversalmente la sociedad, en la mayor escala espacial posible, y así generar solidaridades y actitudes comunes en momentos necesarios. El obispo al "recomendar" al rey una persona para obtener una dignidad u oficio específico, independientemente de la aprobación o no, ya se ganaba una adhesión a su persona, causa o proyecto. Estos mecanismos de reciprocidad, obligaciones mutuas y bilaterales funcionaban en distintos niveles de la "administración" real, virreinal y provincial, incluida la eclesiástica.

Con respecto al adoctrinamiento de los naturales el monarca requirió que tanto Cortázar como el gobernador acordaran colocar reducciones de manera conveniente con el fin de alcanzar el mayor bien para los indios. En cuanto a las dignidades vacantes, el rey dispuso que se las otorgasen a las personas «virtuosas, letradas y ejemplares» que el obispo le había señalado en una de sus misivas, y pedía que siguiese actuando de la misma forma ejemplar (Ibídem: 168-171).

Cuando acabó la visita en territorio cordobés, Felipe III agradeció al obispo por haber cumplido con todo lo mandado y le expresó que esperaba que continuase con esa puntualidad y celo que le había confiado. Es decir, fue un reconocimiento por la adhesión de Cortázar al proyecto confesional iniciado por su padre.

La visita continuó en otras ciudades de la diócesis. El próximo destino del episcopado fue La Rioja. Allí encontró la iglesia en pésimas condiciones, tanto en la construcción como en el culto divino, entonces Cortázar recordó al Consejo de Indias que debía cumplir con lo prometido respecto a las mercedes que se esperaban para mejorar la situación. Además, esperó contar con alguna suma de la Caja Real de la provincia, ya que La Rioja se encontraba apartada del comercio con el Perú y del puerto de Buenos Aires, dejándola en extrema pobreza. Finalmente, con la ayuda recibida se mejoraron algunos ornamentos y el Santísimo Sacramento (Ibídem: 188-189).

El obispo recibió numerosos elogios por su gestión de parte de las ciudades de Talavera y Salta. Los cabildos de estas enviaron al rey en noviembre y diciembre de 1620, respectivamente, su conformidad por la actuación del prelado. Con esto se evidencia la estima que las elites locales manifestaban hacia su persona, o lo que es lo mismo, expresaban fidelidad.

Por otra parte, en la ciudad de San Miguel de Tucumán, Cortázar continuó con su labor informativa al presidente del Consejo. De esta ciudad dijo que sus encomenderos no cumplían con las ordenanzas de Alfaro, más aún, que los indios no eran proveídos de lo necesario para vivir, alimentos y vestimenta; y en lo espiritual, que los curas y doctrineros no desempeñaban la obligación de sus oficios debido al impedimento que le ofrecía la gran extensión territorial de la diócesis. Para poner fin a esta realidad, propuso nuevamente que se redujesen a los indios como en el Perú y en el Paraguay (Ibídem: 194-195).

Gracias a la información recogida por el obispo en su visita se supo el número de clérigos que disponía la diócesis para las doctrinas. Estas fueron solamente cinco: en la ciudad de La Rioja el mando lo poseía el padre fray Bartolomé de Saldaña de la Orden de La Merced; la doctrina de San Miguel de Tucumán a cargo del padre fray Pedro de Soto, también mercedario; la doctrina de Chiquilista en San Miguel bajo la orden de fray Antonio Vela, franciscano; la doctrina de Guachipas en Salta, a cargo de fray Gerónimo de Luxan de Medina, mercedario; por último, los valles Calchaquíes era un lugar donde habitaban muchos indios «infieles y de guerra», por ello, la doctrina fue encargada a cuatro padres de la Compañía de Jesús. Pero se necesitaban más clérigos según lo señalaba el obispo:

> [...] los encomenderos de los indios deste valle [Calchaquí], me han pedido les de clérigos doctrinantes y que los padres se recojan a sus colegios dándome para ello sus razones que por no dar crédito a ellas no lo he echo hasta vello ocularmente en la visita que he de hazer del dicho valle a donde ire a administrar

> a los baptizados, el Santo Sacramento de la Confirmación, aunque el viaje es largo, penoso y peligroso por ser indios de guerra, pero con todo se debe atropellar por cumplir con la obligación del oficio pastoral y visto ordenare lo que mas convenga al servicio de Dios Nuestro Señor, al vuestro bien de las almas, de que dare cuenta a Vuestra Magestad (Ibídem: 237-238).

De este modo, el obispo informó sobre cada detalle referido a los aspectos espirituales e intentó remediar los errores cometidos por clérigos anteriores. En sus informes Cortázar empleaba el argumento del servicio y obediencia a Dios para llevar a cabo sus tareas. También acumulaba méritos que luego le proporcionarían mayor prestigio o una plaza mejor posicionada. En otras palabras, el obispado obtenido por el prelado no cesaría allí, esto es, la esperanza de un ascenso fue uno de los motivos de mayor peso para tratar de mantenerse en la gracia de la corte regia. La carrera episcopal se había convertido en el *cursus honorum* en el que se ingresaba por una diócesis pobre y se ascendía, por antigüedad y servicios, a las más ricas, tal como lo haría Cortázar años después (Domínguez Ortiz, 1992: 226-227).

En diciembre de 1620 fue el turno del cabildo eclesiástico para informar al rey el buen proceder del obispo:

> [el obispo] está mostrando muy bien con el gran celo que acude a las cosas de esta santa iglesia catedral y reformación de costumbres en sus súbditos pues para que todo tenga buen principio ha puesto la honra de Dios Nuestro Señor en primer lugar y ha sentado que se canten las horas en esta iglesia cosa que hasta agora no se ha hecho y como la tenuidad de las rentas son tan cortas no ha podido asentarse esto hasta que con la buena llegada del obispo y su buen gobierno lo ha sentado todo con general consuelo de este cabildo y ciudad porque se sirve esta iglesia como otra cualquiera de las indias y se cantan todos los días de fiesta y ferias las misas que todo eso se debe al agradecimiento y estimación al obispo y aver puesto en punto el colegio seminario de esta ciudad y estudios de él, cosa de tanta importancia para que los sacerdotes sean lo que deben en virtud y letras y a todo acude como buen prelado y ha hecho una visita general asi en la iglesia catedral como en la ciudad reformando en todos estados los vicios y pecados públicos (Levillier, 1926.: 153).

Por consiguiente, el obispo supo ganarse el apoyo de los poderes civiles y espirituales locales, aspectos necesarios para llevar a cabo un proyecto específico en estos espacios alejados de Madrid. También supo informar cada detalle mediante informes, memoriales, cartas, y todo un conjunto de papeles que formaban parte de la práctica de gobierno y que eran muy necesarios para que el centro político gestionase a la distancia.

Un criollo en el gobierno: Alonso de Vera y Zárate

Juan Alonso de Vera y Zárate fue el primer gobernador criollo del Tucumán desde 1619 a 1627. Esta etapa coincidió en Madrid con el valimiento del duque de Uceda (1618-1621), la muerte de Felipe III (1621), y el ascenso del conde duque de Olivares en 1622 como valido del nuevo monarca. En efecto, fueron tiempos de recambio de las elites de poder en la corte real cuando, además, el proyecto de integración dinástica del tercer Felipe había llegado a su punto máximo, continuado por su hijo y sucesor Felipe IV (Musi, 2010).

Olivares comenzó a intervenir en las decisiones americanas con mayor asiduidad desde 1623. Felipe IV restauró el oficio de "Gran Canciller de Indias", suspendido desde 1575, y lo atribuyó al conde duque y a su descendencia. Así, este sujeto se convirtió en pieza clave para el gobierno indiano, y es que, aquel título suponía voz en el Consejo y voto en los negocios de gracia. Entretanto, fue el marqués de Toral, su yerno, quien le mantendría informado de los asuntos tratados por el Consejo de Indias, permitiendo que el privado manipulase las decisiones que finalmente se tomaban (Nieva Ocampo, 2020: 169-170).

Ahora bien, Vera y Zárate hizo su irrupción en la escena política cuando inició los reclamos por el Adelantazgo del Río de la Plata[7] ante las autoridades de Charcas, Asunción, Concepción del Bermejo y San Juan de Vera. Allí había informado los méritos de sus antepasados, continuando de esa forma con las gestiones y reclamos iniciado por su padre, don Juan Torres de Vera y Aragón (AGI, Informaciones: Juan Alonso de Vera y Zárate, Charcas, 85, n. 5, 1606).

En 1604 se dirigió a la corte en Madrid para solicitar, además de dicho Adelantazgo, la dignidad de marqués, apelando a los servicios que había realizado su

[7] Felipe II nombró a Juan de Torres de Vera y Aragón gobernador del Río de la Plata y, anteriormente, hizo merced del Adelantazgo del Río de la Plata a su suegro Juan Ortiz de Zárate: "Yten. Asimismo, os hacemos merced de dar título de adelantado de todas las dichas provincias del Rio de la Plata ansi para vos como para vuestros herederos e sucesores en vuestra casa y mayorazgo, perpetuamente, para siempre xamas" (citado por LUQUE COLOMBRES, 1944: 11). A pesar de la concesión de dicho Adelantazgo, Torres de Vera debió dirigirse a la península "a pedir a su Magestad cumpliese lo convenido con el Adelantado Juan Ortiz de Zárate, en razón del marquesado y vasallos y de lo demás contenido en las capitulaciones", pero no logró conseguir estos propósitos reivindicatorios. En cuanto a la madre del estudiado gobernador don Alonso, murió en 1584 (Ibídem: 13).

abuelo, el adelantado Juan Ortiz de Zárate, y su padre, el ya mencionado don Juan de Torres. En suma, demandó el hábito de Santiago con una encomienda de 6.000 ducados en los reinos españoles y solicitó que lo nombrasen gobernador del Río de la Plata. No obstante, y a pesar de que el Consejo de Indias lo colocó en 1614 en el primer puesto de la terna presentada al rey, este nombró en su lugar al segundo de la terna, don Hernando Arias de Saavedra para hacerse con dicha gobernación (Sierra, 1957: 179).

Así pues, don Alonso obtuvo en 1613 el hábito de Santiago, y el 6 de septiembre de 1615 fue nombrado gobernador de Tucumán con título honorario de Adelantado del Río de la Plata, en calidad de tercero del mismo (Tau Anzoátegui, 1999: 230). Luque Colombres ofrece otras fechas. Este autor afirma que recién hubo noticias de la gestión de don Alonso en la corte el 15 de mayo de 1610, cuando el Consejo de Indias en un dictamen lo titulaba como "Adelantado del Río de la Plata". Allí mismo, el monarca manifestó que

> [...] se podrá hazer merced a don Juan Alonso de Vera y Zárate de un hábito de una de las órdenes militares y de dos mil ducados de renta de indios vacos del Perú, por dos vidas, conforme a la ley de sucesión (Luque Colombres, 1944: 16).

Tal como mencionamos arriba, el título de Adelantado era honorífico, pero sería de utilidad para allanarle el camino hacia mayores mercedes. Por tanto, Luque Colombres ratificó que el gobernador tuvo que aceptar que no bastaban los méritos transmitidos por herencia para obtener las ventajas que aspiraba en la corte.

Don Alonso tenía parientes lejanos que gozaban de una posición aventajada en la península, figuras como: don Andrés Velázquez de Velasco, comendador de Mirabel en la Orden de Santiago, miembro del Consejo de Guerra y segundo espía mayor de la corte, consejero de Estado en el secreto de Milán y señor del mayorazgo de Velázquez y villa Vaquerín; y, el duque de Pastrana[8], con quienes tenía estrechos vínculos personales y que, de hecho, en varias ocasiones trató de "primos" –aunque el ascendiente común distaba dos siglos de ellos– (Ibídem: 18). Sin embargo, estos lazos no le significaron un provecho a corto plazo, más aún, debió insistir en las peticiones al rey. Es muy probable que Vera y Zárate considerase que debía enriquecer su «relación de méritos» con mayores servicios

[8] Quizás el segundo duque de Pastrana (1573-1596), Ruy Gómez de Silva y Mendoza, o, el tercero (1596-1626), Ruy Gómez de Silva y Mendoza de la Cerda; el autor Luque Colombres no lo especificó en su estudio.

para alcanzar los objetivos pretendidos, y, la gobernación tucumana era un escenario propicio para ello. Y es cierto que, la tendencia o estrategia de los monarcas (y sus validos) para mantener el control político era valerse del "sistema de integración" mediante la entrega de títulos, mercedes, préstamos, mandos militares, etc. En definitiva, debía aplicarse una lógica de reciprocidad, tal como lo comprobó Alicia Esteban Estríngana (2012) en sus estudios sobre el servicio en la Monarquía Hispana, o, lo que Pilar Ponce Leiva (2017) llamó "justicia distributiva", parte importante de las prácticas de gobierno y del equilibrio en la balanza de premios.

Tras satisfacer algunas de sus pretensiones en Madrid, el gobernador se embarcó de regreso a América en 1617 a bordo del navío Nuestra Señora de la Candelaria que le pertenecía al maestre Luis Vaz de Resende. Este navío fue retenido en Brasil por los holandeses durante varios meses y su arribo definitivo a Buenos Aires se produjo a principios de 1619. El nuevo gobernador llegó a Córdoba en abril de ese año y el cabildo de la ciudad resolvió señalar "casa donde ha de posar y las fiestas y recibimientos que se han de hacer y habiéndose consultado se determinó en la casa sea la de los menores de Sebastián de Tejeda". Luego se dirigió a Santiago del Estero para recibir el gobierno que estaba en manos de Luis de Quiñones Osorio. Allí inició rápidamente el juicio de residencia de su antecesor, condenándolo a veinte mil ducados de multa. A pesar de ello, Osorio realizó su apelación, pagó una diminuta suma de dinero y quedó absuelto (Ibídem).

El nombramiento de Vera y Zárate supuso una novedad para aquella gobernación, pues –como se indicó arriba– fue el primer criollo elegido para desempeñar el oficio de gobernador y, además, era hijo de una noble indígena. Su madre fue la noble mestiza Juana Ortiz de Zárate y Yupanqui, que dio a luz a don Alonso en 1578 en la Plata de los Charcas (AGI, Informaciones: Juan Alonso de Vera y Zárate, Charcas, 85, n. 5, 1606).

El padre del gobernador supo que la unión con doña Juana le proporcionaría ciertas ventajas. El matrimonio entre miembros de la elite española con los de la elite indiana era una práctica que se había desarrollado desde la llegada de los primeros conquistadores a América. En un primer momento fue frecuente en Nueva España, luego se expandió por el virreinato peruano tal como lo vemos en este caso. Dichos lazos debían tejerse entre iguales, como decía el refrán: "casar y compadrar, cada cual con su igual" (Correas, 1994).

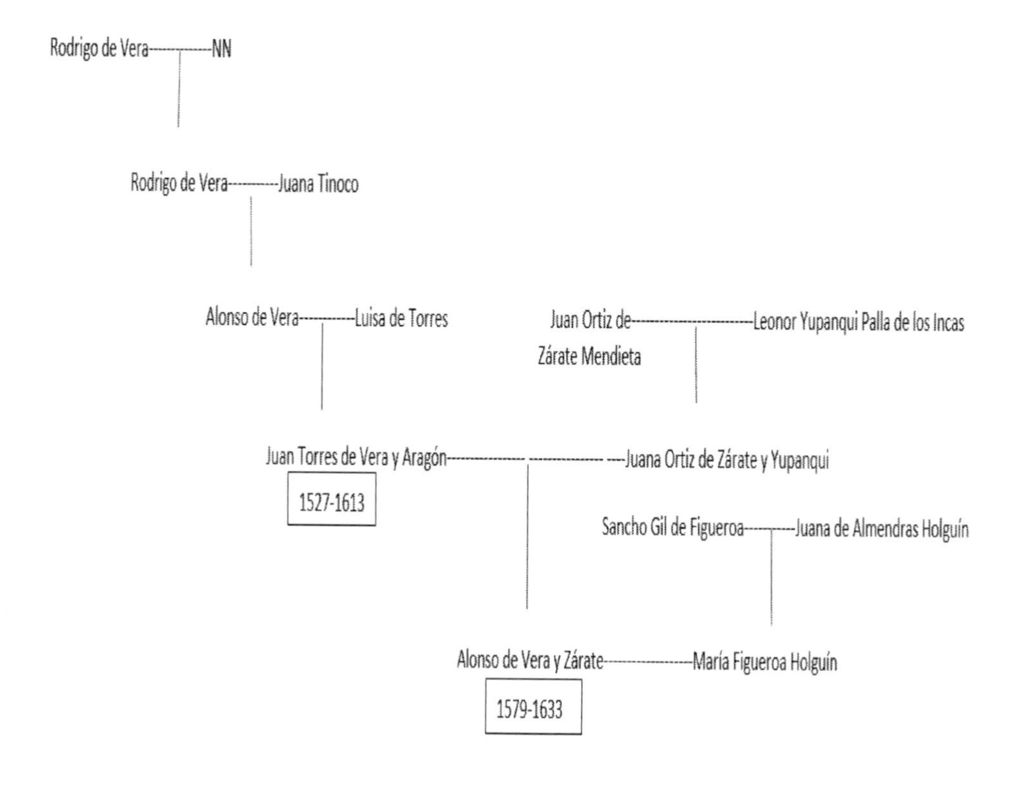

Genealogía de Alonso de Vera y Zárate a partir del estudio de Ana María Presta (2006)

La mujer era quien aportaba una dote y esto compensaba cualquier diferencia de rango. También, este tipo de matrimonios se aprovechó como forma de dominación indígena y respondía a lo estipulado por el Cardenal Cisneros, quien recomendaba en 1516 a los españoles que se casaran con hijas de caciques, y más si estas carecían de hijos varones, para que de ese modo los herederos fueran españoles (Carrasco, 1991: 104).

Según los planteos de Presta, este matrimonio fue un asunto de "Estado", ya que tenían como objetivo acrecentar el poder del linaje a escala local y virreinal. Esto significaba que quien desposara a doña Juana podía convertirse en marqués del Río de la Plata, título al que se adicionaban gobernaciones, encomiendas, trata de esclavos, exenciones impositivas, entre otras prebendas económicas e inflación honorífica. Por ello, doña Juana también era pretendida por el virrey Toledo para que se casase con su sobrino, don Alonso de Meneses. Esta disputa significó que los Vera perdiesen el favor del virrey, a quien se le había deshonrado públicamente al verse fracasado su interés de casar a unos de sus sobrinos con la dicha doña Juana. Desde ese entonces y durante las décadas siguientes, la familia encontró diversas trabas en todas sus solicitudes, ejemplo de ello fue don Alonso de Vera quien debió apelar constantemente ante todos los organismos institucionales para poder hacer usufructo de sus herencias (Presta, 2006: 133-158).

Nombramientos en el equipo de gobierno de Zárate: redes familiares y de amistad

Algunos de los nombramientos del gobernador fueron efectuados en los cabildos de las ciudades. Debemos tener en cuenta, como ya mencionamos con anterioridad, que la gobernación tucumana poseía varias y heterogéneas ciudades que estaban distribuidas en un amplio territorio geográfico. Entonces, para mantener la cohesión en aquel espacio político era necesario crear lazos y conexiones con los agentes locales y poderosos. A fin de cuentas, estos patrones eran los que materializaban el ejercicio de gobierno, o no, de un oficial que se ausentaba por largos periodos de tiempo, tal como ocurría con el gobernador tucumano.

El primer hombre nombrado por don Alonso fue el teniente de gobernador de la ciudad de Córdoba don Luis de Azpeitia[9], miembro importante de su equipo de gobierno hasta su reemplazo por Lope Bravo de Zamora. Por su parte, el caso de Bravo de Zamora10 es interesante para reflexionar, pues fue un lugarteniente que apeló a la Audiencia de La Plata para extender en el tiempo la ocupación de su oficio. Vera y Zárate lo colocó en dicho puesto en octubre de 1619 pero, en marzo de 1621, se dispuso una Real Orden que dejaba sin efecto todos los nombramientos y, en adelante, cada cargo debía proveerse mediante un examen y aprobación del Consejo de Indias y de las Audiencias americanas. El fin de esta disposición era evitar la ocupación de los empleos por "personas incompetentes" (Lazcano Colodrero, 1944: 20).

Dichas ordenanzas reales se remontaban a los tiempos de Felipe II y, concretamente esta última, era muy similar a aquella que reglamentaba que los cargos no debían ser ocupados por individuos originarios del lugar. Con ello se buscaba evitar que los intereses locales o individuales sobrepasasen a los intereses comunes de la monarquía. Esta aspiración también fue instrumentalizada por los hom-

[9] Los intereses de Azpeitia estaban en La Rioja, donde poseía casa que requería su presencia. (Lazcano Colodrero, 1944.: 18)

bres de Lerma y Lemos, es decir, los virreyes peruanos: el Marqués de Montesclaros (1607-1615) y el príncipe de Esquilache (1615-1621). Aunque, la actuación de Vera y Zárate permite afirmar que fue un oficial alejado de aquel proyecto que pretendía "racionalizar la administración". En todo caso, resulta evidente que las elites tucumanas estaban adquiriendo mayor protagonismo, consolidándose como grupos de poder local con los cuales el poder virreinal y el real debía negociar para conseguir su adhesión.

Como fue de esperar, Bravo de Zamora apeló expresando que por más de 30 años permaneció en la región, que contaba con amplias capacidades y conocimientos en la materia, cuyos alegatos debió probar mediante la presentación de su foja de servicios: fue teniente de gobernador de Santiago del Estero durante cuatro años; otros cuatro años lo fue de Salta, de Talavera de Madrid y de Jujuy; fue visitador de dichas provincias en varias ocasiones; fue alcalde ordinario de Santiago del Estero; contador real y tesorero de toda la provincia del Tucumán. En consecuencia, el cabildo hizo constar que:

> [...] en razon de lo que está obligada esta ciudad al dicho maes[tr]e de campo governador Lope Bravo de Zamora teniente de governador y justicia mayor que a sido en ella por aberles administrado justicia con toda rectitud certificaban al rey nuestro señor y su real audiencia de la ciudad de La Plata y señor adelantado governador desta provincia y a los que bieren que el dicho maes[tr]e de campo a prosedido en el dicho oficio de tal teniente de governador con toda rectitud, limpieza, enteresa manteniendo en esta república en pas y justicia como bueno limpio y recto y cristiano juez, sustentandoze en su casa y a su casta sin pedir ni resebir nada de nadie y sin tener tratos ni contratos ni coymas en ninguna manera ni gajes ni dalario [sic] todo conforme su Magestad lo manda y merese que su rreal persona aga estimasion de su selo y buena administrasion que a tenido en el dicho ofisio y que se de testimonio al dicho maes[tr]e de campo (Ibídem: 28).

En este sentido, para estos años el prestigio lugareño sólo podía ser compensado por el ejercicio de importantes funciones de gobierno, civil o eclesiástico. Estos altos oficios se reducían al gobernador y a sus tenientes en cada ciudad, a los oficiales de la Real Hacienda, al obispo y a los miembros del cabildo secular y eclesiástico. Dentro de este grupo, que muchas veces formaban el tejido más sólido de parientes y compadres, no siempre fue homogéneo y no faltaron divergencias que derivaron en enfrentamientos de un grupo de familias en contra de otro, o de individuos particulares entre sí.

De esta forma, tuvieron mayor relevancia los choques entre las diversas autoridades que debían conducir y contener, y muchas veces negociar, en una sociedad cuyo grupo dirigente, por la lejanía habitual de las autoridades, estaba acostumbrado a hacer su voluntad (García Belsunce, 1999: 153). Así pues, queda demostrada esta afirmación cuando, tanto el gobernador que había nombrado a Zamora, como el cabildo que lo apoyó, actuaron sin recurrir a las disposiciones reales.

El hecho es que, de los nombramientos que Vera y Zárate hizo durante su gestión, podemos citar a: Adrián Cornejo, mayordomo de la ciudad de Córdoba en 1618; Bartolomé Cornejo, mayordomo de aquella ciudad en 1619 y alcalde de la Santa Hermandad en 1622; Miguel Cornejo, elegido regidor y alcalde de la Santa Hermandad también de Córdoba en 1623, todos unidos por el parentesco, el primero padre de los dos segundos (Lazcano Colodrero, 1944: 57-59). Luego, el mismo oficio que ocuparon sucesivos años los Cornejo pasó a manos de Manuel Ferreyra de Acevedo, quien tuvo siete hijos producto de su matrimonio con doña Ana de Astudillo, y uno de ellos, Esteban Ferreyra Abad, contrajo nupcias con una pariente del gobernador: doña Agustina de Ávila y Zárate (Ibídem: 72). Esto nos demuestra que el gobernador había favorecido a estas personas cercanas a su entorno para garantizar su control en las ciudades.

Otro ejemplo fue Luciano de Figueroa, depositario general entre los años 1617 a 1641, también fiel ejecutor desde 1622. Este personaje era uno de los vecinos más influyentes de la ciudad de Córdoba y muy allegado al gobernador (Ibídem: 73).

Párrafo aparte merece la mención de los tenientes de gobernador, parientes directos de don Alonso: don Diego de Vera, quien llegó a las Indias acompañando a Zárate, ocupó el oficio de teniente de gobernador, justicia mayor y capitán de guerra de la ciudad de Córdoba desde 1621 hasta 1622, año en que fue trasladado por el gobernador a Santiago del Estero (Ibídem); y, don Juan de Ochoa y Zárate, también teniente de gobernador de Jujuy desde 1620 hasta 1622. Por aquellos años, don Juan Ochoa era uno de los hombres más influyentes de la elite jujeña, hermano de Pedro Ochoa y Zárate, yerno de don Luis del Peso, y este a su vez, yerno de don Tristán de Tejeda y de doña Leonor de Oscariz, familia poderosa de la cual ya se hizo referencia (González Rodríguez, 1984: 460).

En consecuencia, ¿qué funciones cumplían estos sujetos en sus respectivos puestos? ¿Cuál era la importancia de ocupar una plaza en el cabildo y cuáles fueron los diversos mecanismos para hacerlo? Juan Pablo Ferreiro en sus investigaciones sobre la elite jujeña del siglo XVII nos ofrece algunas delimitaciones conceptuales sobre estos oficios. En primer lugar, el puesto de teniente de gobernador era el de mayor jerarquía y lo designaba directamente el gobernador, cumplían la función de justicia mayor de la ciudad y capitán de guerra, podían administrar el reparto de las tierras y organizar la defensa o el ataque militar. Durante el transcurso de varios años una condición para ocuparlo exigía que quien lo hiciera no estuviera involucrado en los intereses locales, algo que se cumplió en pocas oportunidades, como ya se mencionó.

Evidentemente, al concentrarse tanto poder en el oficio del teniente y, con su acrecentamiento ante la ausencia del gobernador en la ciudad, quien ostentase aquella función debía tratarse de una persona de suma confianza. Es decir, el gobernador realizaba "selecciones" y no elecciones de los tenientes y justicia mayor y debía procurar que en todos los cargos mencionados se encuentren sus aliados. Por lo tanto, el nombramiento debía ser muy pensado y no podía recaer en cualquier individuo sino en aquellos que lograsen demostrar una lista de méritos propios (o heredados) para cubrir dichos empleos. En cuanto al resto de los cargos, recién en 1620 se observa que el proceso de venta de los mismos se estableció notablemente en la región a pesar de su reglamentación desde 1609 (Ibídem: 259-260).

Según la tipología de Juan Pablo Ferreiro (1999) los oficios se organizaban jerárquicamente del siguiente modo:

- El alcalde ordinario de 1° y 2° voto, estos ejercían justicia y debían administrar el "bien común de la república" junto a los demás miembros del Cabildo. Cuando el teniente de gobernador se ausentaba, los alcaldes los reemplazaban. En cuanto a su elección se dio mediante votación de los capitulares en elecciones anuales y este cargo nunca se arrendó.

- El alférez real, que cumplía una función simbólica y se encargó de encabezar todos los actos públicos, civiles y religiosos, por lo que debían portar el estandarte de la ciudad y del rey. Esta figura alcanzó mucha importancia dentro de la sociedad, y su nombramiento fue definitivamente rentado a partir de 1618.

- El regidor, que se encargaba de representar políticamente a los vecinos y generalmente eran 4 o 6 por ciudad. Este cargo primeramente era electivo, a partir de 1597 fue propietario y por Real Cédula en 1620, era vendible.

- El alguacil mayor, era designado por el gobernador, rentado desde 1597. Entre sus funciones estaba la observancia de las disposiciones capitulares y de las ordenanzas reales y de la gobernación, también se encargó de la seguridad urbana y de la cárcel.

- El fiel ejecutor, controlaba los pesos, precios y medidas en pulperías y tiendas, a su vez, debía observar el cumplimiento de los aranceles fijados por la Real Audiencia y el cabildo mismo. A partir de 1596 el cargo fue electivo, en 1623 Vera y Zárate mediante una ordenanza reguló su ejercicio, y en 1635 el arrendamiento fue a perpetuidad y quedó en manos del gobernador.

- El alcalde de la Santa Hermandad era un cargo electivo del cabildo y su función era observar el cumplimiento de las "leyes" en áreas rurales de la jurisdicción. Este alcalde no participaba de las decisiones del cabildo y por lo general era un miembro secundario de las familias importantes.

- El procurador general, era elegido anualmente y sólo tenía voz en el cabildo, no voto. Este personaje representaba en el cabildo a los principales miembros de la elite local y muchas veces presentó estrechos vínculos con la gobernación y la Audiencia.

- Los mayordomos eran cargos electivos y se encargaban de administrar los recursos de la ciudad o el hospital.

El acceso al cabildo se producía por múltiples vías y variaban los métodos según la ciudad. Se vio que en el caso de Córdoba los puestos los monopolizaban en gran medida la elite encomendera. En Jujuy se produjo un fenómeno similar, según el análisis de Ferreiro anteriormente citado. Ahora bien, para el resto de las ciudades tucumanas aún se carece de trabajos orgánicos que realicen un análisis minucioso de la composición y la dinámica política al interior de los cabildos, en general, y de su proyección social, en particular (Nieva y Carrasco, 2020: 13).

Lo cierto es que, el gobernador no pudo mantener completamente el control sobre la elite política de aquellas ciudades. A pesar de acumular amplios poderes de justicia y guerra, poseían ciertas "limitaciones": en primer lugar, porque la jurisdicción de la gobernación era extensa; en segundo lugar, porque el resto de las autoridades (obispo, eclesiásticos y cabildantes) no le permitían proceder a su arbitrio al tener que compartir funciones de gobierno y justicia. En consecuencia, cada relación personal que se entablaba dentro y fuera de las fronteras de la gobernación, debía estar cimentada por la fidelidad, por vínculos de reciprocidad y de obligaciones mutuas sólidas que se enmarcaban en la lógica de servicio ya descrita (Esteban Estríngana, 2012).

Asimismo, los obispos y otros eclesiásticos mediante informes y memoriales fueron quienes se ocuparon de la limitación "limitación" en la acción de los gobernadores. A ello se sumaba el control ejercido por las visitas y los juicios de residencia, surgiendo de este modo una red de restricciones que, en teoría, la Corona "imponía" para encauzar la labor de las autoridades locales y reducir su poder efectivo. Así pues, la circulación de información generada por los mismos agentes mediante múltiples canales se convirtió en una herramienta de control de gran preferencia.

Tal fue el caso del conflicto en torno al patronazgo que tuvo Zárate con el obispo Julián de Cortázar. Hay que recordar que este obispo mantuvo una estrecha relación con el gobernador del Río de la Plata, antiguo competidor del gobernador tucumano para ocupar aquel oficio, Hernando Arias Saavedra. Y desde el ámbito económico, el contrapeso lo recibió por parte de las elites encomenderas de Córdoba:

> Uno de los hechos que Vera y Zárate estimó más graves fue haber encontrado algunas encomiendas entregadas a personas influyentes de Córdoba, cuya anulación resolvió, pidiendo la suspensión de los beneficiados en los oficios de justicia que ejercían. Tal medida afectó a Pedro Luis de Cabrera, entonces alcalde ordinario; a Antonio Montero de Bonilla, alguacil mayor; a Luis de Argüello, fiel ejecutor y regidor; a Luciano Figueroa, depositario general; a Gaspar de Acevedo, alférez real; y a Francisco Núñez y Juan Celis. Algunos de ellos, además, fueron condenados a pagar penas pecunarias (Levillier, 1926: 151).

Este fragmento nos anticipa la relación que Zárate tuvo con algunos hombres propietarios de tierras y de encomiendas que buscaban abrirse camino para continuar enriqueciéndose. De hecho, los Cabrera y los Figueroa formaban parte de las familias de más alto rango de la ciudad, por tanto, enfrentarse a ellos no fue una decisión sin consecuencias.

A continuación se verá cuál fue el rol que desempeñó el obispo dentro de este escenario complejo de acusaciones y denuncias en la corte contra Zárate y, finalmente, cómo fue la coexistencia de ambas autoridades locales y gestores del rey.

Enfrentamientos por el control del poder en la gobernación

El gobernador se enemistó con el obispo a partir de un reclamo. Es decir, Zárate denunciaba que: "no tienen los obispos ni arzobispos juez en estas partes, ni esperan [juicio de] residencia, como lo tienen y han de esperar los gobernadores para mal de sus pecados". De lo que resulta que "si Dios no los tiene de su mano, se salen [los obispos] con todo, muy a costa de la autoridad y estimación de la jurisdicción real". Por otra parte, "los gobernadores y corregidores son temporales, y al cabo de cuatro o cinco años se les acaban sus oficios, padecen mil desaires". Don Juan Alonso continuó exponiendo:

> [...] se ha visto siempre, que el obispo u oidor que se ha hecho muchos exesos, habiendo de ser castigados y corregidos, [pero] son premiados y acrecentados en mejores dignidades y plazas; y los pobres caballeros de capa y espada, que proceden con limpieza y entereza, ejecutando las órdenes de Vuestra Magestad, no solo [no] son premiados, sino que los dichos obispos y oidores se agavillan y juntan contra ellos, y los destruyen, no solo en sus haciendas, pero en sus honras, y de milagro escapan las vidas; questo obliga no solo a desear otros oficios, pero pedir a Dios y Vuestra Magestad disponga de los que administran (Bruno, 1966: 514-515).

Cabe recordar que los gobernadores eran la máxima autoridad "civil" y la pretensión de Zárate era hacer uso de sus poderes sin la vigilancia o crítica del sector eclesiástico, en general, y del obispo, en particular.

Como apuntamos en un apartado anterior, Alonso de Vera traía consigo un discutido título de adelantado del Rio de la Plata. Sostenía haberlo heredado de su padre, obtenido a su vez por real concesión. Con este título esperaba conseguir diversos honores, uno de ellos era "tener sitial en la catedral y en las demás [iglesias] del obispado, diciendo competerle como a adelantado que dice ser del rio de la Plata". Ante este pedido de tener un sitial –correspondiente a la dignidad del obispo únicamente–, el gobernador acabó excomulgado y puesto en tablilla pública en las puertas de las Iglesias (Ibídem). De esta manera, la imagen del gobernador en la sociedad local fue cada vez más negativa tras sus insistentes intentos de ser reconocido como el defensor del Real Patronato y de la Real

Autoridad. Más aún, esto le produjo a Zárate sucesivos conflictos con miembros de la corte, debiendo salvar su reputación en varias ocasiones.

De acuerdo con el Patronato, los gobernadores en calidad de vicepratronos de la Iglesia, podían intervenir en la designación de clérigos para las doctrinas y curatos. El diocesano debía poner edictos en los templos llamando a examen a quienes aspiraran a cubrir tales vacantes y debía presentar al gobernador una terna de tres aprobados. Por su parte, era prerrogativa del gobernador señalar quienes debían ser nombrados. Como los aspirantes eran pocos, las ternas no podían llenarse y durante algún tiempo sólo se presentó al gobernador un único candidato. Por ello, Vera y Zárate se dirigió a la Audiencia para denunciar que el obispo elegía su propio candidato sin cumplir con la norma (Sierra, 1957: 182-183).

Por consiguiente, el tribunal ordenó el 9 de julio de 1621 que se procediera como estaba dispuesto en el Patronato. Cortázar hizo su descargo del siguiente modo: en primer lugar, señaló que la información del gobernador era "siniestra" pues, en conformidad con el Real Patronazgo y la Cédula del 7 de abril de 1609, había puesto edictos por sesenta días a pesar de que sus antecesores se habían limitado a hacerlo por nueve; en segundo lugar, que los aspirantes habían sido examinados en su presencia por el padre Francisco Vázquez, de la Compañía de Jesús, por fray Pedro Guerra, provincial de la Merced, y por el padre Luis Chacón; por último, que los aprobados habían sido presentados a Vera y Zárate y si no se habían preparado ternas con tres candidatos se debió a la carencia de postulantes. Entonces, la fortaleza de su argumento fue aludir a la falta de clérigos y que la mayoría de ellos se negaba a asistir a las doctrinas de indios, porque no obtenían ni lo imprescindible para sustentarse (Ibídem).

Mientras continuaban las discusiones en torno a la administración de los derechos patronales, se realizaron las exequias de Felipe III y la proclamación de su hijo Felipe IV. La Real Cédula de Madrid del 1 de abril de 1621 comunicó la muerte del rey. El obispo la recibió en Santiago del Estero el 4 de febrero del año siguiente y el 8 acordó con el gobernador que se realizaría la misa pontifical de sufragio y de conmemoración. Cuando todo parecía marchar sin problemas, el 14 del mismo mes Zárate le comunicó al obispo la orden de que el día del funeral debían pasar con los miembros del Cabildo y el clero a su casa, para acompañar las insignias reales (Ibídem: 187). Cortázar se negó y surgió, por ello, un nuevo enfrentamiento. Tres días después el gobernador envió al episcopado:

> [...] un auto exhortatorio para que la misa pontifical no tuviese sitial, ni aparato ninguno de obispo, según lo dispuesto por el Ceremonial Romano, dando color a esto, que no era lícito que delante de las insignias reales [no] hubiese sitial ni aparato ninguno pontifical (Levillier, 1926: 289).

Las reacciones entre ambas autoridades fueron tensas y antagónicas. Ninguno procuraba ceder. La situación empeoró cuando Zárate le negó al obispo la jurisdicción sobre su persona, puesto que se cristalizaba como una cuestión de principios de orden espiritual. Cortázar no se mantuvo silencioso y expresó respecto a Zárate "palabras mal sonantes e indignas de quien profesa cristiandad y gobierna en nombre de Su Majestad" (Bruno, 1966).

Sin embargo, el gobernador contó con el apoyo de algunos frailes dominicos como lo demuestra esta carta enviada a la Audiencia de Charcas en diciembre de 1622:

> Porque el Obispo no parece, sino que se quiere alzar con la tierra; y en orden a esto ha procurado y procura impedir con descomuniones y visitas la prosecución de la justicia, procurando en todo y por todo aniquilar y disminuir a vuestro gobernador (Ibídem: 519).

El informe continuaba:

> [...] desde el primer día que entró aquí [el obispo] vino publicando una llamada visita, y obligando por censuras que todos dispusiesen, de cincuenta años a esta parte, de las vidas de muertos y vivos; de que hasta agora han quedado rencillas entre los ciudadanos bien asentadas [...] Después acá no han hecho más que armar pleitos, poner discordias, hacer gastar haciendas, no cumplir cédula ni provisión de Vuestra Real Persona, así de patronazgo como de jurisdicción real, desvales las justicias y hacer poca estimación dellas [...] Es calumnia y fuerza de pasión cuanto achaca el Mitrado a un caballero que, como Zárate, vive con tanta justificación. El Obispo es enemigo del Gobernador [y] de las justicias conocidamente, porque él quiere ejercerlo todo (Ibídem: 521).

Ciertamente encontramos dos opiniones contrapuestas con respecto a la actuación de Cortázar. Por un lado, los elogios que emitían los cabildos de las diversas ciudades de la diócesis, y por el otro, las opiniones del gobernador y de sus aliados (algunos dominicos), quienes vieron en el obispo una amenaza a sus poderes.

Aunque, resulta importante destacar que el obispo contó con el apoyo del monarca y del Consejo de Indias controlado por Olivares. En consecuencia, a pesar de estos registros que se enviaban a la corte y que manifestaban una crítica hacia el prelado, obtuvo un ascenso en 1624, cuando el Consejo de Indias le propuso al monarca que le otorgase la dignidad de arzobispo en el Nuevo Reino de Granada. El 9 de enero de 1625, por Real Cédula emitida en Madrid, Felipe IV le ordenó al duque de Pastrana que iniciara las tramitaciones. Así pues, ese mismo año la noticia llegó al Tucumán y en el Consistorio Secreto del 7 de abril, Urbano VIII le otorgó al nuevo arzobispo la investidura canónica. Con esto Cortázar cumplía su cometido: servicio prestado, favor alcanzado.

En resumen, la discordia se produjo porque el gobernador "pretendía hacer sentir su autoridad sobre el obispo". De ahí que Vera y Zárate fuese excomulgado, pero nunca le pidió perdón al diocesano. Dicho episodio tuvo un profundo sentido político, esto es, si por Real Patronazgo los gobernadores vigilaban la marcha de la Iglesia, los obispos estaban autorizados a vigilar a los gobernadores. Este equilibrio de fuerzas sirvió de contención a los abusos de poder tanto de unos como de otros; por lo general fueron los obispos quienes frenaron la tendencia al despotismo de los gobernadores y, por esa razón, el choque entre ambos poderes continuó siendo frecuente durante este periodo.

Recuperando la trayectoria que tuvo el obispo, resulta evidente que quiso hacer valer su prestigio acumulado para darle legitimidad a sus acciones, sin mirar lo puesto en letra respecto a las prerrogativas de ambas autoridades. Sin embargo, tampoco se puede afirmar que Zárate haya aplicado en forma estricta las ordenanzas reales, pues también perseguía un beneficio propio.

Vera y Zárate gobernó hasta 1627 y en su juicio de residencia nadie formuló cargos contra él, a pesar de haber experimentado las disputas con Cortázar. Por faltas leves fue condenado a pagar la ínfima suma de quinientos pesos. Esto significó para su biógrafo, Luque Colombres, que llevó a cabo sus proyectos de forma clara. Resta determinar hasta qué punto el gobernador estuvo ligado con los hombres de Olivares en la corte, y si respondió a la tendencia homogeneizadora de la administración a la que aspiraba el valido. Finalmente, este oficial criollo falleció en la ciudad de Charcas el 23 de junio de 1633.

Fuentes primarias

AGI Archivo General de Indias:

- Charcas 26
- Charcas 85

ARSI Archivum romanorum societas iesu:
- Peruana Litterae Annuae, II

Referencias citadas

Amadori, A. 2013. *Negociando la obediencia. Gestión y reforma de los virreinatos americanos en tiempos del conde-duque de Olivares (1621-1643)*. Sevilla: Consejo Superior de Investigaciones Científicas.

Bruno, C. 1966. *Historia de la Iglesia en Argentina*. Buenos Aires: Editorial Don Bosco.

Carrasco, P. 1991. "Matrimonio hispano-indios en el primer siglo de la colonia", en Hernández Chávez, A.; Miño Grijalva, M., (coords.), *Cincuenta años de Historia en México*, vol. I. México: El Colegios de México.

Correas, G. 1924. *Vocabulario de refranes y frases proverbiales*. Madrid.

Dellaferrera, N. 1999. "Iglesia diocesana: Las instituciones". En: Academia de la Historia, *Nueva Historia de la Nación Argentina*. T. II, Buenos Aires: Planeta.

Domínguez Ortiz, A. 1992. *La sociedad española en el siglo XVII, II, El estamento eclesiástico*. Madrid: CSIC.

Esteban Estríngana, A. 2012. "El servicio: paradigma de relación política en los siglos XVI y XVII". En: *Servir al Rey en la Monarquía de los Austrias. Medios, fines y logros del servicio al soberano en los siglos XVI y XVII*. Madrid: Sílex ediciones S.L.

Ferreiro, J. P. 1999. Todo queda en familia… Política y parentesco entre las familias notables del Jujuy del XVII". *Beneméritos, aristócratas y empresarios: identidades y estructuras sociales de las capas altas urbanas en América hispánica*, Frankfurt-Madrid: Ververt, Verlagsgesellschafl, pp. 251-273.

Freyre, R. 1915. *El Tucumán colonial (documentos y mapas del Archivo de Indias)*. Buenos Aires.

García Belsunce, C. 1999. "La sociedad Hispano-criolla". En: *Nueva Historia de la Nación Argentina Segunda Parte: La Argentina de los siglos XVII y XVIII*. Buenos Aires: Editorial Planeta.

Gónzalez Fasani, A. M. 2020. "El Tucumán en tiempos de Felipe II". En: Nieva Ocampo, G.; González Fasani, A. M.; Chiliguay, A. (coords.), *La Antigua Gobernación del Tucumán. Política, Sociedad y Cultura (S. XVI al XIX)*. Salta-Argentina: Milor, pp. 57-99.

González Rodríguez, A. 1984. *La encomienda en el Tucumán*. Sevilla: Diputación de Sevilla.

Lazcano Colodrero, A. 1944. *Los cabildantes de Córdoba*. Córdoba-Argentina: Librería Assandri.

Levillier, R. 1926. *Papeles eclesiásticos del Tucumán. Documentos originales del Archivo de Indias*, vol. I, Madrid: Imprenta de Juan Pueyo.

Luque Colombres, C. 1944. *Don Juan Alonso de Vera y Zárate: adelantado del Río de la Plata*. Córdoba-Argentina: Imprenta de la Universidad.

Musi, A., 2010. Imperi euroamericani dell'età moderna. Nuove vie della storia comparata. *Nuova rivista storica*, núm. 3, vol. 94, pp. 907-928.

Nieva Ocampo, G. 2012. "Cimentar las identidades locales: Los jesuitas y las elites sociales del Tucumán (1600-1650)". En: Martínez Millán, J.; Pizarro Llorente, H.; Jiménez Pablo, E. (coords.), *Los jesuitas. Religión, política y Educación (S. XVI-XVIII)*. Madrid: Universidad Pontificia Comillas, pp. 1399-1418.

Nieva Ocampo, G. 2020. "El Tucumán en tiempos del conde duque de Olivares (1621-1643)". En: Nieva Ocampo, G.; González Fasani, A. M.; Chiliguay, A. (coords.), *La Antigua Gobernación del Tucumán. Política, Sociedad y Cultura (S. XVI al XIX)*. Salta-Argentina: Milor, pp. 167-203.

Nieva Ocampo, G.; Carrasco, D. 2020. Historia política del Tucumán durante el siglo XVII. Tradiciones explicativas y nuevas perspectivas de investigación. *Naveg@mérica. Revista electrónica editada por la Asociación Española de Americanistas*, núm. 25: 1-35.

Ponce Leiva, P. 2017. La argamasa que une los reinos: gestión e integración de las Indias en la Monarquía Hispánica, siglo XVII. *Anuario de estudios americanos*, núm. 2, vol. 74, pp. 461-490.

Presta, A. M. 2006. Las genealogías perdidas de los Zárate Mendieta y los Torres de Vera. *Genealogías, Revista del Instituto argentino de ciencias genealógicas*, núm. 32, pp. 133-158.

Sierra, V. 1953. *Historia de la Argentina, Consolidación de la labor pobladora (1600-1700) Libro Primero: Bajo el reinado de Felipe III*. Buenos Aires: Editorial Científica.

El ocaso del poder regio de los virreyes peruanos: Melchor de Liñán y Cisneros en la recomposición de la Real Audiencia de Lima (1678-1681)[1]

Juan Jiménez Castillo
Katholieke Universiteit Leuven, KU Leuven/ FWO/ IULCE

Cambio & crisis: la teoría de la complejidad en la América de fines del s. XVII

Los últimos lustros del reinado de Carlos II en la América virreinal supusieron una revolución copernicana en todos sus aspectos. La historiografía apenas ha atendido con objetiva certeza la realidad que conllevó la nueva praxis aplicada en los dos reinos indianos. Para el caso que aquí se analiza, el reino del Perú se presenta como uno de los paradigmas más fehacientes de que la Monarquía hispana estaba comenzando un proceso de rearticulación política y territorial (Ocampo, Rodríguez, Millán, 2018, IV: 1867-1954). En él se observa cómo el gobierno doméstico regido por familias fue dando pasos a otro administrado territorialmente (colonial), desde los fundamentos de la nueva economía política que estaba emergiendo -centralización & secularización- (Jiménez Castillo, 2019). No obstante, antes de proceder a tal explicación es necesario definir lo que se entiende por '*cambio de paradigma*' y la consecuente '*crisis*' a la que estuvo aparejada dicha transformación durante el gobierno del arzobispo-virrey interino, Melchor de Liñán y Cisneros (1678-1681), con el fin de evitar caer en el error de asumir dicho contexto histórico como un período lineal y efímero, esto es, achacando a toda causa histórica de transición.

Todo proceso de cambio implica una transformación de la composición hasta entonces adquirida por la materia, de suerte que lo precedido deje paso al

[1] Este trabajo ha sido posible gracias a la financiación de una beca posdoctoral *FWO Research Foundation - Flanders- Junior Posdoctoral fellowship, Opening new horizons* (2021), en la Katholieke Universiteit Leuven (KU Leuven, Bélgica), con el proyecto 3H210306 [*Viceregalistische Huishoudens, Macht, Articulatie. De oorsprong van politiek-economisch bestuur in het Koninkrijk Peru in een tijd van onzekerheid (1675-1725) / Viceregal Households, Power, Articulation. The Origins of Political-Economic Government in the Kingdom of Peru in a time of incertainty (1675-1725)*].

devenir, fuente natural del ser (Heráclito, 1968). La génesis, entendida como «el llegar a ser», se realiza desde una deducción contradictoria, por la cual, la materia se emancipa de su constitución primaria para concebir una nueva naturaleza. Este paso es lo que Aristóteles denominó como *dýnamis* o *movimiento*, aquello que se origina desde un contrario a otro contrario [corrupción como generación y viceversa], como un acto que no ha alcanzado su fin (Aristóteles, 1994, 9:8, [1049b-1051a]: 380-387). En este sentido, el acto es siempre anterior a la potencia y, como tal, a todo principio de cambio (Aristóteles, 1987, I:III, [317b, 15-18]: 37), por lo que el movimiento no refleja tanto un estado como un proceso -devenir o llegar a ser- hasta alcanzar su término concluso tras dicha alteración.

Esta concepción clásica sobre el cambio y el devenir se vio alterada desde el triunfo de la revolución mecanicista, la cual se afirmaba desde el principio de causalidad del mundo. Dichas teorías asemejaban y reducían la realidad de la naturaleza al de una máquina, ejemplificado en el reloj -Dios relojero y legislador, ordenador del orbe racional- y, por lo tanto, determinando la constitución de lo real a una trayectoria estable y sin mutaciones desde una descripción instantánea de las cosas. Ello le atribuyó la capacidad de predecir y pronosticar los sucesos pasados y futuros, como se comprueba en las filosofías de Hobbes, Descartes o Holbach, entre otros.

Las leyes de la mecánica clásica vertebraron nuestra concepción del mundo desde Newton hasta la actualidad (Prigogine y Stengers, 2004: 52), introduciendo una descripción determinista de los acontecimientos naturales -ley de evolución clásica y teorías euclidianas- lo cual le permitió extender sus postulados a los demás campos de las ciencias, como en la química en Lavoisier o en la matemática y la física con Laplace (Bridgmann, 1958). El análisis de «trayectorias lineales» como fuente de conocimiento científico ha reducido a una fórmula o teoría todos los estados de la naturaleza que existen en dicha trayectoria "tanto hacia el pasado como hacia el futuro", prescribiendo la realidad en forma de principios postulados y autómatas -véanse los estudios de Descartes sobre la fisonomía animal-. Fue precisamente esta certeza la que le incumbió de éxito al nuevo dogma científico, al restituir las confesiones religiosas por otras "verdades" inamovibles, regidas por la seguridad de emplear a priori ciertas teorías explicativas (Hall, 1973; Hooykaas, 1972).

En este sentido, las referencias de instante como momento de cambio y eternidad fueron unificadas en lo que se conoce como «estado dinámico clásico». De tal manera, el tiempo como medida del movimiento -antes y después- desaparece de la órbita de estudio, para conciliar unidimensionalmente los acontecimientos -linealidad-. En nuestro caso, ha hecho de la Historia una herramienta profética, desterrando todo proceso constitutivo de las ciencias abanderadas por la experimentación y la observación, lo que ha permitido que en las últimas décadas se haya producido un extraordinario éxito de investigaciones destinadas a analizar la historia de la Monarquía hispánica desde un enfoque exclusivo y excluyente, ejemplificadas en la historia de la corrupción. Desde esta óptica se impone una realidad preestablecida como descripción instantánea aplicada a la historia universal, siguiendo los tres atributos de las trayectorias mecánicas: la legalidad -deduciendo la historia desde una teoría conceptual para aplicarla a la realidad-, el determinismo -la realidad nos viene dada- y la reversibilidad (Prigogine y Stengers, 2004: 89).

Por el contrario, las teorías físicas surgidas a finales del siglo XX han demostrado que los procesos de cambio en la naturaleza, lejos de mantener una categoría caótica y determinada como sistema conservativo y de equilibrio donde reina el desorden entendido como crisis -teoría del caos como línea evolutiva ascendente hasta su quiebra o colapso-, están integradas por procesos complejos constituidos de perturbaciones como origen de nuevas estructuras. En ellas se afirma que los sistemas dinámicos inestables son el origen de nuevas realidades de organización espontánea, activas y proliferantes. La superación del segundo principio de la termodinámica, por la cual la evolución se convierte en entropía, esto es, que todo aquello que está sometido a un calentamiento -recalentamiento en forma de energía- tiende a enfriarse y a morir, fue adoptado a las teorías de las ciencias sociales y humanas, siendo nuestro caso aplicado a la crisis y decadencia de la Monarquía católica durante el reinado de Carlos II (Planck, 1991).

Estas nuevas interpretaciones apenas han sido incorporadas a los análisis de las ciencias sociales y humanidades, lo cual ha establecido que las leyes de la misma se sigan rigiendo desde parámetros mecanicistas y, como consecuencia, enmarcadas bajo un categórico reduccionismo ajenos a los procedimientos de destrucción creativa. Así pues, la proliferación de dichos estudios en el campo de las ciencias experimentales ha consentido abordar el mundo desde la complejidad (Morin, 1984). La inclusión de esta perspectiva para los estudios históricos nos permite recuperar de la escuela clásica griega el significado de «*crisis*» como 'cambio' y/o 'transformación' (Koselleck, 2007: 241-273), que no como decadencia o hundimiento.

Ahora bien, lejos de caer en una idea relativista por la cual todo proceso histórico es movimiento y, por tanto, un tiempo de transición infinito, hemos de analizar en detalle los acontecimientos iniciados a finales del siglo XVII en América, con el fin de demostrar que las particularidades producidas tanto en el seno de la Corte de Madrid, como en los reinos indianos, fueron momentos integrantes de una nueva realidad, a pesar de que mantuvieron numerosos aspectos del período precedente. Es por ello necesario aplicar esta perspectiva a los estudios iberoamericanos y de España en su generalidad, para integrar los nuevos principios científicos al desarrollo de los procesos históricos, evitando al mismo tiempo, categorizar a la Historia como anécdota.

En este sentido, el mandato del arzobispo-virrey Cisneros encaja en este cambio de paradigma de la historia virreinal peruana, entendida como un momento inicial que detecta éxitos de una nueva realidad, pero aun incompleta (Kuhn, 2006: 89 y 278), no solo por las circunstancias originarias con las que tuvo que realizar su mandato, sino por la nueva vertebración que de manera *exnovo* acarreó en su servicio al monarca y fidelidad a Roma. Entre otras circunstancias, el período de 1678-1681 se caracteriza por un momento de irreversibilidad en el mundo político virreinal, esto es, como fuente de orden y organización y, como tal, de originarias estructuras políticas y territoriales, abarcando a su vez a la composición regia que cada oficio desempeñaba.

Por lo tanto, para conocer la realidad o naturaleza del oficio virreinal a finales del siglo XVII y, más concretamente, en la figura del arzobispo-virrey interino, es necesario definir su '*estado*', entendiendo éste como aquél que "resulta de una evolución orientada en el tiempo" (Prigogine y Stengers, 2004: 24), preservando en su nueva definición lo que ha sido para llegar a ser -*dýnamis*- su inédita condición. Es lo que para los virreyes ocurrió a finales del siglo XVII produciéndose una alteración en su esencia, a pesar de que su fundamento permanece y se aprecia, pero cambia en sus afecciones -hipóstasis- y, por lo tanto, en su representación y naturaleza (Aristóteles, 1987, I: IV, [319b, 10-15]: 45).

Un reino en ebullición a la llegada de Cisneros (1678).

Las últimas décadas del reinado de Carlos II supusieron una inversión de poder en el conjunto de reinos de la Monarquía católica. El punto de inflexión lo determinó la llegada del Infante don Juan de Austria al primer ministerio en febrero de 1677. Tras su fallecimiento en septiembre 1679, su ideario político fue retomado por el que hasta entonces era presidente del Consejo de Indias, don Juan Francisco Tomás de la Cerda y Enríquez, VIII duque de Medinaceli, quien mantuvo el cargo indiano en titularidad mientras permaneció en el más alto ministerio entre 1679 y 1685 (Maura, 1990: 260; Ribot, 2009). Desde entonces se focalizó una política destinada a reestructurar civil, religiosa y económicamente el conjunto de los territorios, como confirma la creación de la Junta de Comercio de 1679, en un proceso que ha sido denominado de «reconfiguración».

Este término manifiesta un cambio en la ideología y justificación política de la monarquía de Carlos II, según la cual, los intereses de ésta ya no coincidían con los que había postulado los preceptos de la Monarquía católica mantenida tanto por sus antecesores (Martínez, 2013: 2143-2196). Tras la llegada del Infante don Juan y con él toda una facción, se forjó un nuevo ideario político según el cual, los fines de la monarquía debían superponerse a los de la Santa Sede, con el fin de defender el Patronato Regio y la exclusividad del monarca hispano sobre los asuntos espirituales en las Indias (Leturia, 1959: 101-152). Esto suponía un cambio radical en la concepción y funcionamiento de los reinos americanos, así como el de sus oficiales y el de la monarquía en su totalidad.

En el aspecto político la situación determinaba una transformación en su esencia. La concentración de potestades en los consejos territoriales vino acompañado de una pérdida de control y autonomía por parte del *alter ego* en el conjunto del patrimonio real de los Habsburgo (Rivero, 2011: 295-324). Esto significaba acabar con el *poder absoluto* de los virreyes de los reinos europeos y americanos, quienes debido a la delegación de numerosos privilegios y regalías habían solapado la comunicación entre el rey y los reinos, provocando intentos de sedición en Nueva España en 1624 y 1642 una vez llegó al poder el conde-duque de Olivares (Büschges, 2010: 31-44) y, posteriormente, con el asalto al Palacio Real en 1692 (Schreffler, 2004: 155-171). A finales de la centuria se expandió estas revueltas orquestadas frente a la excelsa autoridad de los virreyes, como el intento de separación de la ciudad de Mesina con la ayuda de Francia que dio lugar a la Guerra de Mesina (1674 y 1678), o los sucesos ocurridos en Perú con la destitución del virrey Castellar en 1678 (Ribot, 2002; Suárez, 2015: 51-87).

De tal manera lo inmortalizó el Patriarca de las Indias, limosnero y capellán mayor de Carlos II, don Pedro Portocarrero y Guzmán, en su obra y/o testamento político-religioso *Teatro Monárquico de España* (1700). Para Portocarrero, las insurrecciones que atizaban a cualquier reino confluían en dos máximas, además del distanciamiento del monarca de los preceptos de Dios, origen principal por el cual se pierden las monarquías. La primera consistía en acabar con la multiplicidad de privilegios concedidos a los virreyes, los cuales incitaban un preocupante riesgo de abuso que extenuaba la justicia y rompía "los términos del respeto" (Portocarrero, 1700: 174 y 337). Esta perturbación tenía como origen la "mala distribucion de los puestos honorificos", que vulneraba con facilidad la autoridad del príncipe, así como la "indemnidad de los súbditos", de donde emergían las revueltas o sediciones domésticas.

Esta política liberal o '*economía de la gracia*', la reconoció Antonio Pérez, secretario de Felipe II, para quien las mercedes y regalías solo podían ser reconocidas desde el monarca o por delegación al virrey, ya que era la forma por la cual se trasladaba la grandeza de la monarquía, con el fin de mostrar a los hombres que "no hay mas sol, [*que aquél*] que les dá luz" (Pérez, 1788: 97-98). El segundo motivo que propugnaba el patriarca indiano Portocarrero sobre el origen de las insurrecciones se debía a la imposibilidad de ofrecer al reino de un *alter ego* de primera sangre y de la majestad que requería el reino (Portocarrero, 1700: 199), siendo esto justamente uno de los motivos que precisamente había solapado la comunicación entre el rey y los vasallos.

Para hacer frente a tales insurrecciones, la Corona se guío por las máximas según la cual, para recuperar el excesivo poder entregado a los virreyes era necesario despojarlo de toda magnificencia que le permitiese actuar como rey en el reino y, por lo tanto, convertirlo de manera progresiva en un oficial ordinario sin poder delegado, sin que por ello se dejasen de enviar a virreyes con una alta condición nobiliaria. Así se observa en el testamento de Carlos II, quien mantuvo a la nobleza de primera clase y Grandes de España como pilar y sostén de gobierno, además de brazo fuerte y decoro de la majestad (Ortiz, 1982). No obstante, para conciliar ambas políticas fue necesario comenzar por reducir el número de criados que podían incorporar los virreyes en su séquito a las Indias -limitar su Casa-, además de despojarle de toda posibilidad de decisión, esto es, de tejer su propia red clientelar que le permitiese ser autónomo, e impidiese cualquier tipo de comunicación directa entre el monarca y las Indias (Suárez, 2017a: 69-96).

Los virreyes se vieron sometidos a una pérdida de su boato, con el fin de mantener una mayor presencia del monarca en los reinos, lo que determinaba al soberano a estar en presencia y sin intermediación, representación o emulación que mantenía el *alter ego* como segunda naturaleza regia (Jiménez Castillo, 2017: 77-93). Desde entonces, se hizo acato de aquella sentencia según la cual, era contra natura que 'aquél que manda deba obedecer', ciñendo a una sola cabeza la potestad real. Con ello, adquirieron más relevancia los "elementos" que atesoraban realeza plena y que daban entidad regia al reino, como el sello real, los escudos de armas y blasones, los tribunales de justicia, cabildos, el ceremonial y el protocolo virreinal, etc. Para conseguirlo fue necesario reducir el poder de las secretarías virreinales, epicentro de su soberanía, así como las ceremonias de entrada, la duración en el cargo, establecerles un salario fijo, limitar el uso de joyas, ajuar y servidores a su servicio, prohibirles conceder mercedes y oficios entre su séquito, parientes o allegados desde 1678, lo cual terminó por cortocircuitar a la figura virreinal como representante vivo del monarca (Cañeque, 2004a). Todo ello, quedó materializado en la *Recopilación de Indias* de 1681, transmutando al virrey de criado del monarca en un cargo y oficio sujeto a la ley.

A pesar de que éste siguió manteniendo sus ínfulas de persona real, su poder se vio reducido a la de un mero cargo sometido a juicio de residencia al final de su mandato. Su potestad vino determinada por su capacidad para administrar y gobernar el reino -que no regir-, lo que le fue convirtiendo en un "*virrey burócrata*", más que en un servidor regio (Rubio, 1983: 269-270). El poder, respeto y magnificencia no vendría determinado tanto por los méritos de su casa, como por la instrucción letrada y gubernativa de los mismos. Igualmente, si la virtud, el valor y la prudencia siguieron constituyendo un alto grado de representación regia, dejaron de ser fuentes de emanación de decoro soberano, dando éstas paso a la prudencia, el gran juicio y la ciencia; artes que se fueron vinculando con la más alta condición nobiliaria (Mandeville, 1732). Esto implicaba un cambio en la concepción y origen de la nobleza y el honor, así como el servicio al soberano y a la utilidad pública como bien común (Carrasco, 1999: 77-136).

La incapacidad del virrey de organizar el reino como padre de familia, conllevó a una reconfiguración política de los territorios americanos que progresivamente dejó de ser regidos como reinos, para ser administrados como colonias. Esta disyuntiva fue marcando el camino hacia un sistema de economía política, con una clara moral e ideología más secularizada, frente a la ética personal y católica imperante hasta el momento (Pearce, 2014: 1-22). La pérdida de gestión de los virreyes en favor de organismos autónomos a las decisiones virreinales (tribunales de justicia, alcaldías mayores, corregimientos, consulados de comerciantes, etc.), dio paso a una necesaria reducción jurisdiccional, más pequeña a medida que el poder del virrey iba reduciéndose. Dichas reformas confluyeron en la «*transfiguración del poder virreinal*», esto es, en una pérdida de magnificencia regia de los virreyes, al mismo tiempo que alcanzaron su mayor auge y esplendor como nobleza durante la centuria borbónica (Henshall, 2010). En paralelo, se atisbaba los inicios de la descomposición del sistema cortesano que terminaría por separar los gastos de la Casa Real de los del Estado o reino y, del patrimonio regio al nacional (Martínez Albero, 2020).

En los albores de estas reformas alcanzó el máximo poder civil del reino peruano el recién elegido arzobispo de Lima (14 de diciembre de 1676) Melchor de Liñán y Cisneros, quien al poco de llegar a su prelado asumió el interinato de gobierno el 7 de julio de 1678 por Real Cédula de su Majestad. Ese mismo día se abrió el sello real y se leyó su designación como virrey, al mismo tiempo que se producía la suspensión del cargo virreinal de don Baltasar de la Cueva, conde de Castellar. Dicha destitución vino determinada por la llegada a la Corte de Madrid de don Juan de Austria y, con él, la expulsión de la reina Mariana de Austria, cayendo en desgracia todos sus protegidos (Álvarez, 1999: 123-241; Mitchell, 2019: 170-198). El relevo en el solio virreinal indiano fue prioritario, ya que el Perú seguía siendo la joya de la Corona, presentando una necesaria limitación del poder virreinal y reestructuración jurisdiccional, militar y económica. Para ello, fue necesario suspender a uno de los últimos "*virreyes absolutos*" que había gobernado el sur del continente americano, el conde de Castellar, a quien se le imputó ocho cargos, entre los cuales se señalaba la extralimitación en la concesión de oficios entre sus criados y allegados, así como su enriquecimiento personal (Archivo General de Indias, en adelante AGI, Escribanía, 536B: 1067r-1071r). Ambas prescribían la autonomía de los poderes particulares de los virreyes indianos.

«*La política de los afectos*» o el arte del buen gobierno del primer arzobispo-virrey interino del Perú

La situación con la que tuvo que lidiar Melchor de Liñán no fue del todo fácil. Desde que Carlos II se alzó como rey en 1665, las Indias y, concretamente el Perú, había sufrido numerosos cambios en el mando del virreinal. El fallecimiento de dos virreyes -conde de Santisteban (1666) y conde de Lemos (1672)- permitió a la Real Audiencia alcanzar la máxima potestad del reino. A ello se sumó que el tercer virrey nombrado por el monarca fuera destituido -conde de Castellar (1678)-, designando a Cisneros como sucesor interino. Aunque en el seno de la monarquía y, en las Indias, concretamente en Nueva España, fue frecuente el nombramiento de arzobispos como virreyes oficiales e interinos, en el Perú la primera designación recayó en Melchor de Liñán (Martínez Ferrer, 2020: 406-418). Esta inédita situación conllevó a ciertas dificultades para gobernar el reino, debido a la oposición que ejerció la Real Audiencia, la cual quedó excluida del poder transitorio al mando del reino que ejercía entre virreyes (Jiménez Castillo, 2020: 83-124). No obstante, para una consecución funcional del virreinato, la ayuda y equilibrio que el virrey debía mantener con el máximo tribunal de justicia peruano resultó indisociable a tal fin. Ante dichas dificultades, desde el Consejo de Indias se designó al único servidor que estabilizase la situación, dado su carácter férreo y dilatada experiencia americana (AGI, Lima, 344: s.f.).

No obstante, sus obligaciones civiles se vieron en gran medida entorpecidas tras alcanzar el mayor mando civil del más extenso y rico reino de la monarquía, a saber, gobernar un virreinato interino y bajo las más reducidas cláusulas de poder concedidas a los virreyes desde 1678. Las quejas de Cisneros a este respecto fueron elevadas al Consejo indiano desde que tuvo conocimiento, dado que aplicando estas nuevas normativas dejaría a los virreyes sin "ojos con los que mirar y brazos con los que ejecutar" (AGI, Lima, 79, N.7, s.f.). A pesar de todo, tuvo ciertas comodidades durante su mandato, pues la residencia del virrey saliente Castellar fue comisionada a un letrado muy cercano de la facción de Cisneros, en concreto al juez Juan González de Santiago, con quien mantuvo una estrecha amistad bajo su mitrado en Charcas (1672-1677). Esto le supuso un conocimiento directo de las pesquisas contra don Baltasar de la Cueva, así como una herramienta amplia de poder (AGI, Escribanía, 536A: 1r-5r).

Ahora bien, esto le acarreó ciertas dificultades a su labor política, ya que tuvo que enfrentarse a los partidarios de la facción de don Baltasar a lo largo de todo el tiempo que duró el proceso judicial a Castellar, el cual se había rodeado de un gran número de seguidores a lo largo de sus cuatro años de mandato, además de convivir en la misma ciudad -Lima & Surco- con la esposa e hijo del virrey (Vargas, 1971, III: 335-357). A estos problemas, hay que sumarle la aversión mostrada por la Real Audiencia de Lima, la cual se vio despojada del poder provisional que tenía encomendado, tal y como prescribían las leyes indianas (*Recopilación de Leyes de Indias,* en adelante: RLI, 1681 (ed. 1774), II. XV: 187-294).

Esto provocó que el tribunal de justicia limeño viera reducida su capacidad de decisión, despojándole de nombrar al juez visitador de la residencia del virrey saliente, como estaba acostumbrado por ley, aunque en la práctica se lo reservaban como jurisdicción privativa. Desde entonces, y bajo la delegación específica directamente en el arzobispo-virrey, esta potestad quedó integrada directamente a elección del monarca, con la consiguiente privación a los virreyes, tal y como ocurrió en Nueva España desde que tomara el cargo virreinal el arzobispo Payo Enríquez Rivera (1673-1680) (AGI, México, 84, N.1: s.f.). Ante tal situación Cisneros manifestó un rechazo profundo a ejercer y continuar en el cargo virreinal, debido a los contrapoderes instituidos en su oficio. De tal manera lo expresó en carta al monarca desde su nombramiento, así como al año y medio de su mandato. Su desagrado le llevó pedir incluso su traslado a España, al reconocer que la exclusividad que había solicitado sobre los asuntos espirituales de su Iglesia no le estaba asegurada (AGI, Lima, 80, N.3: s.f.).

No obstante, el carácter y disciplina de Cisneros exigían obediencia al monarca como ministro, tal y como había demostrado a lo largo de toda su carrera en América; al igual que el peso que ejercía la dignidad que su casa, pues pertenecía a una de las familias más relevantes de la Monarquía hispana, destacando entre sus antepasados el arzobispo de Toledo, regente de Castilla, primado de España e inquisidor general de Castilla, Francisco Jiménez de Cisneros, en tiempos de los Reyes Católicos (Martín, 2012: 531-542). Melchor de Liñán fue uno de los mandatarios con mayor conocimiento de la realidad americana del siglo XVII, correspondiendo su discernimiento a su prudencia. La magnitud y magnificencia alcanzada por su persona fue el fruto de toda una vida al servicio del monarca, llegando a tener un poder y respeto tan excelso que recordaba al de los mejores virreyes que pasaron por el Perú -Francisco de Toledo-, como mostró en el acompañamiento que mantuvo para las celebraciones de las exequias reales de Carlos II en la Ciudad de los Reyes (Buendía, 1701: 33r-34v; Mínguez, 2016: 68-91).

La delicada situación civil que mantenía el arzobispo-virrey le obligó a tejer una serie de relaciones clientelares con organismos independientes, los cuales previamente sostuvieron enfrentamientos con virreyes. Este fue el caso de Consulado de Comerciantes de Lima, quien gracias a las facilidades ejercidas por Cisneros, ofreció donar a las arcas reales 100.000 pesos para la continuación del prelado (Caracuel, 1966: 335-343). Además, don Melchor aprovechó la confianza ganada con antiguos criados y servidores que orquestó mientras ejerció como visitador, gobernador, capitán general y presidente de la Real Audiencia de Santafé (1671-1674), así como con los oidores de la Real Audiencia de Charcas durante su pastorado en el arzobispado de Charcas (1675-1676), con el fin de estabilizar su gobierno hasta la llegada del nuevo *alter ego*.

Los tres años y medio que estuvo Melchor de Liñán en el solio del reino, correspondieron a todo un mandato virreinal, como estaba estipulado desde 1619 (RLI, 1774, III.III.LXXI: 22v). La compleja situación que vivía el Perú, así como los movimientos faccionales en el seno de la Corte Real, prolongó la situación de Cisneros en el virreinato mientras se debatía la sucesión de Castellar, al tiempo que se resolvía la nueva condición jurídica del virrey indiano. Finalmente, el designado fue don Melchor de Navarra, duque de la Palata, quien había tenido una pugna directa con el infante don Juan dada su cercanía a Mariana de Austria.

No obstante, la elección de Cisneros como relevo momentáneo en la Corte peruana fue una decisión meditada en el seno del Consejo de Indias, pues si bien no solo despojaba por primera vez en la historia del Perú a la Real Audiencia del mando virreinal, la delegación en este clérigo significaba la necesidad de elegir a un servidor que implantara una serie de reformas que afectaba directamente a la naturaleza político-regia de los virreyes. Cisneros, a quien la experiencia le otorgaba el mayor de los cetros posibles, vio la oportunidad de limitar dichas prerrogativas civiles del *alter ego*, a sabiendas de la compleja situación que le recaería durante su apostolado con la llegada del nuevo virrey. Durante este intervalo de gobierno interino, el arzobispo pudo preparar el terreno para la lucha que mantendría frente al duque de la Palata, en referencia a los intereses de la Santa Sede frente al derecho del Patronato Regio escudado por el virrey aragonés, mientras que en paralelo cumplía con las nuevas ordenanzas políticas sobre los virreyes llegadas desde Madrid. De tal manera describió cómo ejerció su cargo virreinal, al equipararlo al de un siervo religioso, con el fin de justificar la nueva política de los virreyes en su enfrentamiento con Palata, como definió en su tratado *Ofensa y defensa de la libertad eclesiástica* (1684):

> "Sirvióse su Magestad (Dios le guarde) de honrarme con los puestos Eclesiasticos, y Politicos, que son notorios. Portéme en ellos como buen vassallo, desseando llenar la obligacion de mi ministerio con toda exacción, dexando libres los comercios, distribuyendo sin correspondencia los premios, repartiendo las rentas entre los pobres, sin aumentar mi casa, ni dilatar mis parientes. Miré sus Reales averes, como buen Administrador, sin apartarme de los exemplares de mis antecessores, y procuré acudir en todo al servicio de entrambas Magestades, sin que me aya quedado mas, que el baston en las sombras de la pintura, que he permitido sin mas motivo, que hazer publicas sus honras, y tener presente la memoria de mi gratitud, haziendo notorio a la emulacion, que no se implican las atenciones del baculo con los obsequios de vassallo." (Biblioteca Nacional

de España [en adelante, BNE, Ms. 3/65255, Cisneros, *Ofensa*, 1684: 79r.)

Ahora bien, si Cisneros rehuyó de incorporar a una gran cantidad de familiares en los oficios de gobierno respecto de otros virreyes, lo cierto es que por otro lado aplicó la "*ciencia de los afectos*" para llevar a cabo sus proyectos. Para que pudiese cumplir con el propósito de la Corona, no solo fue necesario establecer redes con organismos que estaban alcanzando una potencialidad cada vez mayor, sino que además debía de instaurar un equilibrio de poder con la Real Audiencia, ya que después de todo, el prelado no dejaba de ser un oficial interino y religioso, con la restringida potestad de actuación que esto ocasionaba, como ejemplifican los conflictos ceremoniales y jurídicos (AGI, Lima, 311: s.f.). Cisneros estaba en la obligación de coordinar una política junto al máximo tribunal y órgano civil del reino para evitar una confrontación total, lo cual podría aumentar la discrepancia en las provincias. Esto resultaba vital, ya que a pesar de que el virrey podía resolver las materias civiles sin la Real Audiencia, para los asuntos de "gravedad y peso" era necesario la consulta y el consentimiento general del Real Acuerdo, "haciéndole remisión por voto consultivo", como le indicó Cisneros al duque de la Palata en su relación de gobierno (Hanke, 1978-1980: 211).

Para ello, el arzobispo-virrey comenzó a orquestar una estrategia dentro de su exigua autonomía, con el fin de acercar a la jurisdicción limeña a miembros de otros tribunales acérrimos a su persona para, finalmente, conformar un núcleo leal a sus intenciones. Esta fue una de las maniobras más relevantes ejercidas por Cisneros, la cual le permitió no solo llevar a cabo los objetivos tramitados desde la Corte, sino que le mantuvo en el poder como arzobispo-virrey por más de un trienio bajo unas condiciones muy limitadas en autonomía para su oficio (Echave y Assu, 1688). Con ello, pudo sufragar una compleja situación en el seno de la capital del reino, donde otros focos de poder altamente regios, como el conde de Castellar, jugaron un papel primordial que contrastaron con la astucia del prelado.

La recomposición de la Real Audiencia de Lima bajo el gobierno de Cisneros

Una de las manifestaciones que ratifican la reestructuración de los territorios americanos establecida desde el Consejo de Indias fue acaparar un mayor control sobre los tribunales de justicia, el conocimiento de su composición y nombramientos. Esta política reformista fue acometida desde el tribunal supremo indiano tras la llegada a la Corte de Madrid de don Juan de Austria en 1677, desde don se tramitó un despacho dirigido a las reales audiencias novohispanas y peruanas sobre la obligación que tenían de enviar relación y memoria del número de oficiales que contaban cada una de ellas. Este proceso fue en paralelo a las reformas ocasionadas en el seno de los consejos territoriales, como el de Indias -y su Junta de Guerra- o el de Italia, con el fin de consolidar su poder frente a virreyes y organismos autónomos e intermediarios en la administración de los territorios como los consulados o audiencias (Archivo Histórico Nacional, en adelante AHN, Estado, 2248, s.f.; Giardina, 1934; Schäfer, 2003, I: 259-292).

En los tribunales civiles indianos se redujo el número de oficiales a su servicio, comenzando por las secretarías, epicentro de su poder y autonomía. De esta forma, el Consejo de Indias se adjudicaba todas las demandas y disposiciones tramitadas hasta entonces por las reales audiencias, denegando instancias u órdenes en los reinos de "cualquier otro tribunal, ni ministro particular, ni Junta de este Reyno ni de otra parte alguna", como ocurrió también los reinos italianos (Archivio di Stato di Palermo [en adelante ASP], Regia Cancelleria, 775: 150v-151v). Ello respondía a dicho proceso de reconfiguración política, acercando aún más al rey a los reinos a través de los Consejos, al mismo tiempo que reducía el poder de las secretarías de los virreyes.

La relación tramitada por la Cámara del Consejo de Indias a la Real Audiencia de Lima en 11 de mayo de 1676 demandaba una memoria de los títulos y servicios de los ministros del tribunal limeño con el fin de remitirlos a Castilla. De esta forma centralizaba la designación de los futuros ministros, encarnando en ellos las mejores letras y experiencia, prudencia e integridad, al mismo tiempo que controlaba la administración de justicia (AGI, Lima, 11: s.f.). Una de las mayores preocupaciones de los consejeros indianos fue la escasez crónica de oidores que sufría la audiencia limeña, lo que imposibilitaba la aplicación de la justicia y el control civil de la jurisdicción limeña, traducido en sosiego y bienestar público. Estos problemas se pusieron de manifiesto tras la publicación de la orden enviada el 25 de septiembre de 1680 desde Madrid para realizar cuatro residencias a los corregimientos del distrito de la Ciudad de los Reyes, la cual fue imposible realizar dada la escasez de jueces, acrecentada tras la muerte del oidor Diego de Baeza ese mismo año. La situación era cuanto menos alarmante, ya que resarcían problemas derivados de innumerables litigios y controversias acumuladas durante años ante la imposibilidad de ofrecer justicia a las partes implicadas.

La petición anteriormente mencionada por el Consejo indiano se puso en marcha tras la llegada de una carta tramitada por Cisneros el 1 de septiembre de 1679, donde anunciaba que la formación de la Real Audiencia de Lima tan solo contaba con cinco oidores, siendo lo habitual mantener ocho -conformación original-. No obstante, según las últimas disposiciones tramitadas en 1630, se había ampliado a nueve, y por decreto de 6 de diciembre de 1677 se aumentó uno más, a pesar de que nunca se llegaran a ocupar dichas plazas. Las repetidas ausencias de los letrados, ya fuera por muerte, enfermedad o visitas realizadas a otras regiones, provocaba "mucha incomodidad" en la capital. Para estos años podemos confirmar la ausencia de Tomás Verjón de Caviedes, Diego Cristóbal Mesía al cual se le esperaba de vuelta de Huancavelica, Agustín Mauricio de Villavicencio, Juan de Peña Losa, Diego Andrés Rocha y, por fallecimiento de Bernardo de Iturrizarra, Álvaro de Ocampo, Diego Baeza y Juan Bautista Moreto.

El descuido de la justicia no solo afectaba a la jurisdicción de Lima. Esta carencia de letrados en las más altas magistraturas del reino peruano se extendió a la Real Audiencia de La Plata, donde solo servían el presidente Bartolomé González de Poveda y Juan Jiménez Lobatón, así como Alonso de Solórzano que se ausentó por diversos achaques de salud. Lo mismo le ocurrió a Gregorio de Rojas, nombrado fiscal charqueño como reconocimiento a los méritos conseguidos en sus últimos servicios durante la residencia que realizó al virrey Castellar, sin que finalmente pudiese asistir por causa de dos accidentes que le impidieron trasladarse a dicha jurisdicción. A todo ello, había que sumar las ausencias de Alonso de Torres Pizarro y Carlos Cohorcos, que a pesar de estar designados como oidores charqueños no habían llegado a su destino, debido a la larga travesía que debían de realizar desde Quito, prefectura que ejercían hasta el momento. Por último, Cisneros alegaba a la "misma necesidad" que arraigaba en el tribunal chileno, donde solo servían Juan de Peña Salazar y Diego Portales, sumando las ausencias del fallecido José de Meneses y la del fiscal Alonso de Orellana, por hallarse atendiendo las comisiones de la provincia de Guayaquil (AGI, Lima, 79, N.5: s.f.).

La composición exacta de la Real Audiencia de Lima tras la proclamación de Cisneros como arzobispo-virrey la conocemos gracias a las declaraciones tomadas en su juicio de residencia. Según ésta, el viernes 8 de julio de 1678 por la mañana se reunió en Real Acuerdo de Justicia los miembros del tribunal limeño, para recibir como presidente de la Real Audiencia a Cisneros en el salón del Palacio Real de Lima, inmediato a la Sala donde se reunía los miembros de la Audiencia en Real Acuerdo por orden de antigüedad junto al chanciller, quien custodiaba el Real Sello de la Chancillería. Contiguo a los seis oidores que asistieron a dicha regia ceremonia, le siguieron los cuatro alcaldes del crimen, el fiscal de lo civil y para rematar la comitiva la guardia de a pie del virrey (AGI, Escribanía, 541A: 40r-41v).

Composición de la Real Audiencia de la Ciudad de los Reyes en el recibimiento como virrey de don Melchor de Liñán y Cisneros (8 de julio de 1678)	
Oficio	**Nombre**
Oidores (6)	Tomás Verjón de Caviedes
	Lic. Juan Bautista Moreno
	Diego de Baeza
	Pedro García de Ovalle
	Agustín Mauricio Venegas de Villavicencio
	Juan de Peñalosa
Alcaldes del Crimen (4)	Dr. Diego Andrés de la Rocha
	Lic. Diego de Baños
	Dr. Gaspar de Cuba y Arce
	Lic. Alonso de Castillo y Herrera
Fiscal de lo civil (1)	Dr. José del Corral Calvo de la Banda

Tabla N°1. Fuente: AGI, Escribanía, 541A. Elaboración propia.

La media docena de oidores imposibilitaba la correcta administración de justicia como reflejaban las quejas de Cisneros, en las que pocas veces se llegaron a reunir cuatro jueces, lo que instaba al incumplimiento de las ordenanzas decretadas por el monarca, así como la obligación de enviar anualmente a un oidor a visitar el distrito jurídico de la Real Audiencia (AGI, Lima, 104A: s.f.). La ausencia crónica de estos letrados se hizo mayor tras la promoción de Pedro García de Ovalle a la chancillería de Valladolid en septiembre de 1678, tras haber transcurrido dos meses desde la llegada de Cisneros al solio virreinal. El juez Agustín de Villavicencio se encontraba en plena visita de la Caja Real de la Ciudad de los Reyes, quien tomó el relevo de Álvaro de Ibarra -que había ejercido como presidente interino y oidor decano de la Real Audiencia de Lima-, comisionado expresamente por el Consejo de Indias (AGI, Lima, 575, L.30: 10v-11r). Por otro lado, Juan Bautista Moreno se retiró a principios de 1679, debido a los achaques de salud que padecía, falleciendo ese mismo año; Diego de Baeza fue designado al gobierno de Huancavelica en octubre, el cual también encontró la muerte en el camino, tal y como le sucedió a Agustín Mauricio Venegas de Villavicencio en

Lima (AGI, Escribanía, 541A: 145r-146r).

El último de los oidores que quedó privado de sus labores judiciales fue Tomás Verjón de Caviedes por cédula de 23 de octubre de 1678, debido a los excesos cometidos y "notables dependencias" que llevó a cabo. Así lo reflejaban las apelaciones y memoriales al Consejo de Indias por particulares, en las que se denunciaba haber contraído matrimonio a sus hijas con descendientes de fiscales, oidores y miembro del Cabildo de Lima, esto es, dentro de su misma jurisdicción. La primera de ellas, Tomasa, contrajo las nupcias con Gaspar de Mújica en 1665, y su otra hija, Margarita, enlazó con Luis Merlo de la Fuente, que ocupaba el cargo de oidor de la Real Audiencia de Charcas y era hijo de uno de los oficiales más relevantes del Cabildo de Lima. Esta práctica estaba prohibida por ley, por lo que el oidor fue enviado de manera inmediata a la Real Audiencia de México junto con su mujer doña Sebastiana Barrientos, con el fin de pasar a España para ser juzgado (AGI, Lima, 575, L.30: 96v-97v).

La destitución de Tomás de Caviedes fue avivada por Cisneros dada su amplia influencia alcanzada. Para el arzobispo-virrey este juez representaba un verdadero escollo para sus pretensiones, esto es, un gobierno ejercido sin mayores inconvenientes que el de su limitada voluntad, dada la restricción de sus funciones como virrey interino. Según declaró Cisneros, Tomás de Caviedes no era el mejor de los oficiales, denunciando su destemplado carácter y falta de delicadeza en el proceder de la justicia, y por carecer del "celo y actividad que se requieren para los expedientes de los pleitos que pasan en la Audiencia". Su excesiva competencia y determinada parcialidad le permitió alcanzar un séquito excesivamente amplio en la Ciudad de los Reyes y sus alrededores que sobrepasaban las pretensiones de un oidor (AGI, Lima, 80, N.25: s.f.).

En apenas unos meses desde la llegada de Cisneros a la capital, la Real Audiencia había quedado despojada de cinco oficiales, a la que se sumó un sexto tras el fallecimiento de Fernando de Velasco y Gamboa a finales de 1677. Desde el Consejo indiano se decidió suspender la provisión de dicha plaza, por lo que los acuerdos se tuvieron con tan solo dos oidores hasta finales de 1679. El primero de ellos fue Tomás Verjón, al que se le retiró del cargo en octubre de 1678 (AGI, Lima, 14: s.f.) y, el segundo en Diego Andrés Rocha, a quien Cisneros reconocía su gran formación letrada, pero careciendo de toda practicidad. El virrey interino no le tenía en demasiada estima, pues lo calificó de "modesto [*y sin*] consistencia en sus dictámenes", debido a su "blandura de su genio", lo que le determinaba a estar dominado por su mujer, Feliciana de Carrança.

Además, este ministro mantenía toda una red clientelar entre sus sobrinos que provocaba grandes inconvenientes a la independencia judicial, entre otras, debido a sus estrechas relaciones con el fiscal de Lima, José del Corral Calvo de la Banda, a quien Cisneros conocía bien por haber servido como antiguo fiscal y oidor de Charcas. A éste le criticó de irresponsabilidad y avaricia en sus pretensiones, pues sirvió más de abogado personal que de fiscal, y "en lo que han tocado a los intereses de V.M. poco celoso", pues se reservó y omitió numerosas respuestas a expedientes civiles. A todo ello, Cisneros evidenció la perpetuidad de las amistades y dependencias de los ministros de la Real Audiencia, lo que incitaba numerosos altercados fundados en los odios que estos contraía con los agentes de Lima (AGI, Lima, 80, N.25: s.f.).

La situación a finales de 1678 no fue la más adecuada para la gobernación de un reino, aunque Cisneros hizo de la posibilidad virtud, aprovechando dicha crisis para conseguir mayor beneplácito en su quehacer. Su estrategia política comenzó con la posibilidad de influenciar en la designación de los jueces. A pesar de que los virreyes no tenían potestad para su nombramiento, sí podía sugerir al Consejo de Indias sus preferencias, sin que por ello fuera determinante en la elección. Lo que sí se puede afirmar es que durante el mandato de Cisneros, la Real Audiencia de Lima llegó a recomponerse prácticamente en su totalidad, bajo la influencia de nuevos letrados asiduos al arzobispo-virrey. La nueva situación del tribunal comenzó a cambiar con la llegada de Diego Messía en abril de 1680, que retornaba de la gobernación de Huancavelica. Cisneros no le conocía, pero reconoció en él los buenos negocios que había desplegado en las minas de azogue. Con este nombramiento y la promoción de José Calvo tras la suspensión de Verjón de Caviedes, el tribunal limeño llegó a congregar al menos a cuatro oidores.

El Consejo de Indias sabedor de las dificultades por las que atravesaba la Real Audiencia gracias a las cartas enviadas por el arzobispo-virrey, designó en apenas un mes -entre el 16 de septiembre y el 18 de octubre de 1680- tres nuevos oidores y un alcalde del crimen, con el fin de alcanzar ocho de las diez plazas estipuladas por las que debía estar compuesto el tribunal por decreto de 11 de julio de 1630. La prescripción por la cual la Audiencia debía estar compuesta por diez oidores derivó de una consultad efectuada por el virrey don Diego Fernández de Córdoba, marqués de Guadalcázar, junto al fiscal de la Audiencia, Luis Enríquez, así como por el virrey don Luis Jerónimo Fernández de Cabrera y Bobadilla, conde de Chinchón y su secretario personal, Fernando Ruiz de Contreras. Esta décima plaza estaba destinada para aquella que vacaba cuando se realizaban las visitas a las provincias o resultaba alguna ausencia de un oidor por comisión especial. Según indicaban estos virreyes, con un total de diez oidores se podrían crear tres salas con el fin de evitar los atrasos en el despacho de justicia y hacienda de la Real Audiencia, ya que ante las ausencias de los letrados se hacía imposible efectuar los pleitos, siendo necesario incorporar a un oidor más -un total de nueve- para completar otra sala más (AGI, Lima, 14: s.f.). Esta misma propuesta se retomó en la reforma de 14 de agosto de 1680, para añadir a otro ministro en el juzgado de bienes de difuntos.

Para entonces, los ministros que finalmente quedaron incorporados a la Audiencia de Lima fueron Juan Jiménez de Lobatón, caballero de la orden de Calatrava. Este era un letrado de gran experiencia que venía de ejercer como oidor de Charcas los últimos diecisiete años y a quien Cisneros consideraba como "ministro de buenas prendas y expediente y de mucha aplicación", a pesar de que su mujer era natural de Lima, para la cual obtuvo la dispensación del monarca tras entregar un servicio de 1.500 pesos (AGI, Indiferente, 495, L.47: 379v-380r). Junto a este letrado se elevó como oidor a Diego Inclán y Valdés, que ejercía en la alcaldía del crimen de la Real Audiencia de Lima (AGI, Lima, 12: s.f.). En 1676 fue designado el antiguo fiscal de Lima, Juan de Peñalosa, ministro "integérrimo, limpio y desinteresado, gran servidor de V.M." (AGI, Lima, 80, N.25: s.f.). A éste le siguió el sardo Pedro Frasso, fiscal de la audiencia de Lima, promocionado para ocupar la plaza vacante del difunto Bernardo de Iturrizarra (AGI, Indiferente, 496, L.48: 109v-110v). Por último, Pedro Becerra y Serrano, letrado de gran experiencia tras sus servicios como abogado del Consejo de Castilla, considerado como una persona de "toda integridad, capacidad y celo", para ejercer el puesto de visitador de la Audiencia de Panamá por decreto de 19 de julio de 1680, manteniéndole plaza supernumeraria en la Audiencia de la Ciudad de los Reyes (AGI, Lima, 104A: s.f.).

Estos últimos cinco oidores fueron designados entre febrero y octubre de 1680, bajo una clara y contundente política: fortalecer el poder de las audiencias para controlar los procesos de justicia en las Indias, vigilados a su vez por el Consejo Supremo de Indias. Con ello se pretendía contener una mayor influencia sobre virreyes y corregidores, al igual que sobre los organismos civiles, centralizando la toma de decisiones en los consejeros indianos. Para ello, se nombraron a letrados con gran experiencia y una lealtad férrea a la Corona, como simboliza Pedro Becerra, protegido de don Juan de Austria, quien realizó una apología de su persona y servicio nada más alcanzar el poder y asentarse en Madrid en 1677 en su obra *Panegírico legal y político*.

Fue en este servidor donde recayó una de las labores más complejas que se acometían en el virreinato peruano, encomendándole la visita de Tierra Firme, para informar sobre los sucesos acaecidos a la llegada del conde de Castellar a dichas provincias en 1674 y los enfrentamientos frente al Consulado limeño en la zona. Don Baltasar había reestructurado la composición de la Real Audiencia de Panamá, así como los alcaides, gobernadores y capitanes generales de la provincia de Nueva Granada, conocedor de que era una zona estratégica no solo por ser el epicentro de las ferias comerciales, sino porque gran parte de su éxito al mando del reino estaba determinado a la consagración de una red de servidores leales a su voluntad en Tierra Firme.

Ello provocó un conflicto directo con el Consulado limeño, quien pretendía mantener el monopolio de las rutas comerciales terrestres panameñas que comunicaban ambos mares frente a las aspiraciones del virrey (Suárez, 2017b: 339-350). Estos solo pudieron presionar y lograr sus objetivos una vez que llegó al poder don Juan de Austria, momento en el que el Consulado a través de su representante en Madrid, Diego de Villatoro, propuso reestructurar a todos los oficiales protegidos por el manto de Castellar. Para ello se ordenó averiguar los excesos y fraudes realizados desde la designación del virrey, tanto en lo administrativo como en lo militar, principalmente sobre los soldados que servían en los fuertes y castillos de Panamá y Portobello, con el fin de indagar si había plazas superpuestas (AGI, Escribanía, 995: s.f.).

No obstante, esta reforma era un proyecto con pretensiones de 'corte universal'. Dicha propuesta tenía como objetivo al mismo tiempo concluir con las visitas en estas provincias, para re-articular política y administrativamente los virreinatos indianos. La mayor prueba de ello son las órdenes dadas en 1680 para completar las visitas y juicios de residencia a los grandes centros mineros, corregimientos y sedes religiosas, empezando por el alcalde mayor de minas de Potosí, Juan Sáenz Pontón -comenzada en 1672 y sin terminar-; al fiscal de la Real Audiencia de La Plata, Fernando de Cartagena, para tomar juicio a Luis de Oviedo, corregidor de Potosí; al corregimiento de Ica, a todo el arzobispado de Trujillo y el hospital de Piura; al arzobispo limeño la de toda su feligresía; la comisión ofrecida al obispo de Cuzco para visitar los hospitales pertenecientes al Real Patronato, además del recuento y cierre de todos los montos de las cajas reales peruanas que había comenzado el virrey don Baltasar del Cueva y, que abanderó

Juan de Peñalosa para finalizar las inspecciones comenzadas por Alonso Bravo de la Maza, contador del Tribunal de Cuentas, etc. (Jiménez Castillo, 2019).

Desde el Consejo de Indias se analizó que para completar dicha reforma no solo era necesario consumar las visitas ya iniciadas, sino centralizar la designación de las mismas para evitar cualquier introspección ajena a la voluntad e intereses de la Corona. En este sentido, se prohibió al presidente de la Audiencia de Quito despachar jueces-visitadores de obrajes a las provincias quiteñas, concediendo solo al virrey interino la facultad para beneficiar los oficios de tesorero de la Caja Real de Quito y los de contador de Loja (AGI, Quito, 210, L.4: 326r-v). La intervención y control sobre los oficios de justicia se extendió al reino de Nueva España, donde se realizó una residencia a los antiguos oidores de Manila que fueron promovidos a fiscales de México; al igual que en la Real hacienda de todo el reino novohispano por el licenciado y juez de la Real Audiencia de México, Juan Sáenz Moreno, organismo que también se hallaba escaso de ministros, evitando la intromisión de los jueces sobre los desiderátum de los virreyes (AGI, México, 83: s.f. y AGI, Indiferente, 430, L.42: 195v-196r.).

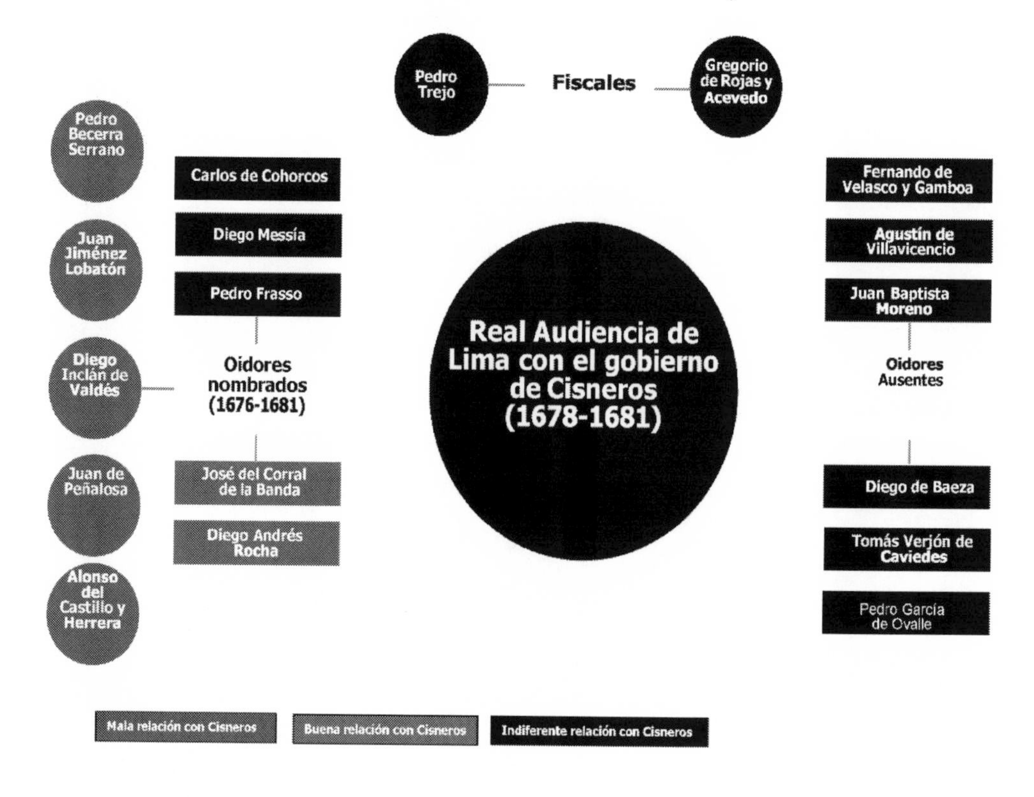

Respecto a la jurisdicción capitolina del Perú, la ordenación de una visita a los oficiales reales de Lima iniciada en 1677 conformaba una política destinada a mejorar y controlar la administración de la justicia (AGI, Lima, 288-294).

Letrados indianos al servicio de la Corte de la Ciudad de los Reyes

La conformación del tribunal limeño durante el mandato de Cisneros se dispuso de una red de letrados con una amplia trayectoria determinada por el *cursus honorum* de dichos jueces. El sistema jerárquico que requería el servicio al monarca establecía que tanto para los jueces y oficiales menores en las Indias, como para los servidores regios más elevados -véase los virreyes-, existía una trayectoria que permitía a los mismos conseguir mayores grados de asistencia en función del mérito y buena labor ejercido por estos. Muchos de los virreyes que fueron nombrados para el Perú, lo habían sido anteriormente de Nueva España, Navarra, alguna relevante gobernación en España o cercanía en el servicio al monarca, permitiéndole alcanzar los puestos más relevantes de la monarquía. Al igual que el reino del Perú servía como puente de proyección en la carrera política de los virreyes hacia magistraturas más elevadas, como el reino de Sicilia, Nápoles, consejerías de Indias o de Estado; en América los tribunales de justicia –al igual que los obispados y arzobispados para los religiosos- mantenían una estructura graduada, fundamentada en la experiencia y buen servicio, que al mismo tiempo quedaba gratificada con el honor que el puesto mismo repercutía (Barrientos, 2004: 633-710).

En el caso del tribunal limeño la mayoría de los jueces fueron promovidos por méritos y consejos mediados por el virrey a la Cámara de Indias, después de haber servido como alcaldes del crimen, fiscales y oidores en otras jurisdicciones. Los diez oidores que conformaron al término del gobierno de don Melchor de Liñán fueron designados entre 1676 y finales de 1680 -un total de seis entre marzo y octubre de 1680- de los cuales, entre el 8 de julio de 1678 -un día después de confirmarse a Cisneros como arzobispo-virrey- hasta el 20 de noviembre de 1681 -momento en que le sucedió el nuevo virrey duque de la Palata-, se designaron a siete oidores, dos fiscales, dos relatores y tres alcaldes del crimen -de los cuatro que componían la Sala del Crimen-, siendo éstos Mateo de Cuenca Mata Ponce de León, Juan Luis López -ambos futuros oidores con el duque de la Palata-, y Rafael de Azcona -juez de residencia del arzobispo-virrey Cisneros-, quien siguió la directrices políticas trazadas por la facción de don Juan de Austria.

Todo ello, implicó una reestructuración en su totalidad (véase cuadro 1).

Ahora bien, varios aspectos son los que caracteriza a este nuevo grupo de letrados. En primer lugar, muchos de ellos eran conocidos por Cisneros que, tras su larga andadura en el virreinato, le había permitido entablar estrecha amistad, consintiendo gestionar con efectividad los oficios civiles que fue ocupando. Un segundo punto a tener en cuenta desde la reforma de la Real Audiencia de 1677 hacía referencia a que los nuevos letrados se caracterizaron por mantener una mayor independencia de sus intereses, afianzando una posición más regalista al eliminar la vinculación y competencias entre los oidores y los virreyes para, por el contrario, reforzar la voluntad regia sustentada en la ley. Este marco jurídico se materializó con la implantación de la *Recopilación de Leyes de las Indias* de 1681, un punto de inflexión en el cual los decretos del monarca dejaron de servir como guías de buen gobierno para transformarse en medidas legales intrínsecas a aplicar, esto es, la ley se convirtió en "las relaciones necesarias que se derivan de la naturaleza de las cosas." (Montesquieu, 2017, I.I: 11) (García, 1979: 99-110).

El Consejo de Indias logró re-articular un reino que en 1677 se encontraba, por un lado, carente de justicia dada la ausencia de oidores y, por otro, en la obligación de hacer frente a un auténtico colapso en el sistema virreinal tras la destitución del virrey conde de Castellar. En este sentido, resulta cuanto menos llamativo hacer hincapié en la nueva confluencia 'virrey-audiencia', con unos letrados leales a los preceptos de la Corona insertada en la *Recopilación* y, por otro, con un arzobispo-virrey interino que complacía las medidas restrictivas a los virreyes, a pesar de sus propias quejas. Todo ello, unido a las buenas relaciones que unían a los miembros de la audiencia con el virrey interino, permitió no solo ofrecer estabilidad al reino sino facilitar la aplicación de las nuevas medidas que transformarían tanto a los virreyes como al reino en su totalidad (Jiménez Castillo, 2019: 443-585).

La influencia del *alter ego* en las designaciones de oidores era una estrategia aplicada con el propósito de entrelazar redes de influencia en el seno de la Real Audiencia. Cisneros pudo arrimar ciertas influencias personales a sus intereses en el seno del tribunal tras las cartas enviadas al Consejo de Indias. De igual manera ejerció su sucesor en el oficio virreinal, don Melchor de Navarra, en agosto de 1680, el cual dejó varios nombres en el seno del Consejo de Indias para investir a futuros letrados con la toga limeña. Ello suponía incorporar a agentes fieles a su persona e idea política, como fue el caso de Juan Luis López, a quien mantenía bajo su protección desde 1671, momento en el que el duque de la Palata fue investido vicecanciller de la Corona de Aragón. El apoyo de Palata sobre Juan Luis fue fructífero pues a éste le respaldaba una gran trayectoria como jurista, además de haber sido vice-rector de la Universidad de Zaragoza, impartiendo derecho aragonés, lo que le permitió posteriormente, ser designado alcalde del crimen de Lima el 4 de noviembre de 1680 (Arrieta, 1994: 201).

La renovación de los togados llevada a cabo por la Corona tenía como fin desvincular a los jueces de sus redes personales, los cuales les permitía mantener un alto grado de autonomía que en numerosas ocasiones les hizo independientes a los decretos tramitados desde Madrid. Esto les permitió traspasar sus competencias políticas, dando lugar a excesos -véase el caso de don Tomás Verjón de Caviedes y el juicio de residencia a la Real Audiencia de Lima de 1674-, así como a luchas frente a otros organismos políticos en el Perú (Jiménez Castillo, 2020: 83-124). La nueva sangre legislativa de togados formados en Castilla y experimentados en las Indias desde una clara conciencia regalista, fue esencial para la consecución de los intereses de la monarquía, como venía ofreciéndose desde la caída de Olivares durante el reinado de Felipe IV. Un claro ejemplo para América fue el caso de Juan de Solórzano, a saber, el cual estableció una defensa de las posesiones hispánicas desde el derecho, efectuando una historia jurídica de la monarquía como la mejor de las armas políticas (Valladares, 2011: 787-814). Juan Luis López o Pedro Frasso, grandes conocedores del derecho aragonés y de los reinos italianos -fundamento de las reformas provocadas en América- recogieron el testigo de las ideas de Solórzano, con el fin de aplicarlas en el Perú (Solórzano, 1648, V: 747-926).

La extensa red que crearon estos servidores regios fue determinante en la consecución de sus objetivos, como se observa en el caso del compañero de Pedro Frasso, Alonso del Castillo y Herrera, natural de Quito, quien realizó su carrera en el ámbito americano, efectuando sus estudios en el Colegio de San Felipe, recibiendo el grado de bachiller en Cánones por la Universidad de San Marcos y oficiando como regente de las cátedras de Prima de Cánones y Leyes. Todos estos méritos fueron suficientes para designarlo como abogado de la Real Audiencia de Lima. Más tarde, se trasladó a la Península para entrar en el Colegio Mayor de San Ildefonso de la Universidad de Alcalá de Henares en 1659, aunque apenas estuvo un año cuando regresó de nuevo a las Indias como oidor de quiteño, alcanzando años más tarde el puesto de alcalde del crimen de Lima (abril de 1675), ascendiendo a oidor el 27 de septiembre de 1680. Su trayectoria y experiencia reconocida en méritos le proporcionó el honor y la responsabilidad de ser congraciado como gobernador de Huancavelica entre 1679 y 1682, uno de las regiones más relevantes de todo el reino del Perú y de las Indias (AGI, Lima, 249, N.15: s.f. y AGI, Indiferente, 496, L.48: 153r-154v).

Otro caso semejante que representa los nuevos objetivos de la Corona encarnada en esta 'nobleza letrada', fue el del gaditano Diego de Inclán y Valdés. Se formó en Salamanca alcanzando el grado de bachiller en Cánones en 1649 y de Leyes en 1654. Posteriormente, dio el saltó a las Indias donde fue nombrado oidor de Quito, aplicando las ordenanzas propias de la provincia de Popayán. Después de dieciséis años de servicio se le congració como oidor de Charcas el 27 de agosto de 1676, para ser designado el 15 de mayo de 1678 como alcalde del crimen de Lima, un oficio previo para alcanzar la magistratura limeña más alta. Fue el 27 de septiembre de 1680 cuando consiguió el cargo de oidor, ejerciendo oficialmente desde el 1 de septiembre de 1681 hasta su jubilación el 5 de octubre de 1688, el cual tuvo que abandonar debido a la extrema ceguedad que sufría. Estableció influencias con otras familias relevantes del reino, contrayendo matrimonio con Antonia de Guzmán y Toledo, hija de Luis Antonio de Guzmán y Toledo, caballero de la orden de Santiago y gobernador de Popayán (AGI, Quito, 215, L.3: 163r-164r y AGI, Indiferente, 495, L.47: 114v-116r y 179v-181v).

Similar trayectoria recorrió Juan Jiménez de Lobatón, caballero de la orden de Calatrava en 1671, procedente de una familia de alta estima en las Indias. Su hermano Diego fue fiscal de la Chancillería de Granada (1664) y alcalde de Casa y Corte, y su otro consanguíneo, Cristóbal, llegó a ser caballero de la orden de Santiago. Juan de Lobatón fue colegial mayor de Cuenca en la Universidad de Salamanca, pudiendo coincidir con su tocayo Diego de Inclán. Permaneció en Castilla hasta el 2 de febrero de 1663, momento en el que fue nombrado oidor en Charcas, previo rechazo de una plaza de juez en la de Guatemala el 21 de julio de 1662. Los méritos alcanzados rindieron con honor la virtud del ministro, quien fue alzado a fiscal de la Real Audiencia de Lima en junio de 1680, para meses más tarde ocupar el cargo de oidor (AGI, Indiferente, 496, L.48: 81r-83r).

El último de los letrados que destaca por esta trayectoria jurídica es el limeño José del Corral de la Banda. Estudió en el colegio de San Martín hasta que fue colegial en San Felipe en Lima. Años más tarde, pasó a la Universidad de Salamanca, donde completó su doctorado y llegó a enseñar Instituta y Código. Sus conocimientos en jurisprudencia llevaron al Consejo de Indias a nombrarle oidor de Santa Fe en 1654, primera estadía para los letrados indianos, para en pocos meses trasladarse a Charcas como fiscal y conseguir una plaza de oidor en 1657. Mediante su matrimonio con Beatriz de Sotomayor y Haro de Collaguas en 1659, emparentó -concuñado- con el alcalde del crimen Alonso de Zárate y Verdugo. Los méritos personales de este juez le permitieron alcanzar la fiscalía de la Real Audiencia de los Reyes en 1676, pasando a ser oidor el 20 de mayo de 1679. Diez años más tarde, fue promovido a una Chancillería castellana, para volver a las Indias como presidente de Charcas en 1691, terminando sus días retirado en la Ciudad de los Reyes, donde encontró la muerte en junio de 1693. La importancia de este letrado que viajó por dos veces a Castilla, la primera para su formación y una segunda vez para ejercer en las chancillerías más importantes de la Monarquía católica, le permitió enlazar con la élite virreinal, concediendo en matrimonio a su hija con Francisco de Rojas y Acevedo, alcalde del crimen de Lima (AGI, Contratación, 5794, L.2: 35r-36v y AGI, Indiferente, 495, L.47: 246r-247v).

Lo que se presta de estos nodos de amistad establecidas entre los miembros de las audiencias es que fueron determinantes para promocionarse internamente, como se observa en la mayoría de los alcaldes del crimen y su vinculación con los oidores del tribunal. Este sistema de ascenso jurídico hacia el máximo tribunal de lo civil tuvo como pilares fundamentales la experiencia, el mérito y, no en menor medida, las relaciones personales, las cuales permitieron tanto a los jueces como a los alcaldes consolidar sus posiciones y arraigar un núcleo de poder homogéneo. Ello consintió a esta 'nobleza togada' superar los límites jurisdiccionales gracias a la consolidación de estos "lazos sanguíneos" que, en muchas ocasiones, llevaron a prácticas fuera del marco legal, por lo que el Consejo de Indias aplicó serias reformas a este respecto.

Los consejeros indianos conocían la realidad e importancia que acaparaban los alcaldes del crimen limeños, manteniendo muchos de ellos vínculos familiares como el consejero Tomás de Valdés, Vespasiano Gonzaga, conde de Paredes o Gabriel Menéndez de Porres y Avilés, conde de Canalejas, entre otros. Los miembros del Consejo americano argüían que el control de estos abogados y alcaldes que componían la Sala del Crimen en la Ciudad de los Reyes resultaba clave en sus prioridades para aplicar correctamente la justicia. Entre otros motivos les permitiría mantener el pulso frente a la propia Real Audiencia, ya que los oidores podían incidir directamente en dicha sala en razón de la falta de alcaldes para conocer y fenecer las causas ya iniciadas, con el consiguiente poder que ello repercutía (RLI, Lib. II, Tít. XVII, Ley IX-X, 1681: 229v.). Las reformas de 1677 que canalizaron el control sobre la Audiencia y a los oficiales reales de Lima, se ajustó con la supresión de la Cámara del Consejo de Indias -al menos en lo teórico-, con el fin de concentrar las elecciones de los oficios regios en un grupo cada vez más reducido y cercano al monarca (Schäfer, 2003, I: 226-267).

El cerco a la autonomía judicial: evolución y control de la Sala del Crimen

El asedio a la potestad virreinal en América fue parejo en la medida en que el Consejo de Indias acaparó la máxima intervención sobre los ministros encargados de administrar justicia. La nueva planta de letrados en el seno de las Reales Audiencias indianas fue acompañada de una limitación a la independencia de estos tribunales bajo provisión expresa de 28 de febrero y 24 de marzo de 1678. En ella, se prohibía a los presidentes de las chancillerías y gobernadores proveer oficios, decretados a partir de entonces directamente por el monarca y con un mandato de cuatro años, prefiriendo a naturales y beneméritos del reino (AGI, Indiferente, 430, L.42: 85r-86v.). La Sala del Crimen era el organismo que permitía una gestión correcta e imparcial de la justicia, así como el mantenimiento de la paz y bienestar, tal y como lo recoge la ley 39º del título 17º, del libro 2º de la *Recopilación* de 1681, donde se estipula que los alcaldes del crimen administren justicia "sin omisión, excepción de personas, ni otros respetos, conforme a su obligación, y descargo de nuestra Real conciencia" (RLI, Ley XXXIX, 1681: 233r). Por ello, el dominio sobre la elección de los alcaldes era fundamental para las consecuciones políticas de los virreyes.

Cisneros intentó mediar en la dirección de estos ministros debido a la importancia que recaía sobre estos. El arzobispo-virrey gran conocedor del sistema político indiano, subrayó la sentencia de fray Gaspar de Villarroel en su teoría de los dos cuchillos, donde reivindicaba que no "se temieron en las Indias los Oidores, sino los Abogados. Ay tierras donde sobra la salud en faltando los Médicos, y las medicinas" (Villarroel, 1738, II: 3). Al inicio del mandado del arzobispo-virrey la Real Sala estaba compuesta por tres alcaldes, de los que había que ausentar la presencia de Alonso del Castillo y Herrera, que se encontraba al mando del gobierno de Huancavelica. Los dos que asistían eran Diego de Baños y Gaspar de Cuba, a los que el arzobispo-virrey denunció al Consejo indiano por "el mayor desorden por la unión que estos dos han tenido para dispensar con liberalidad en la soltura de algunos presos, que por mi cuydado lo han sido por los soldados de a caballo de mi guarda, y por el de los Alcaldes Ordinarios." Con esta denuncia Cisneros indicaba la inestable situación y padecimiento que provocaba en la Ciudad de los Reyes a causa de dichos alcaldes.

Don Melchor de Liñán reconocía en la Sala del Crimen el epicentro del bienestar social de la Ciudad de los Reyes, donde acudían los vasallos a pleitear y obtener la máxima sentencia de Ulpiano: dar a cada uno lo que es suyo. A todo ello, hubo que sumar el desconcierto ofrecido por estos ministros para realizar las rondas oportunas y contener escándalos públicos, avivando "diversidad de pareceres y sentimientos" para su beneficio, como ocurrió durante la residencia de Castellar. Este fue el motivo para condenar las conversaciones públicas "en notable indecoro del gobierno", condenando a perturbadores del orden público, como a Juan Farfán "hombre juglar" y de Gregorio de Mantilla "hombres ociosos", enviando a ambos al reino de Chile y, a España, a Francisco de León Villanueva (AGI, Lima, 80, N.40: s.f.).

El descontrol de los miembros de la Sala del Crimen permitió al Consejo indiano reestructurar su composición, destituyendo a Diego de Baños -quien ejercía como alcalde desde el 27 de abril de 1671 cuando obtuvo su licencia-, y ocupando su lugar Mateo de Cuenca y Mata en 31 de octubre de 1680. Su nombramiento venía determinado por líneas políticas establecidas desde Madrid, tras la reforma de 1677, la cual personificaba este último alcalde. Mateo de Cuenca fue bachiller en Cánones por la Universidad de Salamanca (1660), ingresando en el Colegio Mayor de San Ildefonso en la Universidad de Alcalá en 1666. Dio el salto a las Indias tras ser nombrado oidor de la Audiencia de Santa Fe en 1674, para años más tarde ocupar la alcaldía limeña el 31 de octubre de 1680 por jubilación de Baños, debido a su avanzada edad.

Sus méritos en el ejercicio hicieron que el monarca le congraciara con una licencia para contraer matrimonio con Luisa de Céspedes, natural del distrito de Lima en 1681, además de convertirse en juez de la Audiencia de Lima el 26 de enero de 1687, mismo año en que se le designó como caballero de la Orden de Calatrava. El servicio prestado a la Corona en América continuó en las más altas magistraturas, siendo nombrado presidente de la Real Audiencia de Quito en 1689, puesto que ocupó hasta 1699, lo cual le llevó el recibimiento de honores desde el Consejo de Indias (AGI, Indiferente, 496, L.48: 205v-207r). En plena transformación de la monarquía y de una Guerra de Sucesión, sirvió como presidente de la Real Audiencia de Lima e interino del gobierno del virreinato entre marzo y agosto de 1716, ejerciendo posteriormente como oidor hasta 1720 cuando falleció (Lohmann, 1974).

Al mismo tiempo que ocupaba la plaza de alcalde del crimen de Lima el letrado valenciano Mateo de Cuenca, fue nombrado su compañero Rafael de Azcona y Góngora en octubre de 1680 hasta su muerte en 1684. Este jurista, al igual que su homólogo, se graduó en Cánones en Salamanca en 1664. Su destacado papel e independencia judicial se evidenció al ser encomendado para realizar la residencia a Cisneros (AGI, Lima, 12: s.f.). Para completar la reforma de la Sala del Crimen, el arzobispo-virrey denunció a Gaspar de Cuba por los escándalos en sus costumbres y solicitando al Consejo de Indias que sirviera en tribunales inferiores. Desde la Corte de Madrid, por despacho de 6 de octubre de 1680, se ordenó al arzobispo-virrey que diese "una reprehensión muy severa advirtiéndole que si no se enmienda se pasará a quitarle la plaza" (AGI, Lima, 80, N.25: s.f.). Las quejas tuvieron su efecto, pues subió a tal magistratura el quiteño y beneficiado de Cisneros, Alonso del Castillo de Herrera. A este se le reconocía no solo su afinidad personal con el arzobispo-virrey, sino su extensa trayectoria académica como regente de la cátedra de Prima de Cánones y Leyes en San Marcos, abogado y alcalde de la Audiencia de Lima, para posteriormente pasar a la gobernación de Huancavelica, sustituyendo a Diego Messía, y recomponer su administración, que como certificó Lohmann Villena, fue "uno de los más halagüeños" (AGI, Lima, 79, N.11: s.f. y Lohmann, 1949: 388).

Uno de los asuntos más problemáticos se debía a la ausencia de estos alcaldes para atender a la gobernación minera, tal y como ocurrió con Alonso del Castillo o de Pedro Becerra. Ello provocaba la carencia de servicio en la región y, por consiguiente, la designación de otro ministro sin la preparación adecuada que supliera dichas faltas (AGI, Lima, 104A: s.f.). Todo esto permitió una parcialidad en el trato con los alcaldes que permanecían en Lima, como denunció Alonso del Castillo sobre Diego de Baños y Gaspar de Cuba, según el presente reveló los "particulares fines" de ambos en la determinación de las causas, al igual que en las demás dependencias de la Sala del Crimen, considerándole como "árbitro y dueños" de la misma. Su mal hacer consintió que no se resolviesen los problemas de rondas y robos ocurridos en la Ciudad de los Reyes que ya previno el arzobispo-virrey (AGI, Lima, 80, N.25: s.f.). Fue Cisneros quien consiguió por sugerencias al tribunal superior indiano que nuevos ministros entraran en la Sala del Crimen. Este fue el caso de Diego Inclán y Valdés, a quien conoció en Popayán como visitador de la provincia, y al que reconoció como ministro ajustado y de naturaleza sosegada, recomendándole para que se le adjudicase una plaza de oidor. Finalmente, se encontraba el fiscal Juan González de Santiago, de quien Cisneros denunció los extravíos que mantuvo durante la residencia al virrey conde de Castellar.

Las cartas del virrey interino tuvieron una gran repercusión en los oídos de los consejeros indianos, confirmando que con los ministros que ejercían en la Audiencia y Sala del Crimen era imposible que "floreciera la Justicia". Cisneros aprovechó la situación caótica que vivían las provincias peruanas para intervenir en la conformación de la Sala del Crimen, enviando una relación de ministros recomendados para re-articular dicho organismo. Entre otros, señalaba a Alonso del Castillo y al doctor Juan de la Peña Salazar que ejercía como oidor decano de la Real Audiencia de Chile desde hacía dieciocho años, y del que tenía buenas relaciones sobre su rectitud y celo, arguyendo que son este tipo de oficiales de los que "tendrá más presente a la vista de un Virrey". Sus consejos tuvieron efecto en Madrid, ya que en 19 de octubre de 1680 se elevó a Salazar como oidor de La Plata, ocupando la plaza que dejó Juan Jiménez Lobatón al ser designado como fiscal de Lima (AGI, Indiferente, 496, L.48: 98r-100r.). La lista de recomendaciones de Cisneros la continuaba Juan Jiménez Lobatón y el licenciado Mateo de la Mata Ponce de León, éste último fue el sustituto de don Melchor de Liñán en la presidencia de la Real Audiencia de Santa Fe, tras encaminarse el prelado al arzobispado de La Plata (1674-1675). Cisneros conocía a Mateo de la Mata por el carteo que mantuvo con el Comisario de San Francisco, quien reconoció en Ponce de León a "un ministro muy ajustado e independiente, y de aprobado proceder" (AGI, Lima, 80, N.25: s.f.).

Por último, aconsejaba al Consejo indiano otros de sus fieles allegados, Francisco Valera y Coronel, natural de Lima y asesor general del arzobispo-virrey, además de ejercer como relator de gobierno, plaza ésta última que sirvió más de catorce años con "gran celo, desinterés y virtud", hasta llegar a ser abogado de la Real Audiencia de Lima. La protección que este ministro tenía del reverendo padre se observa en la dedicatoria que le ofreció en un tratado sobre la mita de los indios de Potosí en 1680 (AGI, Lima, 260, N.5). Sin embargo, su experiencia y conocimientos jurídicos amparaban el trato personal con el arzobispo. Desde su juventud adquirió una gran instrucción jurídica, estudiando cánones y leyes en la Real Universidad de San Marcos de Lima en 1660, obteniendo los grados de licenciado y doctorado en 1662, para con ello, ascender a la abogacía de la Real Audiencia. Dos años más tarde, el virrey don Diego de Benavides y de la Cueva, VIII conde de Santisteban, (1661-1666), le nombró relator de la misma por ausencia del propietario Gerónimo Lerin tras su partida a España. Después de una larga carrera académica y política llegó a ser condecorado rector de la Universidad de San Marcos durante el gobierno de Cisneros entre 1679 y 1681, uniendo el arzobispo-virrey a otro organismo civil a su favor. La experiencia de Valera en oficios como el beneficio de la mita de Potosí, Inquisidor de Cartagena y de Lima en 1687, le facilitó la cercanía a virreyes gracias a su profundo conocimiento de la realidad peruana, como observó Cisneros quien lo tomó por su asesor (Mendiburu, 1890, VIII: 238; AGI, Lima, 260, N.5: s.f.).

La Sala del Crimen era el salto a las más altas judicaturas indianas por lo que Cisneros tramitó numerosas peticiones para miembros leales a su causa, teniendo por bien los méritos y servicios del licenciado Pedro de Oña Palacio y Azaña, abogado del tribunal limeño, por quien pidió una plaza de fiscal (AGI, Lima, 81, N.46: s.f.; Barrientos, 2015: 851-896). En este trasiego de candidaturas, don Melchor de Liñán aprovechó para mantener un gran acercamiento con los ocho ministros de la Sala de lo civil que ejercieron durante su gobierno, entre ellos, sus familiares Francisco de Cisneros y Rojas, Pedro de Astorga; así como con Marcelo de España, Andrés de Paredes y Polanco, Francisco Landero, Pedro de Figueroa Dávila, Miguel Ramírez de Arellano y Tomás Ballesteros. Esta estrategia personal llegó a oídos del Consejo de Indias tras conocer la disposición que tuvo Cisneros con Tomás Ballesteros para que ocupara la relatoría del Real Acuerdo y Tribunal de Cuentas, después de la vacante que había dejado el doctor Francisco Valera a uno de los curatos de la Iglesia Catedral. En la sala de lo civil designó en ínterin al licenciado José de los Reyes hasta la llegada de Miguel Ramírez de Arellano, quien se encontraba en la jurisdicción de Quito.

Ante las protestas orquestadas desde el Consejo indiano por el acomodo sobre Ballesteros, Cisneros se defendió apoyándose en la costumbre que existía en el reino "para este nombramiento de la regalía inalterable que han tenido todos los Virreyes". Ballesteros tenía un alargado servicio como relator de la Sala del Crimen desde hacía quince años, con todo el crédito y aprobación que había ejercido en el tribunal de la Inquisición y en el corregimiento de Quisquicanche, además de la asistencia prestada al virrey don Pedro Antonio Fernández de Castro, conde de Lemos, en la pacificación de Puno. Su estrecho vínculo con el arzobispo-virrey se debía a su pertenencia familiar, ya que Ballesteros contrajo matrimonio con Vitoria Daza y Anduga, hija del antiguo gobernador de Melazo y hermana de don André, teniente general de la Artillería del Reino de Cataluña (AGI, Lima, 265, N.3: s.f.).

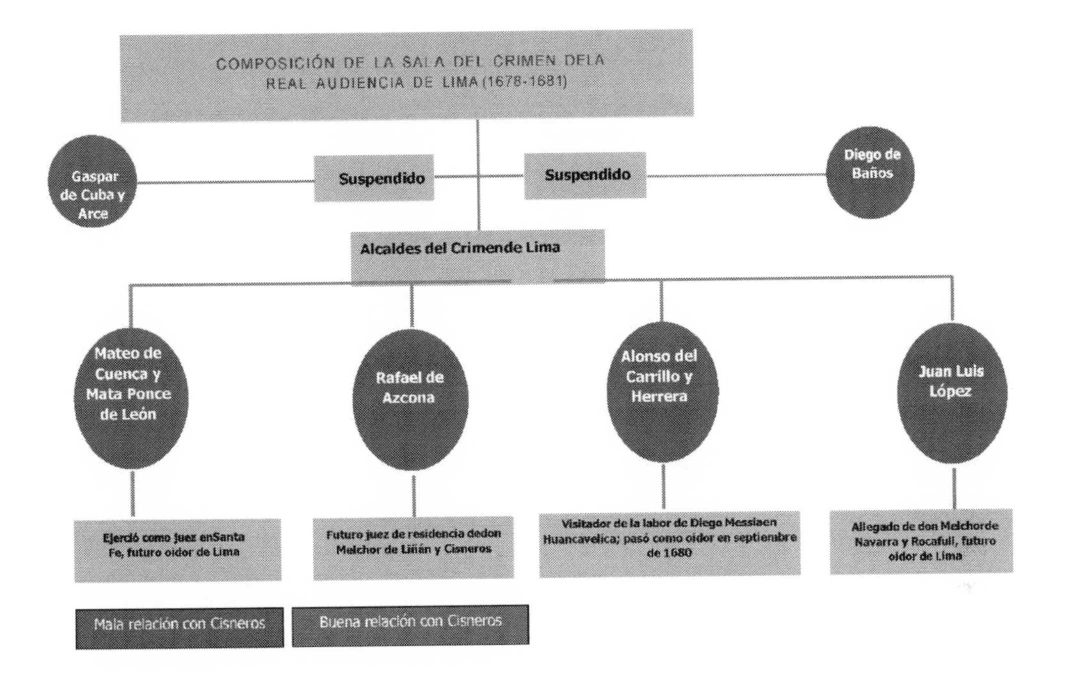

No obstante, para el tribunal superior indiano los motivos presentados por Cisneros no fueron suficientes para excusar su conducta, por lo que renegó a Ballesteros de la ocupación de la relatoría del gobierno civil, Real Acuerdo y Tribunal de Cuentas, que habrían recaído sobre Francisco Antonio de Quesada, debido a que era el decano de la Real Audiencia. De tal manera, el Consejo de Indias eliminaba sobre los virreyes interinos y reales audiencias de tal política justificada en la costumbre, ya que no se debía romper con el curso y "la observancia corriente y estilada así en el Consejo como en los demás destos reynos, y en las chancillerías y audiencias de España y Indias", sin que se necesitase más despachos, ni títulos que el de la antigüedad (AGI, Lima, 81: s.f.).

Cisneros pretendió concluir la misiva enviada a Madrid para la reordenación de la Real Sala del Crimen advirtiendo que la elección de los alcaldes del crimen no se regulara por la categoría de las Audiencias, ni por los méritos de los ministros que servían en ellas, porque de seguir así lo que provocaba era enmendar en dichos cargos a oficiales "cargados de años y de achaques". Los nombramientos, según el virrey interino, debían recaer sobre personas robustas, capaces de mantener una alta actividad para las rondas y ocuparse prontamente en los accidentes que se ocasionaran, como robos, pendencias o muertes, que asiduamente ocurrían en Lima por la tan ínfima calidad de la plebe que residían en la capital (AGI, Lima, 80, N.25: s.f.).

Estas razones políticas sí que fueron escuchadas en el Consejo como certifica el decreto de septiembre de 1680, en cual se advertía a la Real Audiencia de Lima que no se entrometiese en las elecciones de los alcaldes ordinarios de la ciudad. El peso de esta decisión venía confirmado por don Melchor de Liñán, quien alzó la voz a Madrid, debido a las elecciones que se habían efectuado en dichos cargos sobre Juan de Urdanegui y en Juan de la Presa, o los intentos por nombrar a Luis Merlo de la Fuente, yerno del oidor Tomás Verjón de Caviedes y allegado de Cisneros, que ejerció como cantor de la Catedral de Lima desde 1678 y como deán en 1684 (AGI, Lima, 575, L.29: 281v). Con esta reforma el Consejo de Indias pretendía desvincular las redes de parentesco en el seno de la Real Audiencia, reduciendo las intercesiones y atendiendo a la rectitud e independencia que la justicia demandaba. El fin era alcanzar un grado de autonomía que ni siquiera los virreyes tuviesen la posibilidad de entrometerse en los asuntos civiles, acotando y definiendo con mayor claridad la jurisdicción de los alcaldes y las funciones virreinales (RLI, Lib. II, Tít. XVII, *De los alcaldes del crimen de las Audiencias de Lima y México*, Ley XXXV: 232v). Bajo estas medidas, las Reales Audiencias quedaron despojadas para confeccionar sus vínculos internos, resultando el monarca a través del Consejo indiano como el único intercesor en lo sucesivo a estas designaciones, centralizando aún más el poder que mantenía sobre las Indias.

La independencia y autonomía de un grupo de abogados de la Sala del Crimen frente a la intromisión de la Real Audiencia y los virreyes, fue puesto en escena por un grupo de letrados desde mediados del siglo XVII, reclamando una mayor participación en las decisiones de gobierno (Rivero, 2017: 232). El protagonismo que habían ejercido los letrados durante el siglo XVI fue recayendo a lo largo de esta centuria en beneficio de la alta nobleza y allegados virreinales consolidados en Juntas de gobierno, los cuales coparon las mayores decisiones de gobierno. Esto se tradujo en una limitada capacidad representativa de los alcaldes en ceremonias y actos públicos, repercutiendo en una falta de concreción jurisdiccional y enfrentamientos de todos los componentes de la Real Audiencia, como se observa en el caso de los escribanos públicos, quienes pretendían despachar sentados y cubiertos en las Audiencias públicas de los alcaldes, con el manifiesto de acaparar los escribanos una preeminencia superior a la de los alcaldes ordinarios (AGI, Lima, 77, N.37: s.f.; Cañeque, 2004b: 609-634).

Dichas reformas pretendían delimitar y demarcar las competencias jurisdiccionales a cada organismo de poder entre virreyes, audiencias y alcaldes. Tal confusión se presentó tras la muerte acaecida en el puerto del Callao por Clemente, criollo negro, al indio sastre Domingo Alonso. El Tribunal de Cruzada le hizo prisionero alegando el alguacil mayor José de Buendía, que era a él a quien le tocaba el conocimiento de la causa por ser su esclavo. Ante tal situación, la Sala del Crimen alegó que intercedía en la jurisdicción real fundado en derecho y que el alguacil de la Santa Cruzada no tenía privilegio ni excepción para que sus esclavos gozasen del fuero en las causas criminales, ya que éstas no se extendían ni ampliaban a sus esclavos.

Lo que se pretendía con ello era evitar que se crease una situación "perniciosa" a la jurisdicción real, como quedó estipulado por Real cédula de 14 de abril de 1679 (Biblioteca Nacional del Perú, [en adelante: BNPE, N.27982.; AGI, Lima, 81, N.48: s.f.). Estos conflictos jurisdiccionales, sobre todo los públicos, se sucedieron constantemente durante todo el siglo diecisiete. El análisis de esta problemática es esencial para discernir cuáles fueron las posiciones y privilegios que cada grupo de poder ocupaba en el Perú. Del mismo modo, podremos observar cómo estas reformas dieron paso a una nueva forma de entender el gobierno de las Indias, su administración y la relación del rey con los reinos.

Fin a la era dorada de los virreyes americanos

A raíz de las injerencias de Cisneros tanto en la Real Audiencia como en la Sala del Crimen, se observa el poder y aquiescencia de los virreyes y la Real Audiencia hasta 1680, percatándonos de cómo ambos habían consolidado una autoridad férrea. El Consejo de Indias limitó dichas actuaciones clausurando sus intervenciones en los nombramientos de los oficiales de la Sala del Crimen y, como tal, de la justicia. No obstante, si la capacidad de estos organismos y ministros -virreyes- se redujo considerablemente, ello vino a contraponerse otro colectivo que floreció durante el mandato de Cisneros, como fue el caso del Tribunal del Consulado de Comerciantes de Lima.

Ante la falta de capacidad sobre la esfera civil y judicial por el virrey interino, éste se acomodó a la nueva realidad y se posicionó junto a las nuevas facciones que fueron adquiriendo mayor poder como representa el gremio de comerciantes. Tras el enfrentamiento directo mantenido con el virrey conde de Castellar que le desposeyó de su puesto virreinal, este organismo aprovechó la ocasión para establecer fuertes raíces en el seno del Perú. El papel que mantenían los comerciantes emergió con la llegada de don Juan de Austria a la Corte de Madrid, representándolos Diego de Villatoro. El gobierno de Cisneros fue determinante para que a través de este gremio el equilibrio político y económico en el reino no se manifestase profundamente descompensado, principalmente en la limitación que acentuó el protagonismo de los virreyes. Tanto para el arzobispo-virrey como para el Consulado era necesario apoyarse políticamente, dado que la nueva estructura política impedía a ambos ignorarse sin que sus objetivos naufragasen, lo que permitió a su vez conformar la originaria imagen y poder del virrey en las Indias.

Fuentes primarias

AGI Archivo General de Indias:
- Contratación 5794, L.2
- Escribanía 536A
- Escribanía 536B
- Escribanía 541A
- Escribanía 995
- Indiferente, 430, L.42
- Indiferente 495, L.47
- Indiferente 496, L.48
- Lima 11
- Lima 12
- Lima 14
- Lima 77
- Lima 79
- Lima 80
- Lima 81
- Lima 104A
- Lima 249
- Lima 260
- Lima 265
- Lima 288
- Lima 294
- Lima 311
- Lima 344
- LIMA 575, L.29, L.30
- México 83
- México 84

- Quito 210, L.4
- Quito 215, L.3

BNE Biblioteca Nacional de España:
- Ms. 3/65255

AHN Archivo Histórico Nacional:
- Estado, 2248

ASP Archivio di Stato di Palermo:
- Regia Cancelleria, 775

BNPE Biblioteca Nacional del Perú:
- N.27982

Referencias citadas

Álvarez-Ossorio Alvariño, A. 1999. "Juan José de Austria y los ministros provinciales: la visita del Estado de Milán (1678-1680). *Annali di storia moderna e contemporanea.* N°5: 123-241.

Aristóteles. 1987. *Acerca de la generación y la corrupción.* Madrid: Gredos.

Aristóteles. 1994. *Metafísica.* Madrid: Gredos.

Arrieta Alberdi, J. 1994. *El Consejo Supremo de la Corona de Aragón (1494-1707).* Zaragoza: Institución Fernando el Católico.

Barrientos Grandón, J. 2015. "Sobre los abogados en las Indias. De su régimen jurídico y su carrera en la toga, en Muñoz Machado, S. (dir.). *Historia de la abogacía española.* I. Madrid: Aranzadi Thomson Reuters: pp. 851-896.

Barrientos Grandón, J. 2004. "El Cursus de la Jurisdiccion Letrada en las Indias (s. XVI-XVII)", (coord.) Barrios Pintado, F. *El gobierno de un mundo: virreinatos y audiencias en la América hispánica,* Castilla-La Mancha: Universidad de Castilla-La Mancha: pp. 633-710.

Becerra y Serrano, P. 1677. *Panegírico Legal y Político sobre las dos resoluciones que por disposición divina se han nombrado en el Retiro de la Magestad del Señor Rey Carlos Segundo: Y feliz venida de el Serenissimo Señor Don IUAN de Austria à esta Corte del Reyno de Aragon, donde se hallava.*

Bridgmann, P.W. 1958. *Determinism and Freedom in the Age of Modern Science,* Nueva York: University Press.

Buendía, 1701. *Parentación Real al Soberano nombre e immortal memoria del Catolico Rey de las Españas y Emperador de las Indias el Serenissimo Señor Don Carlos II.* Lima.

Büschges, C. 2010. "¿Absolutismo virreinal? La administración del marqués de Gelves revisada (Nueva España, 1621-1624)". Coord. Dubet, A., Ruiz Ibáñez, J.J. *Las monarquías española y francesa (siglos XVI-XVIII): ¿dos modelos políticos?,* Madrid: Casa de Velázquez, pp. 31-44.

Cañeque, A. 2004a. *The King's Living Image. The Culture and Politics of Viceregal Power in Colonial Mexico.* New York: Routledge.

Cañeque, A. 2004b. "De sillas y almohadones o de la naturaleza ritual del poder en la Nueva España de los siglos XVI y XVII". *Revista de Indias*, 64 (232), pp. 609-634.

Caracuel Moyano, R. 1966. "Los mercaderes del Perú y la financiación de los gastos de la Monarquía". *XXXVI Congreso Internacional de Americanistas.* Nº.4. Sevilla: pp. 335-343.

Carrasco Martínez, A. 1999. "Los Grandes, el poder y la cultura política de la nobleza en el reinado de Carlos II". *Studia histórica. Historia moderna.* Nº.20: pp. 77-136.

Echave y Assu, F. 1688. *La estrella de Lima convertida en sol sobre sus tres coronas*, Amberes.

García Gallo, C. 1979. "La legislación indiana de 1636 a 1680 y la Recopilación de 1680", *Anuario de historia del derecho español.* Nº49: pp. 99-110.

Giardina, C. 1934. *Il Supremo Consiglio d'Italia*, Palermo.

Hall R. 1973. "Merton revisited", *Science and Religious Belief, a Selection of Recent Historical Studies.* London: University of London Press.

Hanke, L. 1978-1980. *Los Virreyes españoles en América durante el gobierno de la Casa de Austria.* Perú. V. Madrid: Atlas.

Henshall, N. 2010. *The Zenith of European Monarchy and its Elites: The Politics of Culture, 1650-1750.* New York: Macmillan Education.

Heráclito. 1968. *Fragmentos.* Madrid: Aguilar.

Hooykaas, R. 1972. *Religion and the Rise of Modern Science.* Edimburg and London: Scottish Academic Press.

Jiménez Castillo, J. 2017. "Boato y suntuosidad en los recibimientos de los virreyes americanos: las Leyes de Indias de 1680 como límite a la magnificencia de la viva imagen del rey". *Anales del Museo de América.* Nº 25: 77-93.

Jiménez Castillo, J. 2019. *La reconfiguración política de los reinos de las Indias: la transfiguración del poder virreinal en el Perú (1674-1678).* Tesis doctoral. Madrid: Universidad Autónoma de Madrid.

Jiménez Castillo, J. 2020. "En ausencia de virreyes: la naturaleza política del alter ego durante el gobierno interino de la Real Audiencia de Lima (1672-1674)". *Histórica. PUCP.* Vol. 44. Núm. 1: pp. 83-124.

Koselleck, R. 2007. *Crítica y crisis. Un estudio sobre la patogénesis del mundo burgués.* Madrid: Trotta, Universidad Autónoma de Madrid.

Kuhn, T. S. 2006. *La estructura de las revoluciones científicas*, México: FCE.

Leturia, P. 1959. "El regio Vicariato de Indias y los comienzos de la Congregación de Propaganda". En *Relaciones entre la Santa Sede e Hispanoamérica, I, Época del Real Patronato, 1493-1800.* Caracas: pp. 101-152.

Liñán y Cisneros, M. 1984. *Ofensa y defensa de la libertad eclesiástica.* Lima.

Lohmann Villena, G. 1949. *Las minas de Huancavelica en los siglos XVI y XVII.* Sevilla:

Escuela de Estudios Hispanoamericanos.

Lohmann Villena, G. 1974. *Los ministros de la Audiencia de Lima en el reinado de los Borbones (1700-1821). Esquema de un estudio sobre un núcleo dirigente.* Sevilla: Escuela de Estudios Hispanoamericanos.

Mandeville, B. 1732. *An Enquiry into the Origin of Honour, and the Usefulness of Christianity in War.* London.

Martín, J.C. 2012. "El arzobispo-virrey", en Guerra Martinère, M. y Sánchez-Concha Barrios, R. (eds.), *Homenaje a José Antonio del Busto Duthurburu.* Tomo II. Lima: Pontificia Universidad Católica del Perú (PUCP): pp. 531-542.

Martínez Ferrer, L. 2020. "Cardinals and the Creation of the Spanish Americas", en Hollingsworth M., Pattenden M. y Witte A. (eds.), *A Companion to the Early Modern Cardinal.* Leiden-Boston. Brill: pp. 406-418.

Martínez Millán, J. 2013. "La evaporación del concepto de "Monarquía católica": La instauración de los Borbones". Coord. Martínez Millán, J., Camarero Bullón, C., Luzzi Traficante, M. *La Corte de los Borbones: Crisis del modelo cortesano.* III.

Martínez Millán, J., González Cuerva, R., Rivero Rodríguez, M. 2018. *La Corte de Felipe IV (1621-1665): reconfiguración de la Monarquía católica.* Tomo IV, coord. Nieva Ocampo, G., Rivero Rodríguez, M., Martínez Millán, J.: *Los Reinos y la política internacional, vol. IV, Cortes virreinales y Gobernaciones americanas.* Madrid: Polifemo, pp. 1867-1954.

Martínez Millán, J., Quiles Albero, D. 2020. *Crisis y descomposición del sistema cortesano (Siglos XVIII-XIX).* Madrid: Polifemo.

Maura Gamazo, G. 1990. *Vida y reinado de Carlos II.* Madrid: Aguilar.

Mendiburu, M. 1890. *Diccionario histórico-biográfico del Perú.* VIII. Lima: Francisco de Solis.

Mínguez, V. 2016. "Los dos cuerpos de Carlos II". *LibrosdelaCorte.* Nº. Extra 4: pp. 68-91.

Mitchell, S. 2019. *Queen, Mother, and Stateswoman: Mariana of Austria and the Goverment of Spain.* Penn State University Press.

Montesquieu. 2017. *Del Espíritu de las Leyes.* Madrid: Tecnos.

Morin, E. 1984. *Ciencia como conciencia.* Barcelona: Anthropos.

Ortiz Domínguez, A. 1982. *Testamento de Carlos II.* Madrid: Editorial Nacional.

Pearce, A. 2014. *The Origins of Bourbon Reform in Spanish South America, 1700-1763.* New York: Palgrave Macmillan.

Pérez, A. (Ed. 1788). *Norte de Príncipes, virreyes, presidentes, consejeros y gobernadores.* Madrid.

Planck, M. 1991. *The Theory of Heat Radiation.* P. Blakiston Son & Co. Dover.

Prigogine, I., Stengers, I. 2004. *La nueva alianza. Metamorfosis de la ciencia.* Madrid: Alianza Editorial.

Portocarrero, P. 1700. *Theatro Monarchico de España.* Madrid.

Recopilación de Leyes de los Reynos de las Indias. 1681. Madrid. Ed. 1774.

Ribot, L. 2002. *La monarquía de España y la guerra de Mesina (1674-1678)*. Madrid: Actas.

Ribot, L. 2009. *Carlos II. El rey y su entorno cortesano*. Madrid. Centro de Estudios Europa Hispánica.

Rivero Rodríguez, M. 2011. *La edad de oro de los virreyes. El virreinato en la Monarquía Hispánica durante los siglos XVI y XVII*, Madrid: Akal.

Rivero Rodríguez, M. 2017. *La monarquía de los Austrias. Historia del Imperio español*. Madrid: Alianza Editorial.

Rubio Mañé, J.I. 1983. *El virreinato. Orígenes y jurisdicciones, y dinámica social de los virreyes*. I, México: FCE, México-Instituto de Investigaciones Históricas.

Schäfer, E. 2003. *El Consejo Real y Supremo de las Indias. Su historia, organización y labor administrativa hasta la terminación de la Casa de Austria*. I. *Historia y organización del Consejo y de la Casa de la Contratación de las Indias*. Junta de Castilla y León: Marcial Pons.

Schreffler, M.J. 2004. "'No Lord without Vassals, nor Vassals without a Lord': The Royal Palace and the shape of Kingly Power in Viceregal Mexico City". *Oxford Art Jounal*. 27, 2: pp. 155-171.

Solórzano Pereira, J. 1648. *Política Indiana*. V. Madrid.

Suárez, M. 2015. "Política imperial, presión fiscal y crisis política en el virreinato del Perú durante el gobierno del virrey conde de Castellar, 1674-1678". *Histórica*. Vol.39, Nº2: pp: 51-87.

Suárez, M. 2017a. "Beneméritos, criados y allegados durante el gobierno del virrey conde de Castellar: ¿el fin de la administración de los parientes?". Ed. Suárez, M. *Parientes, criados y allegados: los vínculos personales en el mundo virreinal peruano*. Lima: Pontificia Universidad Católica del Perú.

Suárez, M. 2017b. "Presión fiscal y crisis política: La destitución del virrey conde de Castellar, 1674-1678". (Dirs.) Martínez Millán, J., Labrador Arroyo, F., Valido-Viegas de Paula-Soares, F.M. *¿Decadencia o Reconfiguración? Las Monarquías de España y Portugal en el cambio de siglo (1640-1724)*. Madrid: Polifemo, pp. 339-350.

Valladares, R. 2011. "Juristas por el rey: Felipe IV y la reivindicación de sus dominios, 1640-1665". (Coord.) Marcos Martín, A. *Hacer historia desde Simancas: homenaje a José Luis Rodríguez de Diego*. Valladolid: Junta de Castilla y León: pp. 787-814.

Vargas Ugarte. R. 1971. *Historia General del Perú*. Virreinato, III, Lima.

Villarroel, G. 1738. *Gobierno Eclesiastico-Pacifico y Union de los dos Cuchillos Pontificio y Regio*. Madrid.

Prácticas del Poder en el Perú virreinal (siglo XVII): espacios, gestos y objetos como recreación singular de la monarquía hispana

Patricio Zamora Navia
Universidad de Valparaíso, Chile

En 1534 fue sellada la conquista del Tahuantinsuyo con el arribo de Francisco Pizarro y sus conquistadores a la ciudad del Cuzco, hecho que inauguró un largo proceso de mestizaje e *hibridismo cultural* (García Canclini, 1989; Burke, 2010)[1] que, entre otras cosas, formó el modelo político de la Gobernación de Nueva Castilla, que luego se convertiría en el virreinato del Perú.

El virreinato del Perú se enmarca en el "orden universal" que constituye uno de los grandes ideales de la monarquía hispana al despuntar el siglo XVII. Convengamos que su figura institucional es difusa y así también los límites de su poder. Tal vez por esto, la historiografía ha gravitado pendularmente en relación con el verdadero rol del virrey y el virreinato en la sociedad moderna americana (Rivero, 2011: 17).

Es evidente que el virrey como autoridad delegada, representó una ficción política y jurídica asociada a una larga tradición catalana del siglo XIV. Los reinos cristianos hispánicos definían su estatus político como cuerpos integrados por diversos miembros. Las facultades del virrey no pueden considerarse estáticas ya que no pocas veces se expandieron en sintonía con el crecimiento del territorio y del poder de los reinos donde encarnaba la vice -soberanía. El lenguaje político[2] (Skinner, 2002: I, 3) permitió ese dinamismo desde las teorías agustinianas de los

[1] A partir de una tradición anterior que incluye teorías de Batjin, Lévi Strauss y Geertz, Peter Burke plantea el concepto de *hibridismo cultural* en términos de los encuentros culturales y de la cultura concebida como *bricolaje*. Es decir plantea una suerte de "epistemología polifónica" que incorpora múltiples tradiciones disciplinares para articular una historia global de la cultura.

[2] Por lenguaje político entendemos no sólo los enunciados o terminologías jurídico-políticas, si no que todo el plano sobre el teoriza Quentin Skinner en el sentido de comprender el mundo político desde las teorías y las prácticas efectivas.

"reinos paralelos" (Gilson, 1952), la figura de los "dos cuerpos del rey" (Kantorowicz, 1985), además de una idea de poder fuertemente asociada a las ficciones jurídicas (Thomas, 1999 y 2021).

Hasta cierto punto y siguiendo las lecturas políticas de los autores precedentes, proponemos que el Perú virreinal fue el escenario de una reelaboración del paradigma real hispano, pero no como una mera "caja de resonancia" o espacio cultural colonizado, si no como un espacio donde una comunidad cultural utilizó "re-significadamente" el modelo de poder hispano. Así, el espacio (palacio virreinal), los gestos (los ceremoniales virreinales) y los objetos (como el sello real) constituyeron hasta cierto punto una recreación del orden político-jurisdiccional a través del poder "ficcionado" que latió en los engranajes del mando del siglo XVII.

Desde ya unas décadas, la figura del virrey ha sido estudiado y revalorado por la historiografía europea y americana. Se ha pensado el virreinato desde diversas perspectivas, así, desde los estudios de casos -gobiernos de virreyes en particular- (Lohmann Villena, 1946; Hanke, 1976-1978/ 1978-1980, Latasa, 1997; Merluzzi, 2014), también desde el nivel del entorno del virrey, sus relaciones con las elites y la definición del espacio político (Rivero, 2011; Cardim y Palos, 2012; Cardim et Al., 2012; Cantù, 2008; Büschges, 2012; Cañeque, 2004; Latasa, 2004), el clientelismo también encontró ciudadanía en los estudios virreinales (Cañeque, 2005; Latasa, 2012; Suárez, 2017, Villarreal Brasca, 2018), la puesta en escena del poder o su teatralización ceremonial forma parte de las últimas tendencias de estudio del mundo virreinal (Osorio, 2008; Cañeque, 2004).

Pensar el modelo de poder virreinal peruano, entendido como una recreación del paradigma hispano, exige incorporar a esta idea el patrón cultural cortesano que definía las economías de poder en Europa y luego en América. Tal como la Corte de Madrid, el virreinato del Perú diseña su administración en base a la orgánica de la corte hispana. La influencia que tuvo la corte en la conformación de una cultura propia americana que organizará a los grupos sociales elevados fue muy gravitante. De hecho, permitió la creación de comportamiento, códigos y pautas de conducta que referían a la etiqueta como parte de la identidad social.

Espacios

Desde lejanos orígenes, la realeza germana -de donde procede la tradición real europea e hispana- aparecía depositada en el mismo titular del cargo, la persona del rey. El rey era el reino, ajeno a un territorio (Zamora, 2005). Con el tiempo y los naturales procesos de territorialización monárquica, ese mismo rey, gobernó y ejerció su mando a través de un entorno (*entourage*) que fue aumentando en miembros y espacios. Así nació la *corte* (Adamson, 1999; Angiolini, 1993; *La corte*, 1993). El entorno que creaba el rey exigió que éste definiera un espacio propio para la existencia de esa corte, así nació el Palacio Real.

A pesar de lo relevante de los palacios en la época moderna, no se contaba con muchos estudios que propusieran análisis novedosos de la mano de las ciencias auxiliares de la Historia. Hasta 1980, cuando Jonathan Brown y John Elliott publicaron un libro que será un referente metodológico insoslayable para los estudiosos de los "espacios del poder". Se trataba de la obra *Un palacio para el Rey. El buen retiro y la corte de Felipe IV* (1980). Aquí, los autores intentan una "Historia total", es decir, a partir de la aquitectura, el arte y los decorados, procuran reconstruir hábitos, estéticas y dinámicas sociales relativas al poder. Como sabemos, el Retiro se edificó desde 1630, al comienzo como una ampliación de las habitaciones reales contiguas a la Iglesia de San Jerónimo, pero terminó convertido en un gran espacio de jardines donde se desplegaba la magnificencia de un rey protector de las artes. El libro muestra a través de la vida del palacio, las penurias económicas que complicaron su término, las tensiones entre los actores de la corte que buscaban figuración y la consolidación de la propaganda como parte de la legitimación del poder[3].

América virreinal no estuvo al margen del palacio como parte de sus dinámicas del mando. El palacio del virrey es la presencia espacial del rey de España en América. La teatralidad del poder tendrá presencia en Lima en un palacio que ofrecerá un exterior austero y formal contrastado con un interior decorado con la identidad y los fastos de los virreyes de turno.

Debemos entender al palacio virreinal como un edificio que responde no sólo a una voluntad artística, sino que además a un contexto con fuerzas que pugnan en su modelamiento. El palacio virreinal encarna y proyecta un relato local y universal que supera su función administrativa y de residencia. Algunos autores han hablado del palacio como una *alter domus* (Rivero, 2011: 141) para el *alter ego*, o el rey que se hace presente por medio de esta ficción simbólica. El palacio virreinal se configura, así como una encarnación regia arquitectónica cu-

[3] El libro fue revisado, ampliado y reeditado en 2003, y en 2016, la editorial Taurus volvió a imprimirlo. Sin duda, estas reediciones responden a la vigencia de la obra. Además, Brown y Elliott consideraron que era necesaria una actualización, en especial en lo referente a la bibliografía.

yos huéspedes quedaban subordinados a la *domus regia* y por lo tanto sometidos a su autoridad.

Prácticamente no existen estudios sobre el palacio virreinal peruano. Probablemente, se debe a que la documentación para reconstruir su materialidad es escaza y dispersa. Crónicas, poemas laudatorios, cartas de relación, documentos de hacienda, informes de catástrofes y diarios de viaje son algunos de los vestigios que nos ofrecen una ventana hacia la magnificencia de estas edificaciones.

El palacio virreinal peruano tiene su origen en el solar que Francisco Pizarro destinó para fundar Nueva Castilla en 1535. El edificio se levantó cerca del río Rímac en lo que eran las tierras del curaca Taulichusco[4], la Ciudad de los Reyes, con el objetivo que fuera su residencia. Es de hacer notar que el conquistador se adjudicó cuatro solares contiguos al río probablemente por ser una zona fácil de defender de asonadas o refriegas con los otros conquistadores. En el sitio también se localizaba una huaca del ídolo del valle, los cronistas indican que en el Rímac había un ídolo que ofrecía oráculos. El inca Garcilaso de la Vega dice que el nombre Rímac se asocia a:

> "Un ídolo que en él hubo en figura de hombre, que hablaba y respondía, y porque hablaba, le llamaban el que habla, y también al valle donde estaba... este ídolo tuvieron los yungas en mucha veneración y también los incas después que ganaron aquel hermoso valle... tenía un templo suntuoso, aunque no tanto como el de Pachacamac... los españoles confunden el templo del Rímac con el de Pachacamac... el ídolo hablador estuvo en Rímac y no en Pachacamac" (Garcilaso de la Vega, 1960: 222 y 353)

Es difícil establecer una relación entre el sitio fundacional y la presencia de la huaca, pero no sería primera vez que asoma el sincretismo mágico-religioso en momentos de convulsión y caos. La restauración del orden pudo venir tanto de la piedad cristiana como de un culto natural que otorgaba fortuna en una tierra lejana e inhóspita.

La edificación original fue de adobe y diseñada según la tradición de Castilla. Dos grandes patios y generosos espacios destinados a la tropa y caballerizas. Tanto las cajas reales con los Quintos del Rey como el Ayuntamiento se localizaron en la casa de Pizarro. Según la crónica, existía una escalera lateral que conducía a las habitaciones del gobernador. El trazo de esta escalera y la higuera supuestamente sembrada por el conquistador, son los únicos vestigios que hoy

[4] Fue un curaca inca que administró parte del valle del río Rímac a mediados del siglo XVI.

quedan. Como es sabido, la casa de Pizarro fue asaltada por los Caballeros de la Capa el 26 de junio de 1541, dándole muerte.

Con el tiempo, el palacio virreinal se erigirá en disposiciones y plantas similares a las diseñadas por Pizarro frente a la Plaza Mayor de Lima. Desde el primer virrey del Perú, Blasco Núñez Vela, los distintos vicesoberanos irán enriqueciendo el interior del palacio con adornos, mobiliario y mejoras en su construcción. En 1569 el virrey Francisco de Toledo será el primero que realizará modificaciones radicales en la, a esas alturas, desdibujada casa de Pizarro.

A través de los años, existen algunas distinciones de los palacios virreinales americanos respecto de los europeos. Por ejemplo, las fachadas difieren, ya que en América no se orna el frontis con los escudos nobiliarios de los virreyes, otorgando toda la atención al escudo de la corona. Debemos entender que en Europa muchos virreyes desafiaban la autoridad real en la corte de Madrid. Prueba de esto es el palacio real de Nápoles donde el conde de Oñate y luego el VII conde de Lemos esculpen sus escudos en los costados y flanqueando el del rey Felipe III (Palos, 2010: 330-332).

Lo que sabemos de los espacios interiores del palacio virreinal no es mucho, pero destaca la Sala del Real Acuerdo. En ella cada nuevo virrey, en el marco de un detallado ceremonial donde la nota suprema la daba el *Te Deum* eclesiástico con sus campanadas, debía prestar juramento de su cargo frente a la imagen del rey[5].

No existen hasta el siglo XVIII, imágenes del interior del palacio del virrey, por lo que sólo las crónicas nos informan de los sitios virreinales y las ceremonias realizadas allí.

El cronista Bernabé Cobo y Peralta, S.J. (1582-1657), dejó noticias de sus recorridos por el Perú virreinal de principios del seiscientos. Sobre el palacio señaló:

> [...] es la mayor y más suntuosa casa de este reino, por su gran sitio y por lo mucho que todos los virreyes han ido ilustrándola con nuevos y costosos edificios, porque apenas ha habido virrey que no la haya acrecentado con algún cuarto o pieza insigne, con que ha llegado a la majestad que representa (Cobo, 1882: 56)

Los libros de inventarios también dan información del interior del palacio, el del palacio limeño de 1805 dice:

[5] La galería de retratos de los virreyes del Perú que albergó el palacio desde el siglo XVI, se exhibe en el Museo Nacional de Antropología e Historia de Lima.

> "Una gran sala de retratos estaba decorada con uno del Almirante (Cristobal Colón), dos de los Reyes de España (Carlos IV y María Luisa, y de todos los virreyes; seguía una antesala de corte, tapizada en raso oro y blanco, con dos grandes relojes en sus peanas y dieciséis sofás tapizados de damasco carmesí, completando la decoración de cuatro arañas, dos mesas rinconeras y seis cornucopias [...] (Orrego, 2013: 252)

El palacio virreinal cobra vida como espacio político cuando el entorno del vice soberano se despliega por él, intentando una figuración que le otorgue "nobleza" en este reino andino. La corte virreinal fue el espacio de relación simbólica entre la realeza hispana y la sociedad americana. También fue el ámbito donde transcurrió el proceso de transformación de los valores y el *habitus* de las élites.

Gestos

El virrey es quien da origen al espacio "cortesano virreinal", a través del entorno que se dibuja por su presencia, igual como ocurre con el rey hispano y los virreyes de la órbita europea. Sin embargo, el virrey peruano es diferente a sus pares, por ejemplo, a los de Nápoles o Sicilia (Raneo, 1634; Galasso, 2000; De Nardi, 2014: 55), que pertenecían a la alta nobleza peninsular. El virrey andino, en cambio, proviene de la nobleza media y pequeña. Además, es nombrado por seis años, es revocable, sometido a una visita al término de su mandato y depende del sueldo entregado por la Corona (en torno a 30.000 ducados), además de otros apoyos económicos como fondos para su viaje y el de su entorno privado (su familia, servidores, criados etc.), todo lo cual lo convierte en funcionario del monarca (Cantù, 2008: 294 y 295).

Esta "sociedad migrante", traslada el *ethos* nobiliario con el que va definiendo gradualmente la dinámica de la naciente corte virreinal. Esto propicia *circulaciones culturales*, por ejemplo, el traslado a América del concepto de nobleza propio del siglo XVI, el que vincula las armas con el humanismo y las letras. Sumado a esto, debemos constatar la "adopción del modelo señorial castellano por parte de la llamada "nobleza de la tierra" americana" (Latasa, 2005: 416). La circulación del sistema de valores hispánico otorgó identidad a la élite hispanoamericana, a través de la "adopción por parte de ésta del modelo aristocrático metropolitano" (Langue, 1998). Sumado a esto, los privilegios que eximían de cargas impositivas a las elites criollas afianzaron el concepto de "mentalidad señorial" en estos grupos.

El *capital cultural* de estos "nuevos nobles" americanos será el "honor". El valor del honor estará fuertemente vinculado con el concepto de "limpieza de sangre". Como vemos, el modelo hispano apareció vigorosamente en América, concediendo orgánica a los grupos más poderosos de su estructura social, tal como en España, donde el honor tuvo vital importancia.

Como ya hemos enunciado, el virrey llegaba a Perú con un gran *entourage*, formado por un gran séquito de parientes, criados y amigos, todo lo cual –guardando las proporciones– hacía de símil de una Casa señorial europea de orígenes medievales y nobiliarios. Dicho entorno virreinal se integraba por dos tipos miembros, los de su Casa y los funcionarios de la administración virreinal. Parte de la Casa virreinal eran: mayordomos, caballerizos, maestresalas, camareros, gentiles hombres, capellanes, médicos, músicos, pajes y lacayos. Si encima el vice-soberano venía con su esposa e hijos, ellos también reunían servidores propios como camareras, damas, meninos y ayos (Torres, 2006: 74).

Es evidente que no se puede comparar, ni en la magnitud, ni en el refinamiento de la etiqueta, a la Corte central madrileña con esta insipiente Corte virreinal, sin embargo, en lo que se refiere a las "dinámicas del poder", sí podemos decir que existió una suerte de "paradigma cortesano" que se implantó en Lima desde Madrid, y, tal como allá, terminó por articular las prácticas de poder de la monarquía en su permanente juego con las élites locales que se forman en todo el virreinato.

La documentación es escaza y esquiva a la hora de ofrecernos una sistematización de lo que fue la Casa virreinal peruana, tal y como existe, por ejemplo, en el caso de la Corte real hispana.

Lo más cercano a una sistematización de la Casa virreinal es, para el mundo novohispano, la obra del virrey-obispo Juan Palafox y Mendoza (1600-1659) (Latasa, 2001: 210), donde describe el ordenamiento de la casa virreinal y sus oficios; a pesar del valor de este texto, convengamos que se enmarca dentro del espacio virreinal mexicano. También las célebres *Instrucciones* (*Instrucción Montesclaros*: 679-688) dirigidas al marqués de Montesclaros por Pablo de Laguna, presidente del Consejo de Indias en los albores del siglo XVII, dan valiosa información sobre el funcionamiento doméstico de la corte virreinal novohispana. Según este texto, el virrey debía atender tres apartados al formar su casa (criados, ornato y comida), debía ser consciente de que desde el momento en que era nombrado ya no era sólo cabeza de su casa y familia sino de un espacio doméstico que se debía transformar en pro de emular la dignidad de una auténtica casa real. Así, la selección de los criados debía contemplar personajes adornados de virtudes semejantes a las que exige Castiglione para los cortesanos: lealtad, honradez, discreción, prudencia. El ornato constituía un segundo asunto que requería tomarse con cuidado, Laguna situaba en este apartado la estructura y composición de la casa, prestando atención a los diversos servicios pero sin nombrarlos, furrelería, guardarropía, caballeriza y otros, subrayando, por ejemplo, que se precisaban al menos cuatro coches (uno para el virrey, otro para la virreina, dos para criados y criadas) para cumplir con dignidad el papel representativo de persona real. También de forma muy laxa se refiere al número de personas a su servicio, cuatro esclavas negras, dos esclavos negros, ocho indios, dos lacayos españoles "pajes y gentileshombres y oficiales los que pareciere" y por último una guardia de alabarderos cuyo capitán recomienda sea hijo de algún señor local. El tercer apartado, la comida, se refiere al orden de la mesa haciendo alusión a la importancia que este menester tenía en la Corte virreinal de México. En el texto de Laguna, la importancia dada a las comidas nos presentan la casa virreinal como un espacio nutriente ("la comida en la Nueva España cuesta poco, y al virrey menos"), donde acuden a comer habitualmente los miembros de la alta sociedad, de modo que la mesa del virrey se configuraba cotidianamente como el vértice del orden político y social del reino, desplegándose con puntual disciplina por las estancias del palacio, la del virrey se situaba en una sala donde comía solo o con deudos muy cercanos o personas a las que hacía un honor particular, en la antesala se situaba una "mesa de estado" para deudos, amigos y personas de respeto, en el tinelo comían el mayordomo mayor, los oficiales mayores, los gentileshombres y pajes. Virreina, damas, dueñas y demás mujeres de la casa si bien no se dice nada específico se indica que también se ordenaban en un espacio paralelo de naturaleza femenina. Lamentablemente el tratado que el presidente dice haber redactado sobre "el oficio de mayordomo y demás oficiales" parece haberse perdido o quizá no llegase a escribirlo, lo que sí parece es que la costumbre o un sentido intuitivo del ceremonial asemejaba en lo público la figura del virrey y su casa con la del propio rey.

A pesar que para el caso peruano, no existen sistematizaciones como la de Palafox, es posible reconstruir el entorno cortesano a partir de fuentes de diversa índole.

La Casa virreinal se organizaba siguiendo una jerarquía de oficios, en orden de importancia estaban: el mayordomo mayor, el caballerizo mayor, el maestresala, el camarero, los gentiles hombres, y los criados menores: pajes, lacayos.

El Mayordomo mayor era la principal autoridad en la Casa virreinal. Su función era la administración económica del palacio y los demás criados debían rendir obediencia a este titular. Debía prever que las provisiones se adquirieran a su tiempo, supervisar la limpieza y puntualidad de la comida de toda la casa, pagar salarios y raciones puntualmente, llevar la contabilidad de la casa con rigor, garantizar que en la despensa y bodega hubiera lo necesario (Palafox 1671: 74-78). En este oficio de Corte no hay gran deferencia con lo que ocurría en la corte real de los Austrias, allí también era el cargo de mayor dignidad. El oficio de mayordomo mayor se ocupó de la jefatura de la Casa Real desde los inicios del reinado de Carlos V, como forma de coordinar las distintas casas mediante una jefatura unificada (algo que se afirmó en la casa principesca de Felipe II). Ya la tradición castellana le había otorgado este papel desde, al menos, el reinado de Alfonso X, lo que se plasmaba en la 2° Partida. Dicha circunstancia le dotó de un gran honor, que fue convenientemente exhibido por el propio mayordomo mayor y varios defensores de su oficio en los siglos posteriores.

El Caballerizo mayor de la Casa del virrey estaba a cargo del cuidado de los caballos y las mulas, era un oficio de gran dignidad ya que se asociaba con la administración y el transporte del virrey y su corte. Misma dignidad ostentaba este oficio en la Casa real castellana, donde el caballerizo mandaba sobre sus pares, picadores y demás oficiales en lo que atañía al servicio del monarca y además tenía jurisdicción sobre los reyes de armas, maceros y tañedores de vihuelas de arcos. Por último, quedaban a su cargo los pajes. Aparte de estas labores *administrativas* y de gobierno, el caballerizo mayor organizaba las jornadas del monarca y el estado de los carruajes. Los privilegios del caballerizo mayor en el virreinato eran poder habitar en el palacio y acompañar al virrey en sus viajes, cuando estaba, eso sí, el secretario de la gobernación (Latasa, 2001: 218). Igualmente, el caballerizo de la Corte madrileña disponía de aposento dentro de palacio, con una cama en él para un criado, merced que se completaba con la de recibir una llave de la cámara del rey.

El Camarero del virrey tenía por obligación atender los aposentos del gobernante, aquí lo asistía y vestía, por lo permanecía siempre cerca de su persona. La Cámara fue la sección más restringida y personal del rey en todas las Casas Reales de las Monarquías europeas. Durante la Edad Media, la cámara comprendía, tanto a los servidores personales del monarca como aquellos personajes nobles que, valiéndose de la amistad y trato diario con el rey, le asesoraban en sus decisiones políticas y nombramientos para desempeñar cargos en el reino, mantenía por ello un halo de "intimidad".

Otro oficio era el de Capitán de Sala de Armas, quien debía administrar la bodega de municiones localizada en el palacio virreinal y cuyo fin era armar a los vecinos frente a alguna urgencia bélica. León Portocarrero en su descripción del palacio virreinal, precisa la información sobre esta sala:

En frente de las Cajas Reales está la puerta a la parte de occidente, por donde se entra en este patio; en esta esquina de palacio que sale a la plaza y corresponde con las salas de cabildo, en esta esquina está la Casa de Armas, que se tiene allí para armar la gente de la ciudad cuando fuere menester tomar armas, y hay toda suertes de armas [...] (Portocarrero, 1615: 20).

La Compañía de Gentileshombres Lanzas y Arcabuces, integraron una verdadera guardia del palacio virreinal. En la tradición de la casa real hispana, se hablaba de Gentileshombres de la Casa, cuya función era servir en tiempo de guerra con tres caballos, siguiendo al estandarte de su majestad y residir en la Corte. En tiempos de Felipe III y Felipe IV se reafirmó este cargo, lo que demuestra su importancia. En 1619, en plena preparación del viaje a Portugal el Mayordomo mayor ordenó que se hiciese un listado con los que estaban presentes en la Corte, lo que arrojó la cifra de quince Gentileshombres de la Casa. Posteriormente, solicitaría el pago de sus atrasos, con el fin de que contasen con fondos para emprender la jornada, lo que generó una discusión con el presidente de Hacienda, el conde de Salazar. Aparte de sus funciones y obligaciones, el oficio cumplía una importante labor como medio de recompensar los servicios de personas notables del reino e integrar a determinadas elites urbanas, especialmente de regidores. En el caso del virreinato peruano, los Gentileshombres Lanzas y Arcabuces, se integraron al servicio de la Casa virreinal en el gobierno del virrey Hurtado de Mendoza, marqués de Cañete, siendo ciento setenta funcionarios (Lohmann, 1956: 141). Dentro de esta compañía existió un alto cargo, el de Capitán de los Gentileshombres lanzas y arcabuces, el que a su vez nombraba a su teniente: "*El bisorrey nombra capitán de su guardia, el mayor amigo y privado que tiene, y el capitán nombra su teniente*" (Portocarrero, 1615: 20). Este oficio debía entregarse al hijo de una persona ilustre del entorno virreinal –hijos y descendientes de los descubridores y pobladores más antiguos, de preferencia sin encomiendas–, no obstante, el virrey terminó nombrando a su antojo y dentro de su círculo más cercano a los capitanes. Con el tiempo sólo criollos ocuparon esta dignidad, hasta el gobierno del príncipe de Esquilache, cuando la compañía fue disuelta legalmente. Lo interesante es que, en la práctica, sus miembros siguieron existiendo durante el siglo XVII, ya que prefirieron no cobrar sus pagos, pero no perder su estatus social y privilegios (Torres, 2006 :80). Esto último, confirma que las mentalidades seguían siendo señoriales y nobiliarias, toda vez que esta sociedad basa sus cuotas de poder en el honor y el prestigio que otorga un cargo que contiene simbólicamente una parte del poder doméstico que irradia de la casa del rey.

Finalmente, quienes complementaron la "Corte de palacio", fueron los funcionarios. Asesores, secretarios, juristas e intelectuales entre otros; los que enlazaban el gobierno de palacio con los demás organismos de la administración virreinal. A través de estos entramados, el virrey ejercía su mando y se comunicaba con la elite, distribuyendo su poder por medio de nombramientos y mercedes. Igual que con el rey en la Corte de Madrid, para acceder al virrey en la Corte de Lima, se debían utilizar todas las argucias posibles para contactar con sus consejeros más cercanos, con el corazón de la Corte. El cargo más importante de la cancillería cortesana era de secretario de la Gobernación (también llamado Escribano mayor de la Gobernación), sin embargo, muchas veces, el oficio cortesano doméstico de Secretario de Cámara cumplió las mismas funciones.

Objetos[6]

Poder y cosa, o la cosificación de mando se remonta a tiempos preternaturales, cuando la materialidad constituía el relato político y la legitimidad de quien detentaba el gobierno (García Pelayo, 1969). A esa realidad la tradición jurídica ha llamado "ficción". De significado volátil, es un concepto que representa una realidad creada a partir de la operación jurídica. Así, la ficción se vincula con la acción de modelar lo fáctico. De hecho, es posible afirmar que todos aquellos elementos que se han introducido en la cultura con el objetivo de regular las conductas y comportamientos humanos están mediatizados por ficciones (Zamora, 2022). En este sentido, la ficción aparece como un dispositivo (Foucault, 1992; Deleuze, 1990; Agamben, 2011).

El ámbito donde operan las ficciones como dispositivo, es en la forma de gobierno "a distancia" que llevó a cabo la Monarquía Hispánica y no sólo en

[6] Este apartado y el tercero fueron hechos con la colaboración de la profesora Antonieta Gómez Ghisolfo (Magistranda de la PUCV) a quien agradecemos su valioso aporte.

América. En especial, en el ejercicio de fidelización de los "cortesanos" donde las ficciones fueron activadas por el rey para afianzar una imagen estética sólida de sí mismo, para que circulara por todas partes como una forma de representación desde lo pseudo material de su figura, hasta el tratamiento de 'parientes' de los miembros de su Corte, apelando a este vínculo sanguíneo inexistente para asegurarse del actuar recto de los sujetos en cuestión (Zamora, 2022).

Probablemente el objeto que mejor representa al poder ficcionado y que contó con un gran alcance operativo en la gobernanza a distancia es el sello real. El sello nació junto con la escritura y buscó como ésta, consignar una realidad en una superficie. Esa realidad estará muchas veces vinculada con el ejercicio del poder y las ficciones que éste crea para extender su autoridad.

Los sellos de plomo definían el gobierno a la distancia a través de la jurisdicción. El objeto en sí era un duplicado del sello de plata, que estaba en Ciudad Real y ese era el que se enviaba hacia distintos lugares con el objetivo de materializar al rey en su ausencia. La creación de un nuevo sello procedía directamente del rey, que, a través de un Canciller, Oidor o algún otro miembro de la Audiencia, ordenaba la reproducción a un platero de la corte, el cual, una vez hecho, debía entregarlo de vuelta al Canciller, previa autorización del soberano (Zamora, 2022). Junto con esto se expedía una cédula real destinada a las autoridades a fin de que lo custodiaran y llevaran hasta la Casa de Contratación correspondiente para llevarlo luego a la Audiencia (Gómez, 2008: 59 y ss.). El sello salía de España en completo secreto, bajo estrictas medidas de control y se preparaba a su llegada un recibimiento ceremonial y propagandístico digno de la magnificencia regia (Gómez, 2014: 17-45).

El primer sello que llega a América, lo hizo con Cristóbal Colón. Se usó en la Audiencia de Santo Domingo y era un duplicado del sello mayor que se encontraba en la Corte de Castilla. Era un sello para usar placado, sobre cera y papel, al pie o al dorso de los documentos. No obstante, al poco tiempo se creó uno nuevo diferente que incluía en su leyenda la palabra "Indias", cuya función no sólo era legitimar el nombre del rey en los documentos expedidos, sino que, con aún más ahínco, debía representar la figura del monarca para incentivar y estimular en estas tierras lejanas el proceso de construcción de identidad territorial y gubernamental (Gómez, 2012: 377). En 1528, en Indias, debía haber al menos tres duplicados del Sello Mayor; uno en el Consejo de Santo Domingo, uno en la Audiencia del mismo lugar y otro en México. Diez años más tarde se abriría uno nuevo para Panamá y en 1581 se incluiría en el diseño heráldico del sello para Portugal las propias armas del lugar. En 1598, Felipe III ordenó fabricar diez nuevos sellos de plata -la entronización de un nuevo rey requería envío de nuevos sellos, con diferentes leyendas y motivos-; uno para cada Audiencia de Indias: Santo Domingo, México, Lima, Panamá, Confines de Guatemala, Nueva Galicia, Charcas, Quito y Chile y uno para el Consejo de Indias, cuyo presidente gestionó la distribución de cada uno de los sellos ya mencionados (Gómez, 2015).

El poder cosificado representado en el sello real se encuadró en la representación del mando y de las jerarquías que se ponían en escena en los ceremoniales del virreinato peruano. Estos ritos -estudiados en todas las monarquías, sobretodo en el ámbito de las coronaciones (Bak, 1990)- tienen la importancia de dar cuenta del orden social y de los poderes que sostenían un sistema político y la ideología que lo nutría. Hubo dos ceremonias muy relevantes en el virreinato, una era la entrada del virrey a Lima (Osorio, 2006 y 2004) y otra, la de la "entrada" del sello real, simbólicamente equiparable con la de la real persona a partir de la ficción jurídica.

En el caso de la primera ceremonia, convengamos que el ritual peruano se remonta al modelo de los Austrias. La etiqueta se comportó en el Perú virreinal -igual que en Europa- como un *perpetuum mobile*[7]. Vemos que tempranamente comienza a ser diseñada por el virrey Andrés Hurtado de Mendoza (1556-1560), con parcial efectividad; luego, Diego López de Zúñiga, conde de Nieva (1561-1564) lo reformó, engrandeciéndolo y fundando las reglamentaciones para una primera *etiqueta* (Vargas Ugarte, 1966: 106). Es de hacer notar que este orden ceremonial nació de forma autónoma a la metrópolis, al menos eso se desprende del texto de la *Instrucción* fechada en Valladolid el 12 de junio de 1559 al virrey conde de Nieva:

"Y porque estamos informados que el marqués de Cañete, después que está en

[7] Concepto utilizado por Norbert Elias para quien: "etiqueta y el ceremonial se convirtieron [...] cada vez más en un fantástico perpetuum mobile, que, en virtud de ser totalmente independiente de cualquier valor útil inmediato, siguió existiendo y estando en movimiento, pues lo impulsaba hacia delante un motor infatigable: la competencia por las oportunidades de status y de poder que tenían los allí involucrados en su relación recíproca, así como frente a los excluidos, y su necesidad de prestigio netamente escalonado. En última instancia, no cabe ninguna duda de que este deber luchar por las continuamente amenazadas oportunidades de poder, status y prestigio era el factor dominante, en virtud del cual, en esta estructura de poder dividida jerárquicamente, todos los participantes se condenaban recíprocamente al ejercicio de un ceremonial que se había hecho una carga. Ninguna de las personas que constituían la configuración tenía la posibilidad de poner en camino una reforma de la tradición. Todo intento de reforma, aún el más pequeño, de un cambio del precario sistema de tensiones traía consigo ineludiblemente una sacudida y una disminución o incluso una derogación de ciertos privilegios y prerrogativas de personas y familias concretas" (Elias, 1969: 118).

aquella con oficio de virrey, ha hecho diferentes ceremonias de las que hizo Don Antonio de Mendoza, que fue virrey de ella, y ha puesto nuevos estilos, así en su asiento en los estrados como su asiento de los oidores; y otras cosas sin tener atención en nada en lo que dicho Don Antonio hacía. Y porque está bien que se guarde en dichas ceremonias y estilo la que hacía Don Antonio de Mendoza, os encargo que tengáis advertencia de ello, para hacerlo cumplir así, sin tener atención a lo que el marqués de Cañete ha hecho" (Hanke, 1978-1980: I, 61).

La sistematización del ceremonial virreinal, se afianzó en 1629 y tuvo una réplica -al menos en los documentos- en 1747[8]. Esto le da sentido a la teoría de Elias, respecto de la continuidad de las etiquetas como expresión de un poder "contínuo" y un modelo performativo que representa las economías del mando en el cuerpo social.

El recibimiento del sello real constituía la segunda ceremonia de "institución de poder" regio a la distancia. Efectivamente, el sello encarnaba a la real persona y la entrada de los cuños en la ciudad, destinados a los oficios de la Audiencia creaba el ámbito de la "escena del poder", donde comparecían: los dignatarios del Gierno, la magistratura y el municipio, representados por el virrey o gobernador general, la Audiencia y el cabildo, y los hidalgos y gremios. El rito de recibimiento del sello buscaba representar una suerte de transubstanciación política del Rey en su cuño.

La recepción del sello real debutó el día 1 de julio de 1544 en la ciudad de Lima donde participaron el Cabildo, la Audiencia y el Virrey Nuñez Vela. Nicolás de Grado, escribano del Cabildo, nos dice en el acta respectiva que:

Siendo Virrey el dicho Blasco Núñez de Bela, que salió con la Real Audiencia y Caballeros de esta Ciudad con Trompetas y Atavales a recibir el sello, más adelante del Río como un tiro de Arcabuz, y allí que en presencia de todos mandó el Virrey un cofre timbrado pequeño, y se saco un Sello de Plata redondo impresas en el las Armas Reales de Su Majestad y se mostró a la gente que allí estaban haciendo todo el acatamiento y reverencia debida y se volvió a poner dicho cofre, y fue luego puesto por el Virrey y los Oidores en un caballo ensillado con Silla y Guarniciones de Terciopelo negro con clavazón dorado y una Gualdrapa de Raso Carmesí Bordadas, y encima de la silla del cofre cubierto con una vandera de dámaso carmesí, bordadas allí las Armas Reales y acompañándole la gente a caballo y a pie, y el Virrey detrás con dos Maceros junto al Sello Real con sus

[8] Ambas sistematizaciones se encuentran en el Manuscrito 3079 de la Biblioteca Nacional de Madrid.

Masas de Plata, lo llevaron hasta la entrada de la ciudad donde estaba hecho un Arco de madera bien aderezado con Tarjas y Gerogríficos de algunas Poesías y allí fue recibido de Cabildo y Regimiento de esta ciudad todos vestidos de Togas o Ropas. Talares de Damasco y Raso Carmesí y por el dicho Virrey fue mandado a los Alcaldes que tomasen de la rienda del caballo, como lo hicieron, y seis Regidores las varas de Palio, debajo del cual llevaron dicho Sello a Palacio, donde fue quitado el Cofre por el Virrey y oidores, los cuales los entregaron a los Alcaldes para que lo subiesen a la Sala del Virrey, como lo hicieron donde lo dejaron debajo del Dosel (Fuentes, 1859: 119 y 120)

El rol del virrey Núñez de Vela en este momento era hacer cumplir las Nuevas Leyes de 1542, dadas por la Corona que mermaban dramáticamente las prerrogativas de los conquistadores y encomenderos. De ahí lo relevante del ceremonial y su asociación con el poder legítimo que sólo emana de la Corona.

Todo este ceremonial viene a confirmar la idea de proyección que desarrolló la Corona en las ficciones del poder que utilizó en sus reinos. El detalle de la ceremonia (Ramírez, 2017) contemplaba un diseño que incluía dos escenarios (fiesta abierta a la calle) y actos privados en las Casas Reales. Como relata el documento citdao, el sello era recibido por el virrey, los oficiales reales y los miembros del cabildo de la ciudad, en presencia de muchos vecinos ubicados según jerarquía. Por orden del mismo vicesoberano se abría un cofre donde se estaba la matriz del sello, revelándose a los asistentes para que respondieran con la debida reverencia, luego volvía al cofre, donde permanecería durante todo el recorrido hasta llegar a las casas de la Audiencia. Algunos (Valenzuela, 1999) han visto en el ocultamiento del sello un paralelo con la tradición de los reinos hispanos que cultivaron la imagen de poder con las del "rey oculto" y "exhibido" (Ruiz, 1985) como parte de un esquema simbólico de "transustanciación" en donde se le asigna a la puesta en escena un carácter "constitutivo" de la persona regia. Creemos que el asunto es menos intrincado y responde más bien a una costumbre hispana que por inercia se repite en las américas, pero es difícil juzgar intenciones sobre todo si ellas son de tan compleja elaboración.

Luego de las honras al sello, montaban el cofre que lo contenía en un caballo vestido para la ocasión y cubierto con una bandera carmesí con las armas reales . Así, el sello se ponía en dirección a la ciudad, en cuya entrada se instaló un arco triunfal de madera, allí, fue recibido por los miembros del concejo limeño, todos ellos ataviados con ricas vestiduras de damasco y raso carmesí. Ya en la ciudad, el virrey mandó a los alcaldes tomar las riendas del caballo que portaba al sello, para que lo introdujesen bajo un palio de raso carmesí con las armas reales, cuyas varas serían portadas por los regidores (Ramírez, 2017).

Finalmente, las máximas autoridades, desde el virrey, tomaron asiento en los estrados altos, quedando más abajo los oficiales del rey junto a algunos letrados y caballeros de gran valía. Luego subió el canciller el sello real a los estrados más altos, donde todas estas autoridades de pie y con los sombreros en las manos fueron besando el sello, dando cuenta la veneración y respeto que la persona del monarca debía recibir (Ramírez, 2017). Por último, se dejó el sello en una silla cubierta con un paño de brocado, ubicada entre el virrey y los oidores, quienes juraron sus cargos ante él.

Así, en esta escena ceremonial que nos evoca el concepto de "teatrocracia" (Balandier, 1980) se instituyó la Audiencia de Lima, con la presencia ficcionada del monarca en el objeto-poder que definió el sagrado cuño.

Conclusiones

En el presente recorrido argumental, nos asiste la convicción que el estudio de los espacios, gestos y objetos en la constitución del gobierno hispano en la distancia son claves para comprender la forma particular como se recreó un paradigma cultural de gobierno que incorporó el modelo cortesano y adninistrativo hispano en el virreinato del Perú.

No se trató de una implantación mecánica -"colonial"-, impuesta a la fuerza, si no de una extensión de la modernidad hispana -con una fuerte raíz medieval- en la construcción del virreinato.

El virreinato, como modelo político dinámico, integró este diseño de gobierno, adaptándolo a su propia realidad. Es decir, imitó, se apropió y moldeó un estilo propio de reino a la distancia, utilizando los recursos de la legitimación y comunicación del poder de la tradición de origen.

Asimismo, esta forma de "gobierno a la distancia" se enmarcó en el gran proyecto de la monarquía hispana, siguió su modelo cultural, su mecánica de poder; no obstante, estableciendo una impronta singular, propia de su particular idiosincrasia.

Cuando oponemos el modelo real hispano con el virreinal peruano, no pretendemos afirmar que son lo mismo, sino que proceden con la misma lógica, las mismas economías de poder, los mismos tipos de distribución. En esto, obviamente, tal como el teatro, cambian personajes y actores, no así el formato del guión que anima el espectáculo. De allí que sea la denominación *Theatrum Mundi* la que aparece representando a la Monarquía Hispana en los imaginarios del mundo moderno. El virreinato administra el poder bajo la lógica de las cortes europeas. Las pautas sociales de comportamiento cortesano se generaron y evolucionaron en un espacio de competencia de los diferentes cuerpos e instituciones para conservar, incrementar, representar y transformar las relaciones de poder.

El virrey dio origen al espacio cortesano virreinal, por medio del entorno que genera su presencia y permitió la existencia de unos ceremoniales que -desde las entradas de virreyes hasta el poder cosificado en el sello real- recrearon la presencia del rey en unas verdaderas liturgias políticas donde la ficción jurídica encarnó los espacios, los gestos y los objetos del poder.

Fuentes primarias

Instrucción dada al Marqués de Montesclaros. BNM, Ms. 3207, fs. 679-688.

Raneo, J. 1634. *Libro donde se trata de los Virreyes, Lugartenientes de este Reyno, y de las cosas tocantes a su grandeza*. BNM, Ms. 2979.

Referencias citadas

Adamson, J. (ed.). 1999. *The Princely Courts of Europe. Ritual, Politics and Culture Under the Ancien Régime 1500-1750*. London: Seven Dials.

Agamben, G. 2011. "¿Qué es un dispositivo?". En: *Sociológica*, año 26, N° 73, pp. 249-264.

Angiolini, F. 1993. "La corte". En: Heinz-Gerhard (A Cura di), *Luoghi quotidiani nella Storia d'Europa*. Bari: Ed. Laterza.

AA.VV. 1998. *La corte: centro e imagen del poder. Congreso Internacional Las sociedades ibéricas y el mar a finales del siglo XVI*. 5 vols. Lisboa: Sociedad Estatal para la Conmemoración de los Centenarios de Felipe II y Carlos V.

Bak, J. (ed.). 1990. *Coronations: medieval and early modern monarchic ritual*. Berkeley: University of California Press.

Balandier, G. 1980. *Le pouvoir sur scènes*. Paris: Balland.

Burke, P. 2010. *Hibridismo cultural*. Madrid: Ediciones Akal.

Büschges, Ch. 2012. "La corte virreinal como espacio político: el gobierno de los virreyes de la América hispánica entre monarquía, elites locales y casa nobiliaria". En: Cardim y Palos (eds.). 2012. *El mundo de los virreyes en las monarquías de España y Portugal.* Madrid: Iberoamericana-Vervuert, pp. 319-342.

Cantú, F. (ed.). 2008. *Las cortes virreinales de la monarquía española: América e Italia.* Roma: Viella.

Cañeque, A. 2004. *The King's live image: The Culture and Politics of Viceregal Power in Colonial Mexico.* New York: Routledge.

Cañeque, A. 2005. "De parientes, criados y gracias. Cultura del don y poder en el México colonial". En: *Histórica*, XXIX-I, pp. 7-42.

Cardim y Palos (eds.). 2012. *El mundo de los virreyes en las monarquías de España y Portugal.* Madrid: Iberoamericana-Vervuert.

Cardim et Alt. 2012. *Polycentric Monarchies: How Did Early Modern Spain and Portugal Achieve and Maintain a Global Hegemony.* Brighton: Sussex Academic Press.

Cobo, B. 1882. *Historia de la fundación de Lima.* Lima: Imprenta Liberal.

De Nardi, L. 2014. "Los virreinatos de Sicilia y Perú en el siglo XVII: Apuntes sobre una comparación en el marco de la historia global de dos realidades solo geográficamente lejanas". En: *Estudios Políticos*, 45, pp. 55-75.

Deleuze, G. 1990. "¿Qué es un dispositivo?". En: *Michel Foucault, filósofo.* Barcelona: Gedisa, 155 y ss.

Foucault, M. 1992. *Microfísica del poder.* Buenos Aires: Editorial La Piqueta.

Fuentes, M. 1859. *Estadística General de Lima.* Lima.

Galasso, G. 2000. *En la periferia del Imperio. La Monarquía Hispánica y el Reino de Nápoles.* Barcelona: Eds. Península.

García Canclini, N. 1989. *Culturas híbridas: Estrategias para entrar y salir de la modernidad.* México: Grijalbo.

García-Pelayo, M. 1969. *Del Mito y de la Razón en el Pensamiento Político.* Madrid: Revista de Occidente.

Gilson, E. 1952. *Les métamorphoses de la cité de Dieu.* Lovain: P.U.

Gloël, Matthias & Morong, Germán. 2019. "Los «cursus honorum» virreinales en la monarquía de los Austrias". En: *Hipogrifo. Revista de literatura y cultura del Siglo de Oro.* 7 (2), pp. 769-797.

Gómez, M. 2012. "El sello real en el gobierno de las Indias: funciones documentales y representativas". En: Galende, J. (coord..). *De sellos y blasones: miscelánea científica.* Madrid: Universidad Complutense.

Gómez, M. 2015. "El documento y el sello regio en Indias: su uso como estrategia de poder". En: *Documenta & Instrumenta*, 13, 89-105.

Gómez, M. 2008. *El sello y registro de Indias: imagen y representación.* Colonia: Böhlau Verlag Köln Wiemar Wien.

Gómez, M. 2009. "La ciudad como emblema: ceremonias de recepción del sello real en las Indias". En: García y Guidobono (coords.). *El municipio indiano. Relaciones interétnicas, económicas y sociales*. Sevilla: Universidad de Sevilla.

Gómez, M. 2014. "La Cancillería Real en la Audiencia de Santo Domingo. Uso y posesión del sello y el registro en el siglo XVI". En: *Revista de Humanidades Universidad de Sevilla,* No. 22, 17-45.

Garcilaso de la Vega, I. 1960. *Comentarios reales de los Incas*. Lima: Universidad Nacional Mayor de San Marcos.

Hanke, L. 1976-1978. *Los virreyes españoles en América durante el gobierno de la Casa de Austria.* México/Madrid: Atlas. 5 vols.

Hanke, L. (ed.). 1978-1980. *Los virreyes españoles en América durante el gobierno de la Casa de Austria: Perú*, 7 vols. México D.F: BAE.

Kantorowicz. E. 1985. *Los dos cuerpos del rey. Estudio de Teología Política Medieval.* Madrid: Alianza Editorial.

Langue, F. 1998. "Prácticas de espejo: estructura, estrategias y representaciones de la nobleza en la Nueva España". En: *Poder y desviaciones: génesis de una sociedad mestiza en Mesoamérica.* Madrid: Ed. Siglo XXI.

Latasa. P. 2004. "*La corte virreinal peruana: perspectivas de análisis (siglos XVI y XVII)*". En: Barrios, F. *El gobierno de un mundo: virreinatos y audiencias en la América hispánica (pp.341-374).* Madrid: Ediciones de la Universidad de Castilla-La Mancha.

Latasa, 2001. "La casa del obispo-virrey Palafox: familia y patronazgo. Un análisis comparativo con la corte virreinal hispanoamérica". En: *Palafox: Iglesia, Cultura y Estado en el siglo XVII*, Fernández, G. (Coord.). Pamplona: Universidad de Navarra, Eurograf, pp. 210-228.

Latasa, P. 1997. *Administración virreinal en el Perú: gobierno del marqués de Montesclaros (1607-1615).* Madrid: Editorial CE. Ramón Areces.

Latasa, P. 2012. "Poder y favor en la corte virreinal del Perú: los criados del marqués de Montesclaros (1607- 1615)", *Histórica*, XXXVI-2, pp. 49-84.

Lohmann, G. 1956. "La Compañía de Gentiles Hombres, Lanzas y Arcabuces del Perú". En: *Anuario de Estudios Americanos*, 13. Sevilla, pp. 141-215.

Lohmann, G. 2008. "La ciudad de Lima, Corte del Perú. ¿Idealización o ralidad?". En: Cantù, F. (Ed.). *Las cortes virreinales de la monarquía española: América e Italia.* Roma: Viella, pp. 493 y ss.

Lohmann, G. 1946. *El conde de Lemos, virrey del Perú.* Madrid: Artes Gráficas.

Merluzzi, M. 2014. *Gobernando los Andes. Francisco de Toledo virrey del Perú (1569-1581).* Lima: Fondo Editorial PUCP, Colección Estudios Andinos.

Osorio, A. 2004. "El Rey en Lima. El simulacro real y el ejercicio del poder en la Lima del diecisiete". En: *IEP/Documento de Trabajo.* Lima.

Osorio, A. 2006. "La entrada del Virrey y el ejercicio del poder en la Lima del siglo XVII. En: *Historia Mexicana*, LV, 3. México D.F.

Osorio, A. 2008. *Inventing Lima: Baroque Modernity in Peru's South Sea Metropolis*. New York: Palgrave Macmillan.

Orrego, JL. 2013. *Lima I. El corazón de la ciudad*. Lima: Aguilar.

Palafox, J. 1671. "Direcciones pastorales o instrucción de la forma con que se ha de gobernar el Prelado en orden a Dios, a sí mismo, a su familia y subditos". En: González A. *Vida del llustrísimo y Excelentísimo Señor Don Juan de Palafox y Mendoza*. Madrid.

Palos, J-LL. 2010. *La mirada italiana. Un relato visual del imperio español en la corte de sus virreyes en Nápoles (1600-1700)*. Valencia: Universidad de Valencia.

Périssat, K. 2000. "Las representaciones del espacio americano en las fiestas limeñas de la época colonial". En: Criticón, 78, pp. 29-43.

Portocarrero, P. 1615. *Descripción del Virreinato del Perú*, Edición bilingüe y prólogo de Eduardo Huarag Álvarez. Lima: Editorial Universitaria, 2009.

Ramírez, J. 2017. "Mecanismos de persuasión del poder regio en indias: el recibimiento del sello real en la real audiencia y chancillería de Lima". En: *Nuevo Mundo Mundos Nuevos*. http://journals.openedition.org/nuevomundo/71568

Ramírez, J. 2020. *El sello real en el Perú colonial: poder y representación en la distancia*. Sevilla: Ed. Universidad de Sevilla/ Fondo Editorial PUCP.

Rivero, M. 2011. *La edad de oro de los virreyes. El virreinato en la Monarquía Hispánica durante los siglos XVI y XVII*. Madrid: Akal.

Ruiz, T. 1985. "Unsacred monarchy: the Kings of Castile in the Late Middle Ages". En: Wilentz, S. (ed.). *Rites of power: symbolism, ritual and politics since the Middle Age*. Philadelphia: University of Pennsylvania Press.

Skinner, Q. 2002. *Visions of Politics, Vol. 1: Regarding* Method. Cambridge/ New York: Cambridge University Press

Suárez, M. 2017. "Beneméritos, criados y allegados durante el gobierno del virrey conde de Castellar: ¿el fin de la administración de los parientes?". En: *Parientes, criados y allegados: los vínculos personales en el mundo virreinal peruano*. Lima: Pontificia Universidad Católica del Perú e Instituto Riva Agüero, pp. 69-95.

Thomas, Y. 2021. *Legal Artifices: Ten Essays on Roman Law in the Present Tense*. Edinburgh: Edinburgh University Press.

Thomas, Y. 1999. *Los artificios de las instituciones. Estudios de Derecho Romano*. Buenos Aires: Eudeba, 1999.

Torres, E. 2006. *Corte de virreyes. El entorno del poder en el Perú del siglo XVII*. Lima: Pont. Univ. Católica del Perú, Fondo Editorial.

Valenzuela, J. 1999. "Rituales y 'fetiches' políticos en Chile colonial: entre el sello de la Audiencia y el pendón del Cabildo". En: *Anuario de Estudios Americanos*, tomo LVI, 2.

Vargas Ugarte, R. 1966. *Historia General del Perú*, Vol. II: Virreinato 1551-1596. Lima: Ed. Carlos Milla Batres.

Villarreal Brasca, A. 2018. "El privado del virrey del Perú: vínculos, prácticas y percepciones del favor en la gestión del príncipe de Esquilache". En: *Memoria y Civilización*, 21, pp. 141-165.

Zamora, P. 2022. "Yo el Virrey, microscosmos de una monarquía global". En: *De viejas y nuevas fronteras en América y Europa*. Santiago de Chile: Ediciones Universidad Finis Terrae [En prensa].

Zamora, P. 2005. "Espejos de lo sagrado. Genealogía y Antropología del Poder en la monarquía franca (ss.VI-IX). Concepción y Representación en las fuentes del poder sagrado de la Edad Media". En: *Intus Legere*. Santiago de Chile: UAI, pp.71-85.

SOBRE LAS Y LOS AUTORES

Antonio Barrera-Osorio

Profesor asociado de Historia de la Colgate University, B.A. Universidad de los Andes, Bogotá, Colombia y Doctor en historia, University of California, Davis. Su libro, *Experiencing Nature: The Spanish American Empire and the Early Scientific Revolution* (University of Texas Press, 2006), explora cómo emergen las prácticas en el imperio hispanoamericano. Publicaciones selectas: "Empires and science: the case of the sixteenth-century Iberian Empire" en Andrew Goss, ed., Routledge Handbook of Science and Empire (London and New York: Routledge, 2021); "Ciencia, tecnología, saberes locales e imperio en el mundo Atlántico, siglos XV-XIX" *Historia Crítica* 73 (Julio-Septiembre 2019): 3-20, y editor con Mauricio Nieto del número especial de Historia Crítica sobre Ciencia, Tecnología e Imperio Atlánticos; "Experts, Nature, and the Making of Atlantic Empiricism," en *Osiris* 25 (2010); "Experiencia y Empiricismo en el Siglo XVI: Reportes y Cosas del Nuevo Mundo," en *Memoria y Sociedad* 27 (2009). Actualmente está trabajando en un libro que explora las relaciones entre imperios, ciencia y conocimiento local.

Daniela Carrasco

Graduada como Profesora de Historia y Licenciada en Historia por la Universidad Nacional de Salta, Argentina. Actualmente cursa el Doctorado en Historia de la Universidad de los Andes, Chile. Sus temas de investigación se centran en la Historia del poder en el ámbito indiano y dentro el marco de la Monarquía de los Austrias. Ha participado como docente ayudante de las Cátedra Historia Moderna de España (2016), Historia de España de los Austrias (2020 y 2021), Historia de España de los Borbones (2020 y 2021), el Seminario Monarquías Eclesiásticas: clero y política en Francia y España, ss. XV-XVIII (2016), el Seminario El gobierno de las ciudades: oligarquías y poder en la Monarquía española, ss. XV al XIX (2021). Cuenta con publicaciones en revistas y capítulos de libros que versan sobre el desempeño de los oficiales reales en la antigua Gobernación del Tucumán durante el siglo XVII.

Erick Figueroa Ortiz

Profesor de Historia por la Universidad Viña del Mar. Magister en Historia por la Universidad de Chile. Estudiante del programa de Doctorado en Historia en la Universidad de Chile. Sus líneas de investigación está vinculadas a la historia colonial y etnohistoria de América y Chile. Se ha especializado en las prácticas eclesiásticas de los Andes meridionales de los siglos XVI y XVII, con énfasis en la obra de Bartolomé Álvarez (1598). En la actualidad es investigador asociado del Centro de Estudios Históricos de la Universidad Bernardo O'Higgins.

Luis Miguel Glave

Doctor en historia de América por la Universidad Pablo de Olavide de Sevilla e investigador del Colegio de América en la misma universidad. Trabaja en el Archivo General de Indias sobre la historia de los indios en la época colonial y sobre la formación de una memoria entre ellos a través de sus memoriales. Fue miembro del equipo fundador del Centro Bartolomé de las Casas del Cuzco e investigador asociado del Instituto de Estudios Peruanos. Ha sido profesor en diversas universidades del Perú, América Latina y España y es profesor honorario de la Universidad San Antonio Abad del Cuzco. Ha publicado una decena de libros y más de un centenar de colaboraciones en obras colectivas y revistas especializadas sobre la historia colonial andina.

Matthias Gloël

Estudió Historia, Ciencias Políticas y Lingüística en la Universidad de Hamburgo y en la Universitat de Barcelona. Tras el Magíster (2010) inició una tesis doctoral sobre crónicas, relaciones geográficas, tratados de corte y lenguas en los reinos ibéricos de los siglos XVI y XVII, trabajo concluido en 2014. Trabajó como académico en la Universidad de Talca (2015) y en la Universidad de la Santísima Concepción (2015-2017). Desde 2017 se desempeña en la Universidad Católica de Temuco y está ejecutando un Fondecyt de Iniciación sobre Chile desde la perspectiva virreinal de Lima en los siglos XVI y XVII. Ha publicado diversos artículos en revistas especializadas en Chile, Argentina, Brasil, España, Portugal e Italia.

Soledad González Díaz

Licenciada en Historia, Licenciada en Educación y Profesora de Enseñanza Media en Historia y Ciencias Sociales por la Universidad de Valparaíso; Magíster en

Historia, mención Etnohistoria, por la Universidad de Chile y Doctora en Filología Española por la Universidad Autónoma de Barcelona. Sus líneas de investigación se centran en las crónicas andinas, los textos de Indias, la historia colonial y la etnohistoria del Norte de Chile. Ha ejecutado diversos proyectos (Fondecyt, Explora, Ministerio de Bienes Nacionales) vinculados a la historia colonial y la conquista española del cono sur en el siglo XVI y al patrimonio cultural de las regiones de Tarapacá y Magallanes. En la actualidad es investigadora titular del Centro de Estudios Históricos de la Universidad Bernardo O'Higgins. Ha publicado libros y artículos de corriente principal.

Renzo Honores

Doctor of Philosophy in History, Florida International University; Abogado, Pontificia Universidad Católica del Perú y Magíster en Derecho con mención en Derecho Civil por la PUCP. Profesor en la Facultad de Derecho de la Universidad Peruana de Ciencias Aplicadas. Su área de investigación es la historia del Derecho colonial en los Andes. En particular el estudio de la litigación, el uso social del Derecho y el rol de la profesión legal durante los siglos XVI y XVII.

Juan Jiménez Castillo

Licenciado y magíster por la Universidad de Sevilla (2012). En 2014 obtuvo una beca pre-doctoral de Formación Profesional a la Investigación (FPI) del Ministerio de Economía y Competitividad de España, alcanzando su doctorado (Cum-laudem) por la Universidad Autónoma de Madrid y Cantabria en 2019, con una tesis titulada "La Reconfiguración política de los Reinos de las Indias: la transfiguración del poder virreinal en el Perú (1674-1689)". En 2021 ganó una beca del *Fonds Wetenschappelijk Onderzoek* (FWO-Vlaanderen), donde actualmente ejerce como investigador-docente postdoctoral en la facultad de Artes, departamento de Historia Moderna de la Katholieke Universiteit Leuven (KU Leuven).

Mónica Medelius

Doctora en Historia y Estudios Humanísticos: Europa, América, Arte y Lenguas y Máster en Historia de América Latina, Mundos Indígenas, ambos títulos por la Universidad Pablo de Olavide de Sevilla, España. Máster en Historia con mención en Estudios Andinos y Bachiller en Ciencias Sociales con especialidad en Antropología, por la Pontificia Universidad Católica del Perú - PUCP. Entre sus publicaciones cabe resaltar: "El descargo de cuentas de quipucamayos en un pleito de españoles. Huamanga, 1572", en *El quipu colonial*, Marco Curatola Petrocchi y José Carlos de la Puente Luna (ed.), Lima, PUCP. "Los caciques-quipucamayos y sus funciones administrativas en la época prehispánica" en *Revista Histórica*, Lima, Academia Nacional de Historia, tomo XLIV. "Curacas, quipus y bienes del común", en *Histórica*, Lima, PUCP.

Germán Morong Reyes

Profesor de Historia y Geografía y Licenciado en Educación por la Universidad de Tarapacá, Doctor en Estudios Americanos, mención Pensamiento y Cultura, por el IDEA de la Universidad de Santiago de Chile. Es el actual Director del Centro de Estudios Históricos (CEH) de la Universidad Bernardo O'Higgins-Chile. También es Director de *Autoctonía. Revista de Ciencias Sociales e Historia* (ERIH-PLUS). Se ha especializado en la historia del Perú colonial temprano, con énfasis en el estudio de las prácticas de gobierno y los derroteros político-ideológicos del asentamiento colonial en el centro sur andino. Asimismo, en la construcción de alteridades coloniales en el Perú virreinal de los siglos XVI-XVII. En 2016 publicó *Saberes hegemónicos y dominio colonial. Los indios en el Gobierno del Perú de Juan de Matienzo (1567)*, Rosario, Prohistoria ediciones. Actualmente es investigador responsable del proyecto Fondecyt Regular nº 1220626, ANID-CHILE (2022-2025).

Ariel Morrone

Doctor en Historia por la Universidad de Buenos Aires, donde también obtuvo sus títulos de grado como Profesor y Licenciado en Historia. Se desempeña como Investigador Adjunto del Consejo Nacional de Investigaciones Científicas y Técnicas (CONICET) en el Programa de Historia de América Latina (PROHAL) del Instituto de Historia Argentina y Americana "Dr. Emilio Ravignani" de la Facultad de Filosofía y Letras de la misma Universidad. Sus investigaciones se centran en los procesos de construcción y reproducción de las redes locales del poder colonial en la cuenca del lago Titicaca durante los siglos XVI y XVII, articuladas en torno a las figuras de los caciques, los curas doctrineros y los corregidores de indios. Sus resultados fueron publicados en revistas especializadas de Argentina, Chile, Bolivia, Perú, España y Alemania.

Guillermo Nieva Ocampo

Licenciado en Historia por la Universidad Nacional de Córdoba (Argentina) y Doctor en Historia por la Universidad Complutense de Madrid (España). Se desempeña desde el año 2010 como Investigador del CONICET (Consejo Nacional de Investigaciones Científicas y Técnicas) y como Profesor Titular de Historia Medieval en la Universidad Nacional de Salta (Rep. Argentina), donde dicto, además, la materia Historia Moderna de España. Sus temas de investigación se centran en la historia social y política del clero regular de Castilla en la Baja Edad Media y en la Edad Moderna, así como en la historia de la antigua Gobernación del Tucumán (Virreinato del Perú) en los siglos XVII y XVIII. He publicado numerosos artículos en revistas científicas de Europa y de Argentina, y he coordinado y colaborado en libros dedicados a la historia castellana Bajomedieval y Moderna, y también a la historia del Tucumán.

Adolfo Polo y la Borda

Profesor asistente de Historia en la Universidad de los Andes, Colombia. Obtuvo su doctorado en la Universidad de Maryland, College Park, Estados Unidos en 2017. Su investigación se centra en la cultura política del Imperio español global, con un especial interés en la globalización de la modernidad temprana, la movilidad imperial, así como las prácticas e ideas cosmopolitas.

Julio Ramírez Barrios

Doctor en Historia por la Universidad de Sevilla. Miembro de los proyectos "Negocios reservados y documentos secretos: el sigilo en el gobierno de la Monarquía (Andalucía y América, ss. XVI-XVIII)" y "Entre Andalucía y América: actores y prácticas documentales de gobierno, representación y memoria", así como del Grupo de Investigación CALAMUS "Escritura y Libro en Sevilla en la Edad Media y Moderna" (HUM 131). Actualmente trabaja como Personal de investigación en la Universidad de Sevilla (España). Su principal línea de investigación es la historia del documento y de las instituciones de gobierno del Perú Colonial.

Manuel Rivero Rodríguez

Catedrático de Historia Moderna de la Universidad Autónoma de Madrid. Especialista en el estudio de los virreinatos, las relaciones entre España e Italia durante el Renacimiento y la Edad Moderna y el conde duque de Olivares. Actualmente es director del Instituto Universitario la Corte en Europa y del grupo de investigación IRMA (Italia Rinascimentale e Moderna). Fundador y director de la revista "Los libros de la Corte" del Instituto Universitario La Corte en Europa, desde 2009 hasta 2017. Ha hecho estancias docentes y de investigación e impartido cursos y seminarios en diversas universidades en Argentina, México, Reino Unido, Francia, Países Bajos, Alemania e Italia, dirigido proyectos de investigación nacionales e internacionales con las universidades de Roma, Florencia y Catania. Es autor de numerosas publicaciones, libros, artículos y ponencias de congresos. Entre sus libros destacan *Diplomacia y relaciones exteriores en la Edad Moderna* (Madrid, Alianza Editorial, 2000), *Gattinara: Carlos V y el sueño del Imperio* (Madrid, Sílez, 2005), La *Edad de Oro de los virreyes* (Madrid, Akal, 2011), *La Monarquía de los Austrias* (Madrid, Alianza Editorial, 2017). Con José Martínez Millán ha publicado *Historia Moderna* (Madrid, Alianza Editorial, 2021) y tiene en prensa *Olivares: Reforma y revolución en España* (1622-1643), (Madrid, Arzalia, 2022).

Flavia Tudini

Flavia Tudini es doctora en *Culture d'Europa, ambienti, spazi, storie, arti, idee* (curriculum en Historia Moderna) por la Universidad de Trento (2019) y actualmente es becaria post-doctoral en el Departamento de *Culture, Politiche, Società* de la Universidad de Turín. Sus temas de investigación se refieren a la circulación de la información para el gobierno de los territorios en la Monarquía española y, en particular, a las dinámicas de poder entre las esferas eclesiástica y civil en el virreinato del Perú a principios de la Edad Moderna.

Patricio Zamora Navia

Doctor en Historia por la Pontificia Universidad Católica de Valparaíso. Autor de artículos y libros referidos a la Historia Cultural de Occidente, en particular los fenómenos asociados al poder y sus representaciones: *De Reinas y Plebeyas. Mujeres en la Historia*, (2014) y *Europa en América, Historias conectadas. Aproximaciones a una Historia Global del Mundo Moderno* (2014). Creador de los Coloquios de Historia Medieval. Miembro de la *Sociedad Chilena de Estudios Medievales*. Coordinador del Nodo Chileno de la Red Internacional COLUMNARIA. Académico del Instituto de Historia de la Universidad de Valparaíso y de la Facultad de Derecho de la Universidad Jesuita Alberto Hurtado.